D0315414

COLLECTION « BEST-SELLERS »

DU MÊME AUTEUR

chez le même éditeur

INTENSITÉ, 1998
SEULE SURVIVANTE, 1999
NE CRAINS RIEN, 2000

DEAN KOONTZ

JUSQU'AU BOUT DE LA NUIT

roman

traduit de l'américain par Dominique Defert

ROBERT LAFFONT

Titre original : SEIZE THE NIGHT
© Dean Koontz, 1999
Traduction française : Éditions Robert Laffont, S.A., Paris, 2000.

ISBN 2-221-08998-7
(édition originale : ISBN 0-553-10665-1 Bantam Books, New York)

Cette deuxième aventure de Christopher Snow est dédiée
à Richard Aprahamian et à Richard Heller
– nobles champions du droit,
qui, jusqu'à ce jour,
ont toujours su m'éviter la prison !

L'amitié est précieuse, non seulement
durant les passages sombres de la vie,
mais aussi durant les éclaircies.
Et, par un doux arrangement des choses,
il se trouve que le soleil a beaucoup brillé
au cours de mon existence.

Thomas Jefferson

Avant-propos

Je m'appelle Christopher Snow. Le récit qui suit est extrait de mon journal intime. Si vous l'avez entre les mains, c'est que je suis probablement mort. Si je ne suis pas mort, c'est que les événements relatés ici auront fait – ou feront bientôt – de moi l'un des hommes les plus connus de la planète. Si personne ne lit ces mots, c'est que le monde tel que nous l'avons connu ne sera plus et que la civilisation humaine aura disparu à jamais. Je ne suis pas plus orgueilleux que le commun des mortels et je préfère la paix de l'anonymat aux fastes d'une reconnaissance universelle. Toutefois, s'il m'était donné de choisir entre l'apocalypse et la gloire, à tout prendre, je préférerais la gloire.

Première partie

LES ENFANTS PERDUS

1.

Partout ailleurs, la nuit tombe, mais à Moonlight Bay [1] elle glisse et s'étale au-dessus de nos têtes dans un murmure imperceptible, telle une onde bleu saphir léchant le sable d'une plage. À l'aube, lorsque la nuit s'éloigne sur le Pacifique pour rejoindre la lointaine Asie, l'obscurité semble se retirer à regret de la ville, laissant derrière elle des flaques noires dans les rues, sous les voitures, les ponts et les frondaisons des chênes vénérables.

Selon une légende tibétaine, il existe dans l'Himalaya un sanctuaire de tous les vents du monde, le berceau sacré d'où naît la moindre brise, le plus grand cyclone. Si la nuit jouissait d'un tel repaire, nul doute qu'il se situerait dans notre bonne cité.

La nuit du 11 avril à Moonlight Bay, au cours de son périple vers l'Occident, l'obscurité emporta avec elle Jimmy Wing, un petit garçon âgé de cinq ans.

Il était près de minuit. Je cheminais à bicyclette dans les rues pavillonnaires aux abords de l'Ashdon College, l'université où mes parents morts assassinés avaient enseigné. J'avais fait un détour par la plage ; malgré l'absence de vent, les vagues étaient mollassonnes et boueuses. Rien qui justifiât la peine d'enfiler une combinaison et de mettre une planche de surf à l'eau. Orson, mon croisé labrador, trottinait à mes côtés, dans sa livrée noire.

---

1. La Baie du clair de lune. *(N.d.T.)*

Mon chien et moi ne cherchions pas l'aventure : simplement un bon bol d'air frais et un peu d'exercice pour nous dégourdir les jambes, une activité qui occupait le plus clair de nos nuits. De toute façon, seul un irresponsable oserait chercher l'aventure dans notre pittoresque Moonlight Bay, bourgade à la fois des plus paisibles et des plus dangereuses. Il suffisait de se planter à un coin de rue pour connaître le plus grand frisson de votre vie.

Lilly Wing habitait une maison dans une rue ombragée bordée de grands pins odorants. En l'absence de réverbères, les troncs et les branches tordues semblaient noirs comme du charbon, à l'exception de pans d'écorce argent que faisaient luire quelques flaques de lune.

C'est au moment où un faisceau de lumière se mit à balayer avec frénésie les troncs des pins, projetant sur la chaussée de grandes ombres dansantes que je remarquai la présence de Lilly. Elle appelait son fils d'une voix blanche, des appels rendus faibles et bredouillants par l'angoisse.

Profitant de l'absence de voitures, Orson et moi cheminions au milieu de la rue – les nouveaux rois du macadam ! Alors que je me dirigeais vers le trottoir, Lilly déboucha entre deux pins, traversant la chaussée en courant.

– Que se passe-t-il, Badger ?

Cela faisait douze ans que je l'appelais « Badger ». Un petit surnom affectueux que je lui avais trouvé du haut de mes seize printemps. À cette époque, elle se nommait Lilly Travis et nous étions amoureux. Nous nous croyions alors faits l'un pour l'autre. Parmi nos multiples passions communes, nous éprouvions une admiration attendrie pour *Le Vent dans les saules* de Kenneth Grahame, où le courageux Badger, le blaireau, se faisait l'ardent défenseur de tous les animaux de la forêt. « Tous mes amis doivent pouvoir aller où bon leur semble dans ce pays, avait-il promis à Mole, la taupe, ou bien il faudra m'en rendre raison ! » De même, tous ceux qui m'évitaient à cause de ma tare congénitale, qui me traitaient de vampire parce que je ne pouvais supporter la moindre lumière, qui me rossaient ou me torturaient à coups de lampes-torches, qui disaient du mal de moi dans mon dos comme si j'avais *choisi* de naître avec un

Xeroderma pigmentosum – tous, autant qu'ils étaient –, devaient en rendre raison à Lilly qui se dressait devant eux au premier signe d'intolérance, le cœur plein d'un juste courroux et le visage écarlate de fureur. Tout jeune, j'avais dû apprendre à me défendre – c'était une nécessité vitale – et, lorsque j'avais rencontré Lilly, j'étais en mesure de me débrouiller seul face à l'adversité. Toutefois, elle tenait à être ma championne, et à me prêter main-forte avec autant de détermination que le noble Badger à son ami Mole.

Bien qu'elle fût de constitution frêle, rien n'arrêtait Lilly. Du haut de son mètre soixante, elle toisait n'importe lequel de ses adversaires. Elle était aussi brave, téméraire et hargneuse que pleine de douceur et de bonté.

Cette nuit-là, cependant, sa grâce naturelle l'avait abandonnée ; ses traits étaient déformés par la peur. En entendant ma voix, elle fit volte-face. Le faisceau de sa lampe balaya un instant mon visage, puis plongea aussitôt vers le sol lorsqu'elle me reconnut.

– Chris... Mon Dieu...

– Que se passe-t-il ?

Je descendis aussitôt de bicyclette.

– Jimmy a disparu.

– Il s'est enfui ?

– Non.

Elle fit demi-tour et se dirigea vers sa maison à grands pas.

– Viens voir !

La propriété de Lilly était close par une petite barrière blanche confectionnée par ses soins. Le portail était flanqué non pas de poteaux mais de bougainvillées qui se rejoignaient pour former un dais de verdure au-dessus du visiteur. Son petit bungalow trônait au bout d'une allée de briques aux lignes tortueuses – une autre œuvre de son cru, réalisée après la lecture assidue de manuels de maçonnerie. La porte d'entrée, ouverte, donnait sur une enfilade de pièces décorées avec goût, toutes baignées d'une lumière fatale pour mon organisme.

Au lieu de nous entraîner, Orson et moi, dans la maison, Lilly nous fit quitter l'allée de briquettes et traverser la pelouse. Dans l'obscurité, j'entendais le chuintement des roues de mon vélo sur l'herbe rase. Nous nous dirigions vers le flanc nord du bungalow.

La fenêtre d'une chambre était ouverte. À l'intérieur, une lampe de chevet brillait, constellant les murs de lumière ambre et d'ombres brunes, au hasard des plis de l'abat-jour en tissu. Sur la gauche du lit, des figurines de *La Guerre des étoiles*, disposées sur une étagère. L'air chaud de la chambre, s'échappant dans la nuit, faisait faseyer sans bruit le rideau ; on eût dit un fantôme, enveloppé dans son suaire, hésitant à quitter ce monde.

– Je croyais avoir verrouillé la fenêtre, mais j'ai dû me tromper, annonça Lilly, le souffle court. Quelqu'un a soulevé le battant, un dingue, c'est sûr, et a emporté Jimmy !

– Allons, ce n'est peut-être pas si grave...

– Seul un malade peut avoir fait ça.

D'une main tremblante, elle dirigea le faisceau de sa lampe-torche vers le parterre de fleurs, le long de la maison.

– Je n'ai pas d'argent, expliqua-t-elle.

– De l'argent ?

– Pour payer une rançon. Je ne suis pas riche. Personne ne kidnapperait Jimmy pour de l'argent. C'est donc pire que ça.

Des sceaux de Salomon, décorés de chapelets de fleurs blanches luisant comme des flocons de neige, avaient été piétinés par l'intrus. Des empreintes de pas étaient visibles dans la terre meuble – des empreintes d'adulte. Un adulte chaussé de baskets et, à en juger par la profondeur des marques, une personne d'une certaine corpulence, sans doute un homme.

Je remarquai alors que Lilly était pieds nus.

– Je ne pouvais pas dormir, je regardais la télé, une émission stupide, énonça-t-elle, avec une pointe de culpabilité dans la voix, comme si elle aurait dû songer à l'éventualité d'un rapt et ne pas quitter son fils des yeux.

Orson se fraya un passage entre Lilly et moi et se mit à renifler les empreintes dans la terre.

– Je n'ai rien entendu. Jimmy n'a pas poussé un cri, mais j'ai eu comme un pressentiment...

Sa beauté naturelle de statue antique était à présent défaite par la terreur, son visage creusé par des rides d'angoisse – un masque de souffrance. Seule la force du désespoir l'empêchait de s'effondrer. Malgré la pénombre qui en atténuait les détails, la vision d'une telle douleur m'était insupportable.

– Ne t'en fais pas, ça va aller, ânonnai-je, honteux de proférer de telles inepties.

– J'ai appelé la police. Ils devraient être arrivés depuis longtemps. Qu'est-ce qu'ils fichent ?

Par expérience, j'avais appris à me méfier des autorités à Moonlight Bay. Les flics étaient corrompus – une corruption qui ne se limitait pas à l'acceptation de pots-de-vin et à la jouissance de privilèges : le mal était plus profond, plus insidieux.

Pas la moindre sirène perçant la nuit. Il n'y en aurait pas, j'en aurais mis ma main à couper. Dans notre chère petite bourgade, la police répondait aux appels au secours avec une discrétion qui dépassait tout entendement – pas de charge glorieuse, pas même le moindre gyrophare –, son but étant plutôt de cacher le crime et d'étouffer les récriminations de la victime que de faire régner la justice.

– Il n'a que cinq ans... cinq ans..., psalmodia Lilly d'une voix misérable. Et si c'était le type des infos, Chris ?

– Quel type ?

– Le tueur en série... celui qui... brûle des gosses.

– Ça se passe loin d'ici.

– Il fait ça un peu partout dans le pays. Presque une fois par mois. Des gosses sont brûlés vifs. Pourquoi ça n'arriverait pas ici ?

– Parce que ce n'est pas ça... C'est autre chose.

Elle se détourna de la fenêtre et balaya le jardin du faisceau de sa lampe, comme si elle espérait découvrir son fils en pyjama parmi les feuilles mortes et les écorces de pins couvrant le pied des eucalyptus.

Orson, captant une odeur étrangère, émit un grognement sourd. Il inspecta le rebord de la fenêtre, huma l'air, renifla de nouveau la terre et se dirigea à pas hésitants vers l'arrière de la maison.

– Il a quelque chose.

– Il a quoi ? demanda Lilly en se retournant.

– Une piste. Il a une piste.

Une fois derrière la maison, le chien se dirigea vers le fond du jardin, au petit trot.

– Badger, lançai-je, ne leur dis pas qu'on était là, Orson et moi.

– À qui donc ? demanda-t-elle d'une voix inquiète, qui s'éteignit dans un murmure.

– Aux flics.

– Pourquoi ?

– Je t'expliquerai à mon retour. Je vais retrouver Jimmy, ne t'inquiète pas.

Je pouvais tenir la première promesse. Quant à la seconde, elle relevait davantage de l'incantation et de la méthode Coué.

En vérité, tandis que je courais derrière mon chien, en tenant mon vélo par le guidon, je craignais déjà que Jimmy soit perdu à jamais. Au mieux, j'allais trouver au bout de cette piste le cadavre du petit garçon et, avec un peu de chance, son assassin.

2.

Lorsque j'atteignis le bout du jardin, Orson avait disparu de ma vue. Sa fourrure était d'un noir si dense que la lumière de la pleine lune ne parvenait à l'éclairer. J'entendis un « wouf » sur ma droite, puis un autre. Je suivis l'appel.

Au fond du jardin se trouvait un garage en kit dont l'entrée donnait sur une ruelle. Une allée dallée longeait la construction et menait à un portillon de bois. Orson se tenait devant, tirant en vain sur la poignée. Il paraissait évident que ce chien était plus intelligent que ses congénères. Parfois même, je me demandais s'il n'avait pas un QI supérieur au mien... Si je n'avais pas eu l'avantage de posséder une paire de mains, nul doute que c'est à moi que serait revenue l'écuelle et à lui l'assiette. Il aurait eu le meilleur fauteuil de la maison et le contrôle de la télécommande TV.

Heureux de pouvoir faire une démonstration de ma supériorité d'humain, je déverrouillai le portillon d'un geste théâtral et l'ouvris en grand. Une succession de garages, d'abris de jardin et de clôtures bordaient la ruelle. De l'autre côté, passé un talus poussiéreux, protégé de grands eucalyptus, s'ouvrait le versant d'un canyon noyé de broussailles. La maison de Lilly se trouvait à la lisière de la ville. Personne n'habitait ce canyon. Les buissons et les hautes herbes n'abritaient que les faucons, les coyotes, les lapins, les écureuils, les mulots et les serpents.

Se fiant à son flair, Orson, arpentant le sol au nord, puis au sud, en poussant de petits gémissements, entreprit d'explorer la végétation au bord du défilé. Je me tenais sur le talus, scrutant le ravin d'un noir charbon que le clair de lune ne parvenait pas à percer. Pas la moindre lueur de lampe. Si Jimmy avait été emporté dans ce puits de ténèbres, son kidnappeur possédait une vision nocturne hors norme.

Dans un jappement, Orson abandonna ses recherches et revint dans la ruelle. Il se mit à tourner en rond, comme s'il cherchait à se mordre la queue, mais le museau en l'air et la truffe palpitante. L'atmosphère était pour lui un buffet de senteurs. Mes narines ne détectaient que l'effluve médicinal des eucalyptus. Pourtant, une autre odeur, suspecte, attira soudain Orson comme un aimant. Dans la seconde, il s'élança vers le nord.

Jimmy était peut-être en vie, au fond...

J'ai une nature à croire aux miracles. Pourquoi pas à celui-ci ?

Je grimpai sur mon vélo et suivis mon chien. Il progressait d'un trot rapide et décidé. Pour ne pas me faire distancer, je devais pédaler avec vigueur. J'entendais ma chaîne tinter dans la nuit. Quelques rares lampes luisaient à l'arrière des propriétés. Par réflexe, je zigzaguai entre les flaques de lumière, même si je ne risquais pas grand-chose à les traverser. Avec la vitesse, je n'aurais été exposé qu'une fraction de seconde à leur radiation.

Le *Xeroderma pigmentosum* – le XP pour ceux que le latin rebute – est une affection génétique que je partage avec un petit millier d'Américains – un club très fermé –, et qui touche un individu sur deux cent cinquante mille. Cette maladie rend sujet à des cancers de la peau et de la rétine par exposition aux rayons ultraviolets, quelle que soit leur provenance – soleil, ampoules électriques, tubes fluorescents... même écrans de télévision. Si je paressais ne serait-ce qu'une demi-heure sous le soleil d'été, je serais brûlé au second degré. Mais la véritable horreur de cette maladie, c'est que la plus infime exposition aux UV raccourcit mon espérance de vie parce que chaque affection s'ajoute à la précédente. Des microlésions s'accumulant au fils des ans, de façon imperceptible, peuvent se manifester soudain sous forme de cancers et de mélanomes. Six cents minutes d'exposition, accumulées seconde par seconde durant une année, ont le même effet néfaste que dix heures d'exposition continue sur une plage en plein mois de juillet. La lumière d'un réverbère est certes moins dangereuse pour moi qu'un soleil ardent, mais pas totalement inoffensive. Le risque zéro n'existe pas.

Le commun des mortels est capable, avec son lot de gènes normalement opérationnels, de réparer les dommages subis chaque jour par son épiderme et sa rétine. D'ordinaire, son corps, à l'inverse du mien, produit des enzymes qui retirent de nos cellules les segments d'ADN endommagés pour les remplacer par des segments de nucléotides intacts.

Je dois vivre dans l'ombre alors que vous prospérez sous des cieux azur, pourtant je ne ressens pas de haine, pas de rancœur face à votre liberté outrecuidante qui vous semble si naturelle – de l'envie toutefois.

Je ne vous hais point, parce que vous êtes humains ; vous aussi, de fait, avez vos propres tares. Peut-être êtes-vous laid, lent d'esprit ou trop intelligent pour vos pairs ; sourd, muet, aveugle, ou enclin au désespoir, au mépris de vous-même, ou encore terrorisé par Dieu. Nous portons tous notre croix. En revanche, si vous êtes plus séduisant et plus intelligent que moi, doté de vos cinq sens et d'un optimisme d'airain doublé d'une belle estime de vous-même et que vous refusez, comme moi, de faire profil bas devant la Grande Faucheuse… alors oui, je pourrais *presque* vous haïr – si je n'étais convaincu qu'à l'instar de tout mortel en ce monde imparfait, votre cœur et votre esprit sont torturés, hantés par le chagrin, la douleur et le désir.

Au lieu de pester contre mon XP, je préfère le considérer comme une bénédiction. Ainsi, mon passage sur terre est-il unique en son genre.

La nuit est donc devenue mon amie. Je connais le monde entre le crépuscule et l'aube comme personne. Je suis le frère du hibou, de la chauve-souris et du blaireau. Les ténèbres sont ma demeure. Cela représente parfois un avantage insoupçonné.

Bien sûr, rien ne peut compenser le fait que la mort frappe souvent avant l'heure les victimes du XP. Survivre longtemps à l'âge adulte n'est pas un espoir raisonnable, du moins pas sans quelques désordres neurologiques tels que tremblements de tête et de mains, pertes d'audition, difficultés d'élocution, voire atrophies des capacités mentales. Pour l'heure, j'ai fait un pied de nez à la mort sans payer mon dû. J'ai également échappé à toutes les infirmités que les médecins m'ont prédites depuis longtemps.

J'ai vingt-huit ans.

Dire que mon temps est compté serait à la fois un cliché et un euphémisme. C'est toute ma vie qui est hypothéquée. Mais il faut bien faire avec. On doit tous payer un jour ou l'autre. Il est simplement probable que je recevrai la note avant vous. En attendant le passage du facteur, soyons heureux. Il n'y a pas d'autre réponse. La moindre seconde de désespoir est une seconde de vie perdue.

Voilà pourquoi, au cœur de cette fraîche nuit de printemps, je cheminais derrière mon Sherlock Holmes à quatre pattes, croyant dur comme fer au miracle de retrouver le petit Jimmy Wing vivant.

Les allées et les rues désertes se succédaient ; Orson ouvrait la marche, ne s'arrêtant pas une seule fois en route pour renifler le pied d'un arbre. Nous avions ainsi traversé un parc, longé le lycée, puis descendu les rues de la ville basse, jusqu'à déboucher sur la Santa Rosita, la rivière qui coupe l'agglomération en deux, à mi-hauteur de la baie.

Dans cette région de la Californie où la pluviométrie annuelle ne dépassait pas trente centimètres, les rivières et les torrents restaient à sec la majeure partie de l'année. La dernière saison des pluies n'avait pas été plus arrosée que d'habitude et le lit de la Santa Rosita était presque entièrement découvert – une vaste étendue de limon, luisant faiblement sous la lune, un ruban lisse et plat, ponctué çà et là de morceaux de bois qui tendaient leurs branches tordues vers le ciel comme des hommes pris d'épouvante. La Santa Rosita mesurait à peine vingt mètres de large ; elle ressemblait moins à une rivière qu'à un canal ou à un chenal de drainage. Pour parer aux soudaines montées des eaux, ruisselant des collines cernant Moonlight Bay, ses berges avaient été rehaussées par des murets de ciment tout le long de son cours urbain.

Orson quitta la rue, traversa la petite bande de terrain vague et sauta sur le muret. Je lui emboîtai le pas et me glissai entre deux panneaux que l'on retrouvait tout le long de la rivière. L'un déclarait que son accès était strictement interdit et que tout contrevenant s'exposait à des poursuites judiciaires, l'autre, destiné aux plus récalcitrants, annonçait que le niveau pouvait monter brusquement et emporter quiconque s'aventurait dans le lit de la rivière. Malgré tous ces avertissements, malgré la violence évidente des tourbillons et des courants de fond bien connus de la Santa Rosita, des amateurs d'émotions fortes en raft bricolé, en kayak, voire munis d'une simple paire de palmes, étaient emportés par les flots presque tous les ans. En un seul hiver, on avait dénombré trois morts. Les humains sont toujours prêts à revendiquer leur droit divin d'être stupides et inconscients.

Orson se tenait sur le muret, sa tête poilue levée vers la *Pacific Coast Highway*[1] et l'enfilade de collines au-delà. Il s'était raidi et laissa échapper un gémissement ténu. Je consultai ma montre ; chaque minute comptait, si toutefois Jimmy était encore en vie.

– Qu'y a-t-il ? le pressai-je.

Sans prêter attention à ma question, il dressa les oreilles, huma l'air immobile, semblant hypnotisé par quelque odeur de charogne émanant du lointain, dans le lit de la rivière à sec. Comme d'habitude, je suivis, avec un infime décalage, les humeurs de mon chien. Même si je n'avais pas le nez d'Orson ni aucun de ses sens – mais, à l'inverse de lui, je pouvais m'enorgueillir de disposer d'une garde-robe et d'un compte en banque ! –, j'avais l'impression de sentir ces émanations. Orson et moi étions plus proches qu'homme et chien d'ordinaire. Je n'étais pas son maître, plutôt son ami, son frère.

Quand je disais plus haut que j'étais le frère du hibou, de la chauve-souris et du blaireau, c'était au sens figuré. Quand je prétends être le frère d'Orson, c'est à prendre au sens propre.

– Qu'est-ce que tu as ? Tu as peur ? demandai-je tout en observant le lit boueux qui s'enfonçait entre les collines.

---

1. Célèbre autoroute longeant le Pacifique sur toute la Côte ouest. *(N.d.T.)*

Orson releva la tête. Dans ses yeux d'ébène flottaient deux reflets de lune. Je crus au début qu'il s'agissait de moi, mais mon visage n'est ni si pâle ni si mystérieux. Je ne suis pas un albinos. Ma peau est pigmentée et mon teint est même hâlé, alors que le soleil m'a rarement touché.

Orson renifla. Inutile de connaître le langage chien pour comprendre qu'il avait mal pris ma remarque. C'était l'insulter que de sous-entendre qu'il pouvait avoir aussi facilement peur.

Orson en effet se montrait plus courageux que la plupart de ses congénères. Depuis deux ans et demi que nous nous connaissions – c'est-à-dire depuis qu'il était chiot – je n'avais vu qu'une seule chose capable de l'effrayer réellement : les singes.

– Des singes ?

Il souffla bruyamment. Un mouvement que j'interprétai comme un « non ».

Pas de singe, cette fois.

Pas encore.

Orson trotta vers une rampe qui menait au lit de la Santa Rosita. En juin et juillet, camions et pelleteuses empruntaient cet accès pour aller le nettoyer, afin de lui conserver une profondeur suffisante en prévision des crues.

Je suivis le chien, ombre noire sur le noir du ciment. Sur le limon luisant, il ressemblait à une âme égarée glissant sur un Styx asséché.

Les dernières pluies datant de trois semaines, le sol n'était pas détrempé. Il était suffisamment compact pour que je puisse y rouler sans trop m'enfoncer. Sous la lune, je vis les marques nettes de mes roues dans la boue, ainsi que d'autres traces, plus profondes, laissées par un véhicule. À en juger par l'aspect des empreintes, il devait s'agir d'une camionnette, d'un van ou d'un petit 4 × 4.

Cerné par des remparts de béton de six mètres de hauteur, je ne distinguais rien de la ville autour de nous. Seulement les silhouettes anguleuses des maisons sur le haut des collines, nichées sous les arbres ou partiellement éclairées par des réverbères. Tandis que nous remontions le cours de la rivière, la nuit semblait se refermer sur nous, avaler Moonlight Bay et ses habitants.

De temps à autre, des conduites d'eau perçaient les parois de béton, certaines larges d'à peine un mètre, d'autres grandes comme des citernes. Les traces de pneus passaient devant ces buses sans dévier de leur trajectoire, décrivant parfois un petit zigzag pour éviter un arbre mort.

Même si Orson regardait droit devant lui, les yeux rivés vers l'amont, je scrutais avec suspicion les bouches béantes sur les côtés. Durant les orages, elles vomissaient des torrents d'eau provenant du ruissellement des rues et des collines. Par beau temps, comme aujourd'hui, elles étaient les portes d'accès à un monde souterrain et secret peuplé d'étranges habitants. Je m'attendais à tout moment à voir fondre sur nous l'un d'entre eux.

Mon imagination débordante, je le reconnais, vient souvent s'immiscer dans mes raisonnements. Elle m'a quelquefois attiré des ennuis, mais m'a souvent sauvé la vie. En outre, j'avais exploré nombre de ces conduites et assisté à des choses étonnantes. Des curiosités, des mystères. Des spectacles suffisamment troublants pour alimenter à vie la plus stérile des imaginations.

Le soleil se levant chaque jour avec une régularité inexorable, mes pérégrinations nocturnes devaient se limiter au périmètre de la ville. Il fallait que je reste à distance raisonnable des ténèbres salvatrices de ma maison. Sachant que Moonlight Bay comptait douze mille habitants, augmentés d'une population estudiantine de trois mille âmes grâce à l'Ashdon College, les distractions nocturnes étaient légion. Notre ville n'est en rien un trou perdu. Pourtant, à l'âge de seize ans, je connaissais chaque recoin de Moonlight Bay mieux que ceux de ma propre tête. Aussi, pour tromper l'ennui, je n'avais de cesse de trouver de nouvelles terres d'exploration au sein du microcosme auquel mon XP me confinait. Je m'étais donc tourné vers le monde du dessous et avais entrepris d'arpenter le dédale des réseaux souterrains, tel le fantôme de l'opéra errant dans les entrailles du palais Garnier. Il ne me manquait que la cape, la cagoule, les balafres, et son grain de folie pour parfaire le tableau.

Depuis peu, j'avais fait mon retour au royaume de la surface.

Comme tout un chacun en ce bas monde, je préfère remettre à plus tard mon emménagement définitif sous terre.

Passé une nouvelle canalisation, et sans avoir subi quelque attaque que ce soit, Orson accéléra soudain l'allure. La piste était de plus en plus fraîche.

À mesure que le lit de la rivière remontait vers l'est, il se rétrécissait. Au moment de passer sous l'autoroute, sa largeur n'atteignait pas dix mètres. Le tunnel sous la quatre-voies courait sur une trentaine de mètres. Malgré la lumière laiteuse qui luisait à l'autre extrémité, le conduit était d'un noir d'encre.

Orson ne semblait détecter aucun danger. Pas le moindre grognement ne sortait de sa gorge. Il ralentit toutefois le pas à l'abord de ces ténèbres. Puis il s'arrêta devant l'ouverture noire, la queue immobile, les oreilles dressées, en alerte.

Depuis des années que je me livrais à mes expéditions nocturnes, je n'avais sur moi que le strict minimum, à savoir : une petite somme d'argent pour de menus achats, une lampe de poche pour les rares fois où l'obscurité se révélait davantage une ennemie qu'une amie, un téléphone portable fixé à ma ceinture, ainsi qu'un Glock 9 millimètres – mon dernier ajout à cet équipement de campagne. Je le portais sous ma veste, rangé dans un étui d'épaule. Il m'était inutile d'y porter la main pour m'assurer de sa présence – je sentais son poids contre mes côtes –, mais je ne pus m'empêcher de poser les doigts sur la crosse comme s'il s'était agi d'un talisman.

Outre ma veste de cuir, j'étais vêtu de noir de la tête aux pieds : pantalon, polo à manches longues, chaussettes, tennis, tout y passait. Ce goût prononcé pour le noir n'avait rien à voir avec quelque inclination pour les vampires, les prêtres, les ninjas ou certaines vedettes d'Hollywood. La nuit, dans cette ville, le simple bon sens exigeait d'être armé et de se fondre dans l'obscurité pour ne pas attirer les regards.

Je descendis de vélo et décrochai ma lampe du guidon. Ma bicyclette était dépourvue de phare. J'avais vécu tant d'années dans les ténèbres ou dans des pièces éclairées à la bougie que mes yeux s'étaient acclimatés au manque de lumière.

Le faisceau perça la pénombre sur une dizaine de mètres, révélant les parois verticales du boyau et sa voûte cintrée.

Rien de suspect dans cette section du tunnel.

Orson décida de s'y aventurer.

Avant de le suivre, j'écoutai le trafic sur l'autoroute, au-dessus de ma tête, qui longeait le Pacifique. Ce son produisait toujours sur moi un double effet, excitation et mélancolie à la fois.

Je n'avais jamais conduit de voiture et n'en conduirais sans doute jamais. Même si je protégeais mes mains et mon visage avec un masque, l'irruption incessante des phares des véhicules roulant en sens inverse causerait des dommages irréparables à mes rétines. Et puis, comme je devais être de retour à la maison avant le lever du jour, je ne pourrais pas aller bien loin.

Rassuré par la rumeur au-dessus de moi, j'explorai les grands contreforts de béton où l'on avait percé le tunnel. Au sommet du plan incliné, les feux éclairaient par intermittence le rail de sécurité bordant l'autoroute, mais les voitures restaient invisibles.

C'est alors que je vis – ou crus voir – du coin de l'œil quelqu'un accroupi près du bas-côté, une silhouette un peu moins noire que la nuit, éclairée fugitivement par les phares des voitures. Elle se tenait au sommet du terre-plein, à peine visible, penchée au-dessus de moi comme une gargouille malveillante.

Tandis que je me retournais pour avoir un meilleur point de vue, un groupe rugissant de voitures et de camions perça la nuit. Dans cette déflagration de lumières stroboscopiques, j'aperçus une ombre dévaler le remblai en diagonale et s'éloigner en courant. En une fraction de seconde, l'inconnu fut hors de portée des faisceaux vrombissants, avalé par les ténèbres et caché par les hauts murs qui me cernaient.

Peut-être comptait-il contourner le chenal par l'aval pour me prendre à revers ? Peut-être n'avait-il cure de ma personne ? Même s'il était réconfortant de se croire le centre du monde, l'univers entier ne tournait pas autour de moi.

Ce personnage mystérieux n'avait peut-être même jamais existé. Tout avait été si fugitif que je ne pouvais jurer de rien.

De nouveau, je portai la main sous ma veste et touchai mon Glock. Orson s'était enfoncé si loin dans le tunnel que je le distinguais à peine avec ma lampe de poche.

Après avoir scruté le lit de la rivière en aval et n'avoir détecté aucune ombre suspecte, je me décidai à suivre mon chien, poussant ma bicyclette de la main gauche et tenant la lampe de la droite.

Je n'aimais pas que ma main droite – celle avec laquelle je tirais au pistolet – soit encombrée de la lampe de poche. D'autant moins que le faisceau de lumière faisait de moi une cible facile.

Les parois du tunnel étaient humides et une odeur désagréable de moisi en émanait. Les passages des voitures résonnaient au-dessus de ma tête, faisant vibrer la voûte. Derrière cette rumeur, je m'évertuais à entendre, dans mon dos, les pas d'un intrus. Chaque fois que je me retournais, il n'y avait personne. Juste des parois de ciment et un lit de rivière asséché.

Les traces de pneus poursuivaient leur chemin après le tunnel, dessinant deux lignes sur le lit de la Santa Rosita. Je pus enfin éteindre ma lampe et retrouver le clair-obscur rassurant de la lune. Le chenal s'incurvait sur la droite, s'éloignant en direction est-sud-est, selon une pente plus raide.

Nous abordions la lisière de la ville, même si j'apercevais encore çà et là quelques villas nichées à flanc de colline. Je savais où nous allions. Je le supputais depuis le début, mais j'avais préféré chasser cette idée de ma tête. Si Orson était sur la bonne piste, et si ces traces appartenaient bien au véhicule du ravisseur de Jimmy, alors nous nous dirigions droit vers Fort Wyvern, la base militaire désaffectée, source de tant de maux à Moonlight Bay.

La base de Wyvern s'étendait sur plus de soixante-dix mille hectares – une surface bien plus grande que notre propre ville – ceints d'un grillage surmonté de fils de fer barbelés. Cette frontière traversait la Santa Rosita. À la sortie du coude de la rivière, j'aperçus une Chevrolet Suburban de couleur sombre garée devant la clôture. Les traces que nous suivions s'arrêtaient là.

La camionnette se trouvait à vingt mètres de moi. Personne à bord. Je m'approchai toutefois avec précaution.

Orson se mit à grogner en sourdine.

Je me retournai. Aucun signe de ma gargouille humaine.

Rien d'anormal, pourtant je ne pouvais m'empêcher de me sentir observé. Je cachai mon vélo derrière un arbre mort planté dans le limon. Après avoir glissé ma lampe de poche sous ma ceinture, je sortis le Glock. C'était un pistolet dit *safe-action*, un système à détente sécurisée : pas de petit levier à pousser pour tirer.

Cette arme m'avait sauvé la vie bien des fois. Pourtant, malgré sa présence rassurante, je ne me sentais jamais très à l'aise de l'avoir à la main. Son poids et son design n'avaient rien à voir à l'affaire : c'était une arme superbe. À force d'arpenter les nuits, j'avais été victime de nombreuses agressions, verbales comme physiques – des gosses, le plus souvent, mais également des adultes parfaitement conscients de leurs actes. Ces rencontres fâcheuses m'avaient incité à me donner les moyens de me défendre et m'avaient convaincu de ne jamais laisser une injustice impunie. Cependant, dans le même temps, elles avaient engendré chez moi une aversion pour la violence sous toutes ses formes. Afin de sauver ma peau, et celle de mes proches, j'étais prêt à employer la force brutale, quitte à donner la mort. Mais au grand jamais je n'en éprouverais du plaisir.

Avec Orson à mes côtés, je m'approchai de la Chevrolet. Pas de conducteur, ni de passager. Le capot était encore chaud. Le véhicule ne stationnait là que depuis quelques minutes.

Des empreintes de pas, côté volant, faisaient le tour de la voiture, pour rejoindre la porte opposée, puis s'éloignaient vers la clôture. Des empreintes semblables – pour ne pas dire identiques – à celles que j'avais vues devant la fenêtre de la chambre de Jimmy.

La lune argent descendait lentement vers l'occident. Toutefois la lumière restait suffisante pour que je puisse déchiffrer la plaque d'immatriculation. Je mémorisai rapidement le numéro.

Je trouvai l'endroit où l'on avait sectionné le grillage à l'aide de tenailles. Un travail datant d'un certain temps déjà, puisque les dernières pluies avaient effacé toute trace à cet endroit.

Plusieurs conduites d'eaux pluviales reliaient Moonlight Bay à Wyvern. Lors de mes explorations de la base militaire, j'avais coutume d'emprunter l'un de ces accès discrets. Sur cette portion de clôture enjambant la rivière, comme sur tout le reste du périmètre militaire, un panneau rouge et noir indiquait que les lieux avaient été fermés par le ministère de la Défense en vue d'une reconversion ultérieure, mais restaient néanmoins propriété de l'État, et que tout contrevenant serait poursuivi et condamné pour les chefs d'accusation dont la liste couvrait le tiers inférieur de l'écriteau. Le ton de la mise en garde était sévère et sans appel, pourtant je ne me sentais pas autrement impressionné. Les politiciens nous avaient promis la paix, la prospérité, le bonheur et la justice pour tous. S'ils avaient tenu leurs promesses, peut-être aurais-je éprouvé plus de respect pour leurs menaces.

Au pied de la clôture, d'autres traces accompagnaient celles du ravisseur. Malheureusement, gêné par la pénombre, j'avais du mal à les identifier dans le limon. Je pris le risque d'allumer ma lampe un court instant – une seconde ou deux pas plus – et je compris alors ce qui s'était passé.

Bien que le trou de la clôture eût été pratiqué depuis longtemps, le kidnappeur avait préféré ne pas laisser la brèche béante et avait refermé les mailles du grillage derrière lui. Pour réouvrir le passage ce soir, il lui avait fallu l'usage de ses deux mains. Il avait donc posé Jimmy à terre, menaçant sans doute le gosse des pires sévices s'il ne se tenait pas tranquille.

La deuxième série de traces étaient des empreintes beaucoup plus menues, celles de pieds nus d'enfant – d'un enfant arraché de son lit.

Je revis en pensée le visage de Lilly torturé par l'angoisse. Son mari, Benjamin Wing, poseur de lignes à haute tension, était mort électrocuté trois ans plus tôt, au cours d'un accident du travail. C'était un grand gaillard aux yeux pétillant de malice, avec du sang indien cherokee et si débordant de vitalité qu'il semblait ne jamais devoir mourir. Sa mort avait été un grand choc pour tout le monde. Malgré toute sa force de caractère, Lilly ne se remettrait pas d'une seconde perte aussi terrible.

Bien qu'entre Lilly et moi ce fût de l'histoire ancienne, je continuais à éprouver beaucoup d'affection pour elle. Je priais de tout mon cœur que je puisse lui ramener son fils sain et sauf, et voir cette douleur quitter son si doux visage.

Les gémissements d'Orson étaient chargés d'angoisse. Il tremblait, impatient de poursuivre la chasse. Après avoir glissé ma lampe une nouvelle fois sous ma ceinture, j'ouvris la brèche dans le grillage. Les mailles récalcitrantes émirent des grincements courroucés.

– Si on réussit, tu auras triple portion de saucisses ! promis-je.

Et Orson s'engouffra dans l'ouverture.

3.

Un brin de métal accrocha ma casquette et la fit tomber par terre. Je la ramassai, l'epoussetai contre mon jean et la rajustai sur mon crâne. Cette casquette bleu marine était en ma possession depuis huit mois. Je l'avais trouvée dans une étrange salle enfouie trois étages sous terre, au cœur des entrailles abandonnées de Fort Wyvern. Au-dessus de la visière, une inscription était brodée au fil rouge : *Mystery Train.* J'ignorais totalement à qui appartenait cette casquette, tout autant que la signification de ces deux mots.

Cet objet n'avait que peu de valeur en soi, mais, à mes yeux, c'était le plus précieux de mes biens. Je n'avais pas la preuve formelle que cette casquette était liée aux recherches scientifiques qu'effectuait ma mère – à Fort Wyvern ou ailleurs –, pourtant j'en étais intimement convaincu. Bien qu'ayant déjà percé certains des terribles secrets de Wyvern, j'étais persuadé que si je découvrais la signification de ces mots cousus de fil rouge, des mystères plus étonnants encore me seraient révélés. Cette casquette garantissait tous mes espoirs. Elle ne me quittait jamais ; si elle ne se trouvait pas sur ma tête, elle était à portée de ma main. Elle me rappelait ma mère, constituant avec elle un lien intangible qui me réconfortait.

Un entrelacs d'arbres morts et de détritus en tout genre encombrait la base du grillage qui formait un tamis. Hormis ce détail, cette partie du lit de la Santa Rosita était parfaitement identique à celle située en aval, de l'autre côté de la barrière.

Devant moi des empreintes, de nouveau d'un seul type : le kidnappeur avait recommencé à porter l'enfant.

Orson suivit la piste à toute allure. Je fis de mon mieux pour ne pas me faire distancer. Bientôt, une nouvelle rampe se profila devant nous, gravissant la rive droite. Orson s'y engagea sans hésitation. J'arrivai au sommet, haletant dix fois plus que mon chien qui était pourtant, selon l'échelle d'âge canine, de loin mon aîné.

Je rêvais de vivre assez longtemps pour sentir mes forces et ma vigueur s'étioler. Au diable les poètes qui vantaient la pureté et la beauté d'une mort précoce, la joie pour l'homme de quitter ce monde au faîte de sa gloire et de ses capacités ! Même si je n'avais pas été atteint de *Xeroderma pigmentosum*, j'aurais été heureux de vieillir et d'assister à ma douce décrépitude d'octogénaire, et, pourquoi pas, d'éteindre d'un souffle laborieux cent bougies sur mon gâteau d'anniversaire. On ne vit jamais plus intensément que lorsqu'on se sait fragile et vulnérable, lorsqu'un coup du sort nous enseigne l'humilité, et nous guérit de l'arrogance, cette sorte d'infirmité des sens qui nous empêche d'entendre les leçons de ce monde.

Un nuage masqua la lune. Je regardai autour de moi, scrutant la rive nord de la Santa Rosita. Pas la moindre trace de Jimmy et de son ravisseur. Aucune trace, non plus, de ma gargouille humaine. Apparemment, mon invité mystère ne s'intéressait plus à moi.

Orson se dirigeait droit vers une série d'entrepôts qui se dressaient à une cinquantaine de mètres des berges. Ces constructions noires avaient quelque chose d'énigmatique, même si leurs silhouettes m'étaient familières.

Ce n'étaient pas les seuls entrepôts de la base. Malgré leur taille imposante, ils ne représentaient qu'une infime partie des infrastructures de Fort Wyvern. À l'âge d'or de la guerre froide, la base avait compté près de trente-sept mille quatre cents employés, auxquels s'ajoutaient les familles résidentes – treize mille personnes – et quatre mille civils. On dénombrait plus de trois mille bungalows et maisons individuelles sur le site – aujourd'hui à l'abandon mais tenant encore debout.

Sitôt atteint le secteur des entrepôts, Orson, se fiant à son flair, me guida dans le labyrinthe des allées de service pour rejoindre le plus grand bâtiment du bloc. Comme les édifices alentour, celui-ci était rectangulaire, avec des murs à ossature d'acier qui culminaient à dix mètres au-dessus du sol, posés sur une dalle de béton et supportant un toit de tôles ondulées. À une extrémité, se profilait une grande porte roulante, capable d'avaler un semi-remorque entier. Elle était fermée, mais à côté, béait une porte à dimension humaine.

Orson se fit soudain hésitant en approchant de l'ouverture. Les entrailles de l'édifice étaient d'un noir d'ébène. Le chien ne savait s'il flairait une menace ou non, comme gêné par l'épaisseur des ténèbres qui régnaient à l'intérieur. Dos au mur, je m'approchai de la porte et m'arrêtai contre le chambranle, pistolet en main, canon pointé en l'air.

Je retins ma respiration, à l'écoute du silence, troublé seulement par les gargouillis de mon estomac qui achevait de digérer ma collation du soir – gouda, pain à l'oignon et petits piments. Pas le moindre bruit. Personne ne m'attendait, tapi derrière cette porte ; à moins qu'il s'agisse de quelqu'un aussi silencieux qu'un mort.

Bien qu'Orson fût à peine plus visible qu'une tache d'encre sur de la soie noire, je tentai de décrypter ses réactions. Après une hésitation qui me glaça le sang, mon brave compagnon fit demi-tour et s'éloigna de quelques pas dans l'allée, vers le bâtiment suivant.

Orson aussi était parfaitement silencieux. Pas le moindre cliquetis de griffes sur le macadam, pas le moindre bruit de respiration ou de borborygmes. Un chien fantôme ! Il se retourna, scruta l'endroit d'où il venait, une écharde de lune captée par ses prunelles. Les petites taches blanches de ses crocs dessinaient dans la nuit un sourire mystérieux, flottant dans le vide.

Ce n'était pas la peur qui faisait hésiter Orson devant cette porte, mais une réelle incertitude : il ne savait plus où se trouvait la bonne piste. Je consultai de nouveau ma montre. Chaque impulsion électrique décomptait le temps, mais également les chances de retrouver Jimmy vivant. Ce n'était évidemment pas pour obtenir une rançon qu'il avait été enlevé, mais pour d'autres motifs plus ténébreux parmi lesquels la possibilité d'un acte de barbarie n'était pas à exclure.

J'attendis, faisant de mon mieux pour contenir mon imagination fébrile. Orson revint vers la porte de l'entrepôt, ne semblant guère plus convaincu que la première fois que notre lièvre était passé par là. Je décidai toutefois de passer à l'action. La chance sourit au téméraire, c'est bien connu. La mort aussi parfois...

De ma main gauche, je pris ma lampe de poche, et franchis, accroupi, le seuil de la porte en surveillant la partie gauche de la pièce. D'un même mouvement, j'allumai ma torche, et la fis rouler au sol : une tentative naïve d'attirer les coups de feu – s'il devait y en avoir – loin de moi.

Pas la moindre déflagration. Lorsque la lampe eut achevé sa course, un silence de mort retomba dans les entrailles du bâtiment, comme si je m'étais trouvé sur une planète sans atmosphère où le vide phagocyte le moindre bruit. Je fus presque surpris de m'apercevoir que je pouvais respirer normalement.

Je récupérai ma lampe. La salle était si vaste que le faisceau ne parvenait pas à en éclairer toute la longueur. Même dans le sens de la largeur, la lumière s'égarait à mi-parcours. Je balayai l'espace de ma torche. Les ombres se refermaient dans la traîne du faisceau, plus denses et noires que jamais. Personne, c'était dejà ça.

Toujours incertain, Orson avança dans la lumière, marqua un temps d'arrêt puis, d'un reniflement dégoûté, il fit demi-tour et se dirigea vers la sortie. Un tintement étouffé retentit alors dans les profondeurs de l'entrepôt. Le bruit se propagea le long des murs nus de cette caverne artificielle. Un bruit métallique qui s'évanouit en un cliquetis de grillon.

J'éteignis aussitôt.

Dans les ténèbres, je sentis Orson revenir à mes côtés, son flanc contre ma jambe. Je ne pouvais pas rester là, les bras ballants. Mais où aller ?

Jimmy devait être tout proche – et sans doute encore en vie – parce qu'à l'évidence le kidnappeur n'avait pas encore atteint son repaire pour le sacrifice. Pauvre Jimmy, tout seul, si petit... Son père était mort comme le mien. Et sa mère succomberait au désespoir si je ne le lui ramenais pas vivant. Patience. C'est l'une des grandes vertus de l'existence que Dieu tente de nous enseigner en refusant de se montrer. Patience, donc...

Avec Orson je restai sur le qui-vive bien après l'extinction de tout écho sonore. Puis, dans le silence, alors que je commençais à me demander si je n'avais pas eu une hallucination auditive, une voix se fit entendre – une voix grave, agacée, aussi lointaine et assourdie que le bruit métallique. Il ne s'agissait pas d'une conversation, mais d'un monologue. Quelqu'un se parlait à lui-même – ou à un petit captif, muet de terreur. Je ne pouvais distinguer les paroles, mais la voix était grommelante et rocailleuse, comme celle d'un troll dans un conte de fées.

Son auteur ne s'approchait ni ne s'éloignait. À l'évidence, il ne se trouvait pas dans cette salle. Malheureusement, le troll se tut avant que j'aie pu déterminer la provenance du son.

Fort Wyvern était fermé depuis seulement dix-neuf mois ; je n'avais donc pas eu le temps d'en explorer chaque recoin. Mon attention s'était jusqu'à présent concentrée sur les parties les plus mystérieuses de la base, là où j'avais le plus de chances de faire des découvertes étranges. Cet entrepôt était identique aux autres édifices du secteur, voilà tout ce que je savais – deux étages, une charpente métallique à ciel ouvert, et un volume découpé en quatre zones : une aire de stockage où nous nous trouvions avec Orson, un bureau au fond à droite, sa réplique à gauche, et une réserve en mezzanine au-dessus des deux bureaux. Ni le tintement métallique, ni la voix ne provenaient de l'un de ces endroits.

Je tournais lentement sur moi-même, agacé par l'épaisseur impénétrable de l'obscurité. Une noirceur aussi dense que le voile qui s'abattra un jour sur mes yeux, lorsque mes rétines seront rongées par les tumeurs.

Un nouveau bruit – plus fort que le précédent. Un choc, métal contre métal, se répercutant en écho le long des poutrelles de l'entrepôt, roulant comme une canonnade lointaine. Cette fois, je sentis le sol de ciment trembler. L'origine du bruit se trouvait-elle sous mes pieds ?

Sous certains bâtiments de la base s'ouvraient de vastes royaumes souterrains, inconnus de la majorité des soldats qui accomplissaient leur devoir quotidien. Des portes savamment dissimulées conduisaient à des sous-sols en cascade jusqu'à de véritables caveaux. Nombre de ces repaires étaient reliés entre eux par des escaliers, des couloirs, des tunnels et des ascenseurs qu'il m'aurait été pratiquement impossible de détecter avant le démantèlement complet de la base.

Reste que, sans l'aide de mon frère canin, jamais je n'aurais pu faire mes plus belles découvertes. Orson n'avait pas son pareil pour repérer un effluve suspect filtrant d'une minuscule fissure, trahisssant ainsi la présence d'un passage secret vers les profondeurs. Son talent en ce domaine n'avait d'égal que celui qu'il montrait pour tenir debout sur une planche de surf ou encore pour obtenir de moi une seconde canette de bière – alors que je savais parfaitement qu'il ne fallait pas dépasser l'unité sous peine de le rendre totalement ivre !

Nul doute que cette base tentaculaire recelait encore bien des secrets. Pourtant, malgré l'excitation que me procuraient mes explorations, j'y mettais délibérément un frein. Lorsque je passais trop de temps parmi les fantômes de la base, une sorte d'angoisse me gagnait. Cette terre interdite avait accueilli des programmes de recherches d'une éthique douteuse, financés par les caisses noires du gouvernement ; certains projets avaient frôlé la mégalomanie et défié l'entendement à en juger d'après les reliques énigmatiques que les expérimentateurs avaient laissées derrière eux.

Cependant, l'origine de mon malaise était ailleurs. J'avais le sombre pressentiment – simple intuition, mais d'une force indéfectible – que les travaux menés ici n'avaient pas été motivés par l'altruisme mal placé d'instances supérieures, ni par l'avidité d'une poignée de politiciens en mal d'électeurs, mais par pure et simple malignité. Lorsque je passais plus de deux nuits consécutives dans les sous-sols de la base, je me retrouvais submergé par l'impression tangible que des démons erraient dans ces terres abandonnées, à la recherche de nouvelles victimes. Ce n'est pas la peur qui m'incitait à remonter vers la surface, plutôt une sorte de répulsion morale, d'écœurement – comme si, à trop séjourner dans ces royaumes, je risquais d'entacher mon âme à jamais. Je n'imaginais pas, toutefois, que ces entrepôts parfaitement anodins fussent reliés à ce monde souterrain. Mais à Fort Wyvern, la logique n'avait pas droit de cité.

J'allumai de nouveau la lampe pour explorer les alentours, tout en étant persuadé que le kidnappeur – si je suivais bien ses traces – ne se trouvait pas à ce niveau. Je jugeais curieux, d'ailleurs, qu'un psychopathe n'ait pas choisi d'emporter sa victime dans un lieu plus intime, plus privé, où il pourrait assouvir, sans crainte d'être dérangé, ses besoins pervers. Certes, il émanait de Wyvern une aura mystérieuse comparable à celle de Stonehenge, des pyramides de Gizeh ou des ruines mayas. Son magnétisme malveillant subjuguait forcément les âmes dérangées qui, comme c'était peut-être le cas ici, tiraient leur plaisir de la torture et de la mutilation d'innocents. La base devait attirer les pervers aussi sûrement qu'une église désaffectée ou une maison abandonnée dont tous les occupants, cinquante ans plus tôt, auraient été massacrés à coups de hache par un fou.

Il restait toujours la possibilité que le ravisseur ne soit ni un malade mental ni un pervers, mais un simple employé exécutant un travail mystérieux pour quelque service de Wyvern encore en activité. La base, malgré sa fermeture officielle, restait mère de toutes les paranoïas.

Avec Orson à mes côtés, je me dirigeai vers les bureaux à l'autre bout de la salle. La pièce de droite était vide, comme je le prévoyais – quatre murs de ciment nus, un trou au plafond où se nichait autrefois l'éclairage fluo. Dans l'autre bureau, en revanche, le vilain Darth Vader gisait au sol. Une petite figurine en plastique d'une dizaine de centimètres, noir et or : une pièce de la collection de Jimmy que j'avais aperçue sur l'étagère près de son lit.

Orson renifla Darth Vader.

– Allez, Luke, cherche Darth Vader ! cherche ! murmurai-je.

Un grand rectangle noir s'ouvrait dans le mur du fond – un ancien puits d'ascenseur débarrassé de ses portes palières. Un simple bastaing, boulonné de part et d'autre du trou à hauteur de taille, en protégeait l'accès. Des traces dans les murs, des restes de fixations en métal laissaient à penser que, du temps où Wyvern était en activité, l'accès à cet ascenseur se trouvait dissimulé derrière quelque meuble – une armoire, un classeur – monté sur glissière. La cabine et le moteur avaient disparu eux aussi. Une rapide inspection des lieux à l'aide de ma lampe de poche révéla un puits profond de trois étages. Le seul accès aux niveaux inférieurs consistait en l'échelle de maintenance fixée au mur.

Le ravisseur était sans doute trop occupé dans les étages inférieurs pour remarquer dans le conduit la lueur laiteuse que renvoyaient les parois. Je préférai toutefois éteindre ma torche et la ranger dans ma ceinture. À contrecœur, je glissai aussi mon Glock dans son étui. Je mis un genou à terre et sondai les ténèbres à tâtons. Était-ce un puits sans fond, un trou noir miraculeux reliant notre bon vieil univers à une *terra incognita* ? Mon cœur battait la chamade. Ma main trouva la fourrure du chien, dont le contact doux et soyeux m'apaisa.

Orson posa son museau sur ma cuisse, pour que je le caresse et le gratte entre les oreilles – l'une droite, l'autre cassée. Nous avions tout fait ensemble, tout partagé, perdu tous deux trop de personnes chères à notre cœur. Et c'était avec une même répulsion que nous imaginions la vie l'un sans l'autre. Nous avions nos amis communs – Bob Halloway, Sasha Goodall et d'autres. Nous les aimions tendrement. Seulement, Orson et moi, c'était autre chose, au-delà de la simple amitié : deux moitiés d'un seul être qui se complétaient.

– Allez, vieux frère, chuchotai-je. Il lécha ma main. Il faut que j'y aille.

En dépit de toutes ses remarquables qualités, Orson ne pouvait descendre une échelle verticale. Il avait un flair à toute épreuve, un courage hors pair, un cœur grand comme ça, une loyauté sans fin, une réserve d'amour infinie, un nez froid et une queue énergique qui déclenchait des ouragans – mais, comme tout un chacun, il avait ses limites.

M'accrochant à l'une des fixations murales, je me hissai sur le garde-fou de fortune et tendis le bras dans le vide à la recherche de l'échelle. Ma main trouva un échelon d'acier ; je m'y agrippai de toutes mes forces, enjambai le vide et quittai mon perchoir.

J'étais certes moins silencieux qu'un chat, mais il fallait être né souris pour s'en rendre compte. Je n'étais, évidemment, doté d'aucun pouvoir paranormal – j'étais incapable de marcher sur des feuilles mortes sans soulever un concert de craquements. Toutefois, trois facteurs assuraient la furtivité de mes mouvements : primo, la patience quasi infinie que j'avais acquise à force de vivre avec mon XP ; secundo, le fait que la nuit était mon alliée et que je m'y sentais comme un poisson dans l'eau ; tertio – et c'était un argument de taille – l'observation assidue des oiseaux et autres animaux au fil de mes pérégrinations nocturnes. Chacun d'eux était passé maître dans l'art de la dissimulation ; une nécessité impérieuse car la nuit est le royaume des prédateurs, et tout chasseur est également une proie.

Je m'enfonçai dans le puits de ténèbres, échelon après échelon, regrettant d'avoir les deux mains prises par cette activité : j'aurais préféré être un singe, avec des pieds préhensibles, afin de pouvoir libérer ma main droite et sortir mon arme. Mais un singe n'aurait jamais été assez stupide pour se mettre dans une situation aussi périlleuse.

Un peu avant d'atteindre le premier sous-sol, une idée me saisit : comment le ravisseur avait-il pu descendre l'échelle avec le petit Jimmy ? En le portant sur l'épaule, à la manière des pompiers ? Il avait dû être obligé de lui attacher les chevilles et les poignets ; car l'enfant, paniqué, risquait de se débattre et de lui faire lâcher prise… Et quand bien même, Jimmy devait peser lourd sur les épaules et déséquilibrer le kidnappeur chaque fois qu'il lâchait un échelon pour attraper le suivant.

Le ravisseur, tout psychotique qu'il était, devait donc être fort, agile et très sûr de lui. Mon doux espoir de poursuivre un bibliothéquaire bedonnant, l'esprit momentanément dérangé à l'idée de devoir rentrer toutes ses fiches sur ordinateur, s'envola définitivement.

Je ne pouvais m'expliquer cette sensation, cette certitude soudaine, mais, malgré les ténèbres totales, je sus que j'avais atteint, dans le conduit, l'endroit où se trouvaient autrefois les portes de l'ascenseur, un trou béant qui donnait sur le premier sous-sol. Peut-être quelque odeur nouvelle ou un changement infime d'acoustique ? Impossible de se prononcer ; cela restait pour moi aussi impénétrable que le fil narratif d'un film de Jackie Chan ! Comment savoir également si le kidnappeur s'était arrêté à ce niveau ou était descendu plus bas ?

Je sondai le silence, espérant de nouveau entendre la voix grave de mon troll ou un son susceptible de me guider, accroché à mon échelle au-dessus du gouffre comme une araignée géante à sa toile. Au fur et à mesure que je restais immobile, suspendu dans le vide, je me sentais de moins en moins araignée et de plus en plus moucheron. Je m'attendais à voir remonter des profondeurs du puits une mygale géante, agitant en silence ses mandibules avides.

Mon père enseignait la poésie et, durant mon enfance, il m'avait lu tous les vers possibles et imaginables – d'Homère à Seuss, de Donald Justice à Ogden Nash. Voilà peut-être d'où provenait mon imagination échevelée. Pour le reste, mes délires étaient à mettre au compte de mon sandwich gouda-piment qui me pesait sur l'estomac. Ou de cette atmosphère surnaturelle qui planait dans toute la base. Même le plus cartésien des hommes aurait eu des raisons de croire en la réalité zoologique d'une araignée géante. L'impossible et l'inconcevable avaient vu le jour en ces lieux.

Tandis que je restais accroché à mon échelle, pétrifié, incapable de chasser de mon esprit la vision de ces huit pattes velues remontant vers moi, un bruit me ramena tout à coup à la réalité. Un nouveau bruit métallique, identique au premier, identifiable, cette fois : le bruit d'une porte d'acier qui claque.

Le son provenait de l'un des deux niveaux inférieurs.

Bravant l'araignée géante tapie dans l'ombre, je descendis encore un étage, jusqu'au palier suivant. Une fois arrivé au second sous-sol, j'entendis de nouveau la voix grommelante, moins distinctement que la fois précédente. Toutefois, sans l'ombre d'un doute, elle provenait de ce niveau.

Je relevai la tête vers le sommet de l'échelle. Orson devait sûrement regarder vers moi, sans pouvoir me voir, percevant seulement mon odeur rassurante – rassurante et forte. Car je suais à grosses gouttes, moitié à cause de l'effort, moitié par angoisse à l'idée de la confrontation imminente.

M'accrochant d'une main à un échelon, je sondai l'obscurité à la recherche de l'ouverture palière. Je la trouvai, passai le bras de l'autre côté du mur et sentis sous mes doigts une poignée de métal, qui m'offrit une bonne prise pour m'extraire du puits. L'absence de rambarde de protection dans ce sous-sol facilita grandement ma tâche.

Les ténèbres semblaient encore plus noires et denses qu'au niveau supérieur. Un concentré d'obscurité.

Mon Glock en main, je m'éloignai du puits de l'ascenseur, en rasant le mur. Le froid du ciment me pénétrait jusqu'aux os malgré ma veste et mon pull-over.

Une bouffée de fierté m'envahit à l'idée que j'avais accompli tout ce chemin sans me faire repérer de mon troll. Une fierté qui se mua aussitôt en angoisse, lorsqu'une part plus raisonnable de moi se demanda : *Seigneur, qu'est-ce que je fais ici ?*

J'avais l'impression d'être victime d'un sort, attiré malgré ma volonté vers des profondeurs de plus en plus noires, jusqu'au cœur même de toute obscurité, là où le noir est aussi dense que l'univers avant le Big Bang. Une fois arrivé à ce point de non-retour, je serais sans nul doute écrasé, pressé jusqu'à ce que mon âme soit extirpée de ma chair tel le jus d'une grappe de raisin. J'eus soudain très soif. Une bière ! Une bière ! Mon royaume pour une bière !

Je tentai de calmer ma respiration – en inspirant par la bouche, pour réduire le bruit, au cas où mon troll se serait tenu tapi tout près, une tronçonneuse à la main, son doigt crochu refermé sur le démarreur.

Mon imagination était ma pire ennemie, et prouvait sans conteste mon appartenance au genre humain !

L'air n'avait pas aussi bon goût qu'une Corona ou une Heineken. Il laissait en bouche quelque chose d'amer et d'acide. La prochaine fois que je poursuivrais un méchant, j'emporterais une glacière avec un pack de six bien frappé.

Pendant un moment, je laissai mon esprit vagabonder, fixant mes pensées sur de grands rouleaux turquoise prêts à accueillir ma planche de surf, sur des pichets ruisselant de bière fraîche entourés de ribambelles de tacos, sur des étreintes miraculeuses avec Sasha, jusqu'à ce que la sensation d'oppression s'efface, tuant dans l'œuf la crise de claustrophobie qui me guettait.

C'est en songeant au doux visage de Sasha que je pus retrouver tout mon calme – ses grands yeux gris, transparents comme de l'eau de pluie, sa crinière rousse, la courbe de ses lèvres esquissant un sourire, son aura, lumineuse.

Grâce à ma discrétion parfaite, le kidnappeur ignorait sans doute que j'étais sur ses traces, car il n'avait aucune raison de mener son infâme besogne dans l'obscurité : pouvoir lire la terreur sur le visage de sa victime ne ferait qu'accentuer son plaisir. Les ténèbres qui régnaient autour de moi semblaient donc prouver que mon ennemi se trouvait dans une autre salle, certainement toute proche, mais fermée par une porte. Et l'absence de cris laissait supposer qu'il n'avait pas encore fait de mal à l'enfant. Chez ce genre de prédateur, le plaisir de l'ouïe devait égaler celui des yeux. Les hurlements sonnaient sans doute à ses oreilles comme une symphonie.

Si je ne pouvais distinguer la moindre lumière provenant de sa lampe, la réciproque était vraie. J'allumai donc ma torche.

Je me trouvais sur un classique palier d'ascenseur. Sur la droite, un long couloir, large d'environ deux mètres cinquante, avec des carreaux gris au sol et des murs de ciment peints en bleu pastel. Le corridor s'éloignait dans une seule direction, semblant couvrir toute la longueur de l'entrepôt.

Il y avait très peu de poussière à cette profondeur, l'air était aussi immobile et confiné que dans une morgue. Et le sol trop propre pour laisser apparaître l'empreinte de pas. Les tubes fluorescents et les grilles déflectrices n'avaient pas été retirés du plafond. Je ne courais toutefois aucun risque, puisque l'électricité était coupée depuis longtemps dans ce secteur.

Au fil de mes explorations nocturnes, je m'étais aperçu que l'armée ne s'était souciée de récupérer le matériel que dans certaines parties de la base. Peut-être avait-on arrêté le travail des équipes de récupération, jugeant l'opération trop onéreuse ?

Sur le mur de droite, une série de portes d'acier, sans écriteau ni marque d'aucune sorte quant à la nature des pièces qu'elles protégeaient.

Même sans l'aide d'Orson, je pus déduire que les deux bruits qui m'avaient attiré dans ces profondeurs provenaient de ce niveau. Quelqu'un avait claqué l'une ou l'autre de ces portes métalliques. Le couloir était si long que mon faisceau ne parvenait à en éclairer l'extrémité. Impossible de savoir au juste combien de portes perçaient son flanc. Dix ? cinquante ? Une seule chose était sûre : Jimmy et son ravisseur se trouvaient derrière l'une d'entre elles.

La torche commençait à chauffer ma main, mais il ne s'agissait que d'une impression : j'avais pris soin qu'aucune partie de ma peau ne touche le faisceau. J'étais toutefois tellement habitué à éviter la moindre lumière, que tenir cette lampe me procurait le même malaise qu'à Icare s'approchant du soleil et sentant monter de ses ailes une odeur de brûlé.

Sur chaque porte, une poignée. Pas de trou de serrure, seulement une fente pour y glisser une carte magnétique. Les verrous électroniques avaient été retirés ou s'étaient désengagés dès que le courant avait été coupé.

Je m'approchai de la première et collai mon oreille contre le panneau d'acier. Rien. Le silence. Je tournai la poignée avec précaution, m'attendant à être accueilli soit par un couinement ténu, soit par l'« Alléluia » du *Messie* de Haendel. Mais rien. Le pêne coulissa sans bruit comme si le mécanisme avait été huilé la veille.

Je poussai le battant de l'épaule, la lampe dans une main et le pistolet dans l'autre.

La pièce était vaste, environ trente mètres de long pour quinze de large. Ma torche avait bien du mal à en éclairer toute l'étendue. Elle semblait vide – ni meubles, ni machines, ni marchandises. Son contenu avait sans doute été emporté par avion vers les monts embrumés de la Transylvanie pour équiper de neuf le laboratoire du docteur Frankenstein.

Éparpillés au sol, des centaines de petits squelettes.

Pendant un instant, à la vue de la petitesse des cages thoraciques, je crus qu'il s'agissait de restes d'oiseaux – idée absurde, car je ne connaissais aucune créature à plumes qui manifestât du goût pour la vie souterraine. En y regardant à deux fois, je remarquai la forme des crânes et l'absence d'ossature d'ailes. Des rats ! Des centaines de rats !

La plupart des squelettes gisaient seuls, séparés des autres, mais, par endroits, il y avait des tas d'os, comme si les rongeurs s'étaient avalés les uns les autres en mangeant le même morceau de fromage imaginaire.

Le plus étrange, toutefois, était les motifs que dessinaient certains des crânes et des os. Les carcasses semblaient curieusement agencées. Les rats ne gisaient pas en des lieux aléatoires ; tout s'organisait comme si quelqu'un s'était donné la peine de positionner leurs cadavres selon des lignes complexes, à la manière des *vévés* des prêtres vaudous.

Je connaissais certaines pratiques vaudoues car mon ami, Bobby Halloway, avait fréquenté autrefois Holly Keene, une surfeuse sculpturale qui versait dans le vaudou. Leur relation n'avait pas duré.

Un *vévé* est un motif représentant une puissance astrale. Les prêtres préparent cinq grands bols contenant chacun une substance différente – de la farine blanche, de la farine de maïs, de la poudre de brique rouge, de la poussière de charbon et de l'ocre pilée. En faisant tomber en pluie ces ingrédients, ils dessinent des motifs sacrés au sol. Un prêtre doit connaître de mémoire des centaines de ces vévés et être capable de les reproduire à main levée. Pour la moindre cérémonie, il faut réaliser plusieurs *vévés* si l'on veut attirer l'attention des dieux sur l'*oumphor* – le temple – où les rites sont accomplis.

Holly Keene était une adepte de la magie blanche, baptisée *hougnon*, à l'inverse de la magie noire, nommée *bocor*. Pour elle, créer des zombies en ranimant les morts ou lancer des sorts qui transformaient le cœur de ses ennemis en tête de poulet constituaient des procédés indignes – même si, comme elle s'empressait de le préciser, elle pouvait réaliser tous ces prodiges. Il lui suffisait de renoncer au hougnon pour prendre sa carte du bocor. Holly était foncièrement gentille, quoiqu'un peu excentrique. Elle m'avait mis vraiment mal à l'aise une seule fois : le jour où elle avait soutenu que les *Partridge Family* formaient le plus grand groupe de rock de tous les temps !

Ces squelettes de rats, en tout état de cause, se trouvaient là depuis longtemps. Autant que je pouvais – et osais – en juger, il ne subsistait plus aucun reste de chair sur leurs os. Certains étaient blancs, d'autres jaunes ou rouille, d'autres encore tout noirs. Mis à part quelques pelotes de poils éparses, leurs fourrures n'avaient pas résisté à la décomposition. Peut-être ces animaux étaient-ils morts ailleurs ? Peut-être leurs os bouillis avaient-ils été placés là par une personne moins bien intentionnée qu'Holly Keene ?

Je remarquai alors les taches brunes sous les squelettes. Le résidu sinistre semblait encore poisseux, mais le temps en avait effacé l'odeur fétide.

Dans ces sous-sols, nombre d'expériences génétiques avaient été menées – peut-être certaines se poursuivaient-elles encore –, aboutissant à des résultats catastrophiques. Les rats servaient souvent de cobayes pour la recherche médicale. J'avais de bonnes raisons de croire que les bêtes que j'avais sous les yeux étaient les victimes des manipulations d'un de ces apprentis sorciers en blouse blanche, même si je ne pouvais expliquer ce que leurs ossements faisaient dans cette pièce.

Le mystère de ces cadavres de rats s'ajoutait à la longue liste des secrets de Fort Wyvern. Mais l'un d'entre eux – la disparition de Jimmy – exigeait d'être résolu de la façon la plus urgente. Je priai Dieu qu'en ouvrant la porte suivante, je ne découvrirais pas les restes du garçon disposés au sol en un rituel macabre.

Je quittai cette salle aux allures de cimetière d'éléphants miniatures et refermai la porte avec des précautions infinies. Seul un chat sous amphétamines aurait pu percevoir le clic du pêne retrouvant son logement.

Un bref balayage de ma lampe me confirma que le couloir était toujours désert. Je me dirigeai vers la porte suivante. Un panneau d'acier identique au précédent, sans étiquette. Derrière lui s'étendait une salle de dimension comparable à celle que je venais de visiter – mais dépourvue de squelettes de rats. Le carrelage et les murs peints étaient d'une propreté exemplaire, comme après un lessivage. La vision de ce sol nu et immaculé me rassura.

Alors que je quittais cette deuxième pièce et refermais la porte en silence, la voix du troll se fit de nouveau entendre, plus proche cette fois, bien qu'encore assourdie et inintelligible. Le couloir restait désert, à droite comme à gauche. Pendant un moment, la voix forcit, comme si l'inconnu se rapprochait d'une porte. J'éteignis aussitôt ma lampe.

Les ténèbres oppressantes se refermèrent sur moi, aussi douces et vastes que la cape de l'Ankou.

La voix continua de grommeler pendant plusieurs secondes, puis se tut soudain, apparemment au milieu d'une phrase. Je n'entendis aucune porte s'ouvrir, aucun bruit annonçant que le kidnappeur était sorti de la salle. D'ailleurs, une lumière aurait dû trahir son approche. J'étais donc seul dans ce corridor. Pourtant, un pressentiment me soufflait que j'allais bientôt avoir de la compagnie.

Je me tenais près du mur, face à la partie du couloir que je n'avais pas explorée. La lampe était froide à présent dans ma main, mais la crosse de mon pistolet était brûlante. Plus le silence durait, plus j'avais l'impression qu'un abîme s'ouvrait sous moi, m'avalait comme un plongeur en apnée emporté par son lest de plomb.

Je concentrais toute mon attention sur la moindre onde qui faisait vibrer les cils de mes conduits auditifs. Un seul bruit emplissait l'espace sonore, la cadence sourde de mon cœur – des battements plus rapides que de coutume, quoique nullement affolés.

Au fur et à mesure que le temps s'écoulait sans que j'entende le moindre bruit ni ne distingue la moindre lueur, le doute s'immisçait plus profondément en moi. La voix du troll s'éloignait-elle au lieu de se rapprocher ? Mes sens m'auraient-ils joué un tour ? Le kidnappeur et sa victime s'en allaient peut-être… Si je ne bougeais pas, j'allais perdre définitivement leur trace.

J'étais à deux doigts de rallumer ma lampe lorsqu'un frisson glacé me traversa. Seul le spectacle d'un revenant errant entre les tombes aurait pu me causer une frayeur pareille ; ou bien tomber nez à nez avec l'abominable homme des neiges, ou encore voir la Sainte Vierge léviter au-dessus de l'autel et annoncer l'apocalypse. Je ne me trouvais ni dans un cimetière, ni dans l'Himalaya, ni dans une église, mais dans les entrailles de Fort Wyvern, plongé dans une purée d'encre, incapable de voir quoi que ce soit. Et c'était pourtant là. Une présence, une aura invisible. Comme une force planant dans l'air – ce qu'un médium extralucide appellerait un *spectre*. Quelque chose d'indiscernable, d'immatériel, qui cependant tournait mon sang en glace. C'était devant moi, mon nez à quelques centimètres du sien, si tant est que cette chose eût un appendice nasal. Je ne percevais pas son souffle. Tant mieux : son haleine devait être aussi fétide que celle d'une charogne baignant dans des déjections de porcs.

Mon imagination était décidément en pleine effervescence ! Il n'y avait pas plus d'entité démoniaque dans ce couloir que d'araignée géante dans le puits d'ascenseur.

Bobby Halloway prétendait que mon imagination était le musée des Horreurs. Il était temps, cette fois, de descendre du train fantôme et d'aller m'acheter un Coca et un paquet de pop-corn pour me remettre de mes émotions.

Terrifié à l'idée de voir ce qui se tenait devant moi, je n'avais pas le courage, je l'avoue, d'allumer la lampe. Bien que toute une part de moi voulût croire à un mauvais tour que me jouait mon esprit, j'avais de bonnes raisons de m'inquiéter. Les expérimentations génétiques – pour certaines menées par ma mère – avaient échappé à tout contrôle. Malgré l'installation de multiples barrières biologiques et autres sas stériles, une colonie de rétrovirus artificiellement conçus s'était échappée du laboratoire. Sous l'influence de ces petites bêtes, les habitants de Moonlight Bay – et dans une moindre mesure tous les êtres vivant alentour, humains comme animaux – avaient subi quelques modifications génétiques.

Les mutations avaient été curieuses, voire terrifiantes, mais pour l'heure, à quelques exceptions près, elles étaient restées relativement discrètes. Les autorités avaient donc, jusqu'à présent, réussi à étouffer l'affaire. Même à Moonlight Bay, seule une petite centaine de personnes savaient ce qui s'était passé. Pour ma part, j'avais appris la vérité seulement un mois plus tôt, de mon père mourant, qui connaissait tous les détails du drame et qui me révéla des choses qu'aujourd'hui j'aurais préféré ignorer. Le reste de la population vivait dans une ignorance bienheureuse. Mais l'état de grâce ne durerait pas, car les mutations allaient bientôt se voir comme le nez au milieu de la figure.

Voilà ce qui me terrifiait autant, tandis que mon sixième sens me soufflait que quelque chose ou quelqu'un se tenait devant moi, dans ce puits de ténèbres.

Maintenant, les battements de mon cœur *s'affolaient.*

Je pestai contre moi-même. Si je ne parvenais pas à retrouver mes esprits, je passerais le reste de ma vie terré sous mon lit, de peur que le croque-mitaine ne vienne me rendre visite pendant la nuit.

Tenant ma lampe éteinte entre le pouce et l'index, les trois autres doigts en avant, j'avançai le bras dans l'épaisseur des ténèbres, afin de me prouver le non-fondement de ma terreur. Et ma main toucha un visage…

4.

L'arête d'un nez. Le coin d'une bouche. Mon petit doigt glissa sur une lèvre molle, puis sur une dent humide…

Dans un cri, je fis un bond en arrière, tout en allumant la lampe. Bien que le faisceau fût dirigé vers le sol, j'eus le temps d'apercevoir le spectre devant moi. Il n'avait ni crocs ni yeux injectés de sang et paraissait constitué d'une substance plus solide qu'un ectoplasme. Il portait un pantalon et un polo jaune qui ne semblaient pas provenir d'une tombe mais d'un catalogue de vente par correspondance.

L'homme avait environ trente ans, et mesurait un mètre soixante-dix. Les deux pieds dans ses Nike, il était trapu et costaud, tel un taureau dressé sur ses pattes arrière. Avec ses cheveux coupés en brosse, ses yeux aussi jaunes que ceux d'une hyène, ses grosses lèvres épaisses et rouge feu, comment avait-il pu faire tout ce chemin dans le noir sans émettre le moindre bruit ? Son sourire torve découvrait généreusement ses dents petites comme des grains de maïs. Il brandissait devant moi son gourdin de fortune, un tasseau de huit centimètres de côté.

Par bonheur, il ne s'agissait pas d'une barre de fer ; en outre, mon assaillant se trouvait trop près de moi pour que le coup puisse réellement porter. Pour minimiser l'impact, j'avançai sur lui tout en tentant de le mettre en joue avec le Glock, imaginant que la vue de l'arme calmerait ses ardeurs. Or au lieu de donner un coup circulaire, de haut en bas, à la manière d'un bûcheron, il accomplit un quasi-swing de golfeur. L'arme rasa mon flanc gauche et me frappa sous l'épaule. Le coup n'était pas démoniaque, mais il restait plus douloureux qu'une manipulation de rebouteux. La lampe m'échappa des doigts et vola dans les airs.

Les yeux jaunes de mon assaillant étincelèrent. Il avait vu mon arme dans ma main droite et c'était une mauvaise surprise.

Ma lampe rebondit contre le mur et finit sa chute par terre, toujours allumée, tournoyant sur elle-même comme un gyrophare. Elle n'avait pas encore touché le sol que l'homme aux petites dents se préparait à m'asséner un nouveau coup, maniant cette fois son gourdin comme un batteur de base-ball. Je brandis mon arme en signe d'avertissement.

– Non...

Ses yeus jaunes ne laissèrent transparaître aucune peur. Son visage n'était qu'un masque de haine.

Je pressai la gâchette, tout en reculant. Son coup aurait fait voler en éclats l'os pariétal de mon crâne si je n'avais pas esquivé l'attaque. J'entendis la balle ricocher sur les murs du couloir.

Au lieu de relever son arme, l'homme se laissa emporter par l'inertie du gourdin et exécuta un tour sur lui-même. Tandis que ma lampe s'immobilisait au sol, je vis mon assaillant tournoyer comme une toupie, puis fondre sur moi, tel un diablotin, au moment où je me retrouvais acculé contre le mur face aux portes.

Il était tellement tendu et ramassé sur lui-même, que j'avais l'impression d'avoir sous les yeux une œuvre compressée du sculpteur César. Des yeux lumineux mais froids, un visage déformé par la rage, un sourire figé sur ses lèvres – cet homme avait été élevé, éduqué et entraîné dans un seul et unique but : *me réduire en bouillie.*

Décidément, ce type ne me plaisait pas. Pourtant, j'avais des réticences à le tuer. Je le répète : je n'aime guère massacrer mes congénères. Je suis un amateur de surf et de poésie, j'écris un peu et j'aime m'imaginer en digne héritier du siècle des Lumières. Or nous autres, gens éclairés, réfutons que faire couler le sang soit la plus rapide et la plus durable des solutions à un problème donné. Nous agissons avec notre esprit, nous refléchissons, soupesons le pour et le contre, analysons et évaluons les implications morales et physiques de nos actes, préférant les armes de la psychologie et de la négociation à celles de la force brutale, car notre vœu le plus cher est que tout conflit se résolve par une poignée de main fraternelle et le respect mutuel des deux parties.

Mon agresseur abattit son gourdin.

Je plongeai sur le côté.

Le morceau de bois heurta le mur avec une telle violence que je crus entendre l'onde de choc remonter le long du bras de mon assaillant. Sous l'impact, l'arme lui échappa. Il poussa un juron. Dommage qu'il ne se fût pas agi d'une barre de fer. Les vibrations lui auraient déchaussé ses petites dents de bébé !

– Ça suffit, maintenant ! lançai-je.

Il me répondit par un geste obscène, ramassa son gourdin puis se mit à tourner autour de moi.

Mon pistolet semblait ne lui inspirer aucune crainte. Le fait que je n'aie pas encore tiré, hormis mon coup de semonce, l'avait convaincu que je n'aurais jamais le cran de l'abattre. L'homme ne me paraissait pas particulièrement intelligent, mais l'excès de confiance en eux rend les êtres les plus sommaires souvent très dangereux.

Quelque chose dans sa posture, dans son regard, dans son air soudain narquois m'indiquait qu'il allait feinter, afin de détourner mon attention et de porter sa véritable attaque. Peut-être me laisserait-il croire à un coup d'estoc à la poitrine, pour m'inciter à me courber, s'offrant ainsi la possibilité de me frapper au visage d'un ultime coup.

J'avais beau me persuader que j'étais le digne héritier du siècle des Lumières, je commençais à soupçonner que la négociation et la psychologie ne me seraient d'aucun secours. Lorsque la feinte arriva, je n'attendis pas de comprendre le plan d'attaque de mon assaillant : je pressai la gâchette.

J'espérais le toucher à l'épaule ou au bras, mais il n'y a que dans les films que ce genre de petits miracles se produisent. Dans la vie réelle, la panique, les lois de la physique et le destin s'emploient à ruiner tous vos desseins. Le plus souvent, malgré les meilleures intentions du monde, la petite ogive de plomb traverse le crâne ou se faufile entre les côtes et le sternum pour terminer sa course dans le cœur, à moins qu'elle aille sacrifier une brave grand-mère faisant cuire ses cookies à deux cents mètres de là.

Cette fois, je réitérai involontairement mon coup de semonce : la balle ne trouva ni épaule, ni bras, ni crâne, ni cœur, rien qui pût verser une goutte de sang : elle coupa en deux le gourdin, projetant une pluie de morceaux de bois de toutes tailles sur le visage de mon agresseur. Ô voies impénétrables de la panique, de la physique et du destin !

Prenant soudain conscience de son statut de simple mortel et du danger que représentait un aussi mauvais tireur que moi, mon assaillant lança son moignon de bois dans ma direction, fit demi-tour, et s'enfuit vers la cage de l'ascenseur.

Je fis un saut de côté lorsque je le vis lever le bras pour lancer son arme. Mais mon capital esquive était épuisé : au lieu d'éviter le projectile, je plongeai droit sur sa trajectoire et reçus l'impact en pleine poitrine. Je tombai sous le choc.

Je me relevai aussitôt ; mon adversaire se trouvait déjà presque au bout du couloir. J'avais de plus grandes jambes que lui, mais il était évident que je ne pourrais pas le rattraper. Et je n'étais pas de ceux qui tiraient dans le dos des autres, quelles que soient les circonstances. L'homme disparut donc dans le puits de l'ascenseur. J'aperçus la lueur de sa torche éclairant les ténèbres.

Malgré mon envie pressante de coincer cette ordure, retrouver Jimmy restait ma priorité. Peut-être le garçon gisait-il quelque part, laissé pour mort ? Et puis, une mauvaise surprise attendait mon troll en haut de l'échelle : les crocs d'Orson. Il ne sortirait pas de sitôt à l'air libre.

Je ramassai ma lampe et me dirigeai rapidement vers la troisième porte du couloir ; elle était entrouverte. Je poussai le battant. La pièce était plus petite que les deux précédentes et mon faisceau pouvait en embrasser tout l'espace. Aucune trace de Jimmy.

Le seul objet curieux dans la salle était un gros chiffon jaune abandonné à trois mètres de la porte. Je faillis l'ignorer, trop impatient de poursuivre mon exploration ; je m'approchai pourtant et soulevai le tissu. Il s'agissait d'une veste de pyjama. Taille enfant. Sur le devant, écrit en lettres rouges : « Chevalier Jedi ».

Ma gorge s'asséchа.

Lorsque j'avais quitté la maison de Lilly et suivi Orson, je m'étais convaincu que le petit garçon ne pouvait être sauvé. Puis, peu à peu, contre toute raison, je m'étais pris à espérer. Chaque fois que l'on s'aventure dans ces terres incertaines situées entre la vie et la mort, en particulier dans ce no man's land du bout du monde appelé Wyvern, comment ne pas vouloir s'accrocher au moindre espoir ? C'est aussi vital que l'eau, le pain, l'amour et l'amitié. Il faut toutefois ne jamais oublier que l'espoir est un bienfait à double tranchant, qu'il ne jette en aucun cas des ponts d'airain entre l'instant présent et un futur meilleur. L'espoir n'est pas plus solide qu'un chapelet scintillant de rosée sur un fil de toile d'araignée. Une illusion qui ne peut supporter longtemps le poids d'un cœur torturé. J'aimais Lilly depuis tant d'années – aujourd'hui en ami, hier, en amoureux ardent – que je voulais à tout prix lui éviter cette douleur parmi les plus horribles de la terre : la perte de son enfant. Je voudrais que cette horreur ne se réalise pas, et je le voulais avec tant d'ardeur, que j'avais édifié dans le néant un magnifique pont d'espoir, un immense viaduc, qui à présent se dissolvait, révélant l'abîme sous mes pieds.

Je récupérai la veste de pyjama et me précipitai dans le couloir. J'entendis le nom de Jimmy prononcé dans le silence. Il me fallut plusieurs secondes pour me rendre compte que c'était moi qui avais parlé. Je prononçai de nouveau son nom – non plus à voix basse, mais de toute la puissance de mes poumons.

L'effet ne fut pas plus convaincant que si j'avais murmuré. Pas la moindre réponse. Je m'y attendais, malheureusement.

Avec fureur, je glissai le pyjama dans la poche de ma veste.

Maintenant que l'espoir illusoire s'était dissipé, je prenais mieux conscience de la réalité. Le garçon n'était pas là, ni dans aucune des pièces donnant dans ce couloir, pas plus qu'il ne se trouvait à l'étage du dessous ou à celui du dessus. Il m'avait paru difficile que le ravisseur parvienne à descendre cette échelle avec le gamin sur ses épaules : en fait, il était venu seul ici ! Cette ordure aux yeux jaunes s'était rendu compte que je le suivais, en compagnie d'un chien. Il avait laissé Jimmy quelque part, avait pris sa veste de pyjama saturée de son odeur, et l'avait abandonnée au cœur de ces catacombes pour rats afin de nous entraîner sur une fausse piste.

Voilà pourquoi Orson avait hésité devant la porte de l'entrepôt, après m'avoir mené jusque-là avec une telle certitude ! Il avait fait des allers et retours devant la façade, humant l'air, comme si l'endroit était le siège de pistes contradictoires.

Une fois que j'eus pris la décision de pénétrer dans le bâtiment, Orson était resté à mes côtés, en compagnon fidèle ; puis les bruits montant des profondeurs avaient capté notre attention. Après la découverte de la figurine de Darth Vader, j'avais totalement oblitéré les curieuses hésitations d'Orson, persuadé que j'étais sur les traces de Jimmy.

À présent, je courais vers le puits de l'ascenseur. Pourquoi n'avais-je toujours pas entendu le moindre aboiement ou grogrement ? Je pensais que le kidnappeur serait surpris de tomber nez à nez avec Orson au rez-de-chaussée. Mais puisqu'il se savait suivi et avait pris la peine de nous lancer sur une fausse piste, il s'était peut-être préparé à cette rencontre...

Le puits était désert. Plus la moindre lumière. Je dirigeai le faisceau de ma lampe de haut en bas. Mon troll avait disparu.

Peut-être était-il descendu ? Peut-être connaissait-il mieux les lieux que moi ? Peut-être avait-il emprunté un passage secret reliant le dernier sous-sol de l'entrepôt à une autre partie du dédale de la base ? Malgré ces considérations, je décidai de remonter vers la surface, de plus en plus inquiet du silence d'Orson.

Je pouvais prendre le risque de monter d'une seule main, mais il me fallait choisir entre la lampe et mon Glock. À quoi me servirait ce dernier si je ne voyais pas le danger arriver ? Je rangeai donc le pistolet dans son étui et gardai ma lampe de poche entre mes doigts.

Alors que je montais vers le premier niveau, je fus soudain convaincu que le kidnappeur n'avait pas rejoint l'air libre, qu'il s'était arrêté à mi-chemin et qu'il m'attendait, tapi dans l'ombre, m'épiant de ses petits yeux jaunes. C'était certain !

Il me sauterait dessus sitôt que je serais arrivé à la hauteur du palier ! En me montrant ses petites dents de bébé, il me fracasserait le crâne avec une autre massue. Peut-être avait-il trouvé une nouvelle arme – une barre à mine ? une hache ? un fusil-harpon, équipé de charges explosives antirequins ? un missile nucléaire ?

Je ralentis mon ascension et finis par m'arrêter à l'orée du rectangle noir qui marquait le palier. Je tentai d'éclairer l'alcôve avec mon faisceau, mais, de ma position, je ne voyais pas grand-chose, hormis les dalles du plafond. Ne sachant que faire, je restai tétanisé sur mon échelle, l'oreille aux aguets.

Finalement, je surmontai mon indécision en me rappelant que chaque seconde perdue pouvait être fatale. D'autant plus que mon araignée mutante se trouvait toujours au fond du puits, ses mandibules dégoulinantes de venin, furieuse de n'avoir pu m'attraper à la descente !

Rien ne donne plus de courage que la peur du ridicule.

Tout enhardi, je dépassai le palier du premier sous-sol pour rejoindre le rez-de-chaussée. Ni instrument contondant ni mandibules géantes ne s'abattirent sur moi.

En revanche, mon chien avait disparu.

Je sortis de nouveau mon pistolet et traversai le bureau pour rejoindre la grande salle. Les ombres reculaient devant moi pour mieux se refermer dans mon dos.

– Orson !

Quand il était acculé, mon chien fidèle se révélait un redoutable combattant, un frère d'armes sur qui on pouvait toujours compter. Jamais il n'aurait laissé filer le ravisseur sans défendre chèrement sa position. Or je n'apercevais aucune trace de sang sur le sol.

– Orson !

Ma voix se perdit en écho dans les hauteurs des poutrelles d'acier. Ces deux syllabes répétées donnaient à l'entrepôt des airs d'église sonnant le tocsin. Je vis en pensée mon Orson gisant sur le flanc, le corps brisé, le voile de la mort couvrant ses yeux.

Une boule d'angoisse monta dans ma gorge, si dense qu'elle m'empêchait de déglutir.

La porte par laquelle j'étais arrivé était grande ouverte, telle que je l'avais laissée. Au-dehors, la lune dormait dans son lit de nuages. Seules les étoiles brillaient dans le ciel. L'air était immobile, en attente, comme une lame de guillotine prête à tomber.

J'aperçus dans le faisceau de ma lampe une clé à molette oubliée, rouillée jusqu'à l'âme, un bidon d'essence vide attendant d'être roulé plus loin par le prochain coup de vent, des touffes d'herbes perçant le macadam ça et là et constellant de fleurs jaunes ce compost inhospitalier. Autrement, l'allée était déserte. Ni homme ni chien.

Je décidai qu'il valait mieux me réacclimater à l'obscurité. J'éteignis ma lampe et la glissai sous ma ceinture.

– Orson !

Je ne risquais pas grand-chose à appeler mon chien à tue-tête. Mon troll savait que j'étais là.

– *Orson !*

Peut-être mon chien avait-il quitté l'entrepôt dès ma descente dans le puits de l'ascenseur ? Peut-être savait-il que je suivais une mauvaise piste ? Peut-être avait-il senti l'odeur toute fraîche de Jimmy et décidé de désobéir à mes ordres dans l'espoir de retrouver le gamin au plus vite ? Peut-être se trouvait-il avec lui à l'heure qu'il était, prêt à attaquer le ravisseur quand celui-ci réapparaîtrait pour récupérer son prisonnier ?

Moi qui me targuais de garder la tête froide et me défendais de laisser l'émotionnel l'emporter sur la raison, je cédais à l'espoir le plus illusoire et bâtissais déjà un nouveau pont au-dessus d'un abîme.

Je pris une profonde inspiration, pour lancer un nouvel appel. Avant d'avoir eu le temps de me faire entendre, Orson aboya deux fois. Du moins, j'en déduisis qu'il s'agissait d'Orson. Connaissant la réputation des lieux, l'endroit aurait bien pu être hanté par le chien des Baskerville.

Impossible de savoir d'où provenait l'aboiement. J'appelai de nouveau.

Pas de réponse.

La patience est mère de toutes les sagesses, me rassurai-je.

J'attendis donc. Parfois, il n'y a rien d'autre à faire. Plus souvent qu'on le pense, l'attente constitue la seule solution raisonnable. Nous aimons croire que nous avons prise sur les fils qui ourdissent notre avenir, mais le seul pied qui actionne le métier à tisser est celui du destin.

Dans le lointain, le chien aboya de nouveau, avec colère.

Je pus enfin repérer l'origine du son et courus dans sa direction, me glissant entre les ombres et les bâtiments abandonnés qui se dressaient autour de moi comme des temples païens aux rites sanguinaires, puis traversai une grande étendue pavée – un ancien parking ou une aire de chargement pour camions.

J'avais parcouru une bonne distance. Le bitume avait cédé la place à des herbes folles qui m'arrivaient aux genoux, avides des prochaines pluies. Lorsque la lune sortit de son lit ouaté, j'aperçus, quelques centaines de mètres plus loin, des rangées de petites constructions – les maisons qu'occupaient autrefois le personnel de la base et leurs familles.

Les aboiements avaient cessé. Je continuai néanmoins de courir, certain qu'Orson – et peut-être Jimmy – se trouvait en avant. L'herbe se transforma en trottoir craquelé. Je sautai par-dessus un caniveau envahi de feuilles mortes, de vieux papiers et autres détritus pour me retrouver dans une rue, bordée des deux côtés par de grands lauriers. La moitié d'entre eux était en fleur, le sol à leurs pieds tapissé des ombres mouvantes du feuillage, l'autre moitié était morte – les branches nues étaient tendues vers la lune tels des doigts crochus.

J'entendis de nouveaux aboiements, ponctués de gémissements et de plaintes, plus près mais sans pouvoir encore en définir l'origine exacte, puis un cri. Un cri de douleur.

Mon cœur tambourina dans ma poitrine, plus fort que lorsque j'avais eu affaire au troll armé de sa massue. L'air me manquait. La rue que je suivais s'enfonçait en ligne droite parmi des rangées de maisons de plain-pied abandonnées ; à chaque carrefour, d'autres rues, toutes rectilignes, menant à d'autres maisons décrépites, formaient une vaste zone d'habitation sagement ordonnée.

Un autre aboiement, un autre cri, puis plus rien.

Je m'immobilisai au milieu de la rue, tournant la tête de droite à gauche, sondant le silence et tentant de contenir ma respiration sifflante dans l'espoir de recueillir d'autres indices d'une lutte. Les lauriers encore en vie semblaient aussi morts et pétrifiés que leurs frères squelettes.

Plus je me faisais silencieux, plus le silence de la nuit s'épaississait.

D'ordinaire, Fort Wyvern était pour moi une sorte de parc d'attractions, un Disneyland créé par le frère démoniaque de Walt. Ce n'étaient pas la magie et le merveilleux qui régnaient ici, mais la menace et la terreur – une ode non pas à la vie, mais à sa jumelle, la mort. À l'instar des secteurs divisant Disneyland – Main Street, Futureland, Aventureland, Féerieland –, Wyvernland proposait divers thèmes d'attractions. Ces trois mille maisonnettes formaient un territoire que j'avais baptisé la Ville fantôme. Si des ectoplasmes hantaient la base, leur quartier général ne pouvait se trouver qu'ici.

S'y étendaient les terres du silence ; et on y entendait les nuages glisser sur la lune.

5.

J'avais l'impression de pénétrer sur le territoire de Dame la Mort tel un intrus, un malotru qui n'avait pas eu la politesse de déposer sa vie aux pieds de la Belle. Je me faufilais sans bruit, comme une âme en peine sous le clair des étoiles, à la recherche d'Orson. Dans ce silence d'airain, cette solitude nocturne et cette immobilité surnaturelle, je m'imaginais sans peine être le seul être vivant à des kilomètres à la ronde.

Baignée par la lueur de lointaines galaxies, la Ville fantôme semblait une simple bourgade endormie au cœur de la nuit, attendant paisiblement l'heure du petit déjeuner. Les bungalows de plain-pied, les petites maisons magnifiées par l'obscurité, offraient au regard une illusion d'ordre et de pérennité.

Mais il suffisait que la lune sorte de ses draps de brume pour que la réalité s'offre sans pudeur. Par endroits, un simple croissant aurait suffi : des gouttières effondrées et rouillées, des murs, autrefois immaculés, entretenus avec une rigueur militaire, pelés et desquamés aujourd'hui comme des fruits pourris, des fenêtres brisées pour la plupart, ouvrant sur la nuit , des gueules béantes aux dents de verre acérées tournées vers l'astre lunaire.

Comme le système d'arrosage ne fonctionnait plus, seules les plantes dont les racines atteignaient les nappes souterraines avaient survécu au long été californien. Les buissons étaient réduits à l'état de squelettes, leurs branches mortes n'accueillant plus que des toiles d'araignées. L'herbe, verte durant l'hiver, arborait la blondeur des blés à moissonner.

Le ministère de la Défense ne disposait pas des fonds nécessaires ni pour entretenir ces habitations dans l'éventualité d'une reconversion ultérieure ni pour les raser. Aucun acheteur n'osait acquérir des biens fonciers à Wyvern. Après l'effondrement du bloc soviétique, certaines bases furent vendues à des investisseurs civils pour être transformées en zones d'habitation et en centres commerciaux. Mais ici, au milieu de la Californie, de vastes étendues de terres, certaines cultivées, d'autres en friche, restaient disponibles dans le cas où Los Angeles, la plus grande des villes-champignons, aurait décidé de lancer ses spores vers le nord, ou la Silicon Valley d'étendre ses circuits par le sud. Wyvern, donc, avait davantage de valeur pour les lézards, les souris et les coyotes que pour les humains.

Et, si d'aventure un promoteur avait jeté son dévolu sur les soixante-dix mille hectares de la base, on aurait eu tôt fait de l'éconduire *manu militari*. De bonnes raisons laissaient croire que Wyvern n'était pas tout à fait abandonné, que ses laboratoires secrets, nichés loin sous la surface, poursuivaient leurs activités clandestines sous la houlette d'un docteur Moreau ou d'un docteur Jekyll. Aucun communiqué de presse n'avait évoqué la mise à pied forcée des scientifiques de la base, ni annoncé quelque programme de reconversion. La plupart des employés résidaient à la base et n'avaient que peu de contacts avec la population de Moonlight Bay ; leur sort après la fermeture ne suscita donc que peu d'émoi parmi les habitants de la bourgade. Le démantèlement de Wyvern n'était qu'un camouflage de plus destiné à dissimuler les travaux illicites menés dans l'enceinte.

J'atteignis le premier carrefour et m'arrêtai pour sonder le silence. Lorsque la lune quitta de nouveau son lit de nuages, j'examinai les alignements de bungalows autour de moi, avec leurs minuscules allées latérales d'une noirceur d'encre et leurs entrailles béantes, plus noires encore.

Parfois, au hasard de mes déambulations à Wyvern, j'avais l'impression que l'on me surveillait – pas nécessairement avec malveillance, plutôt avec une attention paternelle.

L'expérience aidant, j'avais appris à me fier à mon intuition. Cette nuit, je me savais seul, sans mon invisible ange gardien.

Je rangeai mon Glock dans son étui. Les stries de la crosse s'étaient imprimées dans ma paume. Je consultai ma montre. 21 h 09. Je cherchai le couvert des branches feuillues d'un laurier pour sortir mon téléphone portable et m'agenouillai, dos au tronc.

Bobby Halloway, mon meilleur ami depuis plus de dix-sept ans, avait plusieurs numéros de téléphone. Il avait communiqué le plus privé de sa collection à une poignée de cinq heureux élus qui pouvaient l'y joindre à n'importe quelle heure. Je composai les chiffres et enfonçai la touche « appel ». Bobby décrocha à la troisième sonnerie.

– J'espère que c'est important ! lâcha-t-il.

– Tu dormais ? murmurai-je, bien que je me crusse seul dans ce quartier de la Ville fantôme.

– Je mangeais un kebbé.

Le kebbé est un plat méditerranéen : bœuf, oignons, pignons, fines herbes, le tout enveloppé dans une boulette de boulgour. À manger sitôt sorti de la poêle.

– Avec quoi ?

– Tomates, concombres et petits oignons blancs.

– Je ne te prends pas en pleine partie de jambes en l'air, c'est déjà ça.

– C'est pire encore !

– C'est vrai que le kebbé est une affaire sérieuse pour toi.

– Très sérieuse.

– Je viens de passer à la machine à laver – en jargon de surfeur, cela signifiait que j'avais été arraché de ma planche et ballotté dans tous les sens par un méchant rouleau.

– Tu es à la plage ? s'enquit Bobby.

– C'était une image.

– Laisse tomber la poésie !

– Je ne préfère pas, c'est plus sûr, répondis-je, laissant entendre que la ligne pouvait être sur écoute.

– Je déteste ces conneries.

– Il faudra t'y faire.

– Bousilleur de kebbé !

– Je suis à la recherche d'un petit mousse.

Un « mousse » signifie un petit surfeur, prépubère. Jimmy Wing était trop jeune pour faire du surf, mais il était effectivement petit.

– Un mousse ?

– Un tout petit mousse.

– Tu recommences à jouer les Nancy Drew [1] ?

– J'y suis plongé jusqu'au cou.

Un bruissement soudain me fit me relever d'un bond. Ce n'était qu'un oiseau de nuit se posant sur une branche au-dessus de ma tête, un engoulevent, un rossignol solitaire, ou une petite chouette…

– C'est une question de vie ou de mort, Bobby. J'ai besoin de ton aide.

– Voilà ce qui arrive quand on s'éloigne trop de la mer.

Bobby habitait sur la pointe nord de la baie. Le surf était sa passion, son sacerdoce, le but de toute sa vie. Il ne s'agissait pas pour lui d'un simple sport, mais d'une véritable quête spirituelle. L'océan était une cathédrale, et il percevait la voix de Dieu dans le grondement des rouleaux. Pour Bobby, le monde s'arrêtait au bout de la plage, côté terre.

Je scrutai les branches au-dessus de moi, incapable de repérer l'oiseau silencieux, malgré la lueur de la lune et le feuillage clairsemé du laurier.

– J'ai besoin de ton aide, vite !

– Tu peux te débrouiller tout seul. Monte sur une chaise, passe-toi la corde au cou, et saute.

– Je n'ai pas de chaise.

– Presse la gâchette avec ton orteil.

En toutes circonstances, il me faisait rire, et ça faisait un bien fou. Pour Bobby, Sasha et moi, la vie était une vaste plaisanterie de l'univers. Nos préceptes simplissimes : faire le moins de mal possible à autrui, consentir à tous les sacrifices pour les vrais amis, être responsable de ses actes, ne rien attendre des autres. Et profiter des bons moments… ne pas trop penser à

---

1. Personnage de fillette menant des enquêtes dans une série de livres pour enfants. *(N.d.T.)*

hier, ne pas s'angoisser pour le lendemain, vivre l'instant présent pleinement et se persuader que l'existence a un sens, même si le monde semble un suppôt aveugle du chaos. Lorsque la vie vous lançait un marteau en plein visage, il fallait se dire qu'il s'agissait d'une tarte à la crème. L'humour, même noir, était souvent la dernière branche à laquelle se raccrocher – lui seul sauvait de tout.

– Bobby, si tu savais le nom du mousse, tu serais déjà là !

Il soupira.

– Comment veux-tu que je devienne un super-méga-top du farniente, satisfait et fier de lui, si tu fais sans cesse appel à mon altruisme ?

– À chacun sa croix. Tu ne seras jamais un irresponsable total.

– C'est bien ce qui me désespère.

– Tête de poil a disparu aussi, déclarai-je en faisant allusion à Orson.

– Citizen Kane ?

J'avais donné à mon chien le prénom du réalisateur de *Citizen Kane*, car tous les films de Welles exerçaient sur lui une étrange fascination.

– Je m'inquiète pour lui, articulai-je.

Les mots sortaient difficilement de ma bouche.

– J'arrive, répondit aussitôt Bobby.

– Super.

– Où es-tu ?

De nouveaux bruissements dans les branches du laurier ; peut-être un autre oiseau rejoignant le premier ?

– Dans la Ville fantôme.

– Nom de Dieu, tu n'en feras toujours qu'à ta tête !

– Je suis un vilain garçon, je sais. Passe par la rivière.

– Par la rivière ?

– Une Chevrolet est garée devant la grille. Elle appartient à un fêlé. Alors fais gaffe. Tu trouveras une ouverture dans le grillage.

– Qu'est-ce que je fais, j'arrive en rampant sur les coudes ou je défile comme à la parade ?

– Vérifie tes arrières, ça suffira.

– La Ville fantôme ! répéta-t-il avec dégoût. Comment allons-nous pouvoir te remettre dans le droit chemin, mon garçon ?

– En me privant de télé pendant un mois ?

– Où se retrouve-t-on dans ta Ville fantôme ?

– Au cinéma.

Il connaissait à peine le dédale de Wyvern, mais il serait capable de retrouver le cinéma dans la grande rue commerçante qui jouxtait la zone d'habitation. Quand Bobby était plus jeune, avant que les déferlantes ne deviennent son monastère, il avait fréquenté une fille de militaire dont la famille résidait à la base.

– On va les retrouver, ne te fais pas de bile, répondit-il.

L'émotion menaçait de me submerger à tout instant. L'idée de ma propre mort ne me terrifiait pas outre mesure, puisque depuis mon plus jeune âge j'avais dû vivre avec cette menace récurrente, mais la perspective de perdre un être cher me terrassait d'angoisse. Le chagrin était l'instrument de torture le plus cruel qui soit. La peur me rendait aphone.

– Retire la corde de ton cou, j'arrive ! annonça Bobby avant de raccrocher.

De nouveaux bruits d'ailes résonnèrent dans l'obscurité ; les hautes branches du laurier s'agitèrent. Pourtant, pas le moindre cri, pas le moindre chant ne s'était fait entendre. L'engoulevent, en voletant à la poursuite d'insectes, lançait d'ordinaire des *pip-pip* stridents. Le rossignol faisait toujours entendre ses vocalises nocturnes, alternant trilles suraigus et sons de flûte délicats. Même ma chouette, qui se taisait de peur de faire fuir ses proies, ne pouvait s'empêcher de pousser de petits *hou-hou* pour déclarer sa joie de vivre ou rappeler son appartenance à la grande famille des rapaces.

Le silence de tous ces oiseaux avait quelque chose de surnaturel et d'inquiétant. Ils ne s'apprêtaient évidemment pas à me mettre en charpie, comme dans le film d'Hitchcock, seulement leur mutisme semblait annoncer quelque catastrophe imminente. Lorsqu'un coyote attrapait un lapin et lui brisait l'échine, ou lorsque les crocs d'un renard se refermaient sur une souris, le cri d'agonie de la proie, bien qu'à peine audible, arrêtait tout bruit alentour. Dame Nature était belle, généreuse et nourricière, mais elle exigeait son lot de sang. Elle présidait à un holocauste sans fin, quoi que puissent laisser entendre les calendriers animaliers, avec leurs jolies photos. Le moindre pré était un champ de bataille, et, à chaque acte de violence, ses myriades de sujets se prosternaient, en signe d'allégeance aux lois naturelles, ou pour ne pas attirer sur eux l'attention de la maîtresse des lieux. Voilà pourquoi ces oiseaux trop discrets me mettaient mal à l'aise. Leur silence signifiait peut-être qu'ils venaient d'assister à un massacre – par exemple, celui d'un chien et d'un petit garçon.

Toujours pas le moindre *cui-cui.*

Je quittai l'ombrage du laurier à la recherche d'un endroit moins inquiétant où passer un deuxième coup de fil. À l'exception de ces volatiles à la discrétion troublante, je me savais seul dans le secteur. Un pressentiment, pourtant, m'incitait à rester à couvert.

Mes sentinelles ailées ne quittèrent pas leur perchoir pour me suivre. Aucun bruissement de feuillage n'accompagna mon départ.

Pour être tout à fait honnête, je n'avais pas totalement exclu l'idée que ces animaux à plume puissent être de proches cousins des oiseaux d'Hitchcock. À Wyvern – comme à Moonlight Bay – rien n'était réellement impossible. Un rossignol sans défense pouvait, malgré son apparence, se révéler plus dangereux qu'un tigre. Une chouette ou un engoulevent pouvait porter en leur sein l'apocalypse et semer la mort sur toute la planète.

Je m'éloignai sur la route. La lune projetait à mes côtés mon ombre frêle ; elle ne marchait ni devant ni derrière, mais juste contre mon flanc, comme pour me rappeler l'absence de mon compagnon à quatre pattes.

6.

La moitié des bungalows et maisons de la Ville fantôme possédaient pour tout perron une simple volée de marches. Celui auquel j'étais parvenu appartenait à l'autre moitié : un escalier de brique menait à un véritable porche de façade.

Une araignée avait tissé sa toile entre les piliers. Je ne pouvais distinguer cette construction dans l'obscurité, mais elle n'était assurément pas l'œuvre de quelque arachnide mutante puisque je sentis les fils se rompre sans résistance à mon passage. Certains s'accrochèrent à mon visage ; je les chassai du revers de la main, pas plus troublé par ma destruction que Godzilla renversant quelques gratte-ciel au cours d'une promenade matinale.

Bien que les événements des semaines précédentes aient fait naître en moi un nouveau respect pour la gent animale, j'étais encore bien loin d'embrasser les thèses panthéistes. Leurs adeptes considéraient avec un respect égal toute forme de vie sur terre – y compris les araignées, les mouches, les vers et autres rampants susceptibles de se repaître de mes chairs lorsque je serais dans la tombe. Je ne me sentais aucune inclination à considérer une bestiole comme une citoyenne à part entière de la planète, bénéficiant de droits identiques aux miens et devant être traitée avec respect et courtoisie, si elle voyait en moi son dîner. J'étais sûr que Dame Nature comprenait parfaitement mon attitude et ne m'en tenait nulle rigueur.

La porte d'entrée, avec sa peinture écaillée vaguement phosphorescente sous le clair de lune, était entrouverte. Les gonds érodés ne grincèrent pas, ils craquèrent comme les carpes et métacarpes d'un squelette fermant le poing.

Je pénétrai dans la maison.

L'envie de fermer derrière moi me titilla. J'étais en effet venu chercher la sécurité d'un toit ; les oiseaux pouvaient à tout moment quitter leur perchoir et fondre sur moi en piqué... Laisser la porte ouverte, en revanche, offrait une issue de secours en cas de problème. J'optai donc pour la seconde solution.

Malgré l'obscurité totale, je savais que je me trouvais dans le salon, parce que les centaines de bungalows équipés d'un porche couvert respectaient le même plan de construction. Il n'y avait pas de hall d'entrée ou de vestibule. On arrivait directement dans le salon, puis on atteignait la salle à manger, la cuisine et deux chambres au fond.

Même à l'âge d'or de la base, ces habitations offraient un confort pour le moins spartiate. Les familles ne séjournaient là que deux ans, entre deux affectations. Aujourd'hui, l'endroit sentait la poussière, le renfermé et les crottes de souris. Le sol était recouvert d'un plancher saturé de couches de peinture, à la seule exception de la cuisine, où du linoléum était prévu. Malgré mes pas dignes d'un dieu de la discrétion, les lattes craquaient à qui mieux mieux. Ces couinements ne me gênaient pas outre mesure. Personne n'entrerait à mon insu dans le bungalow par la porte de derrière.

Une fois mes pupilles acclimatées aux ténèbres, je pus distinguer les fenêtres de la façade. Malgré l'auvent du porche, elles formaient un rectangle gris sur le noir du mur. Je m'approchai de l'une d'entre elles. Aucune vitre brisée. Avec un Kleenex, je frottai la crasse au milieu d'un carreau.

Les jardinets devant les maisons étaient exigus ; entre deux lauriers, j'apercevais la rue au-delà. J'avais certes peu de chances de voir passer un défilé, mais étant sensible, comme la plupart des mortels, aux petites jupettes des majorettes, je gardai un œil sur la chaussée, au cas où.

J'allumai de nouveau mon téléphone et composai un numéro direct me reliant au studio de la KBAY, la plus grande radio du comté, où Sasha Goodall jouait les disc-jockeys de minuit à six heures du matin. Elle dirigeait également la station ; depuis le départ des militaires, la radio avait vu ses revenus réduits à une peau de chagrin et elle n'était pas la seule à assumer deux casquettes.

Le téléphone ne sonnait pas, mais une lampe clignotante s'allumait sur le mur en face de Sasha. À l'évidence, elle n'était pas à l'antenne, puisque ce fut elle qui décrocha et non l'ingénieur du son.

– Salut Snowman[1] !

D'autres que moi connaissaient la ligne directe du studio, et comme bon nombre de citoyens soucieux de leur intimité, j'avais interdit aux télécoms de communiquer mon numéro à mon correspondant. Pourtant, chaque fois, Sasha devinait que c'était moi qui appelais.

– Qu'est-ce que tu passes en ce moment ? demandai-je.

– *A Mess of Blues.*

– Elvis.

– Il reste une minute.

– Je sais comment tu fais !

– Comment je fais quoi ?

– Quand tu dis « Salut Snowman » avant même que j'aie ouvert la bouche.

– Ah oui ? Et comment je fais, à ton avis ?

– Comme la moitié des coups de fil proviennent de moi, tu commences toujours par dire « Salut Snowman ».

– Faux.

– Je suis sûr que c'est ça.

– Je ne mens jamais.

C'était la vérité.

– Ne quitte pas chéri, dit-elle en me mettant en attente.

Tout en patientant, j'écoutais son émission au téléphone. Elle fit deux annonces, l'une à caractère informatif, l'autre de type « sandwich », comme on disait dans le jargon – le début et la fin étant préenregistrés, avec un argumentaire en direct au milieu – pour un vendeur de voitures du coin.

---

1. Bonhomme de neige. *(N.d.T.)*

La voix de Sasha était à la fois rauque et suave, sauvage et sensuelle. Elle aurait pu me vendre un appartement en enfer, pourvu qu'il y ait eu l'air conditionné. J'essayais de ne pas trop me laisser captiver et de garder une oreille attentive à d'éventuels craquements du plancher. La rue, au-dehors, était déserte – pas de majorettes en vue.

Pour s'offrir cinq minutes de détente avec moi, Sasha enchaîna deux morceaux. *It Was a Very Good Year*, de Frank Sinatra, suivi de *I Fall to Pieces,* de Patsy Cline.

– Je n'ai jamais entendu une programmation aussi éclectique, lançai-je lorsqu'elle revint en ligne. Elvis, Sinatra et Patsy !

– C'est une soirée à thème.

– À thème ?

– Tu n'as pas écouté ?

– J'ai été un peu occupé. Quel thème ?

– La nuit des morts vivants.

– Original.

– Merci. Qu'est-ce qui t'amène ?

– Qui est aux manettes ce soir ?

– Doogie.

Doogie Sassman était un fan de Harley-Davidson, tatoué dans les trois dimensions, accusant un poids de cent cinquante kilos, la tête ornée d'une crinière blonde et d'une longue barbe soyeuse. Malgré un cou large comme une bitte d'amarrage et un ventre où toute une colonie de goélands aurait pu prospérer, il avait l'allure d'un gros bébé joufflu et faisait tomber en pâmoison les plus belles filles de la côte, entre San Francisco et San Diego. Doogie était, certes, un chic type, avec des airs de gros nounours de dessins animés, mais ses succès avec les vahinés les plus plantureuses – qui n'étaient pas réputées pour s'intéresser uniquement à l'âme – restaient, aux yeux de Bobby comme aux miens, l'un des plus grands mystères de la planète, au même titre que la disparition des dinosaures et la propension des tornades à s'abattre systématiquement sur les campings de vacanciers.

– Pourrais-tu t'absenter deux petites heures et laisser le micro à Doogie ?

– Tu veux un petit cinq à sept ?

– Avec toi, c'est un vingt-quatre heures sur vingt-quatre à vie, que je veux !

– Monsieur joue les Roméo ! railla-t-elle avec un ravissement secret.

– Une amie à moi a besoin d'une bonne dose de réconfort.

La voix de Sasha s'assombrit dans l'instant.

– Que se passe-t-il ?

Je ne pouvais prendre le risque de lui expliquer la situation en détail. La ligne était peut-être sur écoute. À Moonlight Bay, la police était devenue un spectre invisible et omniprésent. Si les flics écoutaient, je ne voulais pas qu'ils sachent que Sasha allait se rendre chez Lilly Wing : ils risquaient de l'arrêter en chemin. Lilly avait trop besoin d'aide. Une fois Sasha dans les murs, en revanche, les flics auraient alors toutes les peines du monde à la déloger.

– Tu connais...

Je me tus, croyant avoir vu quelque chose bouger dans la rue. Je plissai les yeux en vain. Il devait s'agir d'un nuage jouant avec la lune.

– Tu connais les treize manières ?

– Les treize quoi ?

– Le truc du merle, répondis-je en nettoyant de nouveau la vitre avec mon Kleenex : mon souffle avait laissé des traces de condensation.

– Le merle. Oui, je vois.

Je faisais allusion à un poème de Wallace Stevens : « Treize manières de regarder un merle ».

Mon père s'inquiétait de savoir comment, avec mon XP, j'allais pouvoir me débrouiller sans famille. Il avait payé les droits de succession de la maison et souscrit une assurance-vie pour moi. Mais l'héritage qu'il me laissait ne s'arrêtait pas là : il m'avait légué l'amour de la poésie moderne. Sasha m'avait rejoint sur ces terres imaginaires et avait acquis les mêmes codes que moi. Nous pouvions donc leurrer des oreilles indiscrètes grâce à ce subterfuge aussi facilement qu'en utilisant le jargon des surfeurs avec Bobby.

– Il y a un mot que l'on s'attend à rencontrer, dis-je, en faisant référence au poème, mais Stevens ne l'emploie jamais.
– Oui, répondit-elle.
Un poète de moindre envergure écrivant treize strophes sur un merle n'aurait pu s'empêcher d'utiliser le mot « *wing*[1] », mais Stevens s'en était bien gardé.
– Tu vois de qui il s'agit, à présent ?
– Parfaitement.
Elle savait que Lilly Wing – autrefois Lilly Travis – avait été mon premier amour et ma première peine de cœur.
Sasha était le second amour de ma vie, et elle m'avait juré de ne jamais me briser le cœur – je la croyais, Sasha ne mentait jamais. Elle m'avait aussi assuré que si je lui jouais un tour de cochon, c'était à la perceuse électrique qu'elle me le transpercerait !
J'avais vu la perceuse en question – une jolie machine présentée dans sa mallette en plastique, avec son jeu de mèches. Elle avait écrit *Chris* au vernis à ongles sur la tranche du plus gros foret ; il ne pouvait s'agir que d'une plaisanterie, bien sûr !
Elle n'avait, de toute façon, aucune inquiétude à se faire. Si je lui brisais le cœur, ce serait moi qui me perforerais la poitrine à la perceuse électrique. Comme ça, elle ne risquerait pas de se salir les mains. En matière de romantisme, Roméo était un amateur à côté de moi !
– Que se passe-t-il ? demanda Sasha.
– Tu comprendras quand tu seras là-bas.
– Il y a un message à transmettre ?
– L'espoir. C'est ça le message. Garder l'espoir.
Je n'étais pas sûr de mes dires. Il n'y avait peut-être pas la moindre parcelle de vérité dans ces belles paroles. À l'inverse de Sasha, et à mon grand regret, je mentais quelquefois.
– Où es-tu ?
– Dans la Ville fantôme.
– Nom de Dieu ! Tu cherches les ennuis ou quoi ?
– On ne se refait pas.
Je préférai ne pas lui parler de la disparition d'Orson, même

1. Aile. *(N.d.T.)*

par le truchement de notre code de poésie. Elle risquait de déceler dans ma voix toute mon angoisse. Si elle le savait en mauvaise posture, elle voudrait venir ici pour partir à sa recherche.

– Chris, tu sais quel est ton problème ?

– Je suis trop beau ?

– C'est ça ! lança-t-elle avec sarcasme.

– Trop intelligent, alors ?

– Trop altruiste !

– Il doit exister une pilule contre ça.

– C'est pour ça que je t'aime, Snowman, mais tu vas y laisser ta peau, crois-moi.

– C'est pour une amie, lui rappelai-je. Ne te fais pas de soucis, Bobby vient me rejoindre.

– Oh ! oh ! S'il est là, je n'ai plus qu'à préparer mon discours pour l'enterrement.

– Ça, ce sera répété !

– Les deux Marx Brothers, quelle équipe !

– Laisse-moi deviner... On est Chico et Harpo.

– Tout juste ! À côté de vous, Groucho fait figure d'intellectuel !

– Je t'aime, Goodhall.

– Moi aussi, Snowman.

Je coupai la communication. Alors que je m'apprêtais à me retourner, je distinguai un nouveau mouvement dans la rue. Cette fois, ce n'était pas l'ombre d'un nuage titillant un coin de lune. C'étaient des singes !

Je raccrochai mon téléphone à ma ceinture pour libérer mes deux mains. À la façon dont ils se déplaçaient, on ne pouvait parler de meute, ni de groupe. Le seul terme correct était le mot « troupe ».

Dernièrement, j'en avais beaucoup appris sur ces mammifères. Si j'avais vécu dans les Everglades, nul doute que je serais devenu expert en alligators ! Et voilà qu'en plein cœur de la Ville fantôme, une troupe de singes s'approchait du bungalow où j'avais trouvé refuge. Sous le clair de lune, leur fourrure brune faisait comme de l'argent. Malgré ce lustre, qui les rendait plus visibles dans l'obscurité ambiante, j'avais du mal à les compter. Cinq, six, huit... Certains avançaient à quatre pattes, d'autres progressaient courbés, d'autres encore marchaient sur leurs deux jambes, droits comme des humains. Dix, onze, douze...

Ils progressaient doucement, relevant la tête par intermittence, scrutant les ténèbres autour d'eux, surveillant leurs arrières. Ce n'était pas la peur qui leur dictait cette attitude précautionneuse. Cette troupe était en chasse.

Et le gibier était peut-être bien moi.

Quinze, seize...

Sur la piste d'un cirque, une bande de singes affublés de vestes à paillettes et de chapeaux rouges prêtaient à rire et ravissaient les enfants. Mais ces singes-là n'étaient pas clowns – ils n'exécutaient ni cabrioles, ni pas de deux, ni pirouettes. Aucune de ces bêtes ne semblait vouloir faire carrière dans le spectacle.

Dix-huit...

Il s'agissait de singes rhésus, une espèce de macaque couramment utilisée dans la recherche médicale. C'étaient tous, sans exception, de grands spécimens : plus de soixante centimètres de haut et quinze bons kilos de muscles. Je savais, pour en avoir fait la désagréable expérience, que ces rhésus étaient vifs, agiles, puissants, curieusement intelligents, et très dangereux.

Vingt...

Les singes vivaient un peu partout sur la planète, des jungles luxuriantes aux savanes, mais on n'en trouvait pas à l'état sauvage sur le continent nord-américain – sauf à Moonlight Bay, où maraudaient ces bandes nocturnes, à l'insu de la quasi-totalité de la population.

Voilà pourquoi les oiseaux s'étaient tus un peu plus tôt. Ils avaient senti approcher cette troupe étrange.

Vingt et un, vingt-deux...

Ce n'était plus une troupe, mais un bataillon !

Vous ai-je parlé de leurs dents ? Tous les singes sont omnivores ; ces animaux n'ont jamais été convaincus par les thèses des végétariens. Leur régime alimentaire est constitué principalement de fruits, de baies, de graines, de fleurs et d'œufs d'oiseaux. Mais lorsque le besoin de viande se fait sentir, ils se délectent d'insectes, d'araignées et de petits mammifères, tels que mulots, rats, taupes. En carnivores occasionnels, les rhésus sont donc pourvus d'incisives robustes et de canines idéales pour couper et déchiqueter la chair.

D'ordinaire, les singes n'attaquent pas les humains.

D'ordinaire, aussi, les singes sont actifs la journée et dorment la nuit – à l'exception du nyctipithèque, une espèce sud-américaine dotée de gros yeux globuleux et essentiellement nocturne.

Mais les bandes qui hantaient l'obscurité de Fort Wyvern et de Moonlight Bay n'étaient pas des singes ordinaires... C'étaient des bestioles pleines de haine, doublées d'une méchanceté maladive. S'ils avaient le choix entre une souris bien grasse rissolée avec de petits oignons et la possibilité de vous réduire le visage en charpie, ils ne se lécheraient même pas les babines de regret à l'idée de laisser tomber le festin.

J'avais compté vingt-deux individus lorsque la troupe silencieuse qui longeait la rue s'arrêta net. Les singes se rassemblèrent, semblant tenir conseil, comme des conspirateurs. À croire que l'un d'eux était le mystérieux second tireur embusqué lors de l'assassinat de Kennedy à Dallas.

Ils ne montraient aucun intérêt particulier pour le bungalow où je me trouvais, mais ils s'étaient arrêtés juste devant la fenêtre, ce qui faisait de moi leur cible numéro un. Je me passai la main sur ma nuque moite en me demandant s'il ne valait pas mieux sortir du bungalow par-derrière avant que ces rhésus n'aient l'idée de venir toquer à la porte pour me vendre un exemplaire de *La Vie des singes.*

Si je filais à l'anglaise, je ne pourrais savoir dans quelle direction le groupe était reparti après sa réunion au sommet. Une rencontre nez à nez avec ces petites bêtes aurait pour moi des conséquences... fatales.

Vingt-deux spécimens, plus quelques-uns qui m'avaient échappé... Une petite trentaine, donc... Il y avait encore huit balles dans mon Glock – j'en avais consommé deux avec mon assaillant – et je disposais d'un chargeur de rechange. Même si Dieu, pour l'occasion, me donnait l'adresse d'une Annie

Oakley[1] et que je faisais mouche à chaque coup, il me resterait au moins dix bêtes sur le dos.

Un combat à mains nues contre cent cinquante kilos de singes en furie ne constituait pas, à mes yeux, l'exemple même d'une lutte équitable. Un combat à la loyale, selon mes vues, opposait d'un côté un vieux rhésus édenté, à demi aveugle et grabataire, et de l'autre, moi, à bord d'un hélicoptère d'attaque de l'armée.

Dans la rue, les singes devisaient toujours. Ils étaient si serrés les uns contre les autres, qu'ils formaient, sous la lune, une sorte d'organisme aberrant, hérissé de têtes et de queues en point d'interrogation. Comment savoir ce qu'ils fomentaient ? Il aurait fallu être singe pour avoir la réponse.

Je m'approchai de la fenêtre, observant la scène en clignant des yeux et tentai d'imaginer ce qui se tramait.

Parmi les expériences d'apprentis sorciers qui avaient été menées dans les bunkers souterrains de la base, un programme – le plus excitant et le plus subventionné de tous –, sortait du lot. Il s'agissait de travaux visant à améliorer l'intelligence humaine et animale, ainsi que certaines aptitudes physiques, telles que l'agilité, la vitesse, la vue et la longévité. Le principe consistait à transférer des séquences génétiques non pas d'individu à individu, mais d'espèce à espèce.

Ma mère était un génie dans son domaine, mais elle n'avait rien d'une savante folle – je suis bien placé pour le savoir. Spécialiste en génétique fondamentale, elle ne passait guère de temps dans les laboratoires. Sa paillasse d'expérimentation se trouvait sous son crâne et son esprit était aussi bien équipé que tous les centres de recherche du pays réunis. Elle travaillait dans son bureau de l'Ashdon College, ne franchissait que rarement la porte d'un laboratoire, et, financée par les subsides de l'État, elle œuvrait en profondeur sans se contenter, comme un trop grand nombre de ses contemporains, d'un débroussaillage de surface. Elle n'avait nulle intention de détruire l'humanité, mais plutôt de la sauver. Je sais qu'elle ignorait totalement

---

1. (1860-1926), tireuse d'élite, membre du spectacle de Buffalo Bill, le *Wild West Show. (N.d.T.)*

à quelles fins malveillantes les gens de Wyvern utilisaient les fruits de ses recherches théoriques.

Transférer du matériel génétique d'une espèce vers une autre... et le vieux spectre d'une race supérieure renaissait de ses cendres. La course au soldat parfait et invulnérable était relancée : de nouvelles hordes de chiens de guerre pour des champs de batailles futures, des armes biologiques de toutes tailles, du virus microscopique au grizzly géant.

Seigneur !

Par comparaison, j'en venais à regretter le bon vieux temps où les plus grands cerveaux de la planète se contentaient de rêver à des bombes nucléaires, à des rayons de la mort en orbite, ou à des gaz de combat faisant sur leur victime l'effet du sel jeté par des enfants sur une chenille, pour se délecter de voir les intestins de l'animal sortir de ses sphincters.

En vue des expériences, il était évidemment facile de se procurer des animaux, ceux-ci n'ayant guère les moyens de s'offrir de grands avocats pour défendre leurs intérêts. Malheureusement, les cobayes humains ne faisaient pas défaut non plus. Des soldats, traduits en cour martiale pour meurtres et condamnés à la détention à perpétuité, se voyaient proposer une remise de peine s'ils acceptaient de participer à ces recherches clandestines.

Pourtant, ce beau mécanisme s'enraya.

Dans toute œuvre humaine, quelque chose tourne mal à un moment donné. Selon certains, c'est à mettre au compte de l'entropie galopante de l'univers ; selon d'autres, c'est une punition divine pour notre infidélité aux dogmes. Peu importe les raisons exactes. Il n'en reste pas moins un fait arithmétique : chez l'homme, pour un Groucho, on compte des centaines de Chico et de Harpo.

Le vecteur utilisé pour convoyer les nouvelles séquences génétiques dans les cellules du receveur, jusqu'au cœur de leur chaîne ADN, était un rétrovirus conçu par le cerveau brillant de ma maman, Wisteria Jane Snow, également reine des cookies aux pépites de chocolat. Ce rétrovirus artificiel était, par nature, fragile, c'est-à-dire stérile, et donc bénin. Un simple semi-remorque vivant déposant son fret là où on le lui demandait. Une fois son travail terminé, il mourait. Malheureusement, la bestiole muta et devint un virus infectieux qui se reproduisit avec frénésie, devenant ainsi capable de contaminer n'importe qui par simple contact cutané. Ces micro-organismes capturèrent au hasard des séquences d'ADN, appartenant aux multiples espèces demeurant dans le laboratoire, et les insérèrent dans les gènes des expérimentateurs présents. Pendant un temps, ces derniers ignorèrent que leur être, lentement mais irréversiblement, était en train de se modifier, tant sur le plan physique, qu'intellectuel et psychique... Avant de comprendre ce qui leur arrivait, certains employés de Wyvern se mirent à *changer*... à partager le sort des animaux cobayes dans leur cage.

Voilà deux ans, le phénomène a éclaté au grand jour ; un terrible drame s'était produit dans les laboratoires. Personne ne put me dire exactement ce qui s'était passé. Les uns et les autres semblaient s'être soudain entretués, au cours de bagarres d'une rare sauvagerie. Les animaux d'expérimentation s'échappèrent ou furent libérés par ceux qui se découvraient de curieuses affinités avec eux.

Parmi ces animaux, se trouvaient des singes rhésus dont l'intelligence avait été notablement augmentée. Bien que je croie que les capacités mentales d'un être vivant dépendent du volume de sa boîte crânienne et des circonvolutions de son cortex, ces rhésus ressemblaient, à quelques détails près, à leurs cousins sauvages. En tout cas, aucun d'entre eux ne présentait une tête plus grosse que la normale.

Les singes avaient été livrés à eux-mêmes depuis cette date funeste. Ils évitaient les forces fédérales et les militaires qui essayaient de les éradiquer discrètement. Les politiques tenaient à ce que toute trace des activités clandestines de la base soient effacées avant que le public n'apprenne qu'ils avaient mis en branle la fin du monde, du moins du monde tel que nous le connaissons. Hormis les responsables et les participants aux programmes de recherches, seule une poignée d'individus – dont moi – était au courant des événements. Si nous nous avisions d'en parler à la presse ou à qui que ce soit – malgré l'absence de preuves pour étayer nos dires –, flics et soldats nous abattraient sans plus de remords que les rhésus.

Ils avaient bien tué ma mère. Ils prétendaient qu'elle s'était suicidée. Parce qu'elle ne pouvait supporter de voir ses travaux utilisés de la sorte. Elle se serait jetée, en voiture, contre la pile d'un pont à la sortie de la ville... Mais ma mère n'était pas du genre à s'avouer vaincue. Jamais elle ne m'aurait laissé seul face à ce monde de cauchemar qui se profilait. À mon avis, elle avait décidé de rendre l'affaire publique, de révéler la vérité aux médias, dans l'espoir de rassembler les énergies et les capitaux pour mettre au point un contre-programme capable d'enrayer l'épidémie, de sonner le branle-bas de combat aux oreilles de toutes les sommités internationales dans le domaine de la biogénétique. On l'a donc empêchée de parler, de façon radicale. Voilà quelle est mon intime conviction. Je n'ai aucune preuve de ce que j'avance, mais il s'agit de ma mère, et j'ai le droit de croire ce que je veux. Ce sont là et ma liberté et mon devoir.

En attendant, la contagion va bon train, prospérant plus vite que les singes. Il me paraît peu vraisemblable que l'on puisse éradiquer la catastrophe, ou simplement la circonscrire. Des employés contaminés de Wyvern ont emporté avec eux le rétrovirus en d'autres endroits du pays, avant que l'on découvre le problème et que l'on exige une mise en quarantaine systématique des sujets touchés. Toutes les espèces vont bientôt être victimes de mutations génétiques. Le seul point d'interrogation concerne la vitesse du processus d'altération. Sera-t-elle lente – cinquante, cent ans – ou fulgurante ? Pour l'heure, les effets ont été, à de rares exceptions près, discrets et limités. Peut-être est-ce l'accalmie avant l'apocalypse. Les responsables cherchent, j'imagine, à trouver un remède, mais ils dépensent autant d'énergie à étouffer la catastrophe imminente. Personne, en haut lieu, ne tient à essuyer la vindicte populaire. Ce n'est pas la peur de perdre leur fauteuil qui inquiète les politiciens ; le danger est bien plus sérieux cette fois : ils risquent d'être poursuivis pour crime contre l'humanité. Ils se défendront sans doute en prétextant qu'il fallait à tout prix éviter la panique, le désordre, et peut-être même une mise au ban planétaire de toute l'Amérique du Nord. Mais au fin du fond, le véritable spectre qui les terrifie, c'est celui d'être mis en pièces par une foule furieuse.

Peut-être, parmi la troupe de singes rassemblée devant le bungalow, se trouvait-il quelques individus ayant fui les laboratoires en cette nuit de tuerie. La plupart, toutefois, devaient être des descendants des échappés, aussi intelligents que leurs parents.

D'ordinaire, les rhésus sont de véritables moulins à paroles, mais ces trente-là étaient silencieux comme la mort. Ils déambulaient au sein du groupe en une sorte d'agitation fébrile, battant des bras, fouettant l'air de leurs queues. Aucun bruit de voix ne me parvenait, alors qu'ils se trouvaient à quelques mètres de moi. J'avais l'impression qu'ils chuchotaient pour ne pas se faire entendre. Ils complotaient quelque chose, c'était sûr – et quelque chose de pire que d'aller chaparder une banane chez l'épicier du coin.

Si les rhésus n'étaient pas aussi intelligents que les humains, la différence entre eux et moi n'était pas suffisante pour que j'envisage sereinement une partie de poker contre trois d'entre eux – à moins de les saouler à mort au préalable.

Ces primates surdoués ne constituaient pas la seule menace mortelle issue des laboratoires de Wyvern. La place d'honneur revenait, évidemment, au rétrovirus, capable de modifier toute forme de vie sur terre. Mais dans l'univers des méchants, les rhésus représentaient une force de frappe non négligeable.

Pour mesurer l'ampleur du danger que représentaient ces macaques mutants, il suffit d'imaginer le fléau que peuvent constituer les rats alors qu'ils ne possèdent qu'une infime fraction de nos capacités intellectuelles. Les scientifiques estiment que ces rongeurs détruisent vingt pour cent des ressources alimentaires de la planète, et cela en dépit des innombrables programmes de dératisation qui maintiennent leurs effectifs dans une limite acceptable. Imaginez ce qui se passerait si les rats acquéraient soudain un QI de cinquante et que la disparité des armes en notre faveur soit moins hurlante ? On assisterait à une véritable lutte pour la survie de l'humanité.

À regarder ces singes dans la rue, je me demandais si je n'avais pas sous les yeux nos futurs rivaux.

Outre leurs facultés cérébrales, les rhésus possédaient d'autres atouts dans leur manche poilue – ce qui faisait d'eux des ennemis plus redoutables encore que n'importe quel rongeur surdoué. Alors que les rats suivaient avant tout leur instinct de survie, sans réelle intention de nuire, ces singes-là témoignaient une haine féroce au genre humain. C'était la haine de la créature pour un créateur ayant fait un travail de cochon. On les avait arrachés à leur innocence d'animal, qui les satisfaisait pleinement. On leur avait donné juste assez d'intelligence pour être conscients du monde et de leur place au sein de celui-ci, mais on leur avait refusé la part nécessaire pour améliorer leur sort – juste de quoi détester leur vie de singe. Ils pouvaient rêver d'une autre existence, mais sans avoir les moyens de réaliser leurs rêves. On les avait retirés de leur niche écologique au royaume des animaux sans leur donner la capacité d'en trouver une nouvelle dans ce royaume-ci. Coupés de la matrice originelle, ils erraient, comme des âmes en peine, pleins d'un désir qui ne serait jamais comblé.

Ils avaient bien raison de nous haïr. Je n'aurais pas éprouvé d'autre sentiment si je m'étais trouvé à leur place.

Mais ma sympathie et ma mansuétude à l'égard du genre simiesque ne m'assureraient pas de vieux os si je m'aventurais dans la rue pour leur tendre une main fraternelle, empli de regret devant l'arrogance des humains, en psalmodiant d'un air penaud : « On vous offrira des bananes. » Je serais réduit en pâté pour chiens dans la seconde.

Les recherches de ma mère avaient contribué à la naissance de cette troupe ; ils le savaient très bien. Dans l'impossibilité d'exercer leur vengeance sur elle, ils reporteraient toute leur haine sur moi, son fils unique. Peut-être honnissaient-ils tous les Snow de la Terre ? J'étais le plus mal placé pour critiquer leur rancœur ; mais devais-je pour autant payer les pots cassés, malgré tout le respect que je portais à ma mère ?

Toujours entier derrière ma fenêtre, j'entendis soudain un tintement, comme celui d'une grande cloche, suivi par un bruit de ferraille. Les singes se regroupèrent autour d'un objet qui me restait pour l'instant invisible. Un raclement métallique se fit entendre, et plusieurs d'entre eux unirent leur force pour dresser l'objet sur sa tranche.

L'agitation m'empêchait de voir distinctement de quoi il s'agissait, sinon que la chose en question était grande et circulaire. Les rhésus se mirent à la faire rouler d'un trottoir à l'autre, lui faisant décrire un grand cercle. Certains regardaient, assis sur leur arrière-train, leurs congénères trotter à côté de cette masse ronde, s'activant à la maintenir en équilibre. Sous le clair de lune, cela ressemblait à une pièce de monnaie tombée de la poche de quelque géant. Puis, soudain, je compris ce que j'avais sous les yeux : les singes avaient arraché une plaque de bouche d'égout.

Brusquement, ils se mirent à piailler comme une bande d'enfants surexcités jouant avec un vieux pneu. Je ne leur connaissais pas ce genre de distractions. Lors de mes précédentes rencontres avec des individus de cette espèce – dont une seule en face à face – ils s'étaient moins comportés comme des têtes blondes insouciantes que comme une bande de hooligans casseurs d'humains, sous PCP et cocaïne.

Ils se lassèrent vite de leur petit jeu. Trois d'entre eux s'employèrent, au prix de grands efforts, à faire tourner la plaque comme une toupie. Le silence tomba parmi la troupe. Tous regardaient, assis en cercle, le couvercle métallique tournoyer au milieu de la rue.

De temps en temps, l'un des trois singes qui l'avaient mis en branle s'élançait, et, par une savante impulsion, relançait le mouvement giratoire avant que la pièce ne retombe au sol. La régularité et la précision de leur intervention laissaient présager, malgré leur apparence simiesque, une compréhension rudimentaire des lois de la mécanique.

Un grondement métallique s'élevait du disque à mesure que la tranche d'acier raclait le bitume. C'était le seul son audible dans la nuit, une mélopée monocorde, fluctuant à peine d'un demi-ton.

La simple giration de cette plaque ne pouvait toutefois expliquer un tel intérêt parmi la troupe. Les singes semblaient littéralement captivés, presque en extase. La rotation du disque n'était pas fortuite. Il avait été lancé à une certaine vitesse pour émettre un certain son et produire cet effet quasi hypnotique sur la troupe.

Peut-être ne s'agissait-il pas d'un jeu, mais d'un rituel, d'une cérémonie ayant une signification symbolique connue des seuls rhésus et impénétrable aux humains ? L'utilisation de rites et de symboles supposait non seulement l'existence de capacités d'abstraction chez les rhésus, mais également l'émergence d'une dimension spirituelle dans leur existence ; ils étaient donc capables de s'interroger sur l'origine de toutes choses et sur le sens de leur vie.

Cette idée était si troublante que je faillis détourner la tête de la fenêtre, par pudeur.

Malgré leur hostilité à l'égard de l'humanité et leur goût pour la violence, j'éprouvais une certaine sympathie pour ces créatures pathétiques, ces parias erratiques sans droit de cité au sein de Dame Nature. En mesure de s'interroger sur l'existence de Dieu et le dessein du cosmos, ils éprouvaient, comme nous autres, humains, ce mal exquis : le désir de comprendre pourquoi notre Créateur nous infligeait toutes ces souffrances, cette frustration permanente de ne pouvoir Le voir, L'entendre, Le toucher et pourtant d'être convaincu de Son existence. Si ces bêtes connaissaient ces affres silencieuses, alors elles avaient toute ma compassion, et même ma pitié.

Maintenant que j'étais ému par leur infortune existentielle, comment pourrais-je les tuer sans hésitation s'ils mettaient ma vie ou celle d'un ami en danger ? Lors d'un précédent face-à-face avec eux, j'avais dû repousser leurs assauts sauvages à coups de pistolet. La force est d'un emploi aisé lorsque l'adversaire a le QI d'un requin. On peut presser la gâchette sans remords, lorsque la haine pour son adversaire est identique à celle qu'il éprouve pour nous. Mais la compassion fait naître des considérations altruistes, des hésitations... La pitié ouvre peut-être les portes du Paradis, s'il existe, mais elle n'est d'aucun secours lorsque vous devez défendre votre peau face à une horde d'adversaires impitoyables.

Le son émanant du disque d'acier se mit à fluctuer, une modulation sur plusieurs tons. La plaque d'égout perdait de la vitesse. Pas un membre de la troupe ne se précipita pour la relancer. Les singes la regardaient avec fascination osciller sur le macadam, en un mouvement chaotique de plus en plus lent et sonore. Elle finit pas s'immobiliser, à plat sur la chaussée, et dans le même instant, tous les rhésus se pétrifièrent. Un dernier tintement se perdit dans la nuit, puis une chape de silence retomba sur la Ville fantôme. De mon poste d'observation, il me semblait que tous observaient avec une grande intensité l'objet gisant au sol.

Puis, peu à peu, comme au sortir d'un profond sommeil, ils quittèrent leur stupeur et s'approchèrent de la plaque. Ils se tinrent en cercle, penchés au-dessus d'elle, et, en appui sur les phalanges de leurs pattes avant, ils l'examinèrent dans ses moindres détails, telles des bohémiennes lisant l'avenir dans des feuilles de thé.

Quelques singes se tenaient en retrait, mal à l'aise ou attendant leur tour. Ces indécis veillaient à ne jamais poser les yeux sur la plaque ; ils tournaient la tête de droite à gauche, observant la rue, les arbres ou le ciel étoilé.

L'un d'entre eux fixa soudain le bungalow où j'avais trouvé refuge. Je ne retins pas mon souffle, ni ne me raidis. Rien ne différenciait mon bungalow des centaines d'autres alentour. La porte d'entrée laissée grande ouverte n'avait rien de remarquable ; la plupart des maisons restaient béantes aux quatre vents.

Après avoir contemplé la façade quelques secondes, le rhésus leva la tête vers la lune gibbeuse. Sa posture trahissait une grande tristesse – à moins que je ne sombre dans la sensiblerie et que je ne prête à ces bêtes des émotions qu'elles n'étaient pas en mesure d'éprouver.

Brusquement, alors que je n'avais fait aucun mouvement et causé aucun bruit, la bête au poil argenté se redressa, cessa de contempler les cieux, et fixa de nouveau mon bungalow.

– Tout doux, mon joli, murmurai-je.

D'un pas déhanché, l'animal traversa la rue, et monta sur le trottoir baigné par les ombres des lauriers qui bordaient la maison. Je résistai à l'envie de m'écarter de la fenêtre. L'obscurité autour de moi était totale, aussi impénétrable que celle du cercueil de Dracula ; je me savais invisible. Le toit du porche empêchait la lumière de la lune d'atteindre mon visage.

L'affreuse bestiole se mit à étudier chaque détail de la façade comme un acheteur potentiel s'apprêtant à faire une offre, sans montrer d'intérêt particulier pour la fenêtre derrière laquelle je me trouvais.

Je suis capable de sentir sur mon corps la moindre alternance d'ombres et de lumière – un contact pour moi plus sensuel encore que les courbes d'une femme. Les délices de la chair ne me sont pas interdits, c'est de la lumière dont je dois faire abstinence. Aussi, le moindre effleurement de photons a sur moi des effets érotiques. Chaque faisceau courant sur ma peau est une caresse. Ici, au tréfonds de ce bungalow, je ne percevais aucun attouchement lumineux sur mon corps, j'étais un simple prolongement de l'obscurité, une partie insécable d'elle-même.

Le singe avança de quelques pas et s'arrêta devant l'allée qui menait au perron du bungalow. Moins de dix mètres nous séparaient.

Au hasard d'un mouvement de tête, je perçus un reflet dans son œil. D'ordinaire, les yeux d'un rhésus étaient d'un jaune éteint, aussi froids et sinistres que ceux d'un percepteur. Mais un feu orange brûlait dans les pupilles de ces rhésus-là, luisant comme une menace dans la nuit. Leurs yeux semblaient avoir acquis la phosphorescence rétinienne de la plupart des animaux nocturnes.

Je distinguais à peine l'animal parmi les ombres des lauriers, mais les va-et-vient de ses orbites lumineuses laissaient entendre que quelque chose avait attiré son regard. Peut-être une souris courant dans l'herbe – ou une de ces tarentules indigènes dont il s'imaginait déjà pouvoir faire son repas.

Dans la rue derrière lui, les autres membres de la troupe étaient toujours captivés par la plaque d'égout.

Les singes de Wyvern avaient une meilleure vision nocturne que leurs cousins naturels, mais leur acuité ne dépassait pas celle des chouettes ou des chats. Dans l'obscurité totale, ils étaient aussi perdus que vous ou moi.

Mon singe observateur – que je décidai de surnommer « Curieux » – s'approcha de trois pas, sortant de l'ombre des lauriers pour retrouver le clair de lune. Cette fois, il se trouvait à moins de cinq mètres du perron.

L'amélioration de la vision nocturne des rhésus était sans doute un effet secondaire des expérimentations visant à augmenter leur QI. Mais, d'après mes observations, c'était leur seul sens à avoir gagné en efficacité. Les singes ordinaires, dépourvus d'un odorat aussi fin que celui d'un chien, se révélaient de piètres pisteurs. Leur flair n'était pas plus développé que le mien – c'est-à-dire qu'ils ne pouvaient percevoir mon odeur, ni moi la leur, à plus d'un mètre de distance. Ces petites frappes à longues queues ne possédaient pas une ouïe exceptionnelle, pas plus qu'ils n'étaient capables de voler, à l'inverse de leurs compères qui faisaient le sale boulot pour la méchante sorcière de l'Ouest [1]. Même dangereux, en particulier en groupe, ces animaux n'étaient donc pas des monstres équipés de superpouvoirs que seuls des balles d'argent ou un obus de kryptonite pouvaient occire.

Sur le trottoir, Curieux était assis sur son arrière-train, les bras refermés autour de son torse comme pour se rassurer. Il leva de nouveau la tête vers la lune et s'abîma si profondément dans la contemplation des cieux qu'il parut totalement oublier l'existence du bungalow.

Au bout d'un moment, je consultai ma montre. Je ne voulais pas me retrouver coincé ici – j'avais rendez-vous avec Bobby devant le cinéma. Lui aussi risquait de tomber nez à nez avec la troupe. Malgré tous ses talents, il ne ferait pas le poids face aux petits monstres.

Si ces bêtes ne se décidaient pas à partir, il me faudrait prendre le risque d'appeler Bobby pour le prévenir du danger. Pourquoi mon portable émettait-il un petit bip lorsque je le mettais sous tension ? Dans le silence de la Ville fantôme, cette seule note résonnerait comme un pet de moine dans une communauté ayant fait vœu de silence.

Finalement, Curieux se lassa de sa contemplation, baissa les yeux et se remit sur ses jambes. Il étendit ses longs bras pour assurer son équilibre, secoua la tête et repartit à petits bonds

---

1. Sinistre personnage du *Magicien d'Oz (N.d.T.)*

vers la rue. Alors que je lâchais un soupir de soulagement, l'animal poussa un cri – un cri qui ne pouvait être qu'un signal d'alerte.

La troupe entière, telle une seule entité, répondit à l'appel. Toutes les têtes se levèrent, abandonnant l'observation du disque, et se tournèrent vers leur congénère. Curieux se mit à sauter en l'air, à tourner sur lui-même, avec force cris et grognements, martelant de temps à autre le bord du trottoir de ses poings, frappant l'air comme s'il voulait récupérer quelque chose d'invisible. Il soufflait, crachait, fonçait droit sur le bungalow et faisait soudain demi-tour pour revenir dans la rue en poussant un hurlement strident à briser tout objet en cristal.

Même si je ne connaissais pas les arcanes du langage singe, le message était clair.

Je vis tous les yeux des rhésus de la troupe, distants pourtant de plus de quinze mètres de moi, s'allumer dans la nuit comme une nuée de lucioles. Certains d'entre eux se mirent à couiner. Ils étaient moins démonstratifs que leur collègue battant le rassemblement, mais ils ne s'apprêtaient visiblement pas à former un comité de bienvenue.

Je sortis mon Glock.

Huit balles dans le magasin. Plus un chargeur. Dix-huit balles, trente singes.

J'avais déjà fait le calcul un peu plus tôt. Je refis l'opération mentalement, par sécurité. La poésie étant ma matière préférée, loin devant l'arithmétique, je pouvais toujours avoir commis une erreur. Fol espoir !

Curieux revint en courant vers la maison. Sans rebrousser chemin, cette fois.

Derrière lui, la petite troupe se mit en branle et traversa la rue, puis la pelouse, en direction du perron. Plus les singes approchaient, plus ils se faisaient silencieux – cela laissait présager, chez eux, organisation, discipline et sinistre dessein.

7.

Je gardais la conviction que les singes ne m'avaient ni vu ni entendu. Pourtant, ils avaient détecté ma présence – ce ne pouvait être la laideur de mon bungalow qui déclenchait une telle haine. La fureur que je lisais sur leur face était celle qu'ils réservaient au genre humain.

En outre, selon l'organisation de leurs journées, l'heure du dîner approchait peut-être. Comparé à une souris ou à une poignée d'araignées juteuses, je représentais un généreux plat de côtes, une occasion rêvée de changer leur ordinaire, essentiellement composé de végétaux.

Je m'écartai de la fenêtre et traversai le salon dans l'obscurité, les mains tendues devant moi. J'avançais vite, me fondant sur la mémoire visuelle que je gardais de ces maisons. Mon épaule rencontra le chambranle d'une porte. Je poussai le battant et pénétrai dans la salle à manger.

Malgré le rassemblement discret, sous le porche, des singes prêts à lancer une attaque éclair et silencieuse, j'entendais le bruit de leurs pattes sur les planches. Pourvu qu'ils hésitent encore un peu à entrer, le temps de me laisser me mettre à couvert !

Un store mangeait presque toute la lumière provenant de l'unique fenêtre de la pièce. Les ténèbres étaient aussi épaisses à l'intérieur qu'à l'extérieur.

Je continuai ma progression. La porte de la cuisine se trouvait droit devant moi, dans l'axe du salon. Je passai le seuil, cette fois sans même effleurer le chambranle. Pas de stores ni de rideaux occultant les deux fenêtres au-dessus de l'évier. Elles luisaient d'une aura phosphorescente comme un écran de télé que l'on vient d'éteindre. Sous mes pieds, le vieux linoléum gémissait et craquait. Si l'un des membres de la troupe entrait dans la maison, je ne pourrais pas l'entendre s'approcher avec le bruit que je faisais !

L'air était moite et acide, chargé de relents à soulever le cœur – un rat ou un animal mort devait être en train de se décomposer dans un coin ou dans un placard.

Je retins mon souffle et, rapidement, me dirigeai vers la porte du fond, dont la moitié supérieure était vitrée. Fermée.

Dans les bases militaires, la protection des biens et des personnes était assurée et aucun occupant ne craignait le vol. Les serrures étaient donc sommaires, présentant un trou de clé uniquement du côté extérieur. Je tâtai le bouton de la porte, à la recherche du cran de sécurité. Je le trouvai et déverrouillai la serrure, m'apprêtant à tourner la poignée pour m'enfuir. Mais au moment où mes doigts se refermaient sur le bouton de cuivre, je vis l'ombre d'un singe sauter derrière la vitre.

Je lâchai la poignée sans bruit et reculai de deux pas, méditant sur les choix qui s'offraient à moi : je pouvais ouvrir la porte, pistolet au poing, foncer droit devant moi en tirant sur tout ce qui bouge comme si j'étais Indiana Jones, le fouet et le chapeau de brousse en moins, et croire en ma bonne étoile pour optimiser mes chances de survie ; ou bien rester dans la cuisine et attendre la suite des événements.

Un singe sauta sur le rebord de l'une des deux fenêtres au-dessus de l'évier. S'accrochant au cadre pour ne pas perdre l'équilibre, il plaqua sa tête contre la vitre et scruta la pièce.

La lune découpait en ombre chinoise cet affreux gremlin ; je ne pouvais voir les détails de son visage. Seulement son regard ambre, luisant, et l'arc blanc de son sourire sinistre. Il tournait la tête de droite à gauche, les yeux roulant dans leurs orbites. À voir ces mouvements oculaires désordonnés, je compris qu'il ne parvenait pas à me distinguer dans l'obscurité.

Que faire ? Rester ici, coincé comme un lapin ? ou plonger dans la nuit pour être massacré sous une lune blafarde et indifférente ?

On ne pouvait plus parler de choix, puisque l'une ou l'autre de ces solutions concourait au même funeste dénouement. Tout surfeur savait qu'être aspiré par le fond ou écrasé sur un rocher, c'était du pareil au même ; cela signifiait une fin du *run*, ferme et définitive.

Un autre singe rejoignit son compère sur le rebord de la deuxième fenêtre.

Sasha se plaisait à dire que je ressemblais à James Dean. Bien qu'à mes yeux la ressemblance ne fût pas frappante, je devais reconnaître qu'à cette comparaison je me rengorgeais de fierté. Il n'en fallait pas plus pour que je me surprenne à vivre certains moments de ma vie comme au cinéma, en les accompagnant mentalement de la bande-son poignante de *La Fureur de vivre*. Lorsque l'ombre du rhésus avait jailli derrière la porte vitrée, j'avais entendu les violons stridents de *Psychose* retentir dans la scène de la douche. Maintenant que je me voyais encerclé par les singes, c'était le son grave d'un violoncelle qui résonnait en moi, doublé d'une note aiguë de clarinette.

Même si je pouvais me nourrir d'illusions, comme tout un chacun, je décidai de ne pas choisir l'option cinéma grand spectale qui m'était proposée, à savoir foncer tête baissée dans la nuit en un baroud d'honneur. Après tout, James Dean, quoique charismatique, n'était pas Harrison Ford. Dans les quelques – et trop rares – films qui avaient fait la légende du Kid, tôt ou tard il se retrouvait dans les ennuis jusqu'au cou.

Je fis un pas de côté pour m'éloigner des fenêtres et de la porte donnant sur la salle à manger. Presque aussitôt, ma retraite fut arrêtée par des placards. On les trouvait dans toutes les maisons de la Ville fantôme – laids, mais fonctionnels, avec un cadre en bouleau, des portes repeintes si souvent que les petites rainures entre les lattes avaient fini par disparaître, et l'élément bas recouvert de Formica.

Avant qu'un membre de la troupe ne pénètre dans la cuisine par la porte principale, je me devais de ne plus poser un pied au sol. Même en me plaquant dans un coin de la pièce, sans bouger d'un cheveu et plus muet qu'une carpe, j'étais certain de me faire repérer. Le linoléum était si crevassé, si cloqué, qu'il se mettrait à craquer au moindre frémissement de mon corps. Une pensée de trop, et mon sort était joué. Le bruit éclaterait évidemment dans le silence général, au moment où toutes les oreilles des petits monstres seraient aux aguets.

Malgré l'obscurité épaisse, presque visqueuse, malgré l'odeur de charogne dissimulant ma propre odeur, la cuisine n'avait guère de chances d'échapper à une fouille en règle, même si les rhésus n'avaient que le toucher pour la mener à bien. Mais je devais tenter le coup.

Si je grimpais sur le buffet, la rangée supérieure de placards me gênerait ; je serais alors contraint de me coucher sur le flanc, dos au mur, les jambes repliées dans une position fœtale, pour occuper le moins de place possible sur le plan de Formica. Ce n'était pas à proprement parler la meilleure posture pour contre-attaquer au cas où je serais découvert par ces sacs à puces belliqueux.

Je longeai le meuble dans l'obscurité. Dans mon souvenir, au fond de la pièce, se trouvait un placard à balais, avec un grand compartiment et une petite étagère dans la partie haute. En me faufilant dans ce réduit et en refermant la porte sur moi, j'éviterais à la fois les pièges du linoléum et le risque d'une palpation directe.

Le placard à balais était bien là, au bout du buffet, mais il manquait la porte. Incrédule, je sentis sous mes doigts un gond cassé, puis un autre. Je palpai l'air à l'endroit où aurait dû se trouver le battant de bois, en une sorte d'incantation silencieuse. Il ne me restait plus beaucoup de temps. Les amis de Curieux, sur le perron, se lasseraient bientôt de discuter stratégies ou cours de la noix de coco et passeraient à l'action. Cette cuisine allait devenir d'un instant à l'autre une vraie nasse à humains.

Je n'avais pas le choix.

Je sortis mon chargeur de rechange et le gardai dans ma main gauche. Le Glock dans la main droite, je me faufilai à reculons dans le placard à balais, priant pour que l'odeur de charogne régnant dans la cuisine ne provienne pas du réduit. À cette pensée, mon estomac se tortilla comme une grappe d'anguilles en plein coït. Par bonheur, aucune chose visqueuse ne s'écrasa sous mes semelles.

Le placard était tout juste assez large pour m'accueillir ; j'avais à peine besoin de rentrer les épaules. Malgré mon mètre quatre-vingts de hauteur, je pouvais tenir debout, en dépit de ma casquette *Mystery Train* écrasée sous l'étagère supérieure, enfonçant son rivet central dans mon cuir chevelu. Pour éviter toute sueur froide et crise de claustrophobie, je décidai de ne pas lister les points communs que présentait cette cachette avec un cercueil. De toute façon, je n'aurais pas eu le temps d'aller jusqu'au bout de la liste. À peine avais-je pris place dans le placard que les singes entraient dans la cuisine.

Je les entendis s'arrêter sur le seuil avec des chuchotements de conspirateurs. Ils hésitèrent un moment, semblant évaluer la situation, puis ils investirent les lieux d'un seul mouvement, balayant l'espace de leurs yeux lumineux, se déployant en éventail, comme une brigade du SWAT [1] en pleine action au journal de vingt heures.

Les grincements soudains du linoléum les firent se figer sur place. Quelques-uns poussèrent de petits cris de surprise. Autant que je pouvais en juger, cette unité d'éclaireurs se composait de trois individus. Dans l'obscurité, je distinguais leurs paires d'yeux luisant comme des lanternes lorsqu'ils regardaient dans ma direction.

Je respirais lentement par la bouche – à la fois pour être discret et pour me préserver des effluves de la pièce. Des haut-le-cœur dangereux me traversaient déjà. J'avais l'impression de *goûter* l'air avec mes papilles – une saveur aigre et fétide sur ma langue qui risquait à tout moment de me faire hoqueter de dégoût.

Après un moment de perplexité, le plus téméraire des trois Davy Crockett tenta de faire un nouveau pas – et stoppa aussitôt en entendant le linoléum émettre de nouvelles protestations. L'un de ses deux compères l'imita. Même cause, même effet.

Je sentis un nerf se vriller dans ma cheville gauche. Je priai Dieu aussitôt pour que cela ne dégénère pas en crampe.

Après un long silence, le plus timide des trois rhésus poussa

1. *Special Weapons and Tactics* – unité comparable à notre GIGN. *(N.d.T.)*

une petite plainte, chargée de peur. Vous me jugerez peut-être cruel ou cynique, mais cette manifestation d'angoisse chez un singe mutant me fit chaud au cœur.

La tension des trois bêtes était si grande que si soudain j'avais crié « Bouh ! », ils auraient sauté en l'air de terreur et se seraient accrochés au plafond telle des stalactites vivantes. Passé le premier effet de surprise, cependant, ils me retomberaient dessus et me transformeraient en chair à pâté, faisant tourner à l'aigre ma petite plaisanterie. Ou peut-être abandonneraient-ils leurs recherches et iraient-ils dire deux mots à Curieux pour leur avoir causé une telle frayeur ?

Avec l'intelligence venait une conscience de la complexité du monde, et de cette conscience naissait l'angoisse de l'inconnu, du mystère et de l'irrationnel... La superstition est la face obscure du merveilleux. Les animaux ne craignent que les choses réelles, tangibles : leurs prédateurs naturels, par exemple. Mais les créatures dotées de plus hautes capacités cognitives peuvent se torturer le cortex avec tout un bestiaire de monstres imaginaires : fantômes, gobelins, vampires et extraterrestres mangeurs de singes. Pire encore, comment ne pas entendre résonner dans sa tête, tel un glas, les deux mots les plus terribles de l'univers, y compris en langage singe, générateurs des terreurs les plus indicibles : *Et si...*

Je priai donc pour que ces créatures restent tétanisées à vie, en énumérant une liste infinie de supputations.

Malheureusement, l'un des rhésus renifla, comme pour chasser la puanteur ambiante de ses naseaux, et cracha avec dégoût. Le plus timide poussa un nouveau gémissement. Le troisième larron lui répondit non par une plainte, mais par un grognement lourd de menace, supposé m'avertir qu'ils n'allaient pas rester plantés là telles des poules mouillées. Le cracheur ne paraissait pas le moins du monde intimidé, et sa conviction paraissait suffisante pour faire marcher droit ses deux compères.

Tous trois pénétrèrent plus avant dans la cuisine et sortirent de mon champ de vision. Ils semblaient sur leurs gardes, tendus à l'extrême, toutefois les craquements sinistres du sol ne les terrorisaient plus.

Un second groupe de trois fit son apparition sur le seuil, scrutant à son tour l'obscurité. Un à un, les singes regardèrent dans ma direction, avec leurs yeux luisants, sans me laisser penser qu'ils avaient détecté ma présence.

Des quatre coins de la pièce montait un concert de craquements. Soudain, j'entendis des crissements de griffes suivis d'un léger impact : un singe venait de monter sur le buffet. Le rivet de ma casquette appuyait si fort contre mon crâne que j'avais l'impression de sentir sur moi le pouce de Dieu, pointé vers le bas, m'annonçant que mon capital de vie était épuisé. En me tassant un peu, j'aurais pu soulager la pression, mais je craignais que les singes, malgré le raffut, n'entendent mon dos et mes épaules glisser contre les parois du placard. En outre, le nerf contracté de ma cheville commençait à se muer en une petite crampe, ainsi que je le redoutais ; le moindre changement de position pouvait tétaniser le muscle et me causer une vive douleur.

Un membre de la deuxième escouade se dirigea lentement vers moi, ses yeux jaunes glissant de droite à gauche, pour explorer les ténèbres. À mesure que la petite bête se rapprochait, j'entendais sa main droite frotter par intermittence contre le mur, pour ne pas dévier de sa trajectoire dans l'obscurité.

Dans un autre coin de la pièce, il y eut un grincement de gonds rouillés. Puis le claquement d'une porte.

Ils ouvraient les portes des placards pour en explorer l'intérieur !

J'espérais qu'ils n'étaient pas assez intelligents pour mener une fouille des lieux *in extenso*, ou, à l'inverse, qu'ils l'étaient suffisamment pour ne pas prendre le risque d'explorer en aveugle des recoins où un homme armé risquait de les envoyer au paradis des singes. À l'évidence, ils se situaient juste entre les deux états ; j'aurais dû m'en douter ! Et maintenant, coincé dans mon cercueil vertical, je m'en mordais les doigts.

Le raseur de mur s'approcha de moi. Il se trouvait à moins d'un mètre de ma cachette.

La crampe dans ma cheville se fit soudain plus vive. Une douleur aiguë. Brûlante. Je serrai les dents pour m'empêcher de pousser un cri. En prime, j'avais un beau mal de tête ; le rivet semblait avoir décidé de s'attaquer à mon œil droit. Ma nuque était douloureuse. Quant à mes épaules, ce n'était pas le beau fixe.

D'autres gonds rouillés grincèrent. Une porte de placard couina, résistant à son ouverture ; une autre claqua dans la nuit, refermée sans ménagement.

Je mesurais un mètre vingt de plus que ce rhésus, et la balance me donnait un avantage de cinquante kilos. Malgré son intelligence troublante, je restais bien plus futé que lui. Pourtant, je regardais cet animal s'approcher avec la même terreur sourde, la même répulsion, que s'il s'était agi d'un démon sortant du puits des enfers.

La compassion que j'éprouvais pour ces bêtes persistait, quoique nettement diminuée, mais il ne pouvait plus être question de pitié – la créature la plus à plaindre, c'était moi.

À en juger par la convergence de ses pupilles jaunes et les tâtonnements de ses mains, le singe explorait le montant du placard à balais où aurait dû être fixée la porte.

Dans ma main, le Glock pesait trois fois son poids. Par réflexe, je resserrai l'index sur la gâchette.

Dix-huit balles.

Dix-sept, en fait. Il faudrait compter les coups et garder la dernière balle pour moi…

Parmi les autres bruits résonnant dans la cuisine, j'entendis mon singe tripoter, sur le chambranle, l'une des charnières cassées.

La profondeur du réduit où je me terrais ne dépassait pas cinquante centimètres. Si le rhésus passait le bras à l'intérieur, il ne pouvait me manquer ! Seule la puanteur saturant l'air l'empêchait de percevoir mon odeur.

La crampe m'enserrait la cheville comme du fil barbelé. Je redoutais à présent un mouvement réflexe de mon pied.

Ailleurs, dans les ténèbres, une nouvelle porte claqua.

Puis d'autres gonds grincèrent.

Le linoléum continuait de craquer sous les petites pattes. Un singe cracha encore, comme pour chasser le goût fétide dans sa bouche.

Je m'attendais à me réveiller en sursaut, bien au chaud dans le lit de Sasha. Curieux espoir.

Mon cœur tambourinait dans ma poitrine. Maintenant que j'avais convoqué en pensée le visage de Sasha, il se mettait à battre la chamade. L'idée de ne plus pouvoir entendre sa voix, la serrer dans mes bras, me perdre dans ses yeux était une perspective aussi cauchemardesque que celle de me faire mettre en pièces par cette troupe de macaques. Le plus terrifiant de tout serait de ne pas être à ses côtés pour l'aider à survivre dans ce monde violent et nouveau qui se profilait, de la laisser toute seule lorsque la nuit retomberait demain sur Moonlight Bay.

Le singe devant moi restait invisible, à l'exception de ses yeux lumineux, qui semblèrent s'éclairer d'une nouvelle lueur lorsqu'ils se mirent à scruter l'intérieur du placard à balais. Son regard balaya l'espace de bas en haut, de mes pieds jusqu'à ma tête.

Sa vision nocturne était peut-être meilleure que la mienne sur le papier, mais dans cette purée de charbon, aussi dense que celle des fosses abyssales du Japon, il n'y voyait pas plus clair que moi.

Pourtant nos regards se croisèrent.

Une sorte de défi silencieux... Non, mon imagination ne me jouait pas de tour ! L'animal ne regardait pas mon front, ou l'arête de mon nez, mais bien mes yeux, rien que mes yeux !

Si mes prunelles, à l'inverse de celles du rhésus, ne luisaient pas dans l'obscurité, elles pouvaient toutefois faire office de miroirs pour les siennes et trahir ma présence. Peut-être l'animal était-il captivé par ces deux petits points de lumière flottant dans l'air, ne sachant encore percer un tel mystère.

J'aurais pu fermer les paupières pour occulter le reflet. Mais je risquais de rater le moment où il allait comprendre, et, par suite, de ne pouvoir l'abattre avant qu'il me saute dessus pour me mordre la main serrée sur le pistolet ou me lacérer le visage.

Un curieux mélange de sentiments me traversait alors que j'avais sous les yeux ce regard lumineux. J'éprouvais de la peur, du dégoût, bien sûr, mais également de la colère contre ceux qui avaient généré ces mutants, du regret à l'idée de savoir ce monde bientôt dénaturé à jamais, et de l'émerveillement devant l'intelligence, non humaine et néanmoins belle et bien réelle, qui brillait dans ces yeux. De la tristesse aussi. Une sensation de solitude. Et de l'espoir. Un grand et fol espoir.

Debout dans ma ligne de mire, ignorant qu'il avait face à lui quatre-vingts kilos d'émotions contradictoires prêts à presser la gâchette, la créature émit une sorte de roucoulement étouffé – un son chargé d'interrogation.

Un singe poussa soudain un cri.

Je faillis tirer sous le coup de la surprise.

Deux autres cris firent écho au premier.

Le rhésus devant moi fit demi-tour et s'éloigna vers le lieu de cette agitation.

Les six singes semblaient s'être regroupés à l'autre bout de la cuisine. Je ne voyais plus aucune pupille jaune luire dans ma direction. Ils avaient trouvé quelque chose qui excitait leur intérêt. La chose, sans doute, qui répandait dans la pièce cette odeur putride.

Je relâchai la pression sur la gâchette. Une boule gluante s'était formée dans ma gorge, mélange d'angoisse et reflux gastrique. Je dus déglutir en catastrophe pour pouvoir respirer à nouveau.

Lorsque mon regard avait croisé celui du rhésus, j'avais sombré dans une sorte d'état second où la douleur de ma cheville ne me parvenait plus. Mais à présent la morsure revenait, plus terrible que jamais.

Profitant du fait que la troupe fût occupée autour de la charogne et produisît toutes sortes de bruits, je bougeai ma cheville endolorie, faisant passer mon poids du talon aux orteils. Cette manœuvre atténua un peu le feu intérieur, mais peut-être pas au point que je puisse me lancer dans un pas de deux avec l'un de mes amis les macaques.

L'assemblée de rhésus se mit à converser avec force cris. L'excitation semblait à son comble. Même si l'on ne pouvait parler de langage au sens courant, leurs sifflements, leurs grognements et leurs gloussements laissaient deviner une vive discussion. Ils semblaient avoir oublié la raison première qui les avait conduits ici. Ainsi ces créatures ne demandaient qu'à être distraites de leur but, à oublier toute discipline et organisation, et à dédaigner l'intérêt commun au profit de querelles intestines. Ces singes étaient bien les dignes héritiers de notre condition humaine !

Plus je les entendais s'égosiller, plus j'osais croire que je sortirais vivant de ce bungalow.

Je bougeai encore ma cheville d'avant en arrière, lorsque l'un des singes querelleurs rompit soudain les rangs et fila droit vers la porte de la salle à manger. Croisant son regard lumineux dans l'obscurité, je cessai dans l'instant de remuer mon pied et jouai de nouveau les balais bien sages.

Le singe s'arrêta sur le seuil et poussa un cri. Une sorte d'appel à l'adresse de ses congénères qui attendaient sur le perron ou qui fouillaient les chambres.

Des voix répondirent en écho. De plus en plus près.

La perspective de partager un espace avec la troupe de rhésus au complet réduisait mes espoirs de survie à une peau de chagrin. J'examinai ma situation avec une angoisse retrouvée, sans parvenir à découvrir la moindre échappatoire.

Mon désespoir était si profond que je me pris à imaginer ce que Jackie Chan ferait en pareil cas. La réponse était simple : il jaillirait du placard à balais en poussant le cri-qui-tue, d'un bond à la Carl Lewis il atterrirait au milieu de la troupe, et dans une danse acrobatique et hilarante de poings et de pieds vengeurs, il réduirait en bouillie la simiesque assemblée. Jackie Chan, lui, n'avait jamais de crampes.

En attendant, la mienne était si douloureuse que j'en avais les larmes aux yeux.

D'autres rhésus pénétrèrent dans la cuisine. Ils bavardaient gaiement, comme si la découverte d'une charogne était l'occasion idéale pour appeler les voisins, ouvrir un pack de bières et festoyer. Impossible de dire combien de rhésus avaient rejoint les six premiers. Deux peut-être ? quatre ? six ?

De toute façon, c'était autant de trop.

Aucun des nouveaux venus ne manifesta le moindre intérêt pour mon placard à balais. Ils rejoignirent le groupe rassemblé autour du cadavre en putréfaction et les débats repartirent de plus belle.

Combien de temps la chance allait-elle rester de mon côté ? À tout instant, ils pouvaient décider de poursuivre leur inspection des lieux. À moins que mon singe scrutateur se souvienne qu'il avait perçu quelque chose d'étrange dans ce placard.

Peut-être pourrais-je quitter ma cachette, raser le mur et sortir de la cuisine pour aller me terrer dans un coin de la salle à manger, au plus loin des singes ? Avant d'entrer dans cette pièce, les deux escouades d'éclaireurs avaient dû fouiller les pièces précédentes. Ils n'inspecteraient pas deux fois les mêmes lieux.

Avec ma crampe, je ne me déplacerais pas très vite, mais je pouvais compter sur l'aide de ma vieille alliée, l'obscurité. En outre, si je restais une seconde de plus dans cette position, mes nerfs allaient se contracter si fort que je risquais l'implosion.

Au moment où je m'apprêtais à sortir de ma tanière, l'un des singes retourna vers la porte de la salle à manger et poussa un cri, peut-être pour appeler le reste de la troupe à profiter du fumet. Malgré le brouhaha du groupe en pleine effervescence, j'entendis des réponses s'élever dans les autres pièces du bungalow.

Finalement, la cuisine se révélait à peine moins bruyante que l'enclos des singes d'un zoo. Peut-être étais-je tombé dans une brèche de l'espace-temps ? Peut-être Christopher Snow n'était-elle pas mon identité actuelle, mais celle d'une vie antérieure, et étais-je aujourd'hui l'un des leurs, réincarné en rhésus ? Peut-être la lumière se rallumerait-elle et me révélerait-elle que je n'étais pas dans la Ville fantôme, mais dans une cage immense, entouré de badauds hilares, amusés par nos pitreries d'équilibristes et notre arrière-train rose et pelé.

Comme si j'avais tenté le destin par cette pensée, une lueur apparut dans une autre pièce de la maison. J'en remarquai d'abord uniquement les effets, parce que le singe planté sur le seuil de la cuisine se mit à émerger peu à peu de l'obscurité, se révélant à la façon d'une image Polaroïd. Cette soudaine clarté n'inquiéta pas l'animal, ni même ne sembla le surprendre. C'était donc lui qui avait demandé à avoir de la lumière…

J'étais, quant à moi, loin d'être aussi satisfait de ce changement d'ambiance que mon collègue simien. La tanière d'ombre dans laquelle je m'étais réfugié allait fondre comme neige au soleil.

8.

À en juger par sa blancheur et par sa constance, la lumière ne provenait pas d'une flamme mais d'une lampe électrique. Son faisceau n'était pas dirigé vers la porte de la cuisine. Le singe qui se tenait sur le seuil se trouvait éclairé par réflexion, ce qui laissait supposer qu'il ne s'agissait pas d'une petite lampe de poche, mais d'une lampe-torche déjà de belle taille.

Évidemment, leurs petites mains de singes faisaient des rhésus des utilisateurs d'outils à part entière. Ils avaient soit trouvé, soit volé, cette lampe – ce qui était le plus probable, ces animaux n'éprouvant pas plus de respect pour les lois et les biens d'autrui que pour le traité de savoir-vivre de la baronne de Rothschild.

Sur le pas de la porte, le rhésus contemplait la salle à manger baignée de lumière avec une sorte d'intensité, peut-être même d'émerveillement. À l'autre bout de la cuisine, hors de mon champ de vision, le reste de la troupe était soudain devenu silencieux. J'imaginai que leur attitude reflétait celle de leur congénère, mélange de fascination et de crainte. Leur respect s'adressait vraisemblablement au porteur de la lampe-torche. J'étais curieux de voir la tête de l'heureux élu, mais n'osai sortir de ma cachette.

Une quantité déjà dangereuse de photons franchissait le seuil de la porte. L'obscurité n'était plus qu'un souvenir dans cette pièce. Je voyais à présent la forme des meubles et des placards. En baissant la tête, je m'aperçus qu'une ombre me protégeait encore, mais je distinguais dorénavant mes mains et mon pistolet. Pis, je pouvais discerner mes chaussures et mes vêtements, pourtant d'un noir d'encre.

La crampe irradiait à présent dans mon mollet. Malgré tous mes efforts, je ne parvenais à oublier la douleur. Autant oublier un grizzly en train de vous rogner le pied ! Je battis des paupières, pour chasser mes larmes et la sueur âcre qui troublaient ma vision. Peu importait le péril que représentait cette irruption de photons ; d'un instant à l'autre, les singes allaient percevoir mon Eau de Snow malgré la puanteur ambiante !

Le premier d'entre eux recula de deux pas à l'approche du porteur de lumière. Si l'animal regardait dans ma direction, mon compte était bon !

J'en étais réduit à ces chimères d'enfants qui comptent sur leur volonté pour se rendre invisible.

Dans la salle à manger, un murmure de désapprobation parcourut les éclaireurs de la cuisine lorsqu'ils virent la lumière s'évanouir. Un voile noir retomba dans la pièce et j'entendis ce qui avait détourné l'attention du singe à la torche : un grondement sourd, un bruit de moteur – peut-être un camion – qui s'approchait…

Un cri d'alerte retentit devant la maison.

Le porteur de lumière éteignit aussitôt la lampe.

Le groupe d'éclaireurs sortit en trombe de la cuisine, faisant craquer le linoléum sous leurs pas. Mais l'écho de leur fuite se limita à ce bruit : ils quittèrent la salle à manger avec autant de discrétion qu'ils en avaient montré pour investir le bungalow. Les rhésus étaient si silencieux que je me demandai s'ils ne se trouvaient pas encore dans la maison. Peut-être me jouaient-ils un sale tour, cachés derrière le mur pour me sauter dessus. Sitôt que j'aurais franchi la porte, ils jailliraient comme des diablotins en criant : « Surprise ! », puis goberaient mes yeux, m'arracheraient les lèvres et liraient l'avenir dans mes entrailles.

Le grondement du moteur continuait à s'amplifier, quoique le véhicule restât toujours à une certaine distance. C'était la première fois que j'entendais un bruit de moteur ou un quelconque son mécanique depuis que j'explorais les étendues désolées de Fort Wyvern. D'ordinaire il régnait un tel silence en ces lieux que la base ressemblait au dernier poste frontière avant la fin des temps, là où le soleil ne se lève pas, où les étoiles restent figées à jamais dans les cieux et où les seuls sons audibles sont les ululements des vents soufflant de nulle part.

Alors que je m'extirpais de mon placard à balais, les paroles de Bobby me revinrent en mémoire : *Qu'est-ce que je fais ? J'arrive en rampant sur les coudes ou je défile comme à la parade ?*

Je lui avais répondu qu'il était inutile de jouer les vers de terre. Mais je ne pensais toute de même pas qu'il allait débarquer avec fifres et tambourins ! Je lui avais demandé de surveiller ses arrières !

Même si je ne pouvais imaginer Bobby entrant en voiture à Wyvern, un pressentiment me soufflait que ce bruit de moteur provenait de sa Jeep. J'aurais dû m'en douter. Avec Bobby, il fallait toujours s'attendre à tout !

J'avais cru tout d'abord que la troupe avait eu peur du bruit du moteur, que les rhésus s'étaient enfuis, de crainte d'être repérés et pourchassés. Ils passaient le plus clair de leur temps dans les collines, dans le maquis, pour ne revenir à Moonlight Bay qu'à la nuit tombée, préférant mener leurs missions mystérieuses avec l'aide conjuguée de l'obscurité et du brouillard. Ils préféraient alors passer par les buses d'écoulement, les fossés, les parcs, les lits de rivières asséchés, les parkings déserts et, peut-être, filer d'arbre en arbre, comme leurs ancêtres. À de rares exceptions près, il ne se montraient jamais ; ils étaient passés maîtres dans l'art de la clandestinité, se mouvant parmi nous avec la discrétion des termites colonisant les charpentes de nos maisons ou des vers creusant leurs galeries sous nos pieds.

Mais ici, dans leur fief, l'irruption d'un véhicule risquait d'engendrer une réaction plus radicale et agressive qu'en ville. La fuite ne serait probablement pas l'option choisie. Peut-être suivraient-ils le véhicule, sans se montrer, et sitôt que le conducteur ouvrirait la porte…

Le bruit du moteur devenait de plus en plus fort. Le véhicule était dans le coin, à quelques centaines de mètres de là.

Abandonnant toute prudence, agitant ma jambe pour chasser la douleur accrochée à mon mollet comme un roquet, je sortis en claudiquant de la cuisine et traversai à l'aveuglette la salle à manger – par chance vide. Pas de sacs à puces non plus dans le salon.

Je m'approchai de la fenêtre où j'avais observé la troupe dans la rue. J'en aperçus huit ou dix membres. Ils sautaient, un à un, dans la bouche d'égout béante, là où le reste du groupe semblait avoir déjà disparu.

Dieu soit loué ! Bobby ne serait pas décapité, sa cervelle dévorée à la petite cuillère et son crâne transformé en cache-pot pour décorer le nid douillet de quelque matrone rhésus. Du moins, pas pour l'instant.

Avec la vélocité d'un torrent, les singes disparurent dans l'ouverture. Dans leur sillage argenté, la rue bordée d'arbres semblait sans plus de substance qu'un rêve, une illusion née d'un jeu d'ombres et de lumières. Pour un peu, j'aurais pu jurer que la troupe était un fantasme.

Je me dirigeai alors vers la porte d'entrée, remisant mon chargeur de rechange dans ma poche. Une fois sur le perron, j'entendis la plaque d'égout tinter au sol, en train de reprendre sa place. Je n'aurais jamais imaginé que ces singes eussent la force de déplacer, par en dessous, ce gros couvercle d'acier, une tâche déjà délicate pour un égoutier entraîné.

Le bruit du moteur résonnait entre les bungalows et les arbres. Le véhicule était tout proche, pourtant je ne distinguais aucun halo de phare.

Au moment où j'atteignis la chaussée, j'aperçus l'extrémité d'un crochet d'acier disparaître de la fente centrale de la plaque. Les techniciens de la voirie possédaient tous ce genre d'outils pour soulever sans trop d'effort les lourds couvercles métalliques. Les singes avaient dû voler ou trouver l'instrument. Accrochés à l'échelle de service, ils s'étaient appliqués à remettre en place la plaque afin de dissimuler les traces de leur passage. Leur ingéniosité et leur faculté d'adaptation avaient des implications terrifiantes, auxquelles je préférais ne pas trop songer.

Deux faisceaux percèrent les minuscules allées entre les bungalows. Le véhicule passait dans la rue parrallèle à celle où je me trouvais, juste derrière la rangée de maisons.

Il s'agissait forcément de Bobby. Le bruit du moteur était

celui d'une Jeep et le véhicule se dirigeait vers la grande rue commerçante de la Ville fantôme, où nous avions rendez-vous.

Je pris la même direction que la voiture, tandis que le son s'évanouissait. La crampe à ma cheville avait presque disparu, mais le nerf continuait à me chatouiller, générant une faiblesse dans toute ma jambe. Je n'osais donc me mettre à courir.

Au-dessus de moi, un bruissement d'ailes retentit, fendant l'air. Je m'accroupis par réflexe et relevai la tête. Un groupe d'oiseaux en formation serrée me survola et disparut dans la nuit. Leur vitesse et l'obscurité m'empêchèrent d'en identifier l'espèce. C'était peut-être le rassemblement mystérieux qui s'était déroulé en silence dans le laurier pendant que j'appelais Bobby.

Lorsque j'atteignis le croisement, les oiseaux volaient en cercle à l'aplomb de l'intersection, comme s'ils avaient attendu que je les rejoigne. Je comptais dix ou douze individus – plus que ceux que j'avais aperçus dans le laurier.

Leur comportement était étrange, mais ne semblait receler aucune menace.

De toute façon, je n'avais aucun moyen de les éviter. Ils pouvaient me suivre, où que j'aille.

Lorsqu'ils passèrent devant la lune qui amorçait sa descente, je pus enfin les identifier. Il s'agissait d'engoulevents, compagnons de mes heures nocturnes, dont il existait plus de soixante-dix variétés.

Ces volatiles se nourrissent d'insectes – mouches, fourmis volantes, moustiques, scarabées – et volent bec ouvert pour avaler leurs proies. Dînant entre deux battements d'ailes, ils volent par à-coups caractéristiques, en une succession de pirouettes et de piqués.

La pleine lune leur offrait des conditions idéales pour un festin. Sous ses rayons, les insectes étaient bien visibles. D'ordinaire, les engoulevents montraient une agitation frénétique et leur hallali affamé résonnait aux quatre coins du ciel. Pourtant les oiseaux ne semblaient nullement enclins à faire pitance. S'inscrivant contre tout comportement instinctuel, ils décrivaient avec monotonie, des cercles d'une dizaine de mètres de diamètre à la verticale du carrefour. Ils avançaient pour la plupart en file indienne, sans donner le moindre coup de bec pour attraper un moucheron, ni lancer de cri.

Je traversai le carrefour et poursuivis mon chemin.

Au loin, le bruit du moteur s'arrêta net. Bobby devait être arrivé au lieu de rendez-vous.

J'avais à peine fait cent mètres que les oiseaux me suivirent. Ils passèrent au-dessus de ma tête, un peu plus haut que la fois précédente ; je me baissai toutefois encore, par réflexe.

Lorsque j'arrivai à l'intersection suivante, ils volaient de nouveau en cercle, comme des chevaux ailés de manège, à dix mètres du sol. Sans même me donner la peine de les compter – ce qui aurait eu pour effet de me donner le tournis plus vite qu'une bouteille de tequila – j'étais sûr que leur nombre avait crû. Deux carrefours plus loin, le groupe avait encore augmenté. Au bout de la rue, le nombre d'oiseaux devait dépasser la centaine. Ils tournaient en silence au-dessus de ma tête, deux par deux pour la plupart, dessinant deux cercles distants de quelques mètres.

Je m'arrêtai et regardai leur ballet, médusé.

Malgré mon imagination galopante, qui transformait le moindre fait curieux en signe annonciateur de quelque cataclysme planétaire, je continuais à penser que ces volatiles ne constituaient aucune menace pour moi. Leur comportement était inquiétant mais dénué d'agressivité. Ce ballet aérien était plein de grâce et produisait une émotion aussi forte que celle dégagée par des danseurs ou par la plus poignante des mélodies – et cette émotion était le regret, la tristesse. Elle était si vive qu'elle me coupa un instant le souffle et m'emplit d'amertume.

Pour les poètes, mais aussi pour les plus sommaires des mortels, le vol d'un oiseau évoque la liberté, l'espoir, la foi, la joie. Le chant de ces ailes-là était aussi glacé qu'une bise de l'Arctique, au terme de la traversée des étendues sans fin de la banquise. Chaque note de cette mélopée silencieuse me faisait des frissons au cœur.

Avec un synchronisme et une perfection chorégraphique, concevables uniquement si la télépathie avait été en usage dans le groupe de volatiles, le double anneau se recombina en une sorte de spirale ascendante qui s'éleva dans le ciel comme un tortillon de fumée noire, de plus en plus haut, doublant la lune tachetée pour se dissiper dans l'épaisseur de la nuit.

Tout redevint silencieux. Immobile. Mort.

Un tel comportement était contre-nature pour des engoulevents, mais il ne s'agissait ni d'un hasard ni d'une déviance incontrôlée : il y avait une volonté, un sens caché à cette parade aérienne.

Mais lequel ?

Pour l'heure, je ne tenais pas vraiment à mettre toutes les pièces du puzzle en place. L'image finale risquait de n'être guère ragoûtante. Les oiseaux ne véhiculaient aucune menace, seulement leur étrange ballet céleste n'annonçait rien de bon.

Un présage, un signe...

Pas un du genre à vous inciter à acheter un ticket de loterie ou à faire un saut à Las Vegas dans le but de taquiner la chance. Plutôt un de ceux qui vous font fuir au Nouveau-Mexique pour y mener une vie d'ermite dans les montagnes Sangre de Cristo, loin de toute civilisation, avec un stock de boîtes de conserve, vingt caisses de munitions et un livre de prières...

Je me sentis soudain très las.

Je pris quelques inspirations, mais l'air semblait aussi chargé de gaz carbonique qu'à la sortie de mes poumons.

Je voulus me frotter le visage, comme pour chasser la fatigue ; ma peau, au lieu d'être moite, était sèche et brûlante. Je sentis sous mon doigt une zone douloureuse, juste au-dessous de ma pommette gauche. Je la massai doucement, tentant de me souvenir si je m'étais cogné au cours de mes aventures nocturnes.

La moindre portion de peau douloureuse sans cause évidente était le signe possible de la formation d'une lésion, une attaque du cancer à laquelle j'avais pour l'instant échappé. Si une dépigmentation suspecte ou une sensibilité soudaine apparaissait sur mon visage ou une partie de mes mains – des zones exposées à la lumière, bien que protégées sous une couche d'écran solaire –, les risques d'apparition de tumeurs malignes s'accroissaient.

Je retirai la main de mon visage en me rappelant que je devais vivre à fond l'instant présent. Mon XP m'interdisait tout futur, et, malgré certaines restrictions, j'avais mené une vie heureuse et bien remplie – en tout cas le moins possible entachée par l'angoisse du lendemain. Le présent est plus fort, plus précieux, plus épanouissant lorsque c'est tout ce dont vous disposez.

« *Carpe diem* », disait Horace, voilà plus de deux mille ans.

Retiens le jour. Et ne pense pas au lendemain.

Carpe noctem, était ma devise. Retenir la nuit, lui prendre tout ce qu'elle avait à m'offrir, en chassant de mon esprit l'idée qu'un jour la grande reine des lieux réclamera son dû.

9.

Les oiseaux répandaient la tristesse sur le monde comme une pluie de plumes. Je décidai de quitter la zone de précipitations et me dirigeai d'un pas déterminé vers le cinéma où m'attendait Bobby.

Le point sensible sur ma joue ne donnerait peut-être jamais naissance à une tumeur. La douleur était apparue dans le seul but d'occulter la terreur qui menaçait de m'envahir : plus le temps passait, moins j'avais de chances de retrouver Orson et le petit Jimmy vivants.

À la frontière nord du quartier résidentiel de la Ville fantôme se trouvait un parc avec des terrains de handball à une extrémité et des courts de tennis à l'autre. Entre les deux, de grandes aires de pique-nique, parsemées de chênes de Californie qui avaient prospéré depuis la fermeture de la base, un terrain de jeux avec des balançoires, des portiques, un kiosque à musique et une piscine gigantesque à ciel ouvert.

Le kiosque ovale où des orchestres donnaient autrefois des concerts les soirs d'été, constituait la seule construction ouvragée de la base : du plus pur style victorien, avec une balustrade circulaire, des colonnes cannelées, une corniche proéminente décorée de savants festons, et un toit fantaisie dont la ligne concave et brisée rappelait celle des chapiteaux de cirque. Ici, sous des guirlandes multicolores de Noël, de jeunes hommes avaient dansé avec leurs femmes – avant de servir de chair à canon pour la Seconde Guerre mondiale, la guerre de Corée, le Vietnam, et autres conflits de moindre ampleur. Les guirlandes pendaient toujours aux solives, éteintes et couvertes de poussière. En plissant les yeux, on avait l'impression de voir dans les lampes les reflets de ces martyrs de la démocratie valsant avec le fantôme de leur veuve.

Je laissai sur ma droite la piscine dont l'accès était défendu par une chaîne, aujourd'hui brisée en de multiples endroits, et m'enfonçai dans les hautes herbes des aires de détente. J'accélérai l'allure – pas uniquement pour éviter à Bobby d'attendre. Rien de fâcheux ne m'était arrivé ici, mais une intuition me soufflait de ne pas traîner aux abords de cet étang artificiel. Le bassin mesurait près de soixante-dix mètres de long et trente de large, avec en son centre une plate-forme. Il était rempli aux deux tiers d'eau de pluie, noire, y compris en plein jour et saturée de feuilles mortes et autres débris végétaux. Sur cette étendue à l'odeur nauséabonde, la lune elle-même perdait son éclat argenté, dessinant à la surface une face jaune-vert, déformée et grimaçante comme le masque du tueur de *Scream*. Malgré la distance, les relents fétides pénétraient mes narines, une odeur presque aussi infecte que celle qui régnait dans la cuisine du bungalow.

Pourtant l'aura qui émanait de ce bassin était plus répugnante encore – une aura imperceptible aux cinq sens communs et cependant bel et bien perceptible par un sixième. Non, non, mon imagination ne me baladait pas ! Un rayonnement émergeait réellement de cette eau : une sorte de nuage d'énergie, mais une énergie glacée, froide à faire fuir toutes les âmes, une sorte de force malfaisante s'insinuant à la surface de votre esprit, grouillant à la façon d'une pelote d'asticots.

J'entendis un splash – quelque chose avait brisé la surface immobile du bassin –, suivi par des glouglous visqueux, comme si cette chose, ou cette personne s'était mise à nager. Tout en me convainquant que ces bruits étaient les fruits de mon imagination, je me mis à courir pour éviter le nageur éventuel qui déciderait de sortir de mon côté à la fin de sa longueur.

À la sortie du parc s'étendait la grande rue commerçante, dont les boutiques et établissements publics offraient, en plus des entreprises de Moonlight Bay, de multiples services aux trente-six mille employés de la base et aux treize mille conjoints, conjointes et enfants résidant sur le site. Le grand dépôt de vivres et le théâtre se faisaient face chacun à une extrémité de la longue rue. Entre les deux se succédaient un coiffeur, une laverie, un fleuriste, une boulangerie, une banque, le club des soldats, celui des officiers, une bibliothèque, une salle de jeux, une garderie d'enfants, une école élementaire, un centre de remise en forme et quelques autres boutiques, toutes vides et décrépites.

Ces constructions, qui ne dépassaient pas un étage, formaient, par leur simplicité même, un assemblage plaisant à regarder – des façades blanches de planches à clin, du ciment peint, du crépi. La vocation utilitaire des édifices militaires, combinée aux restrictions budgétaires consécutives à la crise de 1929 – qui se faisait encore sentir en 1939, date à laquelle le projet de la base avait été lancé – auraient pu donner naissance à un ensemble aussi laid qu'une zone industrielle, mais les architectes de l'armée et les maîtres d'œuvre avaient fait un effort pour construire des bâtiments d'un certain charme, grâce à des règles architecturales simples telles qu'une succession harmonieuse de lignes et d'angles, des emplacements variés de fenêtres et des profils de toits se répondant les uns les autres.

Le cinéma était une construction aussi simple que les autres bâtiments. Pas d'auvent prétentieux au-dessus de l'entrée. Impossible de dire quel film avait été diffusé pour la dernière fois ici, ni le nom des acteurs ; seules trois lettres noires étaient encore en place dans les rainures du tableau d'affichage, formant un unique mot : QUI.

Malgré l'absence de point d'interrogation, je lus dans ces trois lettres une question chargée de tristesse faisant référence aux horreurs génétiques perpétrées au tréfonds des laboratoires de la base. *Qui suis-je ? Qui êtes-vous ? Qui nous succédera ? Qui sont les coupables ? Qui peut nous sauver ?*

Qui ? Qui ?

La Jeep noire de Bobby était garée devant l'entrée du cinéma, la capote roulée, l'habitacle du véhicule ouvert aux quatre vents. Au moment où je m'en approchai, un nuage masqua la lune ; l'astre était si bas sur l'horizon que je doutais de le revoir encore une fois cette nuit. Toutefois, bien que distant encore d'une cinquantaine de mètres, je distinguais la silhouette de Bobby derrière le volant.

Nous étions d'une taille et d'une corpulence comparables. Même si j'avais les cheveux blonds et lui ébène, si mes yeux étaient bleu pâle et les siens tellement noirs qu'ils en avaient des reflets bleu nuit, nous aurions pu passer pour frères. Nous étions amis depuis l'âge de onze ans, et nous avions beaucoup de choses en commun. Même démarche, même allure, même gestuelle ; nous avions passé tellement de temps ensemble à surfer sur les mêmes vagues... Sasha se plaisait à dire que nous avions une sorte de grâce féline. Un compliment qui flattait bien trop notre ego. Que nous soyons ou non de gros chats, aucun de nous deux ne lappait de lait ni ne préférait une litière de sable à une cuvette de WC.

J'empoignai l'arceau de sécurité côté passager, sautai sur le siège sans ouvrir la petite portière et glissai mes jambes de part et d'autre d'une glacière en polystyrène.

Bobby portait un pantalon kaki et un sweatshirt blanc à manches longues sous une chemise hawaïenne : sa tenue vestimentaire habituelle. Il buvait une Heineken.

– J'espère que tu n'es pas trop fait ! lançai-je, bien que je n'aie jamais vu Bobby saoul.

Sans quitter la route des yeux, il rétorqua :

– Ni trop ni trop peu. Juste à point.

La nuit était douce et fraîche.

– Tu m'offres une bière ?

– Sers-toi.

Je sortis une canette de son lit de glaçons et la décapsulai.

Je pris soudain conscience que j'avais une soif de dromadaire. Le doux breuvage lava mon gosier des multiples miasmes fétides que j'avais respirés.

Bobby jeta un coup d'œil dans son rétroviseur puis reporta son attention sur la portion de bitume devant nous. Un fusil à pompe était glissé entre les sièges, le canon vers l'arrière de la Jeep.

– Bière et fusil, raillai-je en secouant la tête. Mauvais cocktail.

– Si on était amish, ça se saurait !

– Tu es venu par la rivière, comme je t'ai dit ?
– Ouais.
– Comment as-tu passé le grillage ?
– J'ai agrandi le trou.
– Je pensais que tu serais venu à pied.
– La glacière pèse une tonne.
– Avec ta voiture, on gagnera du temps, répondis-je en songeant à l'étendue du domaine que l'on allait devoir fouiller.
– Tu pues un max, vieux !
– Je n'ai pas chômé.
Un désodorisant en forme de banane était suspendu au rétroviseur. Bobby le détacha et me l'accrocha à l'oreille.
Parfois son sens de l'humour m'échappait. Je décidai de ne pas rire.
– C'est une banane, mais ça sent le pin des Rocheuses ! raillai-je.
– Merveille du génie inventif yankee.
– C'est nous les meilleurs !
– On a envoyé des hommes sur la lune.
– Et inventé les Choco-pops !
Bobby et moi cognâmes nos canettes en bons patriotes et avalâmes une longue rasade de bière.
Malgré mon impatience de partir à la recherche de Jimmy et d'Orson, une part de moi se laissait gagner par la nonchalance de mon ami. Ainsi avachi dans son siège, garé devant un hôpital, il aurait risqué d'être emmené d'urgence en salle de réanimation. À l'exception des moments de frénésie vécus sur sa planche à narguer les rouleaux les plus dangereux, les valeurs fondamentales de Bobby étaient la paix, l'amour et la tranquillité. Il était toujours partant pour une séance intensive de farniente. J'avais goûté, durant mon adolescence , cette approche indolente du monde, mais elle n'était jamais devenue une seconde nature. Le calme étant mère de toute prudence, Bobby agissait toujours après un long moment de contemplation ; jamais je ne l'avais vu se faire surprendre par quiconque ou quoi que ce soit. Il pouvait paraître débonnaire, voire endormi, mais, à l'instar d'un maître zen, il était capable de

ralentir le cours du temps afin de trouver la meilleure réponse à un problème.

– Tu as encore cette chemise ridicule de GO de Club Med !

C'était l'une de ses préférées, on y distinguait un paysage oriental. Sa collection en comportait plus de deux cents, chaque pièce ayant sa propre histoire. Bobby était intarissable sur ce sujet.

Sans lui laisser le temps de se défendre, j'enchaînai :

– Fabriqué par Kahala dans les années cinquante. Soie et boutons en coquille de noix de coco. La même chemise que celle de John Wayne dans *Big Jim MacLain.*

Bobby resta silencieux, but une gorgée de bière.

– Serait-ce de ta part un soudain intérêt pour l'artisanat des îles, demanda-t-il finalement, ou une moquerie de plus ?

– Les deux.

– Ça m'aurait étonné !

– Qu'as-tu entre les jambes ? m'enquis-je, tandis que Bobby regardait de nouveau dans son rétroviseur.

– C'est parce que tu me fais de l'effet.

Il sortit de sa ceinture un gros pistolet. Un Smith & Wesson, modèle 29.

– À l'évidence, tu ne t'es pas préparé pour un gala de bienfaisance !

– Que se passe-t-il au juste ?

– Quelqu'un a enlevé le gosse de Lilly Wing.

– Qui ?

– Je ne sais pas. Un dingue.

– La grosse bouse ! lâcha Bobby – une expression de surfeur australien désignant originellement une vague souillée par les déjections d'égout.

– Il est passé par la fenêtre et a emporté le gamin.

– C'est Lilly qui t'a appelé ?

– Non, je passais par là, juste après que le malade a enlevé le gosse.

– Comment es-tu arrivé jusqu'ici ?

– Grâce au flair d'Orson.

Je narrai alors à Bobby les derniers événements, l'espion du pont, les bruits dans l'entrepôt et ma rencontre dans le sous-sol.

– Des yeux jaunes, tu dis ? répéta-t-il en fronçant les sourcils.
– Jaune-brun, je dirais.
– Du genre phosphorescent ?
– Un jaune sombre, presque ambre.

Récemment, nous avions rencontré deux types victimes d'une altération génétique en train d'évoluer, d'abandonner leur nature purement humaine ; la plupart du temps, ces personnes semblaient normales, mais de temps en temps, une lueur animale brillait dans leurs yeux. Parfois elles étaient mûes par des instincts sauvages, et se montraient capables d'actes d'une rare violence. Si Jimmy était tombé entre les mains de l'une d'elles, la liste des sévices et tortures qu'elle risquait de lui infliger serait plus longue encore que celle née de l'esprit malade de nos pires psychopathes.

– Ça te rappelle quelqu'un ? demandai-je à Bobby.
– La trentaine, tu dis. Des cheveux bruns, des yeux jaunes, taillé comme une bouche d'incendie…
– Et des petites dents de bébé.
– Non, personne.
– Moi non plus. C'est la première fois que je vois ce type.
– Tu sais, on est douze mille en ville.
– Et il n'a pas la tête à faire du surf ! C'est peut-être quelqu'un d'ici, mais on ne le connaît pas.

Pour la première fois de la nuit, une brise marine se leva, apportant une touche iodée autour de nous. Dans le parc, de l'autre côté de la rue, les frondaisons des chênes se mirent à bruire, comme si les myriades de feuilles tenaient conseil.

– Pourquoi ce dingue a-t-il emmené Jimmy ici ?
– Pour être tranquille. Pour pouvoir faire ses trucs sans être dérangé.
– Moi aussi je vais lui faire des trucs à cette ordure ! Le hacher menu, le passer au mixeur.
– En plus, le côté étrange de l'endroit doit nourrir ses fantasmes.
– À moins que tout ça ait un rapport plus direct avec Wyvern.
– Possible. En attendant, Lilly craint que ce soit le type dont on parle à la radio.

– Quel type ?
– Celui qui kidnappe des gosses. Une fois qu'il en a quatre ou cinq, qu'il a atteint son quota, il les brûle vivants.
– Voilà pourquoi je n'écoute plus la radio !
– Tu ne l'as jamais écoutée.
– C'est vrai. Ni radio ni télé. Mais, à l'époque, j'avançais d'autres raisons.
Bobby regarda autour de lui, sondant l'obscurité.
– Où peuvent-ils être en ce moment ?
– N'importe où.
– C'est peut-être un peu grand pour nous deux ?
Cela faisait un certain temps qu'il n'avait pas regardé dans son rétroviseur. Je me retournais donc pour surveiller nos arrières.
– Au fait, j'ai vu un singe en arrivant.
Je retirai la banane désodorisante de mon oreille et la raccrochai sous le rétroviseur.
– Un seul ? C'est bizarre. D'ordinaire, ils se déplacent en groupe.
– C'est ce que je croyais aussi. En tournant à un carrefour, je l'ai aperçu dans mes phares, en train de traverser la rue ventre à terre. Un vrai petit monstre, celui-là. Rien à voir avec les autres sacs à puces.
– Comment ça ?
– Il mesurait bien un mètre vingt.
J'ignorais avoir autant de fluide glacial dans ma colonne vertébrale.
Tous les rhésus que nous avions croisés jusqu'à présent ne dépassaient pas soixante centimètres. Et ils étaient déjà très dangereux. Une bête d'un mètre vingt représentait une menace bien supérieure sur l'échelle des risques.
– Avec une grosse tête, annonça Bobby.
– Quoi ?
– Un mètre vingt de haut et une grosse tête.
– Grosse comment ?
– Je ne sais pas, je ne lui ai pas fait essayer ma casquette.
– Tu as bien une idée.
– Disons comme la mienne ou la tienne.

– Sur un corps d'un mètre.
– Un Quasimodo poilu.
– Brr !
– Tu l'as dit !
Bobby se pencha sur son volant, scrutant l'étendue de bitume derrière le pare-brise.
Une centaine de mètres plus loin, quelque chose bougeait. De la taille d'un singe. Et ça semblait s'approcher par à-coups.
– Autre chose ? demandai-je en portant la main à mon pistolet.
– Non. C'est tout. Il est passé vite.
– C'est une première.
– Il y en aura bientôt des bandes entières.
– C'est un buisson poussé par le vent, annonçai-je, identifiant l'objet mouvant.
Mais ni l'un ni l'autre ne se détendit pour autant.
Sous les rayons obliques de la lune, il était facile de voir toutes sortes de silhouettes fantasmagoriques tapies parmi les frondaisons des chênes du parc.
Je narrai à Bobby ma rencontre avec la troupe de rhésus dans le bungalow.
– Trente ? Ils se reproduisent plus vite que des lapins !
Je lui parlai de la lampe de poche et de leur rituel avec la plaque d'égout.
– Dans un mois, ils conduiront des voitures et dragueront nos nanas !
Il vida sa bière et me tendit sa bouteille. Je la plantai tête en bas dans la glace pilée. Au loin, un grincement se faisait entendre. Sans doute une enseigne de boutique oscillant au vent.
– Et Orson, reprit Bobby. Où est-il passé ?
– La dernière fois que je l'ai entendu aboyer, cela provenait d'ici.
– De cette rue ou des maisons ?
– Je ne sais pas. De ce coin-là.
– Il y a pas mal de bicoques dans les environs, répondit Bobby en tournant la tête vers la zone d'habitation de l'autre côté du parc.

– Trois mille.
– À raison de quatre minutes par maison... Il nous faudra neuf à dix jours pour en venir à bout, et sans pause déjeuner ! Sachant que tu ne peux travailler la journée, cela double encore le chiffre.
– Je doute qu'Orson soit dans l'un de ces bungalows.
– Il faut bien commencer par quelque part ! Tu as une idée ?
Je n'en avais aucune. Mais je n'osais le reconnaître à haute voix, de peur d'éclater en sanglots.
– Tu penses qu'Orson est avec Jimmy ? Si on en trouve un, on a les deux ?
Je haussai les épaules.
– C'est peut-être le moment de dire à Ramirez ce que nous savons ? avança Bobby.
Manuel Ramirez était le chef de police de Moonlight Bay. Un chic type autrefois, mais comme tous les flics de la ville, il était maintenant à la botte des huiles de l'État.
– Pourquoi pas ? insista Bobby. Pour une fois, les intérêts de Ramirez et les nôtres se rejoignent. Et lui, au moins, a les moyens de lancer une opération de recherche.
– Il n'est pas seulement corrompu par les fédéraux. Il est en évolution.
Évolution était le terme qu'employaient pudiquement les victimes de désordres génétiques pour décrire les transformations physiques, mentales ou émotionnelles dont ils étaient le siège, une fois que les altérations devenaient trop visibles pour être ignorées.
Bobby sembla surpris.
– C'est lui qui te l'a dit ?
– Non. Mais il y a quelque chose de bizarre chez Manuel. Je me méfie de lui.
– Tout comme je me méfie de moi-même ! lança Bobby en faisant allusion à notre plus grande frayeur.
Nous pouvions, nous aussi, être atteints par le rétrovirus et être en train d'évoluer, de devenir mi-homme mi-bête, sans en avoir encore conscience.
J'aspirai les dernières gouttes de ma Heineken et jetai la canette vide dans la glacière.

– Il faut retrouver Orson, déclarai-je.
– On y réussira.
– C'est vital.
– On va réussir. T'inquiète.

Orson n'était pas un chien ordinaire. Pendant longtemps, je ne m'étais rendu compte de rien. Ma mère l'avait rapporté un jour du labo alors qu'il était encore tout chiot. Elle ne m'avait jamais dit d'où il venait et Orson n'était pas du genre à vendre la mèche. Les expériences visant à améliorer l'intelligence animale n'était pas conduites exclusivement sur des singes et des repris de justice, mais également sur des chiens, des chats et toutes sortes d'autres créatures. Je n'avais jamais demandé à Orson de passer un test de QI, les stylos n'étaient pas faits pour ses pattes et son gosier était trop rudimentaire pour pouvoir former des sons articulés –, pourtant, il comprenait tout, et savait très bien se faire comprendre. Orson était encore plus intelligent que les singes. Je supputais, chez lui, une intelligence de niveau humain. Au bas mot.

Je disais précédemment que les singes nous haïssaient parce qu'on les avait arrachés à leur niche écologique, qu'on leur avait donné les moyens de rêver sans leur octroyer ceux de réaliser leurs rêves. Mais si tel était le cas, pourquoi Orson se montrait-il aussi affectueux et bien intentionné à notre égard ? Lui était prisonnier d'un corps encore moins bien adapté à l'intelligence que celui des singes. Il ne possédait pas de mains et sa vue était plutôt basse, comme celle de tous les canidés domestiqués. Les singes bénéficiaient du réconfort d'être en groupe alors qu'Orson vivait dans la solitude la plus complète. D'autres chiens aussi intelligents que lui avaient peut-être été engendrés ; je n'en avais jamais rencontré. Sasha, Bobby et moi aimions Orson, tout en lui étant d'un piètre secours ; nous ne pouvions comprendre et partager son point de vue, ses émotions de chien. Il était une exception et, de ce fait, vivait dans une grande solitude – une solitude que je pouvais sentir, mais pas appréhender totalement, et qui faisait de lui un être isolé même au milieu de nous.

Peut-être était-ce sa nature de chien qui l'empêchait d'éprouver la même haine que les singes à notre égard. Pour moi, les chiens vivaient en ce bas monde pour nous rappeler que l'amour, la fidélité, le courage et la patience composaient l'essence d'une belle personne et les seuls critères pour mener une vie honorable et digne d'être vécue.

Orson représentait l'aspect positif des recherches de ma mère, la capacité de la science à apporter un peu de lumière sur une terre encore trop noyée de ténèbres, à nous élever spirituellement et à nous rappeler que l'univers était le royaume de tous les miracles.

Ma mère aspirait réellement à de grandes choses. Elle s'était lancée dans la recherche sur les armes biologiques dans le seul but d'obtenir des fonds pour mener à bien ses travaux sur le rétrovirus coupeur d'ADN, certaine que c'était là le moyen d'éradiquer nombre de maladies génétiques – entre autres, mon XP. Elle n'avait donc pas détruit l'humanité sans de bonnes raisons. Elle voulait me sauver. À cause de moi, tout ce qui vivait sur terre avait un pied au-dessus de l'abîme. L'amour maternel avait finalement engendré l'apocalypse.

Vous voyez que vous n'êtes pas le seul à avoir des problèmes avec votre mère !

Orson et moi étions ses enfants. J'étais le fruit de son ventre, Orson celui de son cerveau. Mais lui comme moi étions ses créations. Nous étions donc frères. Presque au sens propre – liés non par le sang, mais par la force créatrice de ma mère. Nous avions un cœur virtuel en commun. Si quelque chose arrivait à Orson, une part de moi mourrait – sans doute la meilleure, la plus pure.

– Il faut le retrouver, répétai-je.

– C'est promis, vieux.

Il se pencha pour tourner la clé de contact lorsqu'un bruit assourdissant s'éleva soudain, plus puissant que les murmures des feuilles au vent qui s'amplifiait d'instant en instant.

Bobby porta la main à son Smith & Wesson. Je ne sortis pas mon arme car je connaissais l'origine de ce vacarme. Des battements d'ailes d'oiseaux. Ils étaient des centaines comme des vagues se déversant du toit du paradis, des nuées d'oiseaux jaillissaient de la nuit en une cascade tourbillonnante de plumes. Ils descendaient en une spirale vertigineuse à une centaine de mètres devant nous, puis remontaient la rue dans notre direction. Ceux que j'avais croisés précédemment faisaient sans doute partie du convoi, mais leur nombre avait plus que triplé.

Bobby reposa son revolver et se saisit du fusil.

– Du calme, soufflai-je.

Il me dévisagea d'un drôle d'air. D'ordinaire, c'était lui qui me conseillait le sang-froid. Après dix-sept ans d'amitié, il n'aurait pas mis ma parole en doute ; il engagea toutefois une cartouche dans la culasse.

Les engoulevents couvrant toute la largeur de la rue, passèrent au-dessus de nous, à moins de deux mètres de nos têtes. Ils semblaient voler avec une précision étonnante, en de savantes formations... Une vue aérienne aurait sans doute révélé des motifs étranges, complexes, à la fois chargés de sens et impénétrables.

À leur passage, Bobby plongea sous le volant. Quant à moi, je relevai la tête, dans l'espoir de déterminer si de nouvelles espèces avaient rejoint le groupe originel d'engoulevents. Malheureusement les ténèbres étaient trop épaisses pour pouvoir distinguer les oiseaux en détail.

Tout le groupe passa au-dessus de la Jeep sans qu'aucun de ses membres n'ait crié ou dévié de sa trajectoire. La perfection de leur vol avait quelque chose d'hallucinatoire ; la pluie de plumes qui descendit sur nos épaules, nous prouva pourtant que tout cela était bel et bien réel. Les dernières n'avaient pas encore touché terre que Bobby ouvrait sa portière et descendait de voiture. Le fusil dans une main, le canon vers le sol, il regarda la troupe de volatiles s'éloigner.

Je le rejoignis et observai au bout de la rue la nuée décrire un grand arc de cercle et se fondre dans les étoiles.

– C'est beau, articula Bobby.

– Tu l'as dit.

– Mais...

– Mais ?

– Mais ça cache des requins.

Je comprenais ce qu'il voulait dire. Cette fois, les oiseaux avaient laissé dans leur sillage un autre sentiment que la tristesse. Bien que leur chorégraphie eût quelque chose d'enthousiasmant, de merveilleux, et que le silence dans leurs rangs inspirât une sorte de respect, une menace sourde soustendait leur numéro aérien, à l'instar d'une mer d'huile baignée de soleil, apparemment virginale, qui abritait juste sous sa surface une colonie de grands blancs affamés.

Bien que les engoulevents eussent disparu à notre vue, Bobby et moi restâmes à regarder la constellation où les oiseaux avaient semblé se dissoudre tels deux héros spielbergiens, attendant que le vaisseau mère descende des cieux et nous baigne de lumière.

– Ce n'est pas la première fois que je vois ça, expliquai-je.

– À d'autres !

– Je t'assure.

– Ben voyons.

– Puisque je te le dis !

– Alors quand ?

– En venant te retrouver. Juste de l'autre côté du parc. Mais ils étaient moins nombreux.

– À quoi jouent ces piafs ?

– Je n'en sais rien, mais ils reviennent.

– Je n'entends rien. Je ne vois rien.

– Moi non plus, mais ils reviennent.

Bobby fronça les sourcils, puis hocha la tête au bout d'un moment.

– Tu as raison. Je les sens aussi.

Des étoiles partout, les unes sur les autres. Un point plus brillant que les autres, peut-être Vénus. Une, deux, trois lueurs fugitives – des météorites se désintégrant dans l'atmosphère. Un clignotement rouge, se déplaçant d'est en ouest, sans doute un avion de ligne sur la lisière bleue de notre planète en train de flirter avec l'espace.

J'étais à deux doigts de mettre en doute mon instinct lorsque la nuée réapparut à l'endroit exact du ciel où elle s'était évanouie. Cette fois, les oiseaux descendirent la rue en une sorte d'hélice, un tire-bouchon de plumes palpitantes, en perçant la nuit dans une frénésie d'ailes.

Cette figure était si inattendue, si inconcevable, qu'une onde d'émerveillement me traversa, qui ne demandait qu'à se muer en joie. Je sentis mon pouls s'accélérer devant ce spectacle aérien, mais mon enthousiasme fut aussitôt réfréné par l'étrangeté d'un tel comportement.

Bobby avait dû ressentir la même chose que moi, parce qu'il ne put s'empêcher de lâcher un rire en regardant la spirale bruissante filer au-dessus de sa tête. Son hilarité s'évanouit bien vite, et son rire se transforma en une grimace presque douloureuse après le passage des volatiles.

Deux cents mètres plus loin, la troupe s'éleva dessinant une microtornade dans la nuit. Les acrobaties des engoulevents nécessitaient un tel effort que les battements furieux de leurs ailes faisaient vibrer l'air, laissant dans leur sillage des échos qui me traversèrent cœur et tympans jusqu'aux os.

Puis les oiseaux disparurent de nouveau dans le ciel. Seule la rumeur de la brise troublait encore le silence.

– Ce n'est pas fini, déclara Bobby.

– Non.

Les volatiles revinrent presque aussitôt, mais par un autre endroit. Ils surgirent au-delà du parc, très haut, et s'annoncèrent cette fois en criant et non plus du seul bruissement de leurs ailes.

Apparemment, ils avaient décidé de rompre leur vœu de silence. Ils hurlaient, sifflaient, sur tous les tons et toutes les fréquences. Leurs cris étaient si aigus, si stridents, qu'une pelote d'aiguilles semblait sur le point de transpercer mes tympans. Leur souffrance était si évidente que toute mon âme se recroquevillait devant tant de misère.

Bobby ne chercha même pas à lever son arme.

Moi non plus.

Nous savions l'un comme l'autre que les oiseaux n'allaient pas nous attaquer. Il n'y avait pas d'agressivité dans leurs cris, simplement du désespoir, et du tourment.

Derrière cette vague de lamentation, les oiseaux apparurent enfin. Ils ne se lancèrent dans aucune acrobatie aérienne. Leur vol était désordonné, sans grâce. Seule la vitesse importait, parce qu'elle seule servait leur dessein. Puis ils plongèrent soudain en piqué, les ailes repliées en arrière, en se servant de la gravitation comme d'une catapulte.

Dans un but que ni Bobby ni moi n'avions pressenti, ils survolèrent le parc en hurlant, traversèrent la rue et foncèrent comme des boulets de canon sur la façade d'un bâtiment situé à une vingtaine de mètres du cinéma. Ils heurtèrent le mur en un staccato funeste, « *paf-paf-paf* », comme un son ininterrompu de mitrailleuse. Le bruit était tel qu'il couvrait presque le tintement des vitres se brisant sous les impacts.

Horrifié, je détournai la tête du carnage et m'adossai contre la Jeep.

Vu la vitesse des kamikazes, la pluie de corps ne pouvait durer plus de quelques secondes. Mais des minutes entières semblèrent s'écouler avant que les bruits d'impact ne prennent fin. Le silence qui suivit fut plus inquiétant encore, comme le calme plat avant que ne rugisse le souffle de la bombe atomique.

Je fermai les yeux, mais les rouvris aussitôt car l'hécatombe se poursuivait sur l'écran de mes paupières.

Tous les êtres vivants étaient au bord du précipice. Je le savais depuis le mois dernier, depuis que j'avais découvert ce qui s'était passé dans les laboratoires secrets de Wyvern. Aujourd'hui, le bord du gouffre s'effritait encore, ne laissant guère de place à l'avenir, et la profondeur de l'abîme était devenue abyssale.

Je revis en pensée le visage de ma mère – un visage si doux, si serein. L'image se brouilla. Et, avec elle, le monde tout autour de moi – la rue, le cinéma.

Je pris une courte inspiration ; l'air pénétra dans mes poumons comme une boule de feu. J'inspirais une seconde fois, plus fort – cela fit un peu moins mal –, et je m'essuyai les yeux contre ma manche.

Il me fallait être témoin et je ne me sentais plus de taille pour cette tâche. Si la lumière du soleil m'était interdite, je ne devais pas fuir celle de la vérité, qui brûlait tout autant mais réparait plus qu'elle ne détruisait.

Je tournai la tête pour contempler le charnier.

Des centaines d'oiseaux jonchaient le trottoir. Quelques ailes battaient faiblement, en attendant que s'évanouisse la dernière étincelle de vie. Le choc avait été si violent que la plupart des volatiles qui gisaient là avaient le crâne éclaté et le cou rompu.

De l'extérieur, ils ressemblaient en tout point à des engoulevents ordinaires. Quels changements obscurs s'étaient-ils produits en eux ? Même invisible, l'altération était si profonde qu'elle avait rendu leur existence intolérable. À moins que ce vol kamikaze n'ait pas été un acte volontaire, mais le résultat de la détérioration de leur sens d'orientation, ou un aveuglement en masse, une crise de démence commune ?

Non. Il suffisait de se souvenir de la complexité de leur figure aérienne pour se convaincre du contraire. Le changement était plus profond, plus mystérieux, et bien plus inquiétant qu'un simple dysfonctionnement physique.

Le moteur de la Jeep toussota derrière moi, puis s'éveilla dans un rugissement mécanique, avant de tourner au ralenti sitôt que Bobby eut levé le pied de l'accélérateur.

Je ne l'avais pas vu remonter en voiture.

– On y va ? demanda-t-il.

Même si le suicide collectif des oiseaux n'avait pas un rapport direct avec la disparition d'Orson ou le kidnapping de Jimmy, il apparaissait comme un signal d'alerte, une incitation à se presser.

Pour la première fois de sa vie, Bobby parut s'inquiéter de l'écoulement inaltérable du temps, qui rongeait tout sur son passage, tel l'acide.

– En voiture ! lança-t-il, avec une gravité dans le regard qui contredisait son ton badin.

Je sautai dans la Jeep et refermai la portière.

Le fusil à pompe retrouva sa place entre les sièges. Bobby alluma les phares et démarra.

Plus aucune aile ne bougeait parmi le tas d'oiseaux morts, à l'exception de quelques plumes, agitées par la brise marine.

Ni Bobby ni moi n'avions envie de parler de ce suicide collectif dont nous venions d'être témoins. Les mots auraient semblé bien vains.

Bobby regardait la route, droit devant lui. Moi, en revanche, je ne pouvais détacher mon regard de l'amas macabre, même après que la Jeep l'eut dépassé.

Une mélodie au piano me venait en pensée, jouée uniquement sur les touches noires, étrange et dissonante.

Je me retournai enfin vers l'avant de la voiture. Nous pourchassions la tache de lumière des phares courant sur le bitume. Quelle que soit notre vitesse, nous resterions toujours dans la nuit.

10.

La Ville fantôme avait des allures d'antichambre de l'enfer, où les damnés n'étaient ni brûlés vifs ni plongés dans l'eau bouillante, mais subissaient le sort plus cruel d'une solitude sans fin et d'un silence éternel pour regretter à satiété tout ce qui ne sera plus. Nous roulions dans les rues désertes à la recherche du chien et du petit Jimmy avec l'impression d'être des sauveteurs en mission, partis reprendre à Lucifer deux âmes envoyées ici par erreur.

À l'aide d'une torche puissante branchée sur l'allume-cigare, je sondais les passages enténébrés entre les bungalows, alignés comme des pierres tombales, j'explorais leurs entrailles derrière les vitres brisées, les haies brunies et les restes squelettiques de buissons.

Bien que le faisceau ne fût pas dirigé dans ma direction, la lumière qui me revenait par réflexion n'était pas sans risque pour moi. Mes yeux se fatiguèrent vite ; j'eus l'impression d'avoir du sable coincé sous les paupières. J'aurais dû mettre mes lunettes de soleil ; je les portais parfois la nuit. L'écran de mes Ray-Ban n'aurait guère facilité mes recherches cependant.

Bobby roulait lentement, surveillant les alentours.

– Qu'est-ce que tu as à te tripoter ? demanda-t-il.

– Sache que je laisse ce soin exclusivement à Sasha.

– Il serait temps qu'elle ouvre les yeux sur la qualité de la marchandise, la pauvre ! N'empêche que tu n'arrêtes pas de te tripoter.

– Je ne me tripote pas.

– Ta mère ne t'a pas dit que c'était pas beau ?
– Je m'inspecte, nuance !
Sans m'en rendre compte, je palpais la zone douloureuse sous ma pommette depuis un moment.
– Tu vois quelque chose, demandai-je en désignant l'endroit sur mon visage. Un bleu ? Un hématome ?
– Il fait trop sombre ; je ne vois rien.
– Ça fait mal.
– Tu t'es peut-être cogné ?
– Ça commence toujours comme ça.
– Quoi ?
– Un cancer de la peau.
– Ça doit être un bouton.
– D'abord ça fait mal, puis la lésion apparaît, et comme ma peau n'a pas de défense contre ce genre de choses, les métastases se mettent à proliférer.
– Tu es une vraie ode à la joie !
– Je suis simplement réaliste.
– Être réaliste n'a jamais fait de bien à personne ! lança-t-il en tournant dans une rue à droite.
De nouveaux alignements de bungalows. De nouvelles haies mortes.
– Et puis j'ai mal à la tête.
– Moi aussi à force de t'entendre débloquer !
– Un jour, la migraine ne s'en ira pas. Parce que mon XP aura fait trop de dégâts dans mes neurones.
– À côté de toi, le malade imaginaire était un maître zen.
– Trop aimable. En dix-sept ans, ce n'est pas les paroles de tendresse qui t'auront étouffé.
– Tu n'as pas besoin de ça.
– Si, parfois.
Il continua à conduire en silence.
– Et toi, tu ne m'as jamais offert de fleurs, lança-t-il finalement.
– Quoi ?
– Tu ne me dis jamais que je suis belle.
Je ris malgré moi.
– Connard !

– Tu vois ! Toi aussi tu es dur avec moi.

Bobby arrêta soudain la Jeep au milieu de la rue. Je regardais autour de moi, tous les sens en alerte.

– Tu as vu quelque chose ?

– Pas de panique ! Si j'avais ma combinaison je ne me donnerais pas la peine de m'arrêter, crois-moi !

Parfois, lorsque l'eau était trop fraîche, les surfeurs devaient enfiler une combinaison. Durant les longs moments d'attente, à guetter l'arrivée d'une belle série de murs liquides, il leur arrivait de soulager leur vessie dans leurs habits de Néoprène. Entre nous, on appelait ça l'*urinophorie* : une agréable sensation de chaleur nimbait le corps jusqu'à ce que l'eau de mer emporte le tout. Le surf était le sport le plus élégant et glamour qui soit – en tout cas, il laissait le golf loin derrière !

Bobby descendit de voiture et fila donc vers le trottoir pour soulager sa vessie.

– J'espère que cette envie de pisser ne signifie pas que j'ai un cancer généralisé.

– Ça va, laisse tomber !

– Mais non ! C'est quand même bizarre, tu ne trouves pas... cette impossibilité que j'ai de me retenir ? J'ai peut-être une tumeur...

– Dépêche-toi donc !

– Je me suis retenu trop longtemps et maintenant j'ai plein d'acide urique dans le sang. Je me suis empoisonné tout seul !

J'avais éteint la lampe-torche. Je me baissai entre les sièges et pris le fusil.

– Mes reins ne vont pas résister au choc, continua Bobby. Je vais perdre mes cheveux, mon nez, et je serai maudit à jamais sur cette terre !

– Ça va être le cas, si tu ne fermes pas ta grande gueule !

– Et même si je ne meurs pas, quelle vahiné voudra d'un type chauve, sans nez, avec les reins en compote ?

Le bruit du moteur, la lumière de nos phares et des lampes avaient peut-être attiré l'attention d'êtres pas forcément amicaux, traînant dans les parages. La troupe de rhésus s'était enfuie au son de la Jeep de Bobby, mais une petite reconnaissance aurait tôt fait de leur apprendre que nous n'étions que deux. Nous avions beau être armés d'un fusil, nous ne faisions guère le poids face à une bande de primates bilieux. Pis, peut-être savaient-ils que l'un de nous deux était Christopher Snow, le fils de Wisteria Jane Snow, *leur* docteur Frankenstein !

Bobby remonta sa fermeture Éclair et revint à la Jeep.

– C'est la première fois que quelqu'un couvre mes arrières pendant que je pisse. Merci !

– *De nada.*

– Ça va mieux ? demanda-t-il, sachant que mon accès d'hypocondrie était une simple manifestation d'angoisse devant la disparition d'Orson.

– Désolé de m'être comporté comme un branleur, déclarai-je.

Il desserra le frein à main et démarra.

– La branlette est humaine et le pardon est mon péché mignon.

Je rangeai le fusil entre les deux sièges et rallumai ma lampe.

– Autant chercher une aiguille dans une botte de foin ! pestai-je.

– Tu as une meilleure idée ?

Avant d'avoir pu répondre, quelque chose cria – un cri étrange, mais familier à nos oreilles. Un son hybride, entre le connu et l'inconnu. Un vagissement animal, avec toutefois une touche d'humanité comme un appel éperdu et désespéré.

Bobby freina de nouveau.

– Ça venait d'où ?

J'explorai la rue de mon faisceau, dans la direction d'où m'avait semblé provenir le cri.

Les ombres des balustrades et des piliers des porches s'incurvaient devant moi, jouant avec la lumière, créant çà et là une illusion de mouvement sur la façade d'un bungalow. Des silhouettes de branches nues glissaient en silence sur les murs de planches à clin.

– Là-bas ! s'écria Bobby en tendant le doigt.

Je tournai aussitôt la lampe dans la direction qu'il indiquait, juste à temps pour voir une forme disparaître derrière une haie de buis bordant quatre bungalows.

– Qu'est-ce que c'était ?

– Je ne sais pas. Peut-être ce dont je t'ai parlé.

– Grosse Tête ?

– Lui-même.

Au fil des derniers mois de sécheresse, les buis avaient péri, et les premières pluies de l'hiver n'avaient pas encore fait remonter la sève dans les rameaux. Dépourvus de feuilles vertes, les buissons étaient couverts de feuilles mortes ratatinées, pendant aux branches comme des morceaux de viande à demi mastiqués.

Bobby redémarra doucement, longeant la haie au ralenti.

Les branchages étaient si denses qu'ils empêchaient mon regard de passer au-travers. Il me semblait impossible de repérer la créature derrière cet écran végétal, pourtant je l'aperçus : une ombre brune, semblable au treillis de bois, avec des lignes plus douces, moins angulaires que ce matériau nu. À travers les rameaux, mon faisceau saisit notre proie, ne révélant d'autres détails de son anatomie que deux fugitives prunelles qui renvoyaient un lumineux vert pomme, à la manière de certains félins.

Il ne s'agissait pas d'un chat ; c'était trop gros. Peut-être un puma…

Il n'y avait pas de pumas dans la région.

Se sentant repérée, la créature détala derrière les buissons avec une telle vélocité qu'elle échappa à ma torche. Une trouée dans la haie avait été ménagée pour laisser passer une allée, mais notre Grosse Tête – notre yéti, notre loup-garou, notre Nessie, que sais-je encore ? – traversa la brèche si vite que je ne pus éclairer fugitivement qu'un arrière-train poilu. Un tableau de chasse ni gratifiant ni édifiant.

Je n'avais que des impressions vagues – quelque chose courant courbé comme un singe, les épaules tombantes, la tête basse, les mains touchant presque le sol. Bien plus grand qu'un singe rhésus. Probablement même plus grand encore que le mètre vingt estimé par Bobby. Si la créature s'était dressée à la verticale, elle aurait peut-être bien pu nous tirer la langue par-dessus la haie de buis.

J'éclairai la nouvelle portion d'arbustes. En vain, l'animal restait invisible.

– Là-bas ! lança Bobby, en se levant à moitié de son siège, le doigt tendu. Regarde-le détaler !

J'entraperçus derrière la haie une silhouette qui traversait la pelouse, courant en direction d'un bungalow. J'eus beau lever ma lampe à bout de bras pour ne pas être gêné par les buis, je ne pus éclairer le fuyard, protégé dans sa fuite par les branches basses d'un laurier.

Bobby se rassit dans son siège, enclencha la vitesse et fonça droit vers la haie.

– La chasse au dahu est ouverte ! lança-t-il.

En épicurien du présent ne craignant pas, à l'inverse de moi, l'assaut fatal et définitif d'un mélanome, il cultivait un bronzage tropical tout au long de l'année. Par contraste, ses dents et ses yeux semblaient aussi pâles que les os saturés de plutonium des moineaux de Tchernobyl. Son visage avait donc d'ordinaire un charme gitan. Mais ce soir j'avais l'impression d'avoir un masque de Halloween sous les yeux.

– C'est idiot !

– Taïaut ! Taïaut ! insistait-il, accroché à son volant.

La Jeep bondit sur le trottoir, passa sous les branches basses de deux lauriers et perfora la rangée de buis, semant derrière elle une pluie de branchages. Tandis que nous traversions l'ancienne pelouse, une odeur douce et sucrée monta des herbes hautes écrasées sous nos pneus.

La créature avait filé derrière le coin du bungalow. Bobby y fonça tout droit.

– Laisse tomber ! Ça n'a rien à voir avec Orson ou Jimmy, criai-je par-dessus les rugissements du moteur.

– Qu'est-ce que tu en sais ?

Il avait raison. De toute façon, nous n'avions pas d'autre piste à suivre.

– *Carpe noctem*, tu te souviens ? lança-t-il en engageant sa Jeep entre les deux bungalows.

Je lui avais appris récemment ma nouvelle maxime. Grossière erreur ! Il allait me la ressortir à tout bout de champ, jusqu'à ce qu'elle me répugne autant qu'un milk-shake au mouton !

Un espace de trois mètres séparait les bungalows. Pas le

moindre buisson dans cette étroite bande de terre. La créature n'aurait pu échapper aux faisceaux des phares. Pourtant, elle n'y était pas.

Cette disparition ne réfréna en rien la motivation de Bobby. Au contraire, il enfonça encore plus fort l'accélérateur. Au moment où nous débouchâmes dans le jardin, nous aperçumes notre M. Chaînon manquant sauter par-dessus la barrière du fond et détaler dans l'autre propriété, ne nous laissant voir une fois de plus que ses fesses poilues.

La barrière de bois n'intimida pas plus Bobby que la haie de buis. Il mit le pied au plancher.

– Et un run de *free style*, un !

Bobby avait beau être le roi du farniente et de la nonchalance, une fois emporté dans le feu de l'action, il pouvait se métamorphoser en une tornade humaine. Il était capable de rester des heures sur la plage à étudier la houle, à repérer les meilleurs rouleaux qui lui feraient repousser – ou dépasser – ses limites, sans accorder un seul regard à la gente féminine en bikini fluo, impassible comme une statue de l'île de Pâques. Mais lorsqu'il se jetait à l'eau pour rejoindre la barre tant convoitée, il n'avait rien d'une bouée indolente. Il devenait alors un pagayeur fou, fendait les vagues de sa planche, chevauchait les trombes d'eau les plus sauvages, et malheur au requin qui aurait la mauvaise idée de croquer sa planche !

– *Free style*, mon cul ! bougonnai-je au moment où la Jeep percutait la barrière.

Les piquets de bois vermoulus volèrent en éclats devant le capot, avant de rebondir sur le pare-brise et l'arceau de sécurité. J'étais certain que l'un deux se ficherait droit dans mon œil, et ferait de ma cervelle un chiche-kebab. Mais rien de tout ça ne se produisit. L'arrière des bungalows se dressait devant nous, la façade orientée vers la rue parallèle. Le jardin, à l'inverse du précédent, était parsemé de bosses et de trous. La voiture brinquebalait avec une telle exubérance que je dus tenir ma casquette. Malgré le risque imminent de me mordre la langue, je lançai sous les cahots, d'une voix chevrotante à la Porky :

– Tu le vois ?

– Je ne vois que lui ! répondit-il, alors que les phares

tressautaient tellement qu'ils illuminaient plus souvent le ciel que l'espace devant nous.

J'avais éteint ma lampe car j'éclairais alternativement mes genoux et les étoiles, et j'avais le cœur au bord des lèvres. Autant ne rien voir, si je me vomissais dessus.

Le passage entre les deux bungalows n'était pas plus plan que le jardin. La pelouse en façade ne valait guère mieux. Soit on avait enterré ici un troupeau de vaches, soit l'endroit était infesté de taupes géantes !

Bobby pila avant d'atteindre la rue. Il n'y avait pas de haie de ce côté, et les troncs des lauriers étaient à peine assez larges pour cacher un top-model anorexique.

Je rallumai ma lampe et balayai les alentours. Tout était désert.

– Je croyais que tu ne voyais que lui ?

– J'étais dessus.

– Et maintenant ?

– Maintenant, non.

– Alors ?

– Il faut réviser nos plans.

– Je t'écoute.

– Ah non ! C'est toi le cerveau, rétorqua Bobby.

Un nouveau hurlement dans la nuit – entre crissement d'ongle sur un tableau, miaulement d'un chat à l'agonie et plainte d'un enfant terrorisé – nous fit bondir de nos sièges, non seulement parce qu'il était terrifiant à vous glacer le sang, mais surtout parce qu'il venait de derrière nous.

Sans m'en rendre compte, je m'étais retourné, avais agrippé l'arceau de sécurité et sauté sur le fauteuil. J'avais dû réaliser cette pirouette avec la vélocité et la souplesse d'un gymnaste olympique, parce que je me retrouvais juché sur le siège avant même que le cri ait fini de résonner dans ma nuit.

Je n'avais pas non plus vu Bobby saisir son fusil, ouvrir la portière et sauter de la voiture. Il était pourtant bel et bien là, le Mossberg calibre 12 prêt à l'emploi, scrutant l'endroit d'où était parti le cri.

– Éclaire ! demanda-t-il.

J'avais toujours la lampe dans la main. Il n'avait pas fini sa phrase que je l'allumais.

Aucune aberration de la nature ne se dressa devant nous.

Les hautes herbes oscillaient doucement au vent. Si un prédateur s'était tenu tapi dans ce coin et approché de nous, il aurait rompu les douces ondulations des brins sous la brise. Le bungalow devant nous faisait partie de la famille sans porche couvert – deux petites marches, un minuscule perron de bois. La porte d'entrée était fermée, les trois fenêtres intactes et aucun croque-mitaine ne nous observait derrière les vitres poussiéreuses.

– Cela semblait venir de tout près, annonça Bobby.

– Juste sous mes fesses !

Il tenait fermement le fusil, sondant l'obscurité, angoissé autant que moi par ce silence.

– Je n'aime pas ça.

– Moi non plus.

L'air plus que perplexe, il recula lentement et s'écarta de la Jeep. Avait-il vu quelque chose sous la voiture ou était-ce une simple intuition ?

Un silence de mort flottait dans la Ville fantôme, qui portait décidément bien son surnom. La brise, visible dans la végétation, restait parfaitement inaudible.

Toujours debout sur le siège passager, je scrutai les herbes caressant les flancs de la Jeep. Si un monstre belliqueux jaillissait du dessous de la voiture, il pouvait d'un bond sauter pardessus la portière et m'égorger. Je tins la lampe d'une main et sortis mon Glock de son étui.

Une fois que Bobby eut reculé de trois ou quatre mètres, il mit un genou à terre. Pour éclairer le dessous de la voiture, je tendis le bras au-dessus de la portière et dirigeai le faisceau vers le bas, espérant qu'il n'y avait rien à voir. En chasseur de monstres expérimenté, Bobby se baissa lentement pour observer les dessous intimes de son véhicule.

– *Nada*, annonça-t-il.

– Rien de rien ?

– Zéro pointé.

– Dommage ! J'étais prêt à botter les fesses de ce macaque !

– Et moi donc !

La bravade allait bon train entre nous.

Lorsque Bobby se releva, un autre cri déchira la nuit, aussi insupportable que le précédent.

Cette fois je pus en circonscrire l'origine. Je levai la tête vers le toit du bungalow et mon faisceau attrapa Grosse Tête. C'était bien la créature décrite par Bobby ; avec une très grosse tête effectivement.

Elle était assise à califourchon sur le faîte du toit. J'avais l'impression d'assister à un remake fauché de *King Kong* dans lequel, faute de moyens, l'Empire State Building avait été remplacé par un bungalow et les avions de combat ainsi que la demoiselle en péril laissés en coulisse. La bête se couvrait le visage de ses bras, comme si la vue de nos faces humaines lui était insupportable. Je voyais luire ses yeux verts, en train de nous épier, entre ses avant-bras croisés, Bobby et moi.

Malgré l'écran de ses membres antérieurs, sa boîte crânienne apparaissait avec évidence anormalement grosse. Une malformation, sans doute – pas uniquement selon les normes humaines, mais également selon les canons de beauté simiens. Impossible de savoir si ses parents étaient des rhésus ou appartenaient à une autre espèce de primates. Sa fourrure rappelait celle d'un macaque et il avait de longs bras et des épaules concaves de rhésus. En revanche, sa musculature évoquait celle d'un gorille mais la ressemblance s'arrêtait là. Sans avoir une imagination enfiévrée, on pouvait raisonnablement se demander si, par certains aspects, on n'avait pas sous les yeux un condensé de tout le spectre animal, des vertébrés supérieurs aux reptiles, voire à des créatures plus archaïques encore...

– Hou, le vilain yéti ! articula Bobby en retournant vers la Jeep.

– Quelle horreur !

Sur le toit, Grosse Tête leva les yeux vers le ciel, comme s'il étudiait les étoiles, se protégeant toujours derrière ses bras croisés.

J'éprouvai une soudaine sympathie pour cette créature. Quelque chose dans sa posture, dans son attitude me fit comprendre qu'il se cachait le visage par timidité ou par honte.

Il ne voulait pas qu'on puisse le voir parce qu'il se savait répugnant – ainsi donc, il avait *conscience* de sa laideur... Peut-être avais-je pu interpréter son geste, imaginer ce qu'il ressentait, parce que je vivais moi-même comme un paria depuis vingt-huit ans. Je n'avais jamais ressenti le besoin de me cacher le visage, mais j'avais connu, enfant, l'humiliation d'être rejeté par mes camarades, qui me traitaient de loup-garou, de vampire, de zombie.

Quelle horreur ! m'étais-je exclamé un peu plus tôt. Je grimaçais de regret à cette pensée. La façon dont nous avions pourchassé cette pauvre créature me rappelait les poursuites dont j'étais victime enfant. Même lorsque j'eus appris à me défendre, mes camarades ne s'avouaient pas vaincus et préféraient risquer de prendre un mauvais coup pour le simple plaisir de me tourmenter. Le fait de savoir Orson et Jimmy en péril nous donnait certes, à Bobby et à moi, une bonne raison de suivre la moindre piste ; nous n'étions pas animés de mauvaises intentions. Prendre cette bête en chasse nous avait pourtant mis en joie et dans un bel état d'excitation. Voilà ce qui me chagrinait.

Grosse Tête délaissa la contemplation des étoiles et nous observa de nouveau, le visage toujours caché.

Je dirigeai le faisceau de ma lampe sur les plaques de bitume au pied de la créature, pour l'éclairer par réflexion et ne plus l'aveugler. Cette petite attention n'encouragea pas Grosse Tête à baisser les bras. Mais il émit un autre son, bien différent des deux cris précédents, qui contrastait étrangement avec son allure sauvage – un bruit à mi-chemin entre le roucoulement d'un pigeon et le ronronnement d'un chat.

Bobby quitta la créature des yeux et tourna lentement sur lui-même pour surveiller les alentours. Moi aussi je venais d'être traversé par un frisson d'appréhension. Peut-être Grosse Tête détournait-il notre attention d'une menace plus immédiate.

– Tout est calme, annonça Bobby.

– Pour l'instant.

Le ronronnement de Grosse Tête s'amplifia et se mua en une suite de sons bizarres, séquencés, récurrents. Ce n'étaient pas des cris animaux, mais des séries de syllabes modulées, avec des inflexions de ton, traduisant un sentiment d'urgence et de panique. Comme des *mots*. Même si l'on ne pouvait parler de langage au même titre que l'anglais, le français ou l'espagnol, il s'agissait, à n'en pas douter, d'une tentative de communication.

– Que veut-il ?

Sans s'en rendre compte, peut-être, Bobby reconnaissait implicitement, que la créature essayait de nous *dire quelque chose*.

– Aucune idée, répondis-je.

Le ton de Grosse Tête n'était ni grave ni menaçant. Sa voix était aussi incongrue qu'une cornemuse dans un groupe de reggae, son timbre comparable à celui d'un enfant de neuf ou dix ans – une voix pas tout à fait humaine, mais fluctuante, oscillante sans être chantante, exprimant une supplication qui inspirait la sympathie.

– Pauvre bête, lâchai-je, lorsque la lamentation prit fin.

– Tu es sérieux ?

– C'est moche ce qui lui arrive, non ?

Bobby observa un moment notre Quasimodo poilu en quête de son clocher.

– Tu as peut-être raison, concéda-t-il.

– Un vrai mélo.

– Tu veux aller le prendre dans tes bras pour lui remonter le moral ?

– Plus tard.

– Je vais allumer la radio. Monte donc sur le toit et invite-le à danser ; fais-le de nouveau se sentir désirable.

– Je préfère m'apitoyer de loin.

– Tu es bien comme tous les hommes ! Toujours de belles paroles, mais quand il s'agit de passer aux actes...

– Je ne supporterais pas d'être éconduit.

– C'est t'engager qui te fait peur.

Grosse Tête baissa soudain les bras et courut à quatre pattes sur le faîte du toit.

– Ne le perds pas ! lança Bobby.

Je fis mon possible pour le suivre avec ma lampe, malheureusement le fugitif était rapide comme un lièvre. Je crus qu'il allait sauter à terre et foncer droit sur nous ou disparaître derrière la maison, alors qu'il galopa sur toute la longueur de la panne faîtière et, sans hésiter, s'élança dans le vide, effectuant un bond de trois mètres pour atterrir sur le toit du bungalow voisin avec la souplesse d'un chat. Il se dressa sur ses membres postérieurs, se retourna pour nous observer de ses yeux verts, puis, en quelques sauts, il atteignit le toit d'un troisième bungalow et disparut derrière la construction.

Durant la fuite rebondissante de Grosse Tête, mon faisceau avait attrapé à plusieurs reprises son visage, me laissant davantage une impression stroboscopique, fragmentée comme par un kaléidoscope, qu'une image précise de son anatomie. L'arrière de son crâne semblait allongé, à la manière d'une capuche, et son front faire saillie au-dessus de ses yeux. La face elle-même avait l'air déformée par des excroissances osseuses. La tête paraissait disproportionnée par rapport au corps et la bouche était trop grande pour ce visage. Elle béait d'une oreille à l'autre et découvrait une collection de crocs plus acérés que la collection de couteaux de Jack l'Éventreur.

– Une pauvre bête ? répéta Bobby en me lançant un regard de biais.

– Je n'en démords pas.

– Ton cœur d'artichaut te perdra !

– Le tien est de pierre !

– Quelque chose qui peut courir aussi vite et qui est équipé de dents comme celles-là ne se nourrit pas exclusivement de bananes, de laitue et de cornflakes !

J'éteignis la lampe. Bien que le faisceau ait été dirigé loin de moi, les bourrasques de photons me laissaient groggy. Je n'avais pas vu grand-chose, mais c'était déjà suffisant...

Aucun de nous deux ne suggéra de repartir à la poursuite de Grosse Tête. Les surfeurs ne s'amusent pas à taquiner les requins. Quand la mer est noire d'ailerons, on sort de l'eau. Vu la vélocité et l'agilité de la bête, nous n'avions aucune chance de la rattraper, pas plus à pied qu'en Jeep. Quand bien même l'acculerions-nous dans une impasse, nous n'étions prêts ni à le capturer ni à le tuer.

– Supposons que nous n'avons pas eu la berlue... commença Bobby en se réinstallant derrière le volant.

– Supposons.

– Alors, qu'est-ce que c'était ?

Je repris ma place à bord de la Jeep, glissant mes jambes de part et d'autre de la glacière.

– Un rejeton des singes qui se sont évadés des labos ? Il y a peut-être eu de nouvelles mutations avec la génération suivante, plus visibles.

– On a déjà vu des rejetons de la nouvelle génération. Et toi, pas plus tard que cette nuit !

– C'est vrai.

– Tous ressemblent à des singes normaux.

– C'est vrai.

– Ce n'est pas le cas de celui-là !

Je savais qui était Grosse Tête et d'où il venait, mais je n'osais pas encore le dire à Bobby. Je changeai de sujet.

– Nous sommes dans la rue où les rhésus ont failli me piéger dans le bungalow.

– Tu arrives à les distinguer les unes des autres ? s'étonna Bobby en contemplant les alignements monotones des maisons.

– Pour la plupart, oui.

– Tu as dû traîner tes guêtres un sacré bout de temps ici !

– Il n'y a jamais rien de bien à la télé.

– Essaie la collection de timbres.

– Mon cœur ne résisterait pas à tant d'excitation.

Je rangeai mon Glock tandis que Bobby traversait la pelouse pour rejoindre la rue ; je le fis tourner à droite. Deux pâtés de maisons plus tard, je lui demandai de s'arrêter.

– C'est ici qu'ils s'amusaient à faire tourner la plaque d'égout.

– Si les rhésus deviennent les rois du monde, ils en feront une discipline olympique.

– Ce sera toujours mieux que la natation synchronisée !

Je descendis de la Jeep.

– Où vas-tu ?

– Avance et mets une roue sur la plaque. Ça m'étonnerait que les rhésus soient encore dans le coin, mais on ne sait jamais. Je ne tiens pas à les voir rappliquer lorsque nous serons à l'intérieur.

– À l'intérieur de quoi ?

Je me postai devant la Jeep et guidai Bobby jusqu'à ce que la roue droite s'immobilise sur la bouche d'égout. Il coupa le contact, saisit son fusil et descendit de voiture. La brise marine avait un peu forci. Les nuages qui avaient avalé la lune roulaient à présent vers l'est, dévorant les étoiles.

– À l'intérieur de quoi ? insista Bobby.

Je tendis le doigt en direction du bungalow où je m'étais caché.

– Je veux savoir ce qui sent autant la charogne dans cette cuisine.

– Pourquoi donc ?

– Parce que ! répondis-je en marchant vers le bungalow.

– C'est de la perversité ! bougonna-t-il en m'emboîtant le pas.

– Les rhésus étaient comme hypnotisés.

– Nous n'avons pas les mêmes valeurs ! Encore heureux !

– C'est peut-être important.

– J'ai l'estomac plein de kebbé et de bière.

– Et alors ?

– Alors, je suis au bord de la gerbe. Tu es prévenu.

11.

La porte d'entrée du bungalow était ouverte, comme je l'avais laissée. Le salon sentait toujours le renfermé, la moisissure et les déjections de souris, mais cette fois, il planait également une odeur fauve de singe.

J'allumai ma lampe et j'aperçus une série de cocons jaunâtres d'une dizaine de centimètres de long, suspendus dans l'angle du mur du fond, abritant de futurs papillons ou les œufs d'une araignée particulièrement fertile. Des rectangles plus clairs trahissaient l'emplacement d'anciens cadres et tableaux. Le plâtre n'était pas beaucoup fissuré pour une maison vieille d'un demi-siècle et laissée à l'abandon depuis deux ans, néanmoins un réseau de fines craquelures donnait aux murs des allures de coquilles d'œuf prêtes à libérer leurs petits hôtes.

Par terre, dans un coin, une socquette rouge d'enfant. Elle ne pouvait appartenir à Jimmy car elle était couverte de poussière.

– J'ai une nouvelle planche depuis hier, annonça Bobby en traversant la salle à manger avec moi.

– Nous assistons à l'apocalypse planétaire et tu trouves le cœur à faire du shopping ?

– C'est un ami à moi qui me l'a faite.

– Alors ? Tes impressions ?

– Je n'en sais rien. Je n'ai pas encore eu l'occasion de l'essayer.

Dans un coin, à la jonction du plafond, j'aperçus un nouveau groupe de cocons. Même grosseur, larges comme des saucisses de Francfort au plus gros diamètre. Je n'en avais jamais vu. Je m'approchai et dirigeai ma lampe sur les nids.

– Ils ne sont pas ragoûtants, lança Bobby.

Dans deux cocons, je distinguai une forme noire, enroulée comme un point d'interrogation, mais la pelote de filaments m'empêchait d'en observer les détails.

– Tu vois quelque chose bouger ?

– Non.

– Moi non plus.

– C'est peut-être mort ?

– Peut-être, répondis-je, guère convaincu. De gros papillons morts, à moitié formés.

– Des papillons ? répéta Bobby

– Que veux-tu que ce soit d'autre ?

– C'est gros.

– C'est peut-être une nouvelle espèce de papillons. Des spécimens plus gros. Une évolution.

– Des papillons en train d'évoluer ?

– C'est bien le cas des gens, des chiens, des oiseaux, des singes... Pourquoi pas des insectes ?

– Tu me feras penser à acheter un stock de plaquettes Vapona ! rétorqua Bobby d'un air sombre.

Un haut-le-cœur me traversa à l'idée qu'un peu plus tôt je m'étais trouvé sous ces gros cocons. Pourquoi éprouvais-je une telle frayeur au fond ? En théorie, je ne risquais guère d'être assailli par une nuée de vers à soie volants et de me retrouver enfermé à vie dans un de ces cocons. Mais nous étions à Wyvern, et à Wyvern tout était possible.

Mon malaise provenait également de l'odeur fétide qui montait de la cuisine. J'avais oublié à quel point elle était répugnante.

– Ne me dis pas que ça sent encore plus fort là-bas ! souffla Bobby en se couvrant le nez et la bouche de la main.

– D'accord, je ne te le dis pas.

– Mais c'est le cas ?

– Tout juste.

– Alors dépêchons-nous !

Au moment où je détournai le faisceau des cocons, je crus

voir une des formes noires bouger. Je relevai ma lampe aussitôt. Rien. Tout était immobile.

– Tu trembles, carcasse ? railla Bobby.

– Pas toi, peut-être ?

– Comme une vache folle.

Nous pénétrâmes dans la cuisine, où nous fûmes accueillis par un concert de craquements du linoléum et une odeur de chair en décomposition aussi dense et puissante que celle de graillon dans le coin frites d'un fast-food. Avant de chercher à repérer l'origine de ces relents fétides, j'explorai le pourtour de la pièce. À la jonction des murs et du plafond, d'autres cocons en grand nombre – trente ou quarante –, d'une taille comparable à ceux des autres pièces pour la plupart mais certains gonflés comme des ballons de rugby. Une autre vingtaine se pressait autour du rail de tubes fluo fixé au milieu du plafond.

– On se croirait dans *Alien* ! lâcha Bobby.

Je baissai la lampe et découvris aussitôt l'origine de la puanteur. Un homme gisait au sol, au pied de l'évier.

Ma première pensée fut que le malheureux avait été tué par les choses qui avaient tissé les cocons. Je m'attendais à voir des filaments de soie sortir de sa bouche, de son nez et de ses oreilles. Or les cocons n'avaient rien à voir avec cette mort. L'homme s'était suicidé.

Le revolver reposait sur son ventre. L'index était encore accroché à la gâchette. À en juger par la blessure au cou, l'inconnu avait plaqué le canon sous son menton et la balle lui avait traversé la cervelle. Durant ma première visite nocturne, lorsque l'irruption soudaine d'un singe m'avait fait m'éloigner de la porte donnant sur le jardin, j'avais frôlé le cadavre sans m'en rendre compte.

– Tu t'attendais à ça ? demanda Bobby, sa main toujours devant la bouche.

– Non.

C'était une surprise. Pourtant, à la vue de ce cadavre, je m'étais senti soulagé, comme si mon subconscient s'était préparé à découvrir quelque chose de plus terrible encore – l'horreur à l'état pur.

L'homme était vêtu d'un pantalon kaki, de chaussures de

sport et d'une chemise écossaise vert et rouge. Il gisait sur le dos, le bras gauche le long du corps, la paume tournée vers le ciel comme s'il faisait l'aumône. Ses vêtements tendus sur son ventre le faisaient paraître obèse, mais il s'agissait d'un gonflement *post mortem* dû à la formation de gaz sous l'action des bactéries.

Son visage était bouffi, ses yeux vitreux saillaient de leurs orbites et sa langue gonflée sortait entre ses lèvres distordues et grimaçantes. Un liquide brun – le produit de la décomposition des tissus que les novices prennent souvent pour du sang –, s'écoulait de sa bouche et de ses narines. La peau verdâtre, avec des zones virant au vert sombre, attestait une hémolyse dans les veines et les artères.

– Ça fait combien de temps qu'il est là ? Une semaine ? Deux ? demanda Bobby.

– Sans doute moins. Trois ou quatre jours, pas plus.

Il avait fait doux récemment, le processus de décomposition s'était déroulé sans à-coups. Si l'homme était mort depuis plus de quatre jours, la peau n'aurait pas été vert pâle, mais vert bouteille, avec des zones entièrement noires. Vésicules, desquamation de la peau et du cuir chevelu avaient commencé d'apparaître. Toutefois, le corps restait en assez bon état pour m'autoriser cette estimation avec une marge d'erreur raisonnable.

– Je vois que l'on connaît encore par cœur son *Traité de médecine légale* !

– Sur le bout des doigts.

Ma connaissance des processus *post mortem* datait de mes quatorze ans. Tous les garçons de cet âge éprouvent une fascination morbide pour les BD d'horreur, les romans fantastiques et les monstres de cinéma. Les jeunes adolescents testent leur virilité et mesurent leurs premiers pas dans l'âge adulte par leur capacité à endurer les vues et les descriptions les plus répugnantes sans avoir de cauchemars ni de haut-le-cœur. Durant ces vertes années, Bobby et moi étions des fans de Lovecraft, de l'art biomécanique de Giger et des films d'horreur mexicains de série Z, bien gore.

Cette fascination morbide nous passa avec le temps, cédant

la place à d'autres intérêts. Mais à l'époque, j'avais creusé la question plus profondément que Bobby, passant des films d'horreur aux descriptions cliniques. C'était ainsi que j'avais découvert les techniques de momification et d'embaumement, la symptomatologie de la peste noire qui avait tué, en Europe, la moitié de la population entre 1348 et 1350.

Avec le recul, ces inclinations morbides semblent avoir constitué pour moi un moyen d'accepter l'idée de ma propre mort. Bien avant l'adolescence, je savais que la vie d'un homme n'est qu'une poignée de sable s'écoulant dans un sablier, et que, dans mon sablier à moi, le col reliant les deux lobes était plus ouvert que chez les autres et la chute des grains plus rapide. C'était un savoir lourd pour de si jeunes épaules ; en cherchant à découvrir Dame la Mort sous toutes ses facettes, j'espérais parvenir à la rendre moins effrayante.

Connaissant le taux de mortalité élevé chez les individus atteints de XP, mes parents me poussaient plus au jeu qu'au travail, m'incitant à profiter de la vie au mieux, de sorte que le lendemain ne constitue pas une source d'angoisse, mais d'émerveillement. Ils m'apprirent à faire confiance en Dieu, à croire que ma vie avait un sens, à garder la joie en toute circonstance. S'ils s'inquiétèrent quelque peu de ma fascination pour la mort, en personnes érudites ils savaient le pouvoir libérateur de la connaissance et ne tentèrent donc rien pour me détourner de mes intérêts morbides. Mon père m'offrit même le *Traité de médecine légale* destiné aux professionnels des enquêtes criminelles. Ce gros volume gris, abondamment illustré de photos de victimes à faire pâlir le plus endurci des tortionnaires, ne se trouvait pas dans les librairies et n'était en aucun cas destiné aux enfants. Mais à l'âge de quatorze ans, avec, selon toute probabilité, une espérance de vie qui ne dépasserait pas vingt ans, je pouvais raisonnablement soutenir que l'enfance, pour moi, était déjà loin.

Le *Traité de médecine légale* étudiait toutes les causes possibles et imaginables de décès : maladie, crémation, congélation, noyade, strangulation, blessures par balle, lésions dues à des instruments contondants, tranchants ou perforants. Lorsque j'eus terminé la lecture de ce livre, ma fascination et ma peur de la mort appartenaient au passé. Les photos décrivant l'horreur d'un corps en décomposition m'avaient prouvé que les qualités que j'appréciais chez mes proches et mes amis – leur intelligence, leur humour, leur courage, leur loyauté, leur foi, leur compassion, leur miséricorde – n'avaient rien à voir avec la chair. Elles demeuraient au-delà des corps ; elles restaient dans les souvenirs de la famille et des amis, vivantes à jamais, générant à leur tour de l'amour ou de la sollicitude chez d'autres, en un cycle sans fin. L'humour, la foi, le courage, la compassion – rien de tout cela ne pourrissait ni ne redevenait poussière. Aucune bactérie ne pouvait les altérer, pas plus que le temps ou la gravité. Ces qualités-là n'étaient pas faites de sang et d'os périssables, mais des tissus de l'âme.

Toutefois, j'avais beau croire qu'il existait une vie après celle-ci, et que j'y retrouverais tous ceux qui m'étaient chers, je restais terrifié à l'idée qu'ils puissent faire le grand saut avant moi et me laisser seul en ce bas-monde. Je faisais souvent ce même cauchemar où j'étais la seule personne vivante sur terre. Je me réveillais en sueur, tremblant, et n'osais décrocher le téléphone pour appeler Sasha, de peur de m'apercevoir que le cauchemar était devenu réalité.

– Je n'arrive pas à croire qu'il soit dans cet état au bout de trois ou quatre jours seulement, dit Bobby.

– Laissé à l'air libre, un corps peut être réduit à l'état de squelette en deux semaines. Voire moins, si les conditions sont optimales.

– Deux semaines pour devenir des bouts d'os...

– On est peu de chose, pas vrai ?

– Tu l'as dit, bouffi.

Ayant contemplé le cadavre plus que de raison, je reportai mon attention sur une série d'objets disposés autour de lui – des objets personnels qu'il semblait avoir placés là avant de mettre fin à ses jours : un permis de conduire avec sa photo, une bible en format poche, une enveloppe sans aucune adresse inscrite au recto, quatre photos bien alignées, une de ces petites coupelles de verre rouge destinées à recevoir un mini-cierge d'église.

Je me concentrais sur l'idée d'un océan de roses afin de

contenir ma nausée, et m'accroupis pour examiner de plus près le permis de conduire. Malgré la décomposition en cours, le visage du cadavre présentait encore quelque ressemblance avec celui de la photo.

– Leland Anthony Delacroix, déchiffrai-je à haute voix.

– Connais pas.

– Trente-cinq ans.

– Non, ça ne me dit rien.

– Il habite Monterey.

– Pourquoi est-il venu se faire sauter la cervelle ici ?

Dans l'espoir de trouver une réponse, je dirigeai ma lampe vers les quatre photos. La première montrait une jeune femme blonde, en short blanc et chemisier jaune, posant sur la jetée d'un port de plaisance. Tout autour d'elle des bateaux, le bleu du ciel et de la mer. Elle avait un sourire charmant. La deuxième avait été prise à une autre époque, et en un autre lieu. On y voyait la même jeune femme, cette fois vêtue d'un chemisier à pois. Leland Delacroix se tenait à côté d'elle. Ils étaient assis derrière une table de pique-nique. Il lui avait passé un bras autour des épaules ; elle souriait devant l'objectif. Delacroix avait l'air heureux et la jeune femme blonde semblait l'aimer.

– Mme Delacroix, déclara Bobby.

– Sans doute.

– On voit son alliance sur la photo.

Le troisième cliché montrait deux enfants – un garçon d'environ six ans et une petite fille qui ne devait pas dépasser quatre ans. Vêtus de maillots de bain, ils se tenaient devant une piscine gonflable.

– Le pauvre diable voulait peut-être mourir entouré de sa petite famille, avança Bobby.

La quatrième photo confirma cette supposition. La femme blonde, les enfants et Delacroix posaient sur une pelouse verdoyante, les petits devant leurs parents. Un parfait tableau de famille. Il devait s'agir d'un événement exceptionnel, car tous rayonnaient de joie. La mère portait une robe d'été et des talons hauts ; la petite fille, dans un grand sourire, découvrait une incisive manquante, toute fière de poser dans sa robe rose à jupon et ses chaussures blanches ; le garçon, douché et coiffé depuis si peu de temps qu'il devait sentir le savon à dix pas, portait un costume bleu avec une chemise blanche et une cravate rouge ; dans son uniforme et sa casquette d'officier – impossible de reconnaître le grade sur le cliché – Delacroix était fier comme un paon.

À voir tout ce bonheur, toute cette joie, une onde de tristesse nous envahit.

– Regarde, ils posent devant l'un de ces bungalows, fit remarquer Bobby en montrant l'arrière-plan du quatrième cliché.

– Pas n'importe lequel – *celui-là.* Celui-là, précisément.

– Qu'est-ce qui te fait dire ça ?

– Une intuition, c'est tout.

– Alors ils auraient vécu ici ?

– Et il serait revenu pour y mourir.

– Mais pourquoi ?

– Peut-être parce que c'était le dernier endroit où il avait été heureux...

– C'est aussi là que tout a dû mal tourner pour eux, rectifia Bobby.

– Pas pour eux seulement. Pour nous tous.

– Où sont la femme et les gosses à ton avis ?

– Morts.

– Une intuition encore ?

– Oui.

– J'ai la même que toi.

Quelque chose scintilla au fond de la coupelle de verre. Je renversai le récipient du bout de ma lampe. Des bagues roulèrent sur le linoléum. Il y avait une alliance de femme.

C'étaient les seuls objets que Delacroix avait gardés de son épouse, hormis ces quatre photos. Peut-être me laissais-je emporter par mon imagination, pourtant j'étais persuadé qu'il avait choisi de mettre ces bagues dans ce porte-cierge pour faire savoir à ceux qui le trouveraient que cette femme était sacrée pour lui.

J'examinai de nouveau la photographie prise devant le bungalow. La petite fille à qui il manquait une dent de lait était mignonne à croquer.

– Mon Dieu…
– Tirons-nous d'ici.
Je ne voulais pas toucher aux reliques disposées par cet homme, néanmoins le contenu de l'enveloppe pouvait être important. Elle ne semblait pas souillée, ni de sang ni par quelque autre substance. Sitôt que je la saisis, je sus qu'elle ne renfermait aucune feuille de papier.
– Une cassette audio, annonçai-je à Bobby.
– Une compil d'outre-tombe ?
– Sans doute ses dernières volontés.
En temps ordinaire, avant que les labos de Wyvern ne lâchent leurs archanges invisibles de l'apocalypse, j'aurais appelé la police pour leur annoncer la découverte du cadavre. Je me serais alors bien gardé de toucher à quoi que ce soit, quand bien même le décès semblait de toute évidence résulter d'un suicide et non d'un homicide.
Mais les temps changeaient. Je me relevai et glissai l'enveloppe – avec sa cassette – dans la poche intérieure de ma veste. Bobby leva soudain les yeux vers le plafond, tenant son fusil à deux mains. Je suivis son regard avec ma lampe. Les cocons semblaient inchangés.
– Qu'est-ce qu'il y a ?
– Tu n'as rien entendu ?
– Non.
Il tendit encore l'oreille un moment.
– Ça devait être dans ma tête.
– Qu'est-ce que tu as entendu ?
– Moi, répondit-il laconiquement.
Et sans autre explication, il se dirigea vers la porte donnant dans la salle à manger.
Je m'en voulais d'abandonner Leland Delacroix dans cet état – d'autant que je n'allais pas alerter les autorités. Mais, d'un autre côté, le malheureux avait choisi de mettre fin à ses jours ici ; c'était là qu'il voulait reposer.
– Le bébé fait trois mètres trente de long.
Au-dessus de nos têtes, les cocons restaient inanimés.
– Quel bébé ?
– Ma nouvelle planche.

Une planche de surf, même longue, ne dépassait pas deux mètres soixante-dix. Un monstre de trois mètres trente, décoré de jolis dessins à l'aérographe, était destiné à être accroché au mur d'un restaurant, pour faire exotique.

– C'est pour la déco ?

– Non, c'est pour un tandem.

Dans le salon, les cocons étaient là où on les avait laissés. Bobby se dirigea vers la porte d'entrée en les surveillant du coin de l'œil.

– Cinquante centimètres de large et dix d'épaisseur.

Manœuvrer une planche de cette taille, même avec cent cinquante kilos de lest, exigeait doigté, coordination, et une foi aveugle en sa bonne étoile.

– Une planche tandem ? répétai-je en éteignant la lampe à l'approche du perron. Le surf serait donc devenu du cyclotourisme ?

– Pas du tout. Mais faire des runs à deux, ça peut être sympa.

Si Bobby s'était lancé dans cette histoire de surf en tandem, c'était qu'il avait quelqu'un en tête pour faire équipe avec lui – une jolie vahiné, à mon avis. Pourtant, le seul amour que je lui connaissais était Pia Klick – une artiste-surfeuse partie méditer à Hawaii depuis près de trois ans. Elle était sortie un soir faire un tour sur la plage et n'était jamais revenue. Bobby la cherchait encore dans le quartier lorsqu'elle lui avait passé un coup de fil depuis l'avion qui l'emmenait à Hawaii pour lui apprendre qu'elle partait mener une quête intérieure. Pia était une chic fille, intelligente, drôle, et un peintre plein de talent. Mais elle s'était mis dans la tête que la baie Waimea à Hawaii serait désormais sa demeure spirituelle. Pas Oskaloosa au Kansas, où elle était née, ou encore Moonlight Bay où elle était tombée amoureuse de Bobby – non, Hawaii, au beau milieu du Pacifique ! Bobby sut qu'il l'avait définitivement perdue quand elle lui apprit qu'elle était la réincarnation de Kaha Huna, la déesse du surf.

Il se passait aussi des choses bizarres avant la catastrophe de Wyvern, à Moonlight Bay.

Nous fîmes une halte au pied des marches pour respirer un bol d'air frais et chasser cette odeur de mort qui semblait nous avoir imbibés comme une marinade. Nous en profitâmes pour scruter les alentours, cherchant à repérer Grosse Tête, la troupe de rhésus ou quelque autre menace que mon imagination débridée n'aurait pu concevoir.

Venant du Pacifique, deux lignes croisées de nuages avaient mangé la moitié du ciel.

– On pourrait prendre un bateau, avança Bobby.

– Quel genre ?

– On verra bien. Ce qu'on pourra se payer.

– Et ensuite ?

– Ensuite rester au large.

– C'est une solution extrême, vieux.

– Naviguer la journée, faire la fête le soir. Jeter l'ancre sur des îles désertes, surfer quelques rouleaux...

– Toi, moi, Sasha et Orson ?

– On passerait prendre Pia à Waimea.

– Kaha Huna, tu veux dire.

– Avoir à bord une déesse du surf ne peut pas faire de mal !

– Et pour le carburant ?

– Le vent.

– La nourriture ?

– Les poissons.

– Les poissons aussi peuvent être contaminés par le rétrovirus.

– Alors on se trouvera une île isolée.

– Isolée comment ?

– Le trou du cul du monde.

– Et ensuite ?

– On fera notre propre nourriture.

– Tu veux devenir fermier ?

– Moins la chique et la salopette.

– La grande classe, quoi.

– Arriver à l'autosuffisance. C'est possible, insista-t-il.

– Autant que chasser le grizzly à la sagaie ! À vouloir un trop gros gibier, on se retrouve l'assiette vide, ou pis, en brochettes !

– Pas si je prends des cours.

– Avant de lever l'ancre, tu comptes passer quatre ans dans un lycée agricole ?

Bobby prit une profonde inspiration, de quoi effacer ses dernières crampes d'estomac.

– Tout ce que je sais, c'est que je ne veux pas finir comme ce type...

– On finira tous comme ce pauvre Delacroix. Mais ce n'est pas une fin, c'est une sortie. Un passage.

Bobby resta silencieux un moment.

– Je n'en suis pas aussi persuadé que toi, Chris.

– Tu crois pouvoir échapper à la fin du monde en cultivant des brocolis et des pommes de terre sur une île déserte inconnue, quelque part au large de Bora Bora, où l'on trouverait à la fois un sol fertile et des rouleaux géants... Tu crois en l'existence de cet endroit miraculeux et tu refuserais de croire en la vie après la mort ?

– Parfois, il est plus facile de croire en la culture des brocolis qu'en Dieu, rétorqua-t-il en haussant les épaules avec lassitude.

– Pas pour moi. Je déteste les brocolis.

Bobby se retourna vers le bungalow. Il fit la grimace comme s'il sentait encore les effluves pestilentiels montant du cadavre.

– Ces baraques sont sinistres.

Un fourmillement me traversa à l'idée des cocons suspendus au plafond.

– C'est plein d'ondes négatives, concédai-je.

– Ça doit brûler comme du petit bois...

– À mon avis, il y a des cocons dans tous les autres bungalows.

Soudain, les alignements monotones de maisons dans la Ville fantôme m'apparurent moins des constructions humaines que les éléments d'une ruche ou d'une vaste termitière.

– Brûlons déjà celui-là pour commencer, insista Bobby.

La brise jouait dans les hautes herbes, agitait les feuilles des lauriers et les branches des haies mortes, imitant la rumeur d'une multitude d'insectes, comme pour se moquer de nous, pour nous faire connaître nos successeurs sur terre – après le règne des bipèdes, voici que venait celui des six, huit et mille pattes !

– D'accord. On le brûlera.

– Dommage qu'on n'ait pas un missile.

– Mais pas tout de suite. Cela va faire venir les flics et les pompiers. Je ne veux pas les avoir dans les pattes pour l'instant. De plus, il ne nous reste plus beaucoup de temps avant le lever du jour. Il faut reprendre les recherches.

– Par où commence-t-on ? s'enquit Bobby en me rejoignant dans la rue.

Je n'en avais aucune idée. Pas la moindre piste, ni pour Jimmy, ni pour Orson. Je restai silencieux.

La réponse à la question de Bobby se trouvait glissée sous l'essuie-glace de la Jeep – sous la forme d'un carton de la taille d'une contravention. Je tirai le document coincé sous le balai en caoutchouc, m'installai sur le siège passager et allumai ma lampe.

Bobby se pencha vers moi, curieux.

– Qui a mis ça là ?

– Pas Delacroix, en tout cas, répondis-je en sondant l'obscurité autour de moi, certain d'être observé.

Il s'agissait d'un badge plastifié, destiné à être accroché au revers d'une veste. Une sorte de laissez-passer. On reconnaissait Delacroix sur la photo d'identité dans le coin supérieur droit, mais ce n'était pas le même cliché que celui figurant sur le permis de conduire trouvé dans le bungalow. Il avait les yeux écarquillés, cette fois, terrifiés, comme s'il était en train d'assister à sa propre mort au moment où l'obturateur s'était déclenché. Sous la photo était écrit : « Leland Anthony Delacroix ». Sur la gauche du badge apparaissaient divers renseignements signalétiques : âge, poids, couleur des yeux, couleurs des cheveux et numéro de Sécurité sociale. Au sommet de la carte, l'indication *« Initialiser à l'entrée »* ; et en travers, un hologramme – deux grosses lettres bleu pâle qui ne gênaient en rien la lecture des renseignements –, et l'identification : « MD ».

– Ministère de la Défense, annonçai-je.

Ma mère possédait également un laissez-passer de la Défense, mais c'était la première fois que je voyais un badge comme celui-là.

– « Initialiser à l'entrée », lut Bobby à haute voix. Je te parie qu'il y a une puce là-dedans.

Bobby était féru d'informatique ; pour moi cela resterait à

jamais du martien. Je n'avais nul besoin d'un ordinateur ; de toute façon, avec mon horloge interne qui fonctionnait plus vite que celle du commun des mortels, je n'avais pas le temps de combler cette lacune. De plus, il n'était guère aisé de lire un écran avec de grosses lunettes de soleil devant les yeux ! Pendant une séance de travail derrière un moniteur, vous êtes baigné par un rayonnement UV de faible intensité, qui n'est pas plus dangereux pour vous qu'une averse. Mais du fait de ses effets cumulatifs sur ma personne, une exposition prolongée à ce type de rayonnement risquerait de me transformer en un gros mélanome sur pattes. Malgré l'intervention des meilleurs couturiers du monde, je ne serais guère ragoûtant à voir.

– Lorsque Delacroix entre dans le complexe, on initialise la puce de son badge, tu comprends ?

– Non.

– Initialiser : effacer la mémoire de la puce, remettre les compteurs à zéro. Chaque fois qu'il ouvre une porte avec ce badge magnétique, la puce reçoit des indications émises par la serrure électronique sous forme de micro-ondes et enregistre des renseignements, tels que les lieux visités et la durée de son passage dans chaque pièce. Quand il s'en va à la fin de son service, toutes les données sont envoyées dans le fichier central.

– Tu me fiches toujours les jetons quand tu parles informatique.

– Ça va. Ce n'est que moi, le roi des branleurs.

– J'ai l'impression de voir docteur Jekyll et mister Hyde.

– Il n'y a qu'un Bobby, le seul et l'unique !

Je jetai un coup d'œil vers le bungalow de Delacroix derrière nous, m'attendant à moitié à voir luire des lumières fantomatiques aux fenêtres, courir sur les murs des ombres d'insectes géants et surgir un zombie titubant sur le perron.

– Suivre ses moindres faits et gestes, à chaque seconde, même après l'avoir admis dans la place, c'est de la paranoïa ! lançai-je en tapotant le badge.

– Cette carte devait se trouver par terre, avec le reste. Quelqu'un est entré dans le bungalow avant nous, l'a prise et l'a coincée sous l'essuie-glace. Pourquoi ? *That is the question !*

La réponse se trouvait cette fois dans l'inscription au bas du badge magnétique : « Laissez-passer - MT ».

– Tu crois que cette carte lui donnait accès aux labos où ils faisaient leurs expériences génétiques, à l'endroit même d'où est partie toute cette merde ? s'enquit Bobby.

– Va savoir. MT… pour Mystery Train ?

Bobby leva les yeux sur les mots brodés sur ma casquette, puis reporta son attention sur le badge.

– C'est Nancy Drew qui serait fière de toi !

J'éteignis ma lampe.

– Je crois savoir où il veut nous emmener.

– Qui ça ?

– Celui qui a laissé cette carte sous l'essuie-glace.

– Tu peux être plus précis ?

– Je n'ai pas *toutes* les réponses, vieux, désolé.

– Tu étais pourtant si sûr de toi quand tu parlais de la vie après la mort, rétorqua-t-il en démarrant le moteur.

– J'ai les réponses aux grandes interrogations de ce monde. Ce sont les points de détail qui me restent obscurs.

– Très bien. Et où veut-il nous emmener ?

– Dans la salle de l'Œuf.

– Nous voilà dans un film de Batman et tu es M. Enigma ?

– Cette salle ne se trouve pas dans la Ville fantôme, mais dans un hangar au nord de la base.

– La salle de l'Œuf… qu'est-ce que c'est que ça encore ?

– Tu verras bien.

– En tout cas, ce n'est pas un ami, déclara Bobby.

– Qui ça ? Lui ?

– Celui qui a laissé cette carte sur le pare-brise. Ce ne peut être un ami. Nous n'avons que des ennemis ici.

– Je n'en suis pas aussi sûr.

– C'est peut-être un piège, avança-t-il en lâchant le frein à main.

– Cela m'étonnerait. Il aurait mis la Jeep hors service ou nous serait tombé dessus à notre sortie du bungalow s'il nous voulait réellement du mal.

– Il n'empêche que ça peut être un piège, insista Bobby tandis que nous quittions la Ville fantôme.

– D'accord. C'est possible.

– Bien sûr, tu t'en fiches, toi. Tu as ton Dieu, ta vie après la mort, tes anges, tes palais dorés dans le ciel et tout le tintouin ! Moi, tout ce que j'ai pour me soutenir le moral, ce sont mes plants de brocolis !

– C'est un peu maigre, je le reconnais.

Je consultai ma montre. Le jour se lèverait dans deux heures.

Comme des langues de moisissures, des masses spongieuses de nuages gagnaient l'orient, ne laissant dans leur sillage qu'une étroite bande de ciel découvert où brillait un chapelet d'étoiles égarées, lointaines, encore plus inaccessibles que d'habitude.

Voilà plus de deux ans, les rétrovirus coupeurs d'ADN conçus par Wisteria Jane Snow s'étaient évadés du confinement des laboratoires. Depuis cette date funeste, la destruction de l'ordre naturel avançait, inexorablement silencieuse et inéluctable, comme la chute de gros flocons de neige un jour sans vent… pourtant quelque chose me disait que le blizzard n'était pas loin, voire l'avalanche.

12.

Le hangar se dressait comme un temple dédié à quelque divinité inconnue et maléfique, flanqué sur les trois côtés de petites constructions qui pouvaient passer pour les humbles logis des moines et des novices. Il avait les dimensions d'un stade de football – six étages de haut et pas de fenêtres, à l'exception d'une étroite ligne de lanterneaux ménagée dans le toit de tôles ondulées.

Bobby se gara devant les doubles portes à une extrémité du bâtiment et coupa le moteur ainsi que les phares.

Chaque porte mesurait six mètres de large et dix de haut. Elles coulissaient sur des rails, autrefois mues par des moteurs électriques, mais le courant était coupé depuis longtemps. La masse imposante du bâtiment, avec ces énormes portes d'acier, donnait à la construction un air de forteresse gardant une frontière invisible entre ce monde et les enfers pour empêcher les démons de déferler.

– C'est là, ta salle de l'Œuf ? demanda Bobby en prenant une lampe sous son siège.

– Non. C'est en sous-sol.

– Je n'aime pas cet endroit.

– Personne ne te demande d'y emménager.

– À quelle distance de l'aérodrome nous trouvons-nous ? demanda-t-il en descendant de la Jeep.

Fort Wyvern, en tant que base d'entraînement et de recherche, était pourvu de pistes d'atterrissage capables d'accueillir des jets et de gros porteurs tels que les C-13, qui pouvaient embarquer camions, chars et autres véhicules d'assaut blindés.

– Cinq cents mètres environ, répondis-je en pointant le doigt derrière moi. Ce hangar ne servait pas d'annexe à l'aérodrome, sauf peut-être pour stocker des hélicos, mais j'en doute fortement. Il était utilisé à autre chose.

– Et on peut savoir à quoi ?

– Aucune idée.

– C'est peut-être là où ils jouaient aux apprentis sorciers ?

Malgré l'aura sinistre qui émanait de la construction et le fait que nous avions été attirés ici par une personne inconnue, peut-être animée d'intentions hostiles, je n'arrivais pas à me convaincre que nous courions quelque danger imminent. De toute façon, le fusil de Bobby stopperait tout assaillant bien plus efficacement que mon petit 9 millimètres. Laissant mon Glock dans son étui, je franchis, lampe à la main, le portillon à échelle humaine ménagé dans l'une des deux grandes portes.

– Une grosse houle arrive, annonça Bobby.

– C'est ton petit doigt ou ta grenouille qui t'a dit ça ?

– Ma grenouille.

Bobby analysait les données météo des satellites et autres stations d'observation pour prédire les conditions de surf sur tous les spots de la planète, avec un degré de précision étonnant. Sa société, la Surfcast, fournissait des infos à plus de dix mille surfeurs abonnés, via fax, e-mail, ou une boîte vocale qui recevait plus de huit cent mille appels par an. Parce qu'il avait un train de vie modeste et des locaux pour le moins excentriques, personne à Moonlight Bay ne soupçonnait que Bobby était multimillionnaire et l'homme le plus riche de la ville. Le vrai luxe, pour lui, c'était de pouvoir faire du surf tous les jours ; le reste n'était qu'un peu de piment supplémentaire dans le ragoût.

– Des barres de trois mètres minimum, promit Bobby. Avec des pointes à quatre. Ça va déferler toute la journée et toute la nuit. Un petit paradis pour nos planches.

– Je n'aime pas ce vent qui se lève, dis-je en présentant ma paume à la brise marine.

– C'est pour après-demain, précisa Bobby. Ce sera un vent

de terre. Avec des vagues si creuses que tu ressortiras jamais du tube.

« Tube » était le nom utilisé par les surfeurs pour désigner une vague déferlante, creusée à souhait par un bon vent de terre, le nirvana consistant à surfer ces cylindres d'eau sur toute leur longueur et à en ressortir juste avant l'effondrement. Ces tubes ne se produisaient pas tous les jours. Des dons du ciel. En ces jours bénis, on surfait jusqu'à l'épuisement, jusqu'à avoir les jambes en guimauve et le cœur sur le point de rompre. On s'effondrait alors sur le sable, les poumons en feu, attendant de voir si on allait périr comme un poisson rejeté par l'océan ou se relever pour dévorer deux buritos et un bol de tortillas.

– Des creux de quatre mètres ? répétai-je alors que j'ouvrais la porte en fer. Plus de deux fois notre taille ?

– Un reste de tempête sur les Marquises.

– Effectivement, ça serait dommage de rater ça, dis-je au moment de passer le seuil.

– Je ne te le fais pas dire. Alors, tâchons d'en ressortir vivants, OK ?

Nos deux lampes réunies ne parvenaient pas à éclairer l'immense espace intérieur du hangar. Au-dessus de nos têtes, nous apercevions les gros rails qui supportaient autrefois une grue mobile. À en juger par la taille des jambages, l'engin avait dû transporter des charges d'un poids considérable.

Nous enjambâmes des plaques d'acier, encore boulonnées dans le sol de ciment, maculées d'huile et de produits chimiques, reliques des socles des machines-outils. Des fosses rectangulaires ouvertes çà et là nous empêchaient de progresser en ligne droite vers l'extrémité de bâtiment.

Bobby inspectait attentivement chacun des trous qui avaient accueilli en leur temps des mécanismes hydrauliques, comme s'il craignait d'y découvrir quelque monstre tapi, prêt à jaillir de sa tanière pour nous croquer.

En traversant les structures et les rails de la grue roulante, le faisceau de nos lampes projetait des motifs complexes sur les hauteurs des murs et du plafond, des motifs évanescents, sortes de hiéroglyphes indéchiffrables qui s'empressaient de se dissoudre dans l'obscurité environnante.

– Ça pue le requin, annonça Bobby.

– Tu n'as encore rien vu, répondis-je en chuchotant – non par crainte d'être entendu, mais parce que ce lieu incitait au même respect qu'une église, un hôpital ou un funérarium.

– Tu es venu seul ici ?

– Non. Avec Orson.

– Il me déçoit. Je pensais qu'il était plus futé que toi.

J'entraînai Bobby vers un puits d'ascenseur vide et une cage d'escalier nichés dans l'angle sud-ouest du hangar. À l'instar de l'entrepôt où j'avais rencontré ma brute au gourdin et mes rats sacrificiels, l'accès aux étages inférieurs, en son temps, était gardé secret. La grande majorité du personnel qui travaillait dans ce hangar – des hommes et des femmes fiers de servir leur pays – devait n'avoir aucune conscience des enfers qui rugissaient sous leurs pieds. Les faux murs et autres systèmes de dissimulation avaient été retirés ; la porte de l'escalier n'existait plus ; mais il restait le chambranle d'acier.

Une fois passé le seuil, nos lampes éclairèrent des cloportes morts sur les marches de ciment, certains écrasés, d'autres intacts, ronds comme des balles de chevrotine. Il y avait également des traces de pas et de pattes dans la poussière, ascendantes et descendantes.

– Orson et moi, expliquai-je en reconnaissant les empreintes. Lors de nos précédentes visites.

– Qu'y a-t-il là-dessous ?

– Trois sous-sols, chacun plus grand que le hangar.

– Pas vraiment des chambres de bonnes.

– Pas vraiment.

– Qu'est-ce qu'ils fichaient là-dedans ?

– De vilaines choses.

– Ne te fatigue surtout pas à préciser !

Le dédale souterrain de couloirs et de pièces avait été démantelé pour ne laisser subsister que les structures de béton. Même la ventilation, la tuyauterie et les câbles électriques avaient été retirés. Tout avait disparu – le moindre tuyau, le moindre fil, le moindre interrupteur. Nombre d'endroits de la base n'avaient pas été visités par les équipes de récupération ; pour le reste, les ouvriers avaient ramassé ce qui était immédiatement accessible

– un minimum d'efforts pour un maximum de profits. Mais ici, dans les sous-sols de ce hangar, tout s'était envolé, comme après un crime dont l'auteur aurait déployé des efforts herculéens pour effacer jusqu'à la dernière trace de son passage.

– Ils ont tout enlevé… tout, sauf une chose, précisai-je tandis que nous descendions l'escalier côte à côte.

J'entendais ma voix se perdre en écho dans les profondeurs du boyau de béton, puis se taire brutalement, comme absorbée par quelque isolant phonique.

– Et je ne pense pas qu'ils se soient donné tout ce mal pour des raisons de sécurité nationale. À voir comment ils ont vidé les trois sous-sols, quelque chose me dit… un pressentiment… qu'ils ont eu peur de ce qui s'est passé ici ; pas seulement peur, honte aussi.

– C'est là que se trouvaient les labos de recherche génétique à ton avis ?

– Impossible. Il leur fallait des systèmes d'isolation biologique.

– Et alors ?

– Alors, on devrait retrouver des sas de décontamination un peu partout : entre les labos, à chaque sortie d'ascenseur, devant les portes palières. Ces pièces seraient restées reconnaissables même s'ils les avaient dépouillées entièrement.

– Tu aurais dû être détective privé. Jouer les Nancy Drew, c'est ton truc, s'exclama Bobby alors qu'on atteignait la seconde volée de marches.

– Simple histoire de bon sens…

– Je pourrais être ton Watson.

– Nancy Drew agissait en solo. Tu confonds avec Sherlock Holmes.

– Elle n'avait pas de bras droit ?

– Je ne crois pas.

– Une petite sauvageonne, alors !

– Mon portrait tout craché. Il n'y a qu'une seule pièce là-dessous qui aurait pu faire office de sas de décontamination… et elle est pour le moins curieuse. Tu vas voir.

Nous n'échangeâmes plus une parole jusqu'au troisième sous-sol. On n'entendait plus que le crissement de nos semelles sur les marches de ciment et le claquement sec des carapaces des cloportes. Malgré le fusil qu'il avait à la main, Bobby descendait l'escalier d'une démarche souple, avec une grâce naturelle qui faisait plaisir à voir. D'une certaine manière, il avait l'air de s'amuser beaucoup. Bobby était d'une nature joviale, même dans les pires moments. Mais moi qui le connaissais par cœur, je sentais qu'il n'était pas aussi serein qu'il voulait bien le laisser paraître. Dans sa tête, ce n'était pas du Mozart qu'il devait entendre, mais du Mahler.

Voilà un mois encore, je n'imaginais pas que Bobby Halloway aurait pu être angoissé ou inquiet. Or les derniers événements étaient parvenus à rompre la belle sérénité du maître zen. À sa décharge, il fallait reconnaître que cette cage d'escalier aurait fichu le cafard à une nonne bourrée de Prozac : du béton partout, du sol au plafond ; un tube d'acier, peint en noir et scellé à la paroi, en guise de main courante ; un air si dense qu'il semblait lui aussi bétonné – froid, sec et chargé de l'odeur du salpêtre qui suintait des murs. Les parois absorbaient plus de lumière qu'elles n'en renvoyaient. Malgré nos deux lampes, nous progressions dans la pénombre tels des moines du Moyen Âge s'enfonçant dans des catacombes afin de prier pour le salut de leurs frères morts. Un panneau avec une tête de mort ou un assemblage d'os de rats n'aurait pas rendu l'atmosphère plus sinistre.

Le dernier sous-sol – pas encore envahi par la poussière ou les cloportes – avait une structure curieuse. Un large couloir décrivait un ovale allongé à l'image d'une piste de stade. Sur son mur intérieur s'ouvraient une série de pièces de largeurs diverses mais de profondeurs égales. Certaines d'entre elles communiquaient avec un autre couloir ovale, de dimension inférieure et concentrique au premier, qui entourait une pièce centrale : la salle de l'Œuf.

Ce second couloir débouchait sur une sorte de sas de connexion, un petit espace d'environ un mètre carré auquel on accédait par une ouverture circulaire d'un mètre cinquante de diamètre. Dans ce tube de béton, une autre ouverture de dimension similaire donnait accès à la salle de l'Œuf proprement dite. Ces passages devaient être fermés autrefois par de grosses écoutilles semblables à celles des sous-marins ou des chambres fortes.

Même si je restais persuadé que les laboratoires de biogénétique ne se trouvaient pas dans ces murs, je supposai que ce système de sas devait être destiné à empêcher tout passage de bactéries, spores, poussières et autres vecteurs contaminants entre l'extérieur et la salle de l'Œuf. Le personnel qui pénétrait dans cette zone passait peut-être sous un jet stérilisateur et des rayons UV afin de tuer microbes et autres organismes de ce type.

Quelque chose me disait également que cette salle de l'Œuf devait être pressurisée et que les écoutilles jouaient le même rôle que dans un vaisseau spatial... À moins qu'il ne se fût agi de sas de décompression, à l'instar de ceux utilisés par les plongeurs de grands fonds ?

De toute évidence, quelles que soient mes hypothèses, ces portes devaient empêcher toute intrusion ou sortie intempestive.

Une fois dans le sas avec Bobby, je dirigeai ma lampe vers l'ouverture conduisant à la salle de l'Œuf : un tunnel de béton armé, profond d'un mètre cinquante.

– On croirait un bunker, murmura Bobby.

– Ou un caisson de confinement. Un système pour contenir quelque chose.

– Quel genre ?

Je haussais les épaules. Je n'en avais aucune idée.

– De temps en temps, on me laisse ici de petits cadeaux, annonçai-je.

– Des cadeaux ? Tu veux dire comme ta casquette ? Tu as trouvé ta casquette *Mystery Train* ici ?

– Exact. Elle était posée par terre, pile au milieu de la salle de l'Œuf. Cela m'étonnerait qu'elle se soit trouvée là par hasard. Une autre nuit, alors que je me trouvais dans la salle, quelqu'un a laissé une photo de ma mère, ici dans le sas.

– Le sas ?

– Tu ne trouves pas que ça y ressemble fortement ?

Il hocha la tête.

– Qui t'a laissé cette photo ?

– Je n'en sais rien. Orson était avec moi, et il n'a rien senti.

– Pourtant, on ne peut pas dire qu'il a le nez bouché, ton chien !

Inquiet, Bobby se retourna, se pencha dans l'ouverture par laquelle nous venions d'entrer, et éclaira le couloir. Tout était désert.

Je m'engageai dans le tunnel, progressant courbé. Seule une personne de moins d'un mètre cinquante aurait pu s'y tenir debout.

Bobby me suivit et me rejoignit dans la salle de l'Œuf. Pour la première fois depuis dix-sept ans que je le connaissais, je le vis saisi, impressionné. Il tournait lentement sur lui-même, éclairant les murs oblongs. Sa bouche articulait des mots, mais aucun son n'en sortait.

La salle ovoïde mesurait quarante mètres de long et près de vingt mètres de large à sa base. Murs, sol et plafond se confondaient en un volume continu, comme une coquille vide d'un œuf géant. À l'entrée du tunnel d'accès, les parois étaient recouvertes d'une substance blanche et translucide, traversée de reflets dorés, épaisse d'une dizaine de centimètres. Ce revêtement semblait soudé au ciment et ne faire qu'un avec lui.

Une partie de nos faisceaux était réfléchie, mais le reste s'enfonçait dans l'épaisseur du revêtement, faisant naître des irisations dorées au tréfonds des parois, scintillant comme des constellations miniatures. Malgré la matière apparemment très réfringente, la lumière n'y était pas déviée brutalement comme à travers un cristal. On observait plutôt des courants lumineux, sinueux et fluctuants à la manière d'une flamme de bougie ; des ondes d'une consistance liquide parcouraient l'épaisseur du revêtement vitreux avant de mourir en vagues aux quatre points cardinaux de la pièce. En baissant les yeux au sol, j'avais l'impression de marcher sur une mer d'huile couleur ambre.

Saisi par la beauté de ce spectacle, Bobby pénétra plus avant dans l'œuf.

Le sol, à l'aspect lisse et lustré comme de la porcelaine humide, ne glissait pas du tout. Au contraire, exerçant sur les semelles une sorte d'attraction magnétique, il semblait parfois vouloir adhérer aux pieds, comme de la glu.

– Vas-y, cogne, lui dis-je doucement.

Mes mots roulèrent le long des murs ; quelques échos me revinrent aux oreilles.

Bobby me regarda, interdit.

– Vas-y. Frappe. Cogne dedans avec le canon de ton fusil.

– C'est du verre ! protesta-t-il.

– Si c'est le cas, c'est du verre incassable.

D'un geste mal assuré, il cogna le sol du bout de son canon.

Une sonnerie de carillon s'éleva des quatre coins de la salle, avant de laisser place à un silence curieusement inquiétant, comme si les cloches avaient annoncé la venue imminente d'un visiteur d'importance.

– Plus fort, insistai-je.

Lorsque le canon frappa plus durement le sol, les cloches sonnèrent plus fort ; un carillon grave et envoûtant se fit entendre, comme une musique provenant de l'autre bout de l'univers.

Dans le silence encore plus pesant qui suivit, Bobby explora du bout des doigts le point d'impact du canon.

– Pas un éclat.

– Tu peux taper dessus au marteau comme un forcené, l'attaquer au pic à glace ou à la lime, tu n'y feras pas une égratignure.

– Tu as essayé tout ça ?

– Y compris à la chignole.

– Tu as la destruction dans le sang !

– C'est un trait récurrent dans la famille.

Bobby explora le sol autour de lui, du plat de la main.

– C'est chaud.

Même au plus fort de l'été, les sous-sols de Wyvern restaient des antres frais, dignes des meilleures caves à vin ; à la longue, le froid finissait par vous tomber sur les épaules. Toutes les parois des salles souterraines de la base étaient froides au toucher – toutes sauf celle de la salle de l'Œuf.

– C'est toujours un peu chaud, reconnus-je, pourtant il fait plutôt frais dans cette pièce. La chaleur ne provient donc pas de l'air ambiant. Et je ne vois pas comment ce revêtement aurait encore pu garder de la chaleur après dix-huit mois d'inactivité.

– C'est comme s'il y avait de l'énergie.

– Le courant est coupé, le gaz aussi. Pas de chaudières, pas de groupes électrogènes, pas de machines. Tout a été démantelé.

Bobby se redressa et explora de nouveau la pièce, éclairant les murs, le sol, le plafond.

Malgré nos deux lampes et les irisations chatoyantes du revêtement, la salle restait noyée d'ombre. La lumière dessinait des motifs jaune et or, parfois rouge saphir, changeants sur les surfaces courbes – lignes, pétales, corolles, cercles, essaim de lucioles – puis mourait parmi les ombres aux extrémités de la pièce. Ses derniers scintillements rappelaient ceux d'un feu d'artifice avalés par la nuit.

– C'est aussi grand qu'une salle de concert ! s'exclama Bobby avec émerveillement.

– Pas tout à fait. C'est l'absence d'arêtes qui donne une telle impression de profondeur.

Un changement acoustique se produisit brusquement tandis que je parlais : les échos de ma voix s'éteignirent, ma voix même sembla baisser de volume. L'air parut tout à coup plus dense, semblant offrir une résistance à la propagation des sons.

– Que se passe-t-il ? demanda Bobby.

Sa voix était assourdie, étouffée, comme s'il parlait au téléphone à l'autre bout de la terre.

– Je ne sais pas.

Je devais presque crier pour me faire entendre.

L'air devenait plus dense, ce n'était pas une vision de l'esprit ! J'éprouvais désormais des difficultés à respirer. Sans suffoquer réellement, je devais me concentrer pour inspirer et expirer. À chaque inspiration, j'étais contraint de déglutir. L'air était devenu un liquide que je devais avaler ; je le sentais descendre dans ma gorge telle une lampée d'eau froide. Mes poumons s'alourdissaient, envahis par un fluide plus dense, plus lourd que d'ordinaire. À chaque fin d'inspiration, un réflexe panique m'incitait à le chasser de mes bronches, comme si j'allais me noyer. Mais l'expiration était difficile, contre-nature ; j'avais l'impression de devoir régurgiter des aliments.

La pression !

Malgré la peur qui me gagnait, je compris que l'air ne s'était pas soudain liquéfié mais que la pression avait fortement augmenté – le poids de l'air au-dessus de nous avait brusquement doublé, voire triplé, et nous oppressait... Mes tympans bourdonnaient, mes sinus brûlaient, des doigts fantômes appuyaient sur mes orbites ; et, à chaque fin d'inspiration, mes narines se pinçaient.

Je sentis mes genoux trembler, mes épaules se voûter sous ce poids invisible. Mes bras pendaient le long de mon corps. Je n'avais plus la force de tenir ma lampe ; elle glissa de mes doigts et tomba à mes pieds. Elle rebondit sans bruit sur le sol vitreux. Tout son était désormais absorbé, même le bourdonnement de mes oreilles et les battements de mon cœur avaient disparu.

Puis, soudain, tout redevint normal. La pression était redescendue en l'espace d'une seconde.

Je hoquetais, à la recherche d'air. Bobby faisait de même. Il avait également lâché sa lampe, mais il était parvenu à garder son fusil dans les mains.

– Merde ! murmura-t-il. Qu'est-ce que c'était ?

– Aucune idée.

– Ça t'est déjà arrivé ?

– Non.

– Quelle saloperie !

– Je ne te le fais pas dire, concédai-je, ravi de voir que je pouvais de nouveau respirer normalement.

Des myriades de bougies, de corolles et de spirales de lumière éclairaient le sol et les murs.

– Cet endroit est encore en activité, déclara Bobby.

– C'est absurde. Tu l'as vu toi-même.

– Wyvern est le royaume des illusions ! rétorqua-t-il en me parodiant.

– Les salles, les couloirs... tout est vide, laissé à l'abandon.

– Et les deux sous-sols au-dessus de nous ?

– Des pièces vides.

– C'est le dernier niveau ? Il n'y a rien en dessous ?

– Non, rien.
– Il doit bien y avoir quelque chose…
– En tout cas, je n'ai jamais rien trouvé.
Nous ramassâmes nos lampes, déchaînant autour de nous un tir de feux d'artifice digne d'un 4 Juillet, avec ses fontaines de feux, ses fusées, ses bouquets multicolores. Le silence était surnaturel – pas le moindre bang, la moindre déflagration. La débauche de couleurs et de lumières était pourtant telle qu'on aurait pu sentir la poudre, et l'odeur des frites et des hot dogs.
– Ce n'est pas terminé, articula Bobby.
– On se tire ?
– Attends.
Bobby observait les volutes de lumière silencieuses comme s'il s'agissait de hiéroglyphes indéchiffrables.
Même en supposant que ce déferlement de lumière ne contienne pas plus d'UV que les faisceaux de nos lampes qui lui avaient donné naissance, me retrouver dans cette clarté restait un événement pour moi. Les spirales, les tourniquets colorés, les cascades scintillantes éclairaient mon visage et mes mains nus, dessinant sur ma peau des tatouages évanescents et multicolores. Pourtant, que cette ondée de photons versât ou non sur moi un peu de ma propre mort, je ne pouvais m'empêcher d'être émerveillé par ce spectacle. Mon cœur battait la chamade, sous l'effet conjugué de la peur et de la joie.
Je virais lentement sur moi-même, afin de ne pas perdre une note de cette symphonie lumineuse. C'est alors que je vis la porte, à la périphérie de mon champ de vision. Une porte circulaire, massive, d'un mètre cinquante de diamètre, en acier mat, enchâssée dans un encadrement Inox. Une vraie porte de chambre forte. Et, bien sûr, d'une étanchéité à toute épreuve.
Surpris, je me retournai aussitôt – elle avait disparu. Sous les lacets de lumière dansant au plafond, je retrouvai le tunnel que nous avions emprunté pour pénétrer dans cette salle : un trou de béton, conduisant à un ancien sas.
Je fis deux pas vers l'ouverture et pris conscience que Bobby me parlait. Je me tournai vers lui ; de nouveau la porte m'apparut. Mais sitôt que je fis volte-face, elle disparut.
– Que se passe-t-il, nom de Dieu ? criai-je.

Bobby avait éteint sa lampe. Il tendit le doigt vers la mienne.
– Éteins.
Je m'exécutai. Les feux d'artifice sur le revêtement vitré auraient dû disparaître dans l'instant ; il n'en fut rien. Les étoiles et les fleurs colorées continuèrent de briller sur la paroi magique, de se faner pour éclore aussitôt en une farandole d'ombres et de lumières.
– Ça marche tout seul, constata Bobby.
– Qu'est-ce qui marche tout seul ?
– Cette salle, cette machine, ce truc quoi !
– C'est impossible, m'entêtai-je, refusant de reconnaître l'évidence.
– C'était donc ça, l'énergie ? articula-t-il.
– Quoi ?
– Les faisceaux...
– Tu pourrais être plus clair ?
– Non, je ne peux pas. Mais c'est bien ça qui a relancé tout le système. L'énergie contenue dans les faisceaux de nos lampes.
Je secouai la tête.
– Cela ne tient pas debout. L'énergie émise par nos lampes est quasi nulle.
– Ce truc avale littéralement la lumière, insista-t-il, en frottant du pied le revêtement. Il utilise le peu d'énergie qu'il absorbe pour en créer une nouvelle.
– Et par quel miracle ?
– Une machinerie quelconque.
– Ce n'est pas une réponse scientifique.
– J'ai entendu pire comme explication dans *Star Trek*...
– C'est de la sorcellerie.
– Science ou sorcellerie, peu importe. C'est bel et bien réel.
Même si Bobby disait vrai – et ses paroles n'étaient pas dénuées de tout fondement –, le phénomène n'était pas perpétuel et autosuffisant. Les volutes lumineuses commençaient à décliner, en nombre ainsi qu'en richesse de spectre et en intensité.
Ma gorge était si sèche que je dus déglutir pour articuler un mot.
– Cela ne s'est jamais produit auparavant. Pourquoi ?

– Tu te balades souvent avec deux lampes ?

– Non, concédai-je.

– Il y a peut-être un seuil à dépasser, une quantité d'énergie minimale pour lancer la réaction.

– Et cette quantité minimale serait fournie par deux malheureuses lampes-torches ?

– Possible.

– Bobby, le nouveau Einstein !

Guère rassuré de voir les jeux de lumière s'éteindre, je me tournai vers la sortie.

– Tu as vu la porte ?

– Quelle porte ?

– Une grosse, en acier, comme celle d'un silo de missile nucléaire.

– C'est la bière qui te fiche des hallucinations.

– Elle était là, et l'instant suivant, elle n'y était plus.

– La porte ?

– Oui, la porte.

– On n'est pas dans un manoir hanté !

– Non, mais peut-être dans un labo hanté.

« Hanté » était le mot juste ! Il n'y avait ni gargouilles, ni planchers grinçants, ni oubliettes, pourtant je sentais des présences invisibles, malveillantes, pressant leurs faces hideuses contre la fine membrane qui séparait ce monde et le leur.

– La porte était là et pas là, répétai-je.

– On frôle les paradoxes zen. Quel est le son produit par une seule main en train d'applaudir ? Où peut bien mener une porte qui existe et n'existe pas ?

– Nous n'avons guère le loisir de méditer sur ces grandes questions.

J'avais l'impression que notre temps tirait à sa fin, qu'une horloge cosmique allait bientôt se mettre à sonner, annonçant la fin de la partie. Cette sensation était si puissante que je faillis me mettre à courir pour rejoindre la sortie.

Ce qui m'en empêcha, ce fut l'idée de laisser Bobby derrière moi. Il n'était pas intéressé par les grands débats de ce monde – la politique, l'art, les luttes sociales –, seule avait crédit à ses yeux la recherche du plaisir, d'une vie baignée de soleil et de surf ; mais lorsqu'un ami criait au secours, il répondait toujours présent. Il fuyait comme la peste ceux qui avaient un point de vue sur tout, qui avaient tout compris et connaissaient la solution pour rendre le monde meilleur, qui disaient aux uns comment penser, aux autres comment agir... En revanche, l'appel d'un ami en détresse le faisait monter aussitôt au créneau. Une fois engagé dans la lutte – pour l'heure, il s'agissait de retrouver Orson et Jimmy –, il mourrait sur le champ de bataille mais ne se rendrait point.

Je ne pouvais donc laisser un tel brave derrière moi. Nos idées et nos amis sont tout ce que nous avons en cas de coup dur. Les amis sont les seuls êtres de ce monde malade que nous souhaitons retrouver dans le suivant. Les amis et les êtres aimés sont les seules lumières qui éclairent l'au-delà.

– Espèce d'idiot ! lâchai-je.

– Toi-même, trouduc !

– Ce n'est pas à toi que je m'adressais.

– Je suis le seul ici, non ?

– C'est moi que je traitais d'idiot. Pour ne pas me tirer d'ici au plus vite.

– Alors je retire le trouduc !

Bobby ralluma sa torche et, dans l'instant, les feux d'artifices illuminèrent la voûte. Ils retrouvèrent immédiatement, sans passer par un crescendo laborieux, leur ancien niveau d'activité.

– Allume ta lampe, lança Bobby.

– Tu es tombé sur la tête ou quoi ?

– Pis encore.

– Ce n'est pas cette salle qui nous mènera à Orson et à Jimmy !

– Va savoir ?

– Tu vois bien qu'ils ne sont pas là !

– Mais il y a peut-être ici un indice qui nous aidera à les retrouver.

– À condition qu'ils soient encore en vie !

– Sois un gentil idiot et allume ta lampe.
– C'est ridicule !
– N'aie pas peur, vieux frère. *Carpe noctem.*
– Et merde ! lâchai-je, me sachant pris à mon propre piège.
J'allumai ma lampe…

13.

Un jaillissement lumineux inonda les parois. Nous avions l'impression d'être plongés dans une grande cité en proie au chaos : poseurs de bombes, pyromanes, émeutiers brandissaient leurs torches, semaient la terreur ; des trombes de feu dévalaient le long des rues, transformant le bitume en lave incandescente ; des buildings vomissaient des flammes par chacune de leurs fenêtres, déversant sur les rues une pluie de débris incandescents – corniches, parapets, moulures – comme autant de météores.

Dans le même temps, un clignement de paupières révélait, dans ce spectacle cataclysmique, non pas une débauche de lumière, mais un savant jeu d'ombres : chaque explosion de cocktail Molotov, chaque traînée de napalm, chaque coulée de feu dessinait des formes noires en mouvement qui ne demandaient qu'à être interprétées comme ces corps et ces visages dissimulés dans les nuages. Des capes noires virevoltaient, des serpents de cendres se détendaient comme des ressorts, des armées de squelettes carbonisés défilaient dans un scintillement d'os noircis.

Pris dans ce tourbillon frénétique de lumières et d'ombres, je commençais à perdre tout sens de l'orientation. J'avais beau me savoir debout, les jambes écartées pour garder mon équilibre, j'avais l'impression de bouger, d'être emporté dans une tornade, semblable à celle qui avait emporté la pauvre Dorothy au pays d'Oz. Le haut, le bas, la droite, la gauche, devant, derrière, toutes ces notions devenaient de plus en plus confuses.

Du coin de l'œil, j'aperçus de nouveau la porte circulaire, là où aurait dû se trouver le tunnel de sortie. Lorsque je me retournai pour lui faire face, elle était là, magnifique, brillant comme un sou neuf.

– Bobby.

– Je la vois.

– Je n'aime pas ça.

– Ce n'est pas une vraie porte.

– Tu disais que l'endroit n'était pas hanté…

– C'est un mirage.

La tempête de photons gagna encore en vélocité, menaçant de se transformer en cyclone destructeur.

Cette salle était si étrange que je ne pouvais imaginer la nature du danger qui nous guettait, ni par où il allait fondre sur nous. Pour une fois, mon imagination échevelée rendait les armes.

À en juger par l'emplacement des gonds, la porte du sas s'ouvrait vers l'intérieur de la pièce. Il n'y avait, en outre, aucun volant pour désengager les points d'ancrage du chambranle. La porte ne pouvait donc être ouverte que de l'extérieur. Nous étions pris au piège.

Non. Pas ça !

Pour éviter une crise de claustrophobie imminente, je me convainquis que la porte n'était pas réelle. Bobby avait raison. Il s'agissait d'une illusion, d'un mirage.

Une *apparition.*

La salle de l'Œuf était bel et bien hantée. Bobby aurait du mal à m'ôter cette idée de la tête ! Les formes lumineuses qui tournoyaient le long des parois se muèrent soudain en un ballet d'âmes en peine, abîmées dans une danse extatique pour échapper aux flammes de la damnation. Tout autour de moi, j'en étais sûr, s'ouvraient des fenêtres avec vue sur les enfers.

Tandis que mon cœur pompait le sang à toute force pour irriguer mon cerveau, je compris que je voyais la salle de l'Œuf telle qu'elle était avant d'être demantelée par les gnomes de Wyvern – elle et toutes les salles autour. La lourde porte d'acier était là, alors. Elle avait été retirée comme le reste, emportée ailleurs, pour être refondue et recyclée en boulons, en boules de flipper et en couronnes dentaires. Ce que j'avais devant moi n'était qu'une illusion ; je pouvais la traverser aussi facilement que la toile d'araignée sur le perron du bungalow.

Sans avoir nulle intention de quitter la salle, je m'approchai de la porte pour vérifier l'hypothèse du mirage. Au bout de deux pas, je titubai, manquant de m'écrouler face contre terre et de donner du travail à mon dentiste pour un an ! Je parvins *in extremis* à éviter la chute, et me rétablis, jambes écartées, comme si mes semelles de caoutchouc faisaient office de ventouses.

La pièce ne bougeait pas et pourtant je tanguai. Les oscillations étaient le signe de ma totale confusion sensorielle. Je fixai la porte des yeux dans le vain espoir de la faire disparaître de ma vue, hésitant encore à m'agenouiller et à ramper dans sa direction. C'est alors que je remarquai un détail curieux : le panneau d'acier était arrimé au mur grâce à un gros axe d'environ vingt centimètres de diamètre. D'ordinaire, les extrémités reliant les deux parties de la charnière sont apparentes ; sur cette porte, non : une plaque de blindage épais les recouvrait, comme pour empêcher quiconque de la dégonder une fois fermée. L'épaisseur des murs avait de toute évidence contraint les concepteurs de la porte à opter pour une ouverture vers l'intérieur, et donc à placer la charnière à vue ; pourtant ils se seraient bien passés de cette contingence technique. La salle voûtée et son sas de communication n'avaient pas été conçus uniquement pour résister à de fortes pressions, voire pour confiner des virus ou des bactéries, mais également pour emprisonner quelqu'un.

Jusqu'à présent, les visions kaléidoscopiques n'avaient pas été accompagnées de sons. Désormais, il s'élevait dans l'air, pourtant calme et immobile, un bruit de vent, une plainte, une lamentation caverneuse.

Je me tournai vers Bobby. Malgré les motifs de couleurs et de lumière qui couraient sur son visage, je reconnus son inquiétude.

– Tu entends ? demandai-je.

– Ça ne me dit rien qui vaille.

– À moi non plus.

S'il s'agissait d'une hallucination, nous en étions cette fois victimes au même moment. Devenir fous ensemble me consolait.

Le vent invisible forcit, en émettant des plaintes qui perduraient. Cette fois, elles semblaient portées par un bruissement grossissant, comme un front d'orage agitant les frondaisons avant l'irruption de la pluie et de la tempête. Un mélange de grognements, de sifflements, d'ululements.

Lorsque j'entendis les premiers mots dans les grondements du vent, je crus que mon imagination me jouait de nouveau des tours. Puis le phénomène s'amplifia, et les voix devinrent claires : des voix d'hommes. Cinq ou six différentes, peut-être plus. Lointaines, frêles, elles me parvenaient comme à travers un long et étroit tuyau. Les mots déferlaient par vagues, entrecoupées par des craquements de parasites, semblables à ceux d'un walkie ou d'une radio.

... *c'est ici, quelque part, tout prêt...*

... *dépêchez-vous, nom de Dieu !*

... *donnez... non, ne...*

... *Couvre-moi, Jackson, couvre-moi...*

La cacophonie était presque aussi désorientante que les lumières stroboscopiques qui volaient autour de nous comme des chauves-souris affolées. Impossible de savoir d'où provenaient ces voix.

... *regroupez-vous ! ... regroupez-vous ici en position de combat !*

... *paré à la translation...*

... *regroupez-vous, nom de Dieu... grouillez-vous !...*

... *translation, vite !*

... *Inversez ! Inversez !...*

Des fantômes. J'écoutais des fantômes ! Ces voix appartenaient à des hommes morts depuis longtemps, sans doute avant que la base ait été mise hors service ; ces mots étaient les derniers qu'ils avaient prononcés.

J'ignorais à quoi ils faisaient référence, mais à l'évidence un drame leur était arrivé, et ce drame était rejoué devant nous, en une sorte de simulation virtuelle.

Les voix se firent plus fortes, plus affolées, se chevauchant les unes les autres.

... Inversez !

... vous les entendez ? Ils arrivent !

... dépêchez-vous... merde !

... nom de Dieu, qu'est-ce qu'ils foutent ? ... Qu'est-ce qui se passe ?...

On entendit des cris, des rugissements – les voix vibraient de panique.

... Inversez, nom de Dieu ! Inversez !

... Ramenez-nous !

... Oh non... non...

SORTEZ-NOUS D'ICI !

Les mots furent remplacés par des hurlements à vous glacer le sang – des cris d'hommes agonisant lentement, râlant de terreur et de désespoir, comme si leur souffrance était autant physique que morale. Ces malheureux n'étaient pas simplement tués ; ils étaient déchirés, dépecés, par quelque chose qui savait où leur âme se terrait. J'écoutais – ou, plutôt, je croyais écouter – les griffes du prédateur qui extirpait l'esprit de la chair et dévorait avidement ce mets de choix, avant de se repaître de son enveloppe charnelle.

Mon cœur battait si fort que la porte devant moi paraissait tressauter sous ses pulsations. Tout à coup, devant la forme particulière de la charnière, un frisson glacé me traversa. Une vérité terrifiante émergeait, je la sentais là, à portée de main, mais à cause de cette cacophonie lumineuse et auditive, elle se dérobait.

Même sans plaque de protection, il aurait fallu un outillage lourd pour venir à bout de cette charnière – forets à diamant, perceuse de grosse puissance – et plusieurs heures de travail acharné...

Autour de moi, ombre et lumière se livraient une guerre sans merci, des bataillons entiers se jetaient dans des assauts pleins de cris et de fureur.

... même si le gond pouvait être retiré, la porte resterait toujours en place. Les points de fermeture devaient être multiples, les pênes être disposés sur toute la circonférence du haillon...

Et ces hurlements... ces hurlements qui semblaient avoir une consistance… ils pénétraient par mes oreilles et m'emplissaient le crâne au point de le faire éclater. J'ouvris la bouche pour expulser ces cris, chasser ces fantômes.

Malgré tout, je continuai à porter mon attention sur la porte : même des perceurs de coffres chevronnés, armés d'explosifs, n'auraient pu venir à bout de ce panneau d'acier. Pour emprisonner de simples hommes, cette porte était d'une solidité extravagante.

Alors, enfin, la vérité éclata en moi : cette porte blindée n'était pas destinée à emprisonner des hommes ou de l'air, mais quelque chose de beaucoup plus gros, de beaucoup plus fort et de bien plus rusé qu'un virus. Une chose que mon imagination, fertile pourtant, ne pouvait concevoir.

J'éteignis ma lampe et appelai Bobby.

Il ne m'entendit pas, trop absorbé qu'il était par les jeux de lumière et les vagues de cris. Il se tenait pourtant à moins de trois mètres de moi.

– Bobby ! répétai-je en criant.

Au moment où il tourna la tête vers moi, le vent se matérialisa avec une violence aussi terrible que le laissait présager son souffle. Il se mit à tournoyer dans la salle soulevant nos cheveux, agitant les pans de ma veste et ceux de la chemise hawaiienne de Bobby. Il était chaud, humide, chargé de senteurs de goudron et de végétation pourrissante.

Je ne pouvais identifier l'origine de ce courant d'air, car aucune bouche d'aération ne perçait les murs, et on n'apercevait pas la moindre brèche ou fissure dans ceux-ci. La seule ouverture était le tunnel par lequel nous étions entrés. Si la porte d'acier était bel et bien un mirage, le vent provenait peut-être de ce tunnel… pourquoi pas ? Pourtant, il soufflait de toutes parts comme s'il sortait des murs.

– Ta lampe ! criai-je. Éteins ta lampe !

Avant que Bobby ait eu le temps de réagir, le vent moite nous apporta une nouvelle surprise. Une silhouette émergea des murs, comme si un mètre cinquante de béton armé n'avait pas plus de substance qu'un rideau de brume.

Bobby lâcha sa lampe encore allumée et leva son arme à deux mains.

Notre visiteur se tenait tout près de nous, à cinq ou six mètres, pas plus. Dans l'alternance d'ombre et de lumière, je ne parvenais pas à distinguer clairement ses formes. Les fragments fugitifs que je captais me le montrèrent d'abord humain, puis semblable à une machine, puis encore – ce qui fut le plus inconcevable – semblable à une poupée de chiffon avançant d'un pas lourd.

Bobby se retint de faire feu, voulant se convaincre qu'il s'agissait d'une illusion – un fantôme, une hallucination, ou une savante combinaison des deux. Moi aussi je m'accrochai à ce vain espoir pour ne pas prendre mes jambes à mon cou quand je vis l'être marcher vers nous.

Lorsqu'il eut effectué trois pas incertains, je reconnus la silhouette d'un homme, vêtue d'une combinaison spatiale blanche. Il s'agissait sans doute d'une version terrestre des combinaisons d'astronautes conçues par la NASA, non pas pour protéger l'utilisateur du vide intersidéral, mais plutôt pour l'isoler d'un environnement contaminé par des hordes de virus.

Une grande visière s'ouvrait dans le casque, mais les reflets dansants des lumières sur le Plexiglas m'empêchaient de distinguer le visage de l'occupant. Sur la partie frontale du casque un nom imprimé : Hodgson.

Aveuglé peut-être par les feux tournoyants ou, plus sûrement, par sa propre terreur, Hodgson ne sembla pas remarquer notre présence, à Bobby et à moi. Il avança dans la salle en hurlant – un hurlement dépassant en puissance tous ceux qui avaient retenti un peu plus tôt. Après s'être écarté du mur de quelques pas hésitants, Hodgson se retourna pour faire face à la paroi, levant les bras afin de se protéger d'un assaillant qui nous restait invisible.

Le malheureux sursauta, comme touché par une série de balles de gros calibre. Malgré l'absence de déflagration, je m'aplatis au sol par réflexe.

Hodgson tomba en arrière, dans une position semi-assise due aux bouteilles d'oxygène et au système de recyclage sanglé dans son dos. Ses bras gisaient le long de son corps, inertes. Inutile d'aller l'examiner pour se convaincre qu'il était mort.

J'ignorais ce qui l'avait tué, et n'étais guère pressé de le découvrir.

Les fantômes pouvaient donc mourir deux fois ?

Mieux valait laisser certaines questions sans réponse. La curiosité est l'un des grands moteurs de l'évolution humaine, mais elle s'inscrit contre le plus élémentaire instinct de survie si elle vous incite à observer de près la face interne des crocs d'un lion affamé.

Bobby se baissa et éteignit sa lampe.

Le vent perdit aussitôt de sa violence. L'odeur de goudron chaud et de pourri reflua également.

Je me redressai lentement puis me tournai vers la porte. Elle était toujours là. Énorme, luisante. Plus vraie que nature !

Je voulais me sauver, mais ne fis pas un pas vers la sortie. J'avais trop peur d'être arrêté par l'acier, de m'apercevoir que le cauchemar était devenu réalité.

Sur les parois, le spectacle pyrotechnique se poursuivait avec la même ardeur. La première fois, les jeux de lumière avaient persisté quelques instants après l'extinction de nos lampes. Cette fois, ils risquaient de durer plus longtemps.

Je contemplai les murs, le sol, le plafond avec méfiance. Une autre silhouette n'allait-elle pas sortir de ce cyclorama bouillonnant, plus inquiétante qu'un pauvre type dans une combinaison étanche ?

Bobby s'approchait d'Hodgson. Les mouvements de lumière, apparemment, le désorientaient moins que moi.

– Fais gaffe ! lançai-je.

– Pas de panique.

– S'il te plaît, ne fais pas ça…

Il avançait, le canon de son fusil levé, comme si cela pouvait le protéger.

Pour moi, l'arme était aussi dangereuse que nos lampes-torches. La moindre balle, ratant sa cible, ricocherait dans la salle, et chaque impact de l'ogive de plomb sur le revêtement alimenterait l'étrange phénomène.

Le vent s'adoucissait, devenait brise.

Les spirales et les corolles de lumière éclataient encore sur les murs, générant des volutes d'or et de turquoise. La porte circulaire paraissait toujours aussi tangible.

Nul fantôme n'avait paru aussi réel que ce corps dans cette combinaison – ni les spectres des manoirs d'Écosse, ni les ectoplasmes de *Ghostbuster*, ni le père de Hamlet, et encore moins ce pauvre Casper.

Curieusement, je pouvais me tenir sur mes jambes sans effort. Ma perte d'équilibre ne provenait donc pas des lumières tournoyantes mais était un simple effet passager, à l'instar de mes difficultés respiratoires lors de la brusque montée en pression.

La brise – et les effluves associés – disparut. L'air était de nouveau calme et frais ; le bruit du vent s'évanouit à son tour. L'astronaute au sol allait peut-être aussi disparaître dans un nuage de vapeur, emportant ses restes au royaume de la mort. Il fallait que cela se produise vite, avant que l'on ait le temps de jeter un coup d'œil sur la dépouille. Par pitié !

Constatant que rien n'arrêterait Bobby, je lui emboîtai le pas à contrecœur. Il était dans le même état d'esprit que s'il surfait une barre écumante de six mètres : un vrai kamikaze qu'aucun appel à la raison ne pouvait faire chanceler. Uen fois sur sa planche, il prenait le rouleau jusqu'au bout. Un jour peut-être, il le prendrait jusqu'à la mort.

Les lumières dansant sur les murs ne renvoyaient que peu de photons dans la pièce elle-même, elles conservaient leur énergie pour leurs évolutions dans la matière. Hodgson gisait dans une sorte de clair-obscur.

– Allume ta lampe, lança Bobby.

– Ce ne serait pas très futé.

– La bêtise, c'est moi qui l'ai inventée ! Alors allume !

Je fis un pas vers le cadavre, avec la désagréable impression de m'approcher de la gueule d'un lion, et allumai. J'éclairai le corps curieusement réel du fantôme. Mes mains tremblaient mais je parvins à les contrôler. La visière en Plexiglas était teintée. Ma torche n'était pas assez puissante pour que je voie le visage d'Hodgson.

Il – ou elle ? – gisait silencieux et immobile comme une

pierre tombale. Fantôme ou non, il semblait indiscutablement mort.

Sur la poitrine de la combinaison, un petit drapeau américain et, juste en dessous, un autre badge où figurait le dessin d'une locomotive lancée à pleine vitesse – une image typiquement Art déco ayant servi de logo pour ce programmme de recherche. Malgré la netteté de l'image et l'absence de la moindre zone d'ombre mystérieuse, j'étais prêt à mettre ma main à couper qu'Hodgson faisait partie de l'opération Mystery Train.

Le seul autre trait distinctif de cette combinaison était une série de six ou huit trous à l'endroit de l'abdomen et du torse. Je revis en pensée Hodgson se tordre convulsivement, les bras levés devant lui en un vain bouclier – des trous de balle.

En y regardant de plus près, toutefois, je remarquai que les contours des trous étaient trop nets, trop précis pour résulter d'une arme à feu. Les plombs auraient déchiqueté les tissus, laissant à l'endroit de l'impact des stries, des déchirures en étoile et non pas ces orbites circulaires de la largeur d'une pièce de vingt centimes, aux contours parfaits, comme découpées à l'emporte-pièce ou au laser. Non seulement nous n'avions entendu aucune déflagration, mais, de plus, des balles capables de faire des trous d'entrée aussi grands auraient traversé Hodgson pour venir occire Bobby ou moi.

Et pas la moindre trace de sang.

– Allume l'autre lampe, lança Bobby.

Les voix vagissantes s'étaient enfin tues. Le silence était revenu dans la salle. Des idéogrammes lumineux continuaient de danser sur les murs, peut-être un peu moins véloces que précédemment mais tout aussi indéchiffrables. Je n'étais pas très chaud pour rompre le calme.

– Juste un instant. Pour jeter un coup d'œil, insista-t-il.

À mon corps défendant, je m'exécutai et me penchai au-dessus du cadavre. Je compris aussitôt pourquoi nous n'avions pu éclairer le visage d'Hodgson avec une seule lampe : le malheureux n'en avait plus. Derrière la visière panoramique, une masse grouillante semblait dévorer les restes du cadavre. Ça vibrait, ondulait, chuintait comme une colonie de vers, mais ce n'était pas des vers ; il y avait des éclats de chitine là-dedans, mais il ne s'agissait pas non plus de cafards ou de scarabées. Une colonie de choses grisâtres inommables avaient envahi sa combinaison et tué Hodgson plus vite qu'une balle transperçant son cœur. Et ces *choses* réagissaient à la lumière de ma lampe en se collant à la face interne de la visière, en une masse obscène.

Je me relevai d'un bond ; je crus voir bouger dans certains trous de la combinaison d'Hodgson, comme si les répugnants organismes qui venaient de le dévorer s'apprêtaient à ressortir de ses chairs.

Bobby recula sans faire feu – ce qui aurait pourtant été fort compréhensible sous le coup de la terreur. Dieu merci, il avait pu se maîtriser. Un coup de feu – ou deux, ou dix – n'aurait pas causé grand dommage à la masse grouillant dans les entrailles d'Hodgson, mais aurait excité leur appétit meurtrier.

Tout en courant vers la sortie, j'éteignis ma torche car les feux d'artifice sur les parois reprenaient déjà de la vigueur.

Bobby, partant pourtant de plus loin, arriva bon premier au tunnel de sortie.

La porte était belle et bien réelle, aussi solide que celle d'une chambre forte.

Ce que j'avais vu de loin se confirma : pas de volant ou tout autre mécanisme pour commander de l'intérieur l'ouverture des pênes.

14.

Une quinzaine de mètres derrière nous, Hodgson gisait au milieu de la pièce, là où on l'avait laissé, engoncé dans sa combinaison étanche. S'il avait gardé forme humaine, si sa combinaison ne s'était pas dégonflée comme un ballon de baudruche, c'était que les êtres grisâtres occupaient encore ses entrailles et continuaient leur festin.

Bobby tapota le bout de son canon sur la porte. Un bruit d'acier, on ne peut plus réel, se fit entendre.

– Un mirage, tu disais ? lançai-je en glissant une lampe sous ma ceinture et l'autre dans une poche de ma veste.

– C'est du toc.

En réponse, je frappai le battant du plat de la main.

– Du toc, insista-t-il. Regarde ta montre.

Connaître l'heure était le cadet de mes soucis. C'était plutôt les petites bêtes dans la combinaison d'Hodgson qui me chagrinaient. Par réflexe, je m'étais mis à frotter les manches de ma veste, mes joues, ma nuque, comme si j'étais déjà infesté.

Pris de panique, je glissai mes doigts dans l'interstice entre la porte et le chambranle et tirai de toutes mes forces. J'eus beau grogner, jurer, me retourner tous les ongles, rien n'y fit. Ce n'était pas avec ma part de cake et mon chocolat chaud du matin que j'allais pouvoir venir à bout de plusieurs tonnes d'acier.

– Regarde ta montre, répéta Bobby.

Il avait remonté la manche de son sweat-shirt pour consulter la sienne, en un geste incongru de sa part. D'ordinaire, il ne portait jamais de montre.

À la mienne, les cristaux liquides indiquaient : 16 h 08. L'heure correcte, évidemment, était quatre heures du matin.

– J'ai la même heure que toi, annonça-t-il en approchant son bras du mien.

– Eh bien, nos deux montres se trompent.

– Non. C'est l'heure qu'il est vraiment. Ici.

– Diabolique !

– Einsteinien !

Je regardais alors la date du jour. Le cadran n'affichait pas le 12 avril, comme prévu, mais le lundi 19 février. Celui de Bobby, aussi.

Quelle année indiqueraient donc nos montres, si la fenêtre de la date avait quatre chiffres de plus ? Serions-nous revenus dans le passé, un après-midi funeste pour les grosses têtes du projet Mystery Train, le jour de la catastrophe, celui où les vers étaient sortis du pot ?

La vélocité et la brillance des motifs lumineux courant sur les murs diminuaient petit à petit.

Je me retournai vers le malheureux Hodgson, dont la combinaison n'avait pas été plus utile pour le protéger qu'une feuille de vigne. Ça grouillait toujours sous l'enveloppe. Je voyais les bras onduler au sol, les jambes aussi, le corps tout entier pris de tremblements, comme traversé par un courant électrique.

– Ça s'annonce mal, articulai-je.

– Ça ne va pas durer.

– Ah bon ?

– Les cris ont cessé, les voix aussi, et le vent.

Je tapotai du doigt le montant d'acier de la porte.

– Ça va disparaître aussi, s'entêta Bobby.

Même si les jeux de lumière faiblissaient autour de nous, Hodgson – ou plutôt la combinaison d'Hodgson – s'agitait de plus en plus. Les talons de ses chaussures cognaient à présent le sol, ses bras et ses jambes se pliaient convulsivement.

– Ils essaient de le mettre debout, déclarai-je.

– On ne risque rien.

– Tu es sérieux ?

Ma logique me semblait à toute épreuve : si cette porte était suffisamment réelle pour nous garder enfermés ici, ces choses grouillantes l'étaient tout autant pour nous manger tout crus.

– Ça va disparaître, répéta-t-il avec flegme.

Ignorant apparemment que leurs efforts étaient vains et qu'elles étaient condamnées à retourner au néant, les créatures continuèrent de s'agiter dans la combinaison d'Hodgson, tant et si bien que le cadavre roula sur le côté. La visière sombre me fit de nouveau face et je sentis que derrière le Plexiglas opaque on me regardait. Non pas une myriade de vers stupides et voraces, mais une entité malveillante, douée de conscience, aussi intriguée par ma présence que j'étais terrifié par la sienne. Et ce n'était pas un tour que me jouait mon imagination : la sensation était aussi claire et tangible que l'onde de froid s'échappant d'un glaçon.

– Ça va disparaître, répéta Bobby, avec une pointe d'angoisse dans la voix.

Lui aussi avait senti la présence derrière la visière. Le zombie Hodgson était à seulement quinze mètres de nous et cela ne me disait rien qui vaille. Pourtant je ne me serais pas senti plus rassuré si je l'avais su à quinze kilomètres !

Le spectacle pyrotechnique sur les parois avait perdu un tiers de sa puissance. La porte était toujours froide et dense sous ma main.

La luminosité diminuait dans la salle, mais je distinguai Hodgson en train de rouler sur le ventre, puis de se tortiller, cherchant à se mettre à quatre pattes.

Si je n'avais pas été victime d'une illusion, la combinaison d'Hodgson était donc habitée par des centaines de milliers de créatures carnivores, rassemblées en une sorte d'essaim ou de ruche. Une colonie d'insectes pouvait s'organiser par division du travail, constituer un corps social hautement hiérarchisé. Toutefois, même si le squelette d'Hodgson subsistait et formait une armature viable, il m'était difficile de croire qu'une colonie d'invertébrés puisse s'organiser avec une telle coordination, au point de prendre, ensemble, forme humaine, de se mouvoir dans une combinaison spatiale et de lui faire monter des escaliers, piloter des machines, et que sais-je encore…

Pourtant, le zombie Hodgson se mit sur ses jambes.

– Ça sent le roussi, murmura Bobby.

Sous ma paume je perçus une courte vibration – une trépidation passagère, une sorte de tremblement. Comme si l'acier avait *frissonné*, l'espace d'une seconde, pour se muer en une matière gélatineuse – puis l'effet disparut et la porte reprit sa consistance de métal, redevint impénétrable.

La combinaison tanguait sur ses jambes comme un nouveau-né. Elle avançait un pied, hésitait, oscillait et ramenait l'autre jambe. Les bottes d'Hodgson glissaient sur le revêtement lisse et émettaient des chuintements feutrés.

Pied gauche, pied droit.

Hodgson marchait vers nous.

Peut-être les os n'étaient-ils pas seuls à avoir échappé à l'appétit vorace des petites bêtes. Peut-être l'essaim n'avait-il pas dévoré tout l'homme ? Peut-être ne l'avait-il pas même tué ? Les vers l'avaient envahi, allant se nicher au tréfonds de sa chair, de ses organes et de son cerveau, créant une relation symbiotique avec le corps du malheureux, prenant possession de son système nerveux, de son cortex jusqu'à ses plus infimes terminaisons nerveuses.

Les lumières des parois viraient à l'ambre, puis au pourpre. Le zombie Hodgson fit un nouveau pas – pied gauche en avant, stabilisation, pied droit. Un pas de deux saccadé, à la Boris Karloff.

Sous ma main, la porte frissonna de nouveau pour redevenir soudain flasque. Des aiguilles de glace transpercèrent ma paume, comme si j'avais plongé la main dans de la neige carbonique. Du poignet jusqu'à l'extrémité de mes doigts, je ne faisais plus qu'un avec la porte. Malgré la pénombre gagnant la salle de l'Œuf, je vis que l'acier s'était mué en une substance translucide. À l'intérieur, des tourbillons indolents, des courants circulaires, dans l'épaisseur, l'ombre grise de mes doigts écartés. Sous le choc, je les retirai – aussitôt l'acier retrouva sa solidité. La porte n'allait donc pas disparaître d'un seul coup, mais par étapes, d'une manière identique à celle dont elle s'était matérialisée.

Bobby avait dû voir ce qui s'était passé, car il avait fait un bond en arrière.

Si je n'avais pas retiré ma main à temps, aurais-je eu le poignet sectionné par l'acier et ne me resterait-il qu'un moignon ensanglanté ? Je ne risquais pas de tenter le sort pour connaître la réponse.

Haletant sous le choc, je répétai le mot de Cambronne, tel un malade mental atteint du syndrome de Tourette.

Sous les lueurs rouges et les ombres voraces, le zombie Hodgson, astronaute revenant de la planète interdite des enfers, avait parcouru la moitié de la distance qui le séparait de nous. Animé par une entité supérieure, presque palpable, il progressait d'un pas égal et mécanique, apparemment nullement gêné par ma grossièreté.

Agacé, Bobby cogna la porte du bout de son canon. L'acier tinta comme une cloche. Il ne feignit même pas de mettre en joue le zombie. Il avait compris lui aussi que l'énergie du coup de feu aurait activé la salle et achevé de nous prendre au piège.

Les jeux de lumière moururent enfin. L'obscurité tomba sur nous.

Si j'avais pu faire taire les battements affolés de mon cœur, j'aurais sûrement perçu, dans le noir, le chuintement des bottes de caoutchouc sur le sol – mais les pulsations du sang dans mes oreilles m'empêchaient d'entendre même le bruit d'une éventuelle grosse caisse !

L'extinction des phénomènes lumineux avait sonné le glas de la machine inconcevable qui avait généré cette illusion, sûrement nous avions dû revenir à la réalité, sûrement le zombie Hodgson avait dû retourner au néant. Sûrement…

Bobby donna un nouveau coup contre la porte. Cette fois ce ne fut pas un son de cloche qui retentit. Le bruit d'impact fut plus sourd, comme un coup de marteau sur un morceau de bois. La texture de la porte avait peut-être changé, pourtant elle était encore bel et bien là, interdisant tout espoir de fuite. Pas question de tenter une sortie, tant qu'elle risquait de nous voler quelques molécules au passage, au hasard de ses métamorphoses.

Que se produirait-il lorsque le zombie refermerait la main sur moi ? Allais-je fusionner avec lui, comme ma main avec la porte ? Même fugitif, le contact avec ce mort vivant risquait de m'être fatal, que je survive physiquement ou non à la rencontre.

Les ténèbres constituaient un mur liquide devant mes yeux. Je plissais en vain les paupières dans l'espoir de repérer la silhouette claudiquante. L'obscurité était aussi impénétrable que dans le couloir où j'avais rencontré ma brute au gourdin. Je me revoyais tendre la main dans le noir et rencontrer son visage, au bout de mes doigts.

De nouveau, je sentais une présence devant moi, et cette fois j'avais des éléments tangibles pour corroborer cette sensation. Après tout ce qui s'était passé dans cette gare centrale du Mystery Train, je n'accusais plus mon imagination d'être à l'origine de mes terreurs. Je me gardai donc bien de tendre le bras dans les ténèbres pour vérifier le bien-fondé de mes craintes – je savais que mes doigts rencontreraient la surface lustrée du Plexiglas.

– Chris !

Je sursautai avant de reconnaître la voix de Bobby.

– Ta montre ! lança-t-il.

Le cadran lumineux luisait dans cette purée de charbon. Les chiffres verts changeaient sans cesse, égrenant les heures en quelques fractions de seconde, les lettres des jours et des mois se succédaient dans un brouillard de cristaux liquides.

Le passé laissait place au présent.

Je ne comprenais pas grand-chose à ce qui arrivait – pour ne pas dire rien du tout. Peut-être n'y avait-il eu aucune rupture dans la trame du temps ? Peut-être avions-nous simplement été victimes d'hallucinations parce que quelqu'un avait bourré nos bières d'acide ? Peut-être étais-je chez moi, bien au chaud dans les bras de Morphée, en train de rêver. Peut-être tout était-il sens dessus dessous, le haut en bas, l'extérieur à l'intérieur, le blanc, noir. Peu importait – tout était mille fois préférable à l'accolade funeste d'Hodgson le zombie.

Si nous étions réellement remontés de plus de deux ans dans le passé, si nous filions à présent vers cette nuit d'avril où cette aventure avait débuté, j'aurais dû sentir une vibration dans mes os, une trépidation liée au passage affolé des heures, une sensation de vieillissement. Mais non. Rien. Pas plus de sensation que si je m'étais trouvé dans un monte-charge remontant vers la surface.

À ma montre, les lettres du mois s'arrêtèrent sur *Avr.* La seconde suivante, le jour et la date se figèrent, suivis aussitôt par l'heure : 3 h 58 du matin.

Nous étions de retour – mais sans le chien Toto [1].

– Génial ! lança Bobby.

– Tu l'as dit.

La grande question était de savoir si nous étions revenus seuls ou avec quelqu'un qui avait une pelote de vers à la place du visage – un compagnon qui n'aurait guère ravi la tante Em [2].

La logique voulait qu'Hodgson soit resté en arrière, coincé dans le passé. Mais comment savoir si la logique s'appliquait en pareil cas ?

Je tirai la lampe de poche de ma ceinture. J'étais terrifié à l'idée de l'allumer, mais je pris mon courage à deux mains. La face grouillante d'Hodgson ne dodelinait pas sous mon nez. Un coup d'œil circulaire me confirma que nous étions de nouveau seuls, Bobby et moi, du moins dans la portion de la salle que le faisceau pouvait embrasser.

La porte avait disparu.

Apparemment, la pièce était devenue si sensible à la lumière que mon seul faisceau suffit à faire naître de nouvelles volutes de lumière sur les parois. J'éteignis aussitôt ma torche.

– Tirons-nous d'ici, lançai-je en glissant ma lampe sous ma ceinture.

– C'est parti.

Tandis que les ténèbres redescendaient sur nous, j'entendis Bobby enjamber le seuil de l'ouverture et s'enfoncer dans l'étroit tunnel.

– La voie est libre, annonça-t-il.

Je m'accroupis et le rejoignis dans l'ancien sas de confinement étanche. Je ne rallumai ma lampe qu'une fois revenu dans

---

1. Le chien de Dorothy dans *Le Magicien d'Oz. (N.d.T.)*
2. La tante de Dorothy, toujours dans *Le Magicien d'Oz. (N.d.T.)*

le couloir, certain qu'aucun photon égaré ne risquait d'aller se promener dans la salle de l'Œuf.

– Je t'avais bien dit que ça allait disparaître, déclara Bobby.

– Aurais-je mis ta parole en doute ?

Nous n'échangeâmes plus un mot avant d'avoir pu recouvrer la sécurité de la Jeep. Plus aucune étoile ne brillait dans le ciel tout entier mangé par les nuages.

15.

Nous quittâmes Wyvern par le sud-est, traversant la Ville fantôme en sens inverse et repassant devant les entrepôts où j'avais rencontré le kidnappeur. Nous roulions vite, brûlant les stops, ignorant les panneaux de limitation de vitesse. Avec un fusil chargé dans le véhicule, un pistolet caché sous mon aisselle – je n'avais pas de port d'arme –, une glacière pleine de bières à nos pieds, nous violions une bonne dizaine de lois militaires et fédérales, sans compter nombre de règles élémentaires du bon citoyen. Nous étions une paire de Clyde sans leur Bonnie.

Arrivé à la Santa Rosita, Bobby éteignit les phares et descendit la rampe d'accès menant au lit de la rivière. Il avait tellement élargi la brèche dans le grillage que la Jeep y passa à l'aise. Il s'arrêta sitôt franchies les limites de la base et sauta à terre pour rabattre la clôture. Je lui emboîtai le pas pour l'aider à dissimuler notre intrusion. Seule une inspection minutieuse révélerait la brèche. À cinq mètres, l'ouverture était invisible. Personne ne devait être au courant de notre visite. Sous peu, nous allions devoir revenir à la base et il nous fallait être libres de nos mouvements. Les traces de pneus nous trahissaient mais nous n'avions aucun moyen de les faire disparaître. Il nous restait à espérer qu'une pluie providentielle les efface.

En quelques heures, nous en avions vu plus que ce que nos cerveaux pouvaient appréhender – de ces choses que nous aurions préféré ne jamais voir. Nous envisagions une nouvelle visite en ces lieux sans gaieté de cœur, mais tant que nous n'avions pas retrouvé Jimmy et Orson, nous serions obligés de retourner dans cette antichambre des enfers. Cependant, nous nous trouvions pour le moment dans une impasse et il nous fallait élaborer une stratégie. En outre, à deux, nous étions dans l'impossibilité de passer au peigne fin toutes les installations. En fin de non-recevoir, l'aube allait se lever dans un peu plus d'une heure et je n'avais pas sur moi ma cape d'*Elephant Man*, avec voile noir et grande capuche *ad hoc*.

La Chevrolet du kidnappeur avait disparu. Ce n'était pas vraiment une surprise. Par bonheur, j'avais mémorisé le numéro de sa plaque d'immatriculation.

Bobby contourna l'amas de bois et de branchages abandonné à vingt mètres de la barrière, où j'avais caché mon vélo. Je le chargeai à l'arrière de la Jeep. À l'approche du tunnel qui passait sous l'autoroute, Bobby accéléra. Dans le boyau de ciment, le rugissement du moteur résonna autour de nous comme un tir de barrage.

Je me remémorai l'inconnu qui m'avait épié depuis le haut du pont. Malgré moi, je me raidis au moment de sortir du passage. Mais une fois à l'air libre, aucun ennemi ne nous attaqua.

Au bout d'une centaine de mètres, Bobby freina et coupa le moteur. Nous n'avions pas échangé un mot depuis que nous avions quitté la salle de l'Œuf.

– Mystery Train…, murmura Bobby.

– Attention au départ !

– C'est le nom d'un programme de recherche, sûrement…

– C'est, en tout cas, ce que semble indiquer le badge de Leland Delacroix, répondis-je en sortant la carte magnétique de ma poche – je tripotais le morceau de plastique dans l'obscurité, revoyant en pensée le mort entouré des photos de sa famille.

– Ce serait donc au Mystery Train que l'on doit les troupes de rhésus, les rétrovirus et toutes ces mutations. Ta mère et ses petits amis y auraient travaillé…

– Possible.

– À mon avis, on fait fausse route.

– Tu as une autre idée ?

– Ta mère était une biogénéticienne, n'est-ce pas ?

– Une apprentie déesse.
– Une conceptrice de virus, une créatrice de créatures.
– De petites créatures importantes pour la seule recherche médicale, des virus bénins.
– Tous bénins, sauf un.
– Tes parents ne sont pas non plus des cadeaux, lui rappelai-je.
– Ils auraient détruit la terre entière bien avant ta mère, rétorqua-t-il avec une fierté feinte, s'ils en avaient eu l'occasion.
Sa famille possédait le seul journal du comté, le *Moonlight Bay Gazette* ; leur religion était la politique, leur dieu le dollar. Ils avaient des projets à long terme, des plans de carrière, et une foi inextinguible en leur credo. Bobby ne partageait pas leur version cauchemardesque du paradis sur terre ; ils l'avaient donc rayé de leur testament dix ans plus tôt. Apparemment, leur paradis exigeait des âmes conformes et uniformes, à l'image des milliers d'abeilles d'une ruche.
– Si tu veux mon avis, reprit-il, personne n'a jamais mené de véritables recherches biologiques dans cette salle bizarroïde.
– Hodgson avait une combinaison étanche, pas une tenue de tennis, à ce que je sache ! C'était à l'évidence une protection antibactériologique. Pour l'empêcher d'être contaminé.
– Certes. Mais tu as dit toi-même que cette salle n'était pas conçue pour confiner des micro-organismes.
– Il manque en effet les plus élémentaires systèmes de stérilisation, reconnus-je. Je n'ai vu aucun module de décontamination, à l'exception du sas étanche. Et le sol n'est pas assez protégé pour un laboratoire de biogénétique.
– Cette cellule pour schizo sous acide, ce caisson psychédélique new age, n'a jamais été un labo !
– *La salle de l'Œuf*, rectifiai-je.
– Peu importe son nom ! On ne risquait pas d'y trouver le moindre bec Bunsen, ni vase de Pétri, ni cage grouillante de petites souris blanches prêtes à jouer les cobayes. Tu sais très bien à quoi servait cette salle. Nous le savons tous les deux.
– Dis toujours...
– C'est un moyen de transport.
– De transport ?

– Ils gavent cette salle d'énergie, j'imagine que la dose est digne d'un missile sol-air, peut-être plus encore… et lorsqu'elle est bien pleine, qu'elle déborde, paf, elle transporte Hodgson quelque part. Hodgson et quelques autres. Tu les as entendus comme moi appeler au secours.

– Et où donc les transporte-t-elle ?

– *Carpe cerevisi.*

– C'est-à-dire ?

– Passe-moi une bière !

Je pris une canette dans la glacière et la lui tendis. J'hésitai, puis m'en ouvris une.

– Boire ou conduire, il faut choisir, ânonnai-je.

– C'est l'apocalypse ! Il n'y a plus de lois qui tiennent !

– Je parie que Dieu est un buveur de bière ! lançai-je en avalant une longue gorgée. Mais je suis sûr qu'il ne prend jamais le volant et qu'il a un chauffeur.

Les berges de la rivière se dressaient de part et d'autre de nous, comme des remparts. Le ciel lourd et bas pesait sur nos épaules comme une chape de béton.

– Alors, où les transporte-t-elle ? insistai-je. Quelle destination ?

– Souviens-toi de ta montre.

– Elle a peut-être besoin d'une petite révision.

– La mienne aussi s'est affolée, me rappela-t-il.

– Depuis quand as-tu une montre ? C'est nouveau !

– Depuis que je sens le temps me filer entre les doigts.

Il faisait référence non seulement à sa propre mortalité, mais également à la non-pérennité du monde que nous connaissions.

– Je déteste les montres, je déteste tout ce qu'elles représentent. Ce sont des machines diaboliques ! Mais dernièrement, j'ai commencé à demander l'heure à tout instant, ce qui ne m'était jamais arrivé de ma vie. Sans montre, je me sens nerveux. Alors j'en ai acheté une, et je suis devenu comme tout le monde. C'est nul, non ?

– Honteux, même.

– Jamais je n'aurais pensé descendre aussi bas !

– Le temps a été pas mal secoué dans la salle de l'Œuf, tu as raison, concédai-je.

– Nous avons affaire à une machine à voyager dans le temps.

– C'est de la folie furieuse !

– Très bien, je suis tombé sur la tête... mais je persiste et signe.

– Le voyage dans le temps est impossible.

– Nous revoilà plongés dans l'obscurantisme médiéval ! À cette époque, il paraissait impossible de voler, impossible d'aller sur la Lune, impossible de fabriquer une bombe atomique, la télévision et des œufs sans cholestérol.

– Très bien, supposons que c'est possible.

– Ce n'est pas une supposition.

– S'il s'agit d'un simple voyage dans le temps, pourquoi cette combinaison pressurisée ? Je croyais que ce genre de voyageur préférait passer inaperçu. C'est plutôt raté, à moins qu'il ne comptât se rendre à une expo Star Trek des années quatre-vingt.

– Peut-être est-ce une protection contre des maladies inconnues, avança Bobby. Leur atmosphère contient peut-être moins d'oxygène ou est trop polluée ?

– Où ça ? au salon Star Trek ?

– Tu sais très bien qu'ils sont allés dans l'avenir !

– Première nouvelle !

– C'est pourtant l'évidence, insista Bobby – la bière lui donnait une belle confiance en ses pouvoirs de déduction. Ils ont préféré prendre des combinaisons spatiales parce que le futur risquait de leur réserver des surprises.

Bien que la lune fût masquée par les nuages, le lit de la rivière luisait d'une clarté argentée. La nuit, toutefois, en cette mi-avril, restait d'un noir d'encre.

Thomas Fuller, au XVIIe siècle, disait que la nuit n'était jamais aussi dense qu'à l'approche de l'aube. Trois cents ans plus tard, la nature lui donnait toujours raison.

– Et où ça dans le futur ? loin ? demandai-je, les relents de pourriture apportés par le vent dans la salle de l'Œuf, revenant aussitôt me chatouiller les narines.

– Va savoir ? Dix ans, cent ans, mille ans ? Peu importe.

Mais une chose est sûre : c'est qu'ils ont bel et bien été massacrés.

Je me remémorais les voix affolées transmises par radio, qui avaient résonné dans la salle, les cris, les appels au secours. Je frisonnai et bus une nouvelle gorgée.

– Cette chose... ces choses dans la combinaison d'Hodgson...

– Oui, cela fait partie de notre avenir.

– De telles bestioles n'existent pas.

– Pas encore.

– Mais cela paraissait si incongru, si déplacé... Tout l'écosystème a dû être modifié... bouleversé de fond en comble !

– Va trouver un dinosaure et demande-lui ce qu'il en pense. Il sera le premier à te dire que c'est possible.

Je n'avais soudain plus envie de bière. Je passai le bras au-dessus de la portière et vidai ma canette.

– Même s'il y a eu une machine à remonter le temps, insistai-je, elle a été démantelée depuis longtemps. L'apparition d'Hodgson, venant de je ne sais où, cette porte d'acier... et tout le reste... Comment tu expliques ça ?

– Un effet résiduel.

– Il a de beaux restes, ton effet résiduel !

– Disons un *gros* effet résiduel.

– Enfin, si tu enlèves le moteur d'une voiture, la direction, la batterie – aucun effet résiduel au monde ne pourra la faire rouler jusqu'à Las Vegas !

Bobby fixait des yeux le ruban de boue lumineux comme si le cours du temps nous entraînait vers l'avenir.

– Ils ont fait un trou dans la réalité. Un trou que l'on ne peut reboucher...

– Qu'est-ce que ça veut dire ?

– Rien d'autre que ça.

– On sombre dans l'hermétisme !

Mais son explication avait le mérite de nous donner une piste, un concept familier qui nous empêchait de perdre définitivement tout bon sens.

– Et ils auraient ignoré l'existence de ce phénomène résiduel ?

– Tu veux dire les grands manitous qui dirigeaient le programme ?

– Tout juste. Les huiles qui ont lancé l'opération et tout détruit ensuite. S'ils avaient pressenti qu'il en restait des traces, ils auraient fait sauter la salle, noyé les ruines sous des tonnes de béton. Ils ne seraient jamais partis comme ça, pour que les premiers trous-du-cul venus découvrent le pot aux roses !

Bobby haussa les épaules.

– Peut-être que l'effet est apparu longtemps après leur départ ?

– Ou peut-être avons-nous rêvé tout ça ?

– Tous les deux ?

– Pourquoi pas ?

– Tous les deux les mêmes hallucinations ?

Je ne savais que répondre.

– Si le Mystery Train est un programme de recherche sur le voyage dans le temps, cela n'a donc rien à voir avec les travaux de ma mère.

– Et alors ?

– Alors si cela n'a aucun lien avec ma mère, pourquoi quelqu'un aurait-il laissé cette casquette à mon intention dans la salle de l'Œuf et la photo de ma mère dans le sas ? Pourquoi quelqu'un aurait-il glissé la carte de Delacroix sur ton pare-brise pour nous attirer là-bas ?

– Tu es un vrai moulin à questions !

Il vida sa Heineken ; je jetai nos deux canettes vides dans la glacière.

– Et si nous ne voyions qu'une infime partie de l'iceberg ?

– Qu'est-ce qui nous attend, selon toi ?

– Je ne sais pas. Peut-être que tout est parti des labos de biogénétique et que les travaux de ta mère ont conduit à cette catastrophe et nous ont mis dans la merde. Ou peut-être pas du tout.

– Ma mère pourrait ne pas avoir détruit le monde ?

– Eh bien, il est quasiment certain qu'elle a dû donner un

bon coup de main ! Je ne suis pas en train de dire que ta mère était une sous-fifre.

– *Gracias !*

– En revanche, il est possible qu'elle n'ait été qu'un pion, un pion impuissant.

Un mois après la mort de mon père, victime d'un cancer – un cancer dont l'origine aujourd'hui ne me paraissait guère naturelle –, j'avais trouvé une lettre écrite de sa main, où il expliquait la genèse d'Orson, les expériences portant sur l'accroissement du QI et sur le rétrovirus de ma mère.

– Pourtant, tu as lu ce que mon père a écrit.

– Peut-être ne détenait-il pas tous les éléments de l'histoire ?

– Ma mère et lui n'avaient pas de secret l'un pour l'autre.

– Ben voyons ! Un seul esprit dans deux corps.

– Exactement ! rétorquai-je, agacé par son ton ironique.

Bobby me regarda en fronçant des sourcils, puis reporta son attention sur le lit de la rivière.

– Excuse-moi, Chris. Tu as raison. Tes parents n'étaient pas comme les miens. Ils étaient uniques en leur genre. Quand on était gosses, je regrettais que nous ne soyons pas frères tous les deux, parce que j'aurais tellement voulu vivre avec eux.

– Nous sommes frères, vieux.

Il hocha la tête.

– Il y a d'autres liens que ceux du sang, des liens plus forts encore.

– Ça va, range ton mouchoir !

– Excuse. J'ai vu trop de mélos dernièrement.

Bobby et moi n'abordions jamais certains sujets ; les mots auraient été trop faibles, trop réducteurs. L'un d'entre eux était le caractère sacré et inaltérable de notre amitié.

– Ce que je veux dire, reprit Bobby, c'est que ta mère ne connaissait peut-être pas toute la vérité. Elle ne savait sans doute rien du programme Mystery Train qui est probablement tout autant responsable du désastre qu'elle.

– Ce serait déjà une consolation. Mais comment serait-ce possible ?

– Je ne suis pas Einstein. Je ne fais qu'émettre des suppositions.

Il redémarra le moteur et rejoignit le lit de boue, toujours tous feux éteints.

– Je crois savoir d'où vient Grosse Tête, annonçai-je.

– Vas-y ! Éclaire ma lanterne.

– C'est un spécimen de la deuxième troupe.

La première troupe de singes s'était échappée voilà plus de deux ans, au cours de cette funeste nuit. Ils étaient si adroits que toutes les campagnes d'éradication avaient fait chou blanc. Voulant à tout prix retrouver ces rhésus avant que leur nombre augmente de façon dramatique, les scientifiques avaient eu l'idée de lâcher un second groupe d'animaux qui, selon eux, aurait davantage de chances de retrouver d'autres singes. Chacune de ces bêtes portait un émetteur implanté dans le corps, de façon qu'on puisse les suivre à distance et les détruire une fois qu'elles auraient retrouvé les singes du premier groupe. Les animaux étaient censés ignorer qu'ils portaient des mouchards, mais, une fois lâchés, ils s'étaient arraché mutuellement leurs émetteurs à coup de dents, se libérant ainsi de leurs chaînes.

– Grosse Tête, pour toi, serait un singe ? demanda Bobby, incrédule.

– Un singe totalement fabriqué. Peut-être pas uniquement de type rhésus. Avec des gènes de babouin ?

– Ou de crocodile ? railla Bobby.

Il prit un air perplexe.

– Je croyais que les singes du second groupe étaient censés être mieux conçus, moins violents ?

– Et alors ?

– Eh bien, Grosse Tête ne ressemble pas vraiment à un bon gros matou. Il a été conçu pour tuer.

– Il ne nous a pas attaqués.

– Parce qu'il a vu que nous étions armés.

La rampe d'accès se profila devant nous – celle par laquelle j'étais arrivé à vélo, Orson trottant à mes côtés. Bobby obliqua vers elle.

Je revis en pensée la créature, perchée sur le toit du bungalow, se cachant le visage derrière ses bras.

– Non, ce n'est pas un tueur.

– Tu as raison. Invitons-le donc à dîner ! On se fera un saladier de pop-corn et on se commandera une mégapizza !

– Abruti !

– Il y a deux minutes encore, on était des frères !

– Le passé est le passé.

Bobby s'engagea sur la rampe et rejoignit le quai entre les deux panneaux d'interdiction prévenant des dangers à s'aventurer sur le lit de la rivière. Une fois dans la rue, il alluma enfin ses phares et prit la direction de la maison de Lilly.

– Pia et moi, on va peut-être se remettre ensemble, annonça-t-il.

– Elle a dit que Waimea était son *home, sweet home* déclarai-je, jouant les rabat-joie.

– Je lui prépare un philtre pas piqué des hannetons !

Le jour pointait, mais les rues restaient aussi désertes et silencieuses que celles de la Ville fantôme. Moonlight Bay était-elle donc, elle aussi, peuplée de spectres et de cadavres.

– Un philtre ? Ne me dis pas que tu verses toi aussi dans le vaudou ! lançai-je.

– Un philtre freudien !

– Pia ne tombera pas dans le panneau !

Elle avait beau jouer les illuminées depuis trois ans, depuis qu'elle avait rallié Hawaii pour retrouver son moi profond, Pia était loin d'être stupide. Elle était sortie *summa cum laude* d'UCLA. Ses peintures hyperréalistes se vendaient à prix d'or et les articles qu'elle écrivait pour diverses revues d'art étaient des petits bijoux en leur genre.

– Je vais lui parler de ma planche tandem.

– Je vois. Et tu vas lui annoncer qu'il y a une autre vahiné dessus pour la rendre jalouse ?

– Il serait temps que tu redescendes sur terre. Pia ne va pas se laisser manipuler comme ça. Je vais simplement lui dire que j'ai une planche tandem et que je la garde au chaud pour elle.

Depuis que Pia se savait la réincarnation de Kaha Huna, elle jugeait impie toute relation charnelle avec un simple mortel ; elle avait donc décidé de vivre le restant de ses jours dans la chasteté, ce qui avait profondément démoralisé Bobby. Une flamme d'espoir toutefois s'était ravivée en lui lorsque Pia découvrit qu'il était la réincarnation de Kahuna, le dieu hawaiien du surf. La légende de Kahuna, une création des surfeurs modernes, était fondée sur la vie d'un ancien sorcier, qui n'avait pas plus de gène divin que votre chiropracteur. Bobby, en tant qu'ex-Kahuna, était le seul homme avec qui Pia pouvait concevoir de faire l'amour – mais pour ce faire, il devait reconnaître sa nature immortelle et accepter son destin. Les choses se gâtèrent lorsque Bobby, par entêtement stupide ou fierté de mortel, refusa de croire qu'il était un vrai dieu des océans. Comparés aux difficultés des couples d'aujourd'hui, les problèmes de Roméo et de Juliette étaient du pipi de chat !

– Tu es donc prêt à reconnaître que tu es Kahuna ? demandai-je tandis que nous roulions dans les rues bordées de pins.

Il secoua la tête.

– Je laisserai planer le doute. Je ne dirai ni oui ni non. Être cool. Me draper dans le mystère dès qu'elle abordera le sujet, et la laisser croire ce qu'elle veut.

– Ça ne suffira pas.

– J'ai une autre carte dans ma manche. Je lui parlerai de mon rêve, celui où je l'ai vue vêtue d'un magnifique *holokou* de soie bleu et or, flottant au-dessus des rouleaux – des merveilles de vagues, comme des miroirs, hautes de deux mètres et bleu turquoise.

Nous traversions un quartier résidentiel à quelques centaines de mètres d'Ocean Avenue, la grande artère qui coupait Moonlight Bay d'est en ouest, lorsque soudain une voiture surgit d'un carrefour. C'était une berline Chevrolet d'un modèle récent, beige ou blanche, avec des plaques californiennes. Je fermai les yeux, pour me protéger de la lumière des phares. J'étais à deux doigts de plonger sous le tableau de bord pour éviter que mon visage ne soit touché par le jaillissement de photons, mais j'aurais ainsi attiré l'attention sur moi – presque autant que si je m'étais glissé un sac en papier sur la tête.

Sitôt que la Chevrolet fut à notre hauteur, ses phares ne constituaient plus un danger. Je rouvris donc les yeux et aperçus trois hommes à l'intérieur, deux à l'avant, un à l'arrière – de grands gaillards en habits sombres, l'air aussi engageant qu'une porte de prison qui nous regardaient, Bobby et moi, d'une drôle d'expression. Leurs yeux de morts-vivants étaient froids et étrangement fixes.

Je me remémorai la silhouette qui m'observait depuis le remblai du pont enjambant le lit de la Santa Rosita.

– Trois M. Muscles, lança Bobby en croisant la Chevrolet.

– Défense d'approcher.

– C'est écrit sur leur front !

Je regardais la voiture s'éloigner dans le rétroviseur.

– Ils n'ont pas l'air de nous en vouloir. Je me demande qui ils cherchent.

– Elvis, peut-être ?

Je vis avec soulagement la berline disparaître dans la nuit.

– Alors, comme ça, tu vas raconter à Pia que tu l'as vue léviter au-dessus des vagues ?

– Tout juste. Et dans ce rêve, elle me disait de trouver une planche pour deux afin que nous puissions surfer ensemble. C'était peut-être prémonitoire, va savoir ? Alors j'ai commandé la planche et maintenant je suis fin prêt.

– Quel couillon ! lançai-je avec attendrissement.

– C'est la vérité. J'ai fait ce rêve.

– Ben voyons !

– Juré, craché. Je l'ai même fait trois nuits de suite, ce qui m'a un peu fichu les jetons. Je vais lui raconter tout ça et la laisser croire ce qu'elle veut.

– Tu comptes t'en sortir comme ça ? Feindre d'avoir un charisme divin sans reconnaître explicitement être la réincarnation de Kahuna ?

Bobby fit la moue, perplexe. Il s'arrêta devant un panneau « Stop », alors qu'il avait grillé tous les précédents.

– Tu crois que c'est perdu d'avance ?

– Pour ce qui est du charisme, aucun problème. Tu pourrais organiser des suicides collectifs quand bon te semble, ils seraient des milliers à se jeter dans un précipice pour te suivre.

Il semblait ravi.

– C'est vrai ? Tu ne te fiches pas de moi ?

– Pas du tout.

– *Mahalo*[1].
– Il n'y a pas de quoi. Mais j'ai une question à te poser.
Il redémarra et traversa le carrefour.
– Je t'écoute.
– Pourquoi ne pas dire simplement à Pia que tu reconnais être Kahuna ?
– Je ne peux pas lui mentir. Je l'aime.
– C'est pour la bonne cause…
– Tu mens à Sasha, toi ?
– Non.
– Elle te ment ?
– Elle ne ment à personne.
– Dans un couple, il n'y a pas de petits mensonges. Rien n'est anodin.
– Tu me surprendras toujours.
– À cause de ma sagesse innée ?
– À cause de ton côté fleur bleue !
– Prends-moi dans tes bras et chantons *Feelings.*
– Fais gaffe, je risque de te prendre au mot !
Nous n'étions plus qu'à cent mètres de chez Lilly Wing.
– Passe par-derrière, conseillai-je.
Je m'attendais à trouver une voiture de police ou un véhicule banalisé, attendant notre arrivée dans l'allée, mais non, la voie était libre. J'aperçus la Ford Explorer de Sasha devant la porte du garage. Bobby se gara derrière.
Au-delà de l'écran d'eucalyptus, le canyon ouvrait sa gueule noire. Par cette nuit sans lune, il pouvait se trouver n'importe quoi derrière ces arbres – un abîme sans fond, un océan d'encre, les limites du monde s'ouvrant sur le néant.
Ja sautai de la Jeep, revoyant mon Orson flairer les broussailles sur le bord du ravin, à la recherche de Jimmy, entendant ses jappements excités lorsqu'il avait trouvé la piste… Avec quel entrain, quel dévouement, il s'était lancé dans cette expédition nocturne !
Cela datait de quelques heures. Et une éternité était passée.

1. Merci, en hawaiien. *(N.d.T.)*

Le temps semblait se distordre ici aussi, à des kilomètres de la salle de l'Œuf.

À la pensée d'Orson, une poigne glacée m'étreignit le cœur. J'en eus, un moment, le souffle coupé. Je me revis dans cette chambre froide du Mercy Hospital en compagnie de mon père, deux ans plus tôt, attendant que l'on emporte la dépouille de ma mère au funérarium. J'avais l'impression que mon corps était brisé, irréparable ; je n'osais plus faire un pas, articuler un mot, de crainte de me casser en morceaux comme une figurine de porcelaine. Puis ce fut le tour de mon père, voilà un mois. Une nuit de cauchemar. Il s'était agrippé à ma main, pour se pencher sur le montant du lit d'hôpital et me souffler ses derniers mots : *Ne crains rien ni personne, Chris. Rien ni personne*, puis sa main était devenue molle dans la mienne. Je lui avais embrassé le front, sa joue rugueuse encore brûlante de fièvre. Parce que j'étais moi-même une gageure vivante – sain de corps et d'esprit à l'âge de vingt-huit ans malgré un XP –, je croyais aux miracles, à leur réalité, à leur importance dans notre existence. J'attendais un miracle, je l'exigeais presque. Pour l'amour du ciel, que mon père soit un nouveau Lazare ! Parce que la douleur était trop lourde à porter, parce que le monde était trop froid, trop cruel sans lui, parce que je ne pourrais y survivre. Il fallait que mon vœu soit exaucé. Même si ma vie n'avait été qu'une succession de petits miracles, il m'en fallait un de plus, encore un. Je priai Dieu de toute mon ardeur, le suppliai, lui proposai même un troc... mais il était une grâce supérieure, dans l'ordre naturel, qui prévalait à tous nos désirs... finalement, je me résolus, malgré mon amertume, à lâcher la main sans vie de mon père.

Je me tenais à présent dans l'allée, le souffle court, terrassé à l'idée que je devrais peut-être survivre à la mort d'Orson, mon frère d'âme – encore plus solitaire que moi sur cette terre. S'il mourait seul, sans une main amie pour le réconforter, sans une voix apaisante pour lui dire combien il était aimé, je ne me le pardonnerais jamais.

– T'en fais pas, vieux, lança Bobby en me tapotant doucement l'épaule. Ça va aller.

Je n'avais pas prononcé un mot, mais Bobby semblait

connaître mes craintes tandis que je sondais l'abîme du canyon derrière la rangée d'eucalyptus.

Je repris mon souffle en une brusque inspiration. Avec cet afflux d'air s'insinua en moi un fol espoir, un espoir tellement fort qu'il se devait d'être exaucé si je ne voulais pas mourir le cœur brisé – une conviction aussi déraisonnable qu'impérieuse : nous retrouverons Jimmy et Orson, sains et saufs, et ceux qui auront osé lever la main sur eux iraient pourrir en enfer.

16.

Je passai le portail de bois, m'enfonçant dans l'allée pavée de briques, environné par les senteurs de jasmin entêtantes comme de l'encens. Comment allai-je transmettre à Lilly Wing un peu de ma toute nouvelle foi ? Comment la convaincre que je retrouverai son fils vivant ? Je disposais de bien peu d'indices pour étayer ce bel optimisme. En réalité, si je racontai le dixième de ce que nous avions découvert à la base, Bobby et moi, je lui ôterais tout espoir dans l'instant.

Des lumières vives brillaient côté façade. Dans l'attente de mon retour, on avait allumé de simples bougies dans la cuisine côté jardin.

Sasha nous attendait sur les marches du perron. Elle avait dû entendre la Jeep se garer derrière la maison.

Même si la Sasha de mes pensées était forcément idéalisée, la vraie me paraissait toujours, après chaque absence, encore plus séduisante que dans mes meilleurs souvenirs. La lumière était si chiche que je ne pouvais distinguer le gris de ses prunelles, les reflets roux de ses cheveux et les discrètes taches de rousseur de sa peau. Pourtant, elle brillait devant moi comme un soleil !

– Salut, Snowman, murmura-t-elle en m'enlaçant.

– Salut.

– Et Jimmy ?

– Ce ne sera pas pour tout de suite, répondis-je à mi-voix. Et j'ai aussi perdu Orson.

Elle me serra plus fort.

– Où ça ? À Wyvern ?

– Oui.

Elle me fit une bise sur la joue.

– Ce n'est pas un brave petit toutou. Il a un cerveau. Il saura se débrouiller.

– On va retourner là-bas les chercher.

– Bien sûr, et je viendrai avec vous.

La beauté de Sasha n'était pas uniquement physique. De son visage émanaient de la sagesse, de la compassion, du courage et une sorte de grâce intemporelle. C'était cette autre beauté – celle de l'esprit, l'essence même de son être – qui m'avait soutenu durant les périodes de terreur et de désespoir, comme la foi chrétienne avait pu soutenir les martyrs de l'ère romaine. Il n'y avait rien d'exagéré ni de sacrilège à comparer la grâce de Sasha à la grâce divine ; l'une était le reflet de l'autre. L'amour que l'on donne à autrui sans compter, au point d'être prêt à se sacrifier – cet amour que nous partagions Sasha et moi – me convainquait que les êtres humains n'étaient pas uniquement des animaux égoïstes. Chacun porte une étincelle divine, il nous suffit de la chercher en nous, pour que notre vie trouve sens, dignité et espoir. En Sasha, l'étincelle était ardente ; sa lumière me faisait plus de bien que de mal.

Elle salua Bobby et lui murmura en désignant le fusil :

– Mieux vaut laisser ça dehors. Lilly est encore toute retournée.

– Moi aussi, murmura Bobby.

Il déposa l'arme sur la balancelle du porche. Son Smith & Wesson était glissé sous sa ceinture, dissimulé par les pans de sa chemise hawaiienne.

Sasha portait un blue-jean, un sweat-shirt et une veste ample en jean. Lorsque nous nous étions enlacés, j'avais senti le renflement du pistolet dans son holster d'épaule.

J'avais, quant à moi, mon Glock 9 millimètres.

Si le rétrovirus de ma mère avait été vulnérable aux armes à feu, il n'aurait pas fait un pli devant nous. La fin du monde n'aurait pas été pour demain et nous serions tranquillement en train de pique-niquer sur la plage.

– Et les flics ? demandai-je à Sasha.

– Ils étaient là. Mais ils sont partis.

– Manuel aussi ? demandai-je encore, faisant allusion à Manuel Ramirez, le chef actuel de la police et autrefois mon ami – avant qu'il ne se laisse corrompre par les huiles de Wyvern.

– Ouais. Lorsqu'il m'a vue arriver, il a fait la grimace, comme s'il sentait passer un calcul rénal.

Sasha nous conduisit dans la cuisine. Une chape de silence nous tomba sur les épaules ; on se serait crus dans une église. L'angoisse de Lilly y était presque palpable, pareille à un drap funéraire qui recouvrirait le cercueil du petit Jimmy.

Par égard pour moi, les seules lumières provenaient de l'horloge numérique du four, des flammes bleues d'un brûleur de cuisinière léchant la théière et d'une paire de grosses bougies jaunes. Ces dernières, disposées sur des soucoupes, dispensaient une lueur vanille dont le caractère festif constrastait avec la gravité des circonstances.

Lilly était assise à la table, dos à la fenêtre. Elle était vêtue du même jean et du même chemisier que plus tôt dans la soirée.

Bobby resta à côté de la porte, contemplant le jardin ; Sasha se dirigea vers la cuisinière pour surveiller l'eau du thé.

Je tirai une chaise et m'assis face à Lilly, en repoussant les bougies qui se dressaient entre nous. Elle était penchée sur la table, ses coudes en appui sur le plateau de pin.

– Badger… commençai-je.

Sourcils froncés, paupières plissées, lèvres pincées, Lilly regardait ses mains. Elle les serrait si fort qu'elle semblait vouloir lire le destin de son enfant dans les blancheurs de ses articulations et les entrelacs de ses veines.

– Je ne baisserai pas les bras. Jamais.

Elle avait compris, à la simple façon dont j'étais entré, que je n'avais pas retrouvé son fils.

– On va rassembler nos forces, rameuter des amis et retourner là-bas.

Elle leva les yeux vers moi. La nuit blanche l'avait fait vieillir de dix ans. Malgré la lumière tamisée des chandelles, son visage paraissait usé, décharné. Illusion d'optique, ses cheveux blonds semblaient blancs. Ses yeux bleus, d'ordinaire pétillants de malice, étaient sombres, emplis de peur et de colère.

– Mon téléphone ne fonctionne plus, dit-elle d'une voix monocorde.

Son calme apparent contrastait avec les émotions que l'on pouvait lire dans ses yeux.

– Ton téléphone ? répétai-je, incrédule, craignant que son esprit ait flanché sous le poids de l'angoisse.

– Après le départ des flics, j'ai voulu appeler ma mère. Elle s'est remariée trois ans après la mort de papa. Elle vit à San Diego. Impossible de la joindre. Une opératrice est venue en ligne. Les appels longue distance sont hors service, m'a-t-elle dit. Momentanément. Une panne. Elle mentait.

Je fus saisi par la façon de parler de Lilly. Des phrases courtes, saccadées. Cela ne lui ressemblait pas. Comme si elle ne pouvait plus se concentrer que sur un nombre limité de mots à la fois, des bribes d'informations. Peut-être craignait-elle de s'effondrer en sanglots si elle tentait de rallonger ses phrases.

– Comment sais-tu que l'opératrice mentait ?

– Ce n'était même pas une vraie opératrice. C'était évident. Elle n'avait pas le jargon, le phrasé, l'accent. Elles ont toutes le même ton, le même débit. On les forme pour ça. Celle-là était une fausse.

Ses paupières tressautaient au rythme de ses mots. Elle croisa mon regard plusieurs fois mais détourna aussitôt les yeux – ma vue lui était probablement insupportable, puisque j'avais échoué. Son regard ne cessait d'aller et venir, incapable de se poser plus de quelques secondes sur les objets de la cuisine, sans doute parce que chacun d'eux lui rappelait Jimmy – des souvenirs qui menaçaient à chaque instant de lui faire perdre pied si elle leur laissait la voie libre.

– J'ai tenté de passer un appel local. À la mère de Ben. La grand-mère paternelle de Jimmy. Elle habite de l'autre côté de la ville. Pas moyen d'avoir la communication. Et maintenant le téléphone est coupé. Il n'y a plus de tonalité.

Un tintement de porcelaine se fit entendre au fond de la cuisine, suivi de bruits métalliques. Sasha fouillait le tiroir à couverts, à la recherche de petites cuillères pour le thé.

– Les flics n'étaient pas des flics non plus. Ils ressemblaient à des flics. Les uniformes. Les plaques. Les flingues. Mais ce n'étaient pas des flics. Des types que je connais depuis toujours. C'est comme Manuel. Il ressemble à Manuel. Mais ce n'est pas Manuel.

– Comment ça ?

– Ils m'ont posé une ou deux questions. Ils ont griffonné quelques mots. Ils ont fait un moulage de l'empreinte de pied. Celle sous la fenêtre de Jimmy. Ils ont saupoudré par-ci par-là pour prendre les empreintes digitales, mais pas partout. C'était de la mise en scène. Ils n'ont pas tout passé au crible. Ils n'ont même pas trouvé le corbeau.

– Quel corbeau ?

– Ils faisaient attention à rien, de toute façon, poursuivit-elle, ignorant ma question, encore choquée par l'indifférence des policiers. Lou, mon beau-père, était flic. Il faisait attention à tout. Au moindre détail. Il n'avait rien à voir avec ces gens. C'était un bon flic. Un chic type. Il prenait pas son boulot par-dessus la jambe, comme eux.

Je me tournai vers Sasha pour qu'elle éclaire ma lanterne à propos du corbeau et de Louis Wing. D'un signe, elle me fit comprendre qu'elle me l'expliquerait si Lilly, dans sa détresse, négligeait de le faire.

Je choisis de me faire l'avocat du diable :

– La police se doit de rester extérieure aux événements, d'être impersonnelle pour mener à bien son travail.

– Le problème n'est pas là. Ils vont chercher Jimmy. Ils vont enquêter. Essayer du moins. Mais ils m'ont mise en garde.

– Mise en garde ?

– Ils m'ont demandé de ne pas en parler. À personne. Pendant les vingt-quatre heures à venir. Pour ne pas gêner l'enquête. Les rapts d'enfants font peur au public. Tout le monde panique. Les lignes des postes de police se retrouvent encombrées. Les flics passent leur temps à tenter de rassurer les gens. Ils ne peuvent plus mettre tout le monde sur l'enquête. Conneries ! Ils me prennent pour une idiote ou quoi ? Je suis au bout du rouleau, au bout… mais pas idiote…

Une montée de sanglots la gagna. Elle prit une profonde inspiration pour se ressaisir et sa voix redevint monocorde.

– Tout ce qu'ils voulaient, c'est que je la boucle. Pendant vingt-quatre heures. Et je ne sais pas pourquoi.

Manuel Ramirez avait évidemment besoin de son silence. Le temps de savoir s'il s'agissait d'une affaire normale ou non – c'est-à-dire liée aux événements de Wyvern –, auquel cas son devoir était de l'étouffer. Pour l'instant, il espérait que le kidnappeur soit un psychopathe ordinaire, un pédophile, un adepte quelconque d'une secte satanique ou un quidam ayant un compte à régler avec Lilly. Malheureusement, l'auteur du délit devait être l'une de ces personnes en évolution, un homme dont l'ADN avait été tellement modifié par les assauts du rétrovirus que toute sa personnalité en avait été affectée, toute humanité dissoute pour ne laisser place qu'à des pulsions plus terribles et plus inconcevables que nos désirs les plus barbares. À moins qu'il n'existât d'autres liens avec Wyvern... Ces derniers temps, trop d'événements inexpliqués survenus à Moonlight Bay menaient aux terres hantées d'au-delà les barbelés.

Si le kidnappeur de Jimmy était une victime du rétrovirus, il n'y aurait jamais de procès. S'il se faisait capturer, on l'emmènerait dans les laboratoires secrets, encore en activité, comme je le supputais, dans les profondeurs de Wyvern, ou dans les installations jumelles d'autres bases militaires, pour y être ausculté sous toutes les coutures. Alors Lilly devrait accepter la version officielle concernant la disparition de son fils. Si elle s'y refusait, si aucune menace ne la faisait revenir sur sa décision, elle serait tuée ou enfermée à vie dans un asile psychiatrique, au nom de la sécurité nationale et du bien public.

Sasha s'approcha de la table avec une tasse de thé qu'elle déposa devant Lilly. Sur le bord de la soucoupe se trouvait une tranche de citron. À côté, un pot de crème et un sucrier, où était plantée une cuillère en argent, le tout disposé sur un petit plateau assorti. Au lieu de nous faire revenir à la réalité, ces détails domestiques donnaient à la scène un caractère irréel, comme si Alice, le Lapin blanc et le Chapelier fou s'étaient donné rendez-vous ici.

Lilly avait demandé un thé mais elle n'y accordait aucune

attention. Elle semblait sur le point d'éclater en sanglots, tout en parvenant encore à s'exprimer d'une voix normale.

– Le téléphone est mort. Très bien. Je vais alors parler de vive voix à ma belle-mère. Lui apprendre la disparition de Jimmy. Va-t-on m'en empêcher ? Me conseiller la discrétion ? pour le bien de Jimmy ? Et si je refuse de me laisser faire ? Si je refuse de me taire ?

– Que t'a dit Sasha, au juste ?

Lilly me dévisagea puis détourna les yeux.

– Qu'il s'est passé quelque chose à Wyvern. D'étrange. De moche. Et ça nous a tous touchés. Tous les habitants de Moonlight Bay. Ils font leur possible pour que cela ne s'ébruite pas, ce qui expliquerait la disparition de Jimmy. Plus ou moins.

Je me tournai vers Sasha, à l'autre bout de la cuisine.

– C'est tout ?

– Moins elle en sait, mieux cela vaut pour elle, répondit Sasha.

– Elle a raison, renchérit Bobby, adossé contre la porte du fond.

Connaissant la détresse de Lilly, il était inutile de lui décrire dans le menu ce que nous avions vu cette nuit. Si elle mesurait l'étendue de l'apocalypse qui menaçait de s'abattre sur nous – et l'humanité entière –, elle perdrait tout espoir de retrouver son fils vivant. Et je voulais être le dernier à lui retirer le peu d'espoir qu'il lui restait.

En outre, je distinguais une aura grise derrière les fenêtres de la cuisine – signe annonciateur de l'aube que seul un être « sensibilisé » comme moi pouvait remarquer. Le temps manquait. Bientôt, j'allais devoir me cacher des rayons du soleil et je préférais passer cette retraite diurne dans mon propre repaire.

– Je veux savoir, annonça Lilly. J'en ai le droit.

– C'est juste.

– Toute la vérité.

– Mais je n'ai plus le temps. Nous devons partir…

– J'ai si peur, murmura-t-elle.

Je repoussai sa tasse de thé et tendis les mains vers elle.

– Tu n'es pas seule.

Elle regarda mes mains sans les prendre, peut-être par crainte de fondre en larmes si elle se laissait aller à ce geste de tendresse.

– En savoir plus ne t'aidera en rien pour l'instant, répondis-je en gardant les bras tendus, les paumes ouvertes vers elle. Plus tard, je te raconterai tout. Tout. En attendant, si celui qui a kidnappé Jimmy n'a rien à voir avec… ce mic-mac à Wyvern, Manuel va remuer ciel et terre pour te ramener ton fils. C'est certain. Mais si cette affaire a un lien avec la base, alors aucun policier, pas plus Manuel que les autres, ne bougera le petit doigt. Ce sera à nous de jouer. Et c'est une hypothèse hautement probable.

– Ce n'est pas juste…

– Non.

– C'est de la folie.

– Oui.

– Ce n'est pas juste, répéta-t-elle.

Sa voix monocorde était de plus en plus inquiétante. Lilly faisait tant d'effort pour garder contenance que son visage n'était plus qu'un masque blême. La vue de cette douleur était terrible, mais je ne pouvais détourner la tête. Lorsque Lilly croiserait de nouveau mon regard, je voulais qu'elle puisse y lire toute ma compassion. Peut-être cela la soulagerait-elle un peu ?

– Ne bouge pas d'ici. Nous saurons où te trouver si nous mettons la main sur Jimmy.

– Quelles chances as-tu ? demanda-t-elle, avec un léger tremblement dans la voix. Toi contre… contre qui au juste ? la police ? l'armée ? le gouvernement ? Seul contre tous ?

– Tout espoir n'est pas perdu. Rien n'est jamais perdu d'avance – tant qu'il y a la foi, il y a de l'espoir. Mais reste ici, Lilly. Parce que si tout ça n'a rien à voir avec Wyvern, les flics doivent pouvoir te trouver, soit pour te demander de l'aide, soit pour t'apporter de bonnes nouvelles.

– Mais ne reste pas seule, intervint Sasha.

– Je ramènerai Jenna tout à l'heure, dit Bobby – Jenna Wing, la belle-mère de Lilly. – Ça te va ?

Lilly hocha la tête.

Voyant qu'elle ne prendrait pas mes mains tendues, je croisai les bras.

– Tu te demandais ce qu'ils pouvaient faire si tu refusais de te taire, de coopérer. Tout. Ils peuvent faire tout ce qu'ils veulent.

Je marquai un instant d'hésitation.

– J'ignore ce qu'avait décidé ma mère le jour où elle est morte. Elle quittait la ville en voiture. Peut-être pour faire éclater la vérité au grand jour. Parce qu'elle savait, Lilly. Elle savait ce qui s'était passé à Wyvern. Mais elle n'est jamais arrivée à destination. Et toi non plus, si tu t'avisais de n'en faire qu'à ta tête.

Elle écarquilla les yeux.

– L'accident, la voiture…

– Ce n'était pas un accident.

Pour la première fois depuis que je m'étais assis en face d'elle, Lilly soutint mon regard pendant plus d'une seconde.

– Ta mère. Ses recherches en génétique. C'est pour ça que tu en sais aussi long ?

Je préférai ne pas en révéler davantage, de crainte que Lilly ne devine que ma mère n'était pas une gentille Géo-Trouvetout, mais qu'elle faisait partie de l'équipe responsable du drame de Wyvern. Si le kidnapping de Jimmy avait un rapport avec l'affaire, Lilly conclurait, à juste titre, que son fils était en danger à cause des travaux de ma mère. Elle aurait alors tôt fait d'en déduire, cette fois sans le moindre fondement, que j'appartenais au camp ennemi, et qu'il fallait m'éviter. Quoique ma mère ait pu faire, j'étais l'ami de Lilly et son plus grand espoir de retrouver son enfant.

– Ta meilleure chance, pour toi comme pour Jimmy, c'est de nous faire confiance. À moi, à Bobby et à Sasha. Fais-nous confiance, Lilly.

– Je ne peux rien faire. Rien du tout, répondit-elle avec aigreur.

Son expression se modifia. Pas en bien. Au contraire, ses traits se creusèrent encore sous la colère, enragée qu'elle était de se voir aussi impuissante.

À la mort de son mari, Ben, trois ans plus tôt, Lilly avait

abandonné son poste de maître auxiliaire pour subvenir aux besoins de Jimmy. Elle avait risqué son pécule d'assurance-vie pour ouvrir une boutique de cadeaux et de souvenirs dans le quartier touristique du port. À force de travail, elle avait rendu son affaire viable. Pour surmonter la perte de Ben, elle avait passé tout son temps libre avec Jimmy ou à parfaire ses connaissances en bricolage. Elle avait ainsi appris à poser des briques et confectionné des allées autour de son bungalow ; elle avait construit une charmante petite barrière, décapé et patiné ses placards de cuisine ; elle était même devenue une jardinière hors pair et possédait le plus beau jardin du quartier. Lilly était du genre à relever la tête. Face à l'adversité la plus ardue, elle restait une optimiste convaincue. Femme d'action, battante, elle ne pouvait supporter de se poser en victime. Pour la première fois de sa vie, peut-être, elle se sentait tenue en échec par des forces qui dépassaient son entendement et qu'elle ne pouvait défier. Sa force de caractère n'y suffisait plus. Pis, elle était pieds et poings liés dans l'impossibilité d'agir. Elle ne pouvait qu'attendre. Attendre que l'on retrouve Jimmy en vie. Ou mort. Ou attendre toute sa vie, sans jamais savoir ce qui lui était arrivé. Et face à cette impuissance, elle était envahie par la rage et le chagrin.

Elle finit par desserrer les mains, s'en couvrit le visage et se mit à pleurer.

– Oh ! mon Dieu… comme j'ai honte…

De quoi avait-elle honte ? de son impuissance ? de se laisser aller à pleurer ? Je fis le tour de la table et tentai de la prendre dans mes bras. Elle résista, puis se leva de sa chaise et se blottit contre moi, enfouissant son visage au creux de mon épaule.

– J'ai été si… oh ! mon Dieu… si cruelle avec toi, chuchota-t-elle d'une voix voilée d'angoisse.

– Allons Lilly. Bien sûr que non. Pas toi, Badger. Pas toi. Jamais.

– Je n'ai pas eu le… courage.

Elle était prise de tremblements et s'accrochait à moi avec le désespoir d'un Petit Poucet. Je la serrai, incapable d'articuler un mot.

– Des belles paroles, poursuivit-elle, sa voix, de plus en plus chevrotante, vibrant de remords. Rien que des belles paroles. Mais je n'ai pas pu… Je n'ai pas eu le courage… – Elle se tut, à court de souffle, et me serra plus fort encore. – Je t'avais dit que cela n'avait pas d'importance pour moi, mais si, cela en avait.

– Arrête. C'est fini. Tout va bien.

– Ta différence. C'est elle qui m'a fait peur. Et je t'ai laissé tomber. Et te voilà. Toujours là quand j'ai besoin de toi.

Bobby sortit sur le porche pour nous laisser un peu d'intimité. Derrière son cynisme se cachait un grand sentimental. Sasha s'apprêtait à le suivre. Je lui fis un signe de tête pour l'inciter à rester.

Troublée, elle entreprit de préparer une nouvelle tasse de thé pour Lilly, la première étant déjà froide.

– Tu ne m'as jamais laissé tomber, jamais, insistai-je en caressant ses cheveux, regrettant que la vie lui ait dicté ces mots.

À seize ans, et pendant quatre ans, nous avions rêvé de faire notre vie ensemble. Mais, entre-temps, j'avais compris qu'avoir des enfants serait criminel : le risque était grand qu'ils soient eux-mêmes atteints du XP. J'avais accepté ma maladie, mais je ne pouvais sciemment la transmettre. Quand bien même l'enfant ne serait pas atteint, il ou elle se retrouverait rapidement sans père. J'assumais de vivre sans enfant, mais Lilly rêvait de fonder une famille. Elle devrait faire face à la perspective d'être une jeune veuve et à celle, terrifiante, de voir son mari atteint de graves dysfonctionnements physiques et neurologiques – problèmes d'élocution, perte d'audition, tremblements de la tête et des mains, voire dégénérescence cérébrale…

– Nous savions tous les deux que ça ne pouvait pas marcher, soufflai-je à Lilly.

Ce qui était la vérité, car j'avais pris conscience, quoique sur le tard, de l'ampleur des sacrifices que j'exigeais d'elle au nom de notre amour. En toute honnêteté, j'avais été un parfait égoïste de lui demander de m'épouser et de partager ma descente aux enfers. J'étais prêt à me voiler la face pour ne pas affronter ma déchéance tout seul, prêt à gâcher sa vie pour améliorer la mienne. Elle avait exprimé des premiers doutes, à demi-mot, avec moult précautions. Au fil des semaines, à entendre ses réserves, j'avais fini par admettre que si elle consentait tous ces sacrifices – ceux-là mêmes que je lui demandais – tout l'amour qu'elle me portait serait, après ma mort, irrémédiablement entaché de rancœur. Ne pouvant espérer vivre vieux, il était impératif pour moi de continuer à exister dans le souvenir de ceux qui m'auraient connu. Et je voulais que ces souvenirs soient heureux, emplis de tendresse et de bonheur. Je m'étais donc rendu à la raison... Pour notre bien à tous les deux, j'avais décidé de renoncer à notre rêve de vie commune, de crainte qu'il ne tournât au cauchemar.

La pauvre Lilly, aujourd'hui blottie dans mes bras, se considérait comme la seule responsable de notre échec – tout ça parce qu'elle avait été la première à exprimer des réserves ! Lorsque nous avions cessé d'être amants pour devenir simples amis, mes regrets et ma mélancolie devaient n'avoir été que trop apparents... je n'avais eu ni la force ni la grandeur de caractère pour lui épargner cette épreuve. Involontairement, j'avais semé en elle les graines de la culpabilité et huit ans plus tard, il était urgent de panser cette plaie.

Quand je voulus le lui expliquer, Lilly protesta. Par habitude, elle rejetait sur elle une faute dans laquelle, au fil des ans, elle puisait une consolation masochiste. Plus tôt, j'avais cru qu'elle fuyait mon regard parce que je n'avais pas retrouvé Jimmy ; comme elle, j'avais une certaine propension à me sentir coupable... Ici-bas, consciemment ou non, à la moindre occasion nous nous empressons d'exprimer notre culpabilité, dans l'espoir de voir les souillures de nos âmes disparaître comme sous l'effet d'un récurrage à la paille de fer.

Mais je n'abandonnai pas ; j'insistai pour qu'elle accepte la relaxe, le non-lieu, tentant de lui ouvrir les yeux sur mon égoïsme d'alors – je ne lui demandais rien d'autre que de sacrifier sa vie pour moi ! Je fis tout mon possible pour ternir l'image qu'elle avait de moi, et ce fut peut-être ce qui m'était le plus douloureux... parce qu'elle était dans mes bras, contre moi. J'éprouvais pour elle tendresse et affection, et je souhaitais ardemment qu'elle garde une haute opinion de moi.

– Nous avons fait pour le mieux. Pour tous les deux. Si nous n'avions pas pris cette décision, il y a huit ans, conclus-je, tu n'aurais pas rencontré Ben et je n'aurais pas rencontré Sasha. Ce sont des moments précieux de nos vies – ta rencontre avec Ben, la mienne avec Sasha –, des moments sacrés.

– Je t'aime, Chris.

– Je t'aime aussi.

– Pas comme je t'ai aimé.

– Non.

– Mieux que ça.

– Oui.

– Un amour plus profond, plus pur.

– Je sais. Inutile de me le dire.

– Pas parce que j'ai un compte à régler, parce que je me sens rebelle ou plus noble de t'aimer avec tous tes problèmes. Pas parce que tu es différent. Je t'aime parce que tu es toi.

– Badger ?

– Oui ?

J'esquissai un sourire.

– Tais-toi.

Elle émit un son entre le rire et les larmes. Elle m'embrassa sur la joue et se rassit sur sa chaise, soudain sans force.

Sasha apporta la tasse de thé. Lilly la prit doucement, refermant ses mains sur elle.

– Tu connais *Le Vent dans les saules* ?

– Chris me l'a fait connaître, répondit Sasha.

Malgré la pénombre, je distinguais les traces de larmes sur ses joues.

– Il m'a surnommée Badger parce que je le défendais. Aujourd'hui, c'est lui mon Badger, ton Badger. Et tu es le sien aussi, non ?

– Une vraie lionne ! répondis-je.

– Nous allons retrouver Jimmy, déclara Sasha, me soulageant ainsi du poid de réitérer cette promesse illusoire. Et nous allons te le ramener.

– Et l'histoire du corbeau ? demanda Lilly.

Sasha sortit de sa poche un dessin qu'elle déplia sur la table.

– Après le départ des flics, j'ai fouillé la chambre de Jimmy. Le moins que l'on puisse dire, c'est qu'ils ne l'ont pas passée au peigne fin ! J'ai trouvé ça sous un oreiller.

J'approchai la feuille d'une bougie. Il s'agissait d'un dessin à l'encre représentant un oiseau en vol, vu de profil, les ailes en arrière. Sous l'oiseau, il y avait une inscription manuscrite : *Louis Wing sera mon serviteur en enfer.*

– Qu'est-ce que ton beau-père a à voir là-dedans ? demandai-je à Lilly.

Un sentiment d'impuissance assombrit de nouveau son visage.

– Je l'ignore.

Bobby revint dans la cuisine.

– Il faut qu'on file, vieux.

La montée du jour était devenue évidente, même pour le commun des mortels. Derrière les fenêtres, des ombres grisonnantes se profilaient à l'horizon.

Je lui montrai le dessin du corbeau.

– Peut-être cela n'a-t-il aucun rapport avec Wyvern, après tout ? Peut-être que quelqu'un a une dent contre Louis ?

Bobby examina le dessin, mais il ne semblait guère adhérer à l'hypothèse d'une vendetta.

– Un truc aussi bizarre que ça ne peut qu'être lié à Wyvern.

– Quand Louis a-t-il quitté la police ? demandai-je.

– Il a pris sa retraite voilà quatre ans, un an avant la mort de Ben, répondit Lilly.

– Et avant que tout tourne mal à Wyvern, fit remarquer Sasha. Peut-être n'y a-t-il aucun lien ?

– Il faudrait parler à ton beau-père, déclarai-je.

Lilly secoua la tête.

– Impossible, il est à Shorehaven.

– À la clinique ?

– Il a eu trois attaques ces derniers mois. La troisième l'a laissé dans le coma. On ne peut lui parler. Ils disent qu'il n'a plus longtemps à vivre.

En regardant une nouvelle fois le dessin, je compris ce qu'avait voulu dire Bobby… Il émanait de cette esquisse quelque chose de malveillant : les plumes étaient hérissées comme des épines, le bec était béant, comme si l'oiseau poussait un cri, les serres étaient ouvertes et crochues, l'œil

– quoique un simple rond blanc – semblait étinceler de fureur et de cruauté.

– Je peux le garder ?

Lilly acquiesça.

– Je n'aime pas ce dessin. Je ne le veux pas chez moi.

J'abandonnai Lilly devant sa tasse de thé. J'avais le sentiment de lui avoir insufflé autant d'espoir que les quelques gouttes de jus contenues dans sa rondelle de citron.

– Bobby, tu ferais bien d'aller chercher Jenna Wing au plus vite, déclara Sasha en descendant les marches du perron.

Je lui tendis le dessin du corbeau.

– Montre-le lui. Demande-lui s'il lui rappelle quelque chose, une affaire sur laquelle aurait travaillé Louis... je ne sais pas, n'importe quoi qui pourrait nous donner une piste.

Sasha me prit la main tandis que nous traversions le jardin.

– Qui a fait le DJ à ta place pendant que tu étais ici ? s'enquit Bobby.

– Doogie Sassman, répondit-elle.

– M. Harley-Davidson ! Le roi des carbus ! railla Bobby en descendant l'allée longeant le garage. Et qu'est-ce qu'il aime comme musique, notre gros bébé ? Du heavy metal bien rustique ?

– La valse, répondit Sasha, et aussi le fox-trot, le tango, la rumba et le cha-cha. Je lui ai demandé de s'en tenir scrupuleusement à mes directives. Si je l'écoutais, il ne passerait que des musiques de bal ! Il adore aussi les concours de danse.

– Tu le savais ? me demanda Bobby en ouvrant le portail après avoir dévisagé Sasha d'un air interdit.

– Non.

– Les concours de danse ?

– Il a même remporté quelques coupes.

– Doogie ? Mais il est rond comme une Coccinelle !

– L'ancienne version ou la nouvelle ? demandai-je.

– C'est peut-être un grand format, mais il est très gracieux, précisa Sasha.

– Ce doit être à cause de son tout petit rayon de braquage, expliquai-je à Bobby.

Voilà que revenait notre vieille complicité. Tout reprenait sa place – l'humour, la dérision, le tempo… On pouvait faire face à tout, y compris à la fin imminente du monde, si l'on avait, avec soi, quelques amis de bonne composition.

– J'imaginais davantage Doogie traîner dans des bars de motards que sur une piste de danse, déclara Bobby.

– Pour le plaisir, il fait le videur dans un bar deux soirs par semaine, répondit Sasha, mais ça s'arrête là.

– Pour le plaisir ? répéta Bobby, rêveur.

– Il adore fracasser des crânes, répondit Sasha.

– Il y a plus ennuyeux comme violon d'Ingres ! lançai-je.

– Ce type est un cas, poursuivit Bobby en descendant l'allée. Il est ingénieur du son, conduit une Harley comme s'il était né dessus, s'envoie des filles à côté de qui les Miss Univers sont de vulgaires boudins, éclate la tête de quelques Hell's Angels de passage pour le plaisir et remporte des concours de danse. À mon avis, voilà un gars qui nous serait bien utile quand on retournera à Wyvern !

– Tu as raison, répondis-je, on ne sait jamais. Il y aura peut-être une compétition de tango !

– Tu crois qu'il marcherait ? poursuivit Bobby en se tournant vers Sasha.

– Doogie ne sait pas dire non.

Je m'attendais plus ou moins à découvrir derrière le garage une voiture de police ou un véhicule banalisé avec des types à la mine patibulaire en comité d'accueil. Mais non. Rien. La rue était déserte.

Une traînée grise découpait les crêtes à l'est. Le long du canyon, les rameaux des eucalyptus murmuraient dans la bise comme pour me souffler de me hâter.

– En plus, Doogie est couvert de tatouages ! ajoutai-je.

– Il en a davantage qu'un marin d'Amsterdam !

– En cas de situation hostile, il vaut mieux être dans le camp où se trouvent les grands types tatoués, expliquai-je à Sasha.

– C'est l'une des règles fondamentales pour la survie de l'espèce, précisa Bobby.

– Tous les manuels de biologie en parlent, renchéris-je.

– C'est même dans la Bible.

– Dans le Lévitique.

– Et dans l'Exode aussi. Et dans le Deutéronome.

Un brusque mouvement, l'éclat soudain d'une prunelle firent sursauter Bobby. Il releva son fusil par réflexe. Je sortis aussitôt mon Glock et Sasha son revolver. Brandissant ainsi nos armes vers la menace supposée, nous formions un parfait tableau de paranoïaques à l'individualisme exacerbé, digne des plus grandes figures de la guerre d'Indépendance contre les Anglais.

À dix mètres de nous, progressant en silence pour se fondre dans le murmure du vent, un groupe de coyotes apparut entre les troncs d'eucalyptus bordant l'allée. Ils remontaient du canyon, à travers les fourrés.

Ces loups de prairie, plus petits que les vrais loups, avec leurs museaux plus effilés, leurs robes plus unies, gardaient, davantage que tout autre canidé, l'aura et la beauté de leurs grands cousins. Même durant les moments les plus anodins – lorsqu'ils se doraient au soleil après la chasse, ou jouaient dans les prairies – les coyotes semblaient toujours de redoutables prédateurs. Ils ne risquaient pas d'inspirer une série d'animaux en peluche pour enfants !

Au sortir du canyon entre les arbres, dans la clarté cendrée de l'aube, les coyotes semblaient des créatures de l'apocalypse, chasseurs remontant des enfers pour hanter les décombres d'un monde après le jugement dernier. Nasaux pointés, prunelles luisantes, oreilles frémissantes, gueules mi-ouvertes sur une rangée de crocs, ils se rassemblaient sur le bas-côté et nous dévisageaient dans un silence irréel. Ils semblaient sortir tout droit d'une vision Navajo produite par le peyotl !

D'ordinaire, les coyotes cheminent en file indienne, mais ceux-là se regroupaient en horde. Une fois dans l'allée, ils s'immobilisèrent flanc contre flanc, comme une meute de chiens courants plus compacte qu'une bande de rats en maraude. Leur souffle, plus chaud que le nôtre, projetait des nuages de vapeur dans l'air frais. Je ne fis pas l'effort de les compter, mais ils étaient nombreux. Au moins trente. Rien que des adultes. Pas de jeunes.

Nous aurions pu tenter de monter dans le Ford Explorer de Sasha, pourtant un pressentiment nous soufflait que tout mouvement brusque risquait de déclencher une attaque en règle. Nous reculâmes lentement ; un pas, puis deux, jusqu'à ce que nos arrières soient protégés par nos voitures.

Les attaques de coyotes sur des humains étaient rarissimes mais concevables. Ils pouvaient s'en prendre à un homme ou à une femme, poussés par la faim dans les cas de forte disette, en ultime recours, une fois décimée la population de souris, lapins et autres petits animaux. De jeunes enfants laissés sans surveillance dans un parc ou dans un jardin avaient été emportés. Cependant ces incidents restaient exceptionnels en regard des vastes territoires que les coyotes et les hommes partageaient dans le Grand Ouest.

Peu importait, au fond, de connaître le comportement possible d'une bande de coyotes. La vérité, c'était qu'il ne s'agissait pas de bêtes *ordinaires*... Comment deviner, dans ce cas, ce qu'ils allaient faire ? Le véritable danger résidait dans leur différence.

Ils regardaient dans notre direction, cependant je n'avais pas l'impression que nous étions l'objet de leur attention. Ils semblaient captivés par quelque chose derrière nous, au loin. Pourtant, tout semblait calme dans la rue.

Soudain, la meute bougea.

Bien qu'ils vivent en groupes familiaux, les coyotes restent des individualistes invétérés sujets à leurs humeurs. Leur indépendance était évidente même lorsqu'ils chassaient. Or cette meute-là se déplaçait avec une coordination extraordinaire rappelant le synchronisme d'un banc de piranhas, comme si elle formait une seule entité, un seul esprit visant un seul but.

Les oreilles couchées, les babines retroussées comme pour mordre, le poil dressé, la queue droite, les coyotes s'élancèrent vers nous. La plupart couraient sur le macadam, d'autres sur les bas-côtés poussiéreux. Ils nous dépassèrent au grand galop, semblant pourchasser une proie invisible à nos yeux humains.

À aucun moment Bobby ou moi n'avons eu l'intention de tirer sur la horde : nous avions encore en tête le ballet des engoulevents. Au début, les oiseaux avaient paru nourrir des intentions malveillantes, se préparer à de sinistres festivités, mais c'était leur propre mort qu'ils allaient célébrer. Toutefois, des coyotes n'émanait pas cette aura de remords et de désespoir qui entourait les engoulevents. De toute évidence, ils ne cherchaient pas encore la solution finale pour éradiquer la fièvre qui les avait envahis. Ils semblaient en avoir après quelque chose ou quelqu'un.

Sasha tenait son revolver à deux mains tandis que la meute nous passait sous le nez, sans nous accorder un regard ni un grognement. Elle baissa lentement son arme.

Ces prédateurs, avec leurs nuages d'haleine fumante, apparaissaient tels des fantômes dans les prémices de l'aube. Si l'on faisait abstraction du bruit de leurs pattes sur l'asphalte et de leur odeur de fauve, on aurait pu les prendre pour des spectres de coyotes qui se lançaient dans une dernière chasse pour fêter le bon vieux temps, avant de regagner leurs squelettes dispersés à travers les champs et les vallées. Je suivis la horde des yeux. Elle s'évanouit au loin, chassée par le jour qui se levait à l'orient, comme si elle avait choisi d'accompagner la nuit dans sa fuite vers l'occident.

– *Help ! I need somebody ! Help !* chanta Sasha, en hommage aux Beatles (après tout, elle composait des chansons en plus d'être DJ). Charmants petits monstres !

– Et encore tu n'as rien vu ! On a été témoins de pas mal de choses bizarres cette nuit, Bobby et moi. Des trucs à faire froid dans le dos.

– Un vrai petit catalogue de l'horreur !

Les coyotes semblèrent se dissoudre dans l'obscurité. Sans doute avaient-ils regagné le canyon et rejoint les terres ténébreuses d'où ils étaient sortis.

– Ce n'est qu'un début, prédit Sasha, avec une assurance à glacer le sang. On les reverra sur notre chemin.

– Possible.

– C'est sûr, insista-t-elle avec une conviction sereine. Et la prochaine fois qu'ils passeront ici, ils seront peut-être d'une humeur moins badine.

Bobby dégagea sa cartouche de la culasse.

– Voilà le soleil, annonça-t-il.

Ce n'était qu'une image. L'aube fendait à peine les noirceurs de la nuit, nous offrant encore son visage gris.

Les nuages ne m'offraient qu'un piètre abri face aux rayons du soleil. Les ultraviolets traversaient les plus noirs cumulonimbus. Même si les brûlures seraient moins vives qu'un jour de grand soleil, les dommages sur ma peau et mes yeux se cumuleraient et seraient irréparables. Les lotions solaires protégeaient la peau contre les lésions mineures mais n'avaient guère d'effet contre l'apparition des mélanomes. Par conséquent, il me fallait trouver refuge même les jours d'orage, avec un ciel plus cendré que si Satan avait fumé un paquet entier d'âmes esseulées.

– Nous devons dormir un peu, annonçai-je à Bobby, sinon nous ne serons bons à rien. Va retrouver Morphée. Rendez-vous chez Sasha entre midi et une heure. On décidera du plan d'attaque.

– Tu ne peux pas retourner à la base avant la nuit, mais l'un de nous devrait peut-être aller surveiller les alentours d'ici là ?

– Je suis d'accord avec toi. Seulement il est inutile d'espérer passer Wyvern au peigne fin. Ce serait trop long. Jamais on ne les retrouvera à temps, dis-je, certain, malgré moi, qu'il était d'ores et déjà trop tard. Nous ne devons retourner là-bas qu'avec un nouveau limier.

– Un nouveau limier ? répéta Sasha, rengainant son revolver sous sa veste de jean.

– Mungojerrie, répondis-je, rangeant à mon tour mon 9 millimètres.

– Le chat ! s'exclama Bobby en écarquillant les yeux.

– Ce n'est pas un simple chat.

– D'accord, mais…

– C'est notre seul espoir.

– Depuis quand les chats auraient-ils du flair ?

– Je suis certain que c'est son cas.

Bobby secoua la tête.

– Je ne me ferai jamais à ce monde de bestioles surdouées ! J'ai l'impression de me retrouver dans un dessin animé de Donald. Sauf qu'ici, entre deux bons gags, les petites bébêtes peuvent vous arracher les tripes.

– Ce n'est plus le monde de Walt Dysney, mais d'Edgar

Allan Disney ! En attendant, Mungojerrie traîne souvent du côté de la marina. Il rend des petites visites à Roosevelt Frost.

Des profondeurs du canyon s'élevèrent les cris des coyotes. Ils semblaient monter de terre, comme les voix tourmentées des dames blanches, s'il en existait sur ce continent. Sasha s'apprêta à ressortir son arme.

Durant les heures nocturnes, le chœur des coyotes ponctuait d'ordinaire le dénouement sanglant et heureux d'une chasse. Il signalait au reste du monde qu'une belle proie, telle qu'un chevreuil, avait été capturée par la meute, ou bien constituait une ode à la pleine lune qui excitait leurs esprits de canidés. Mais jamais on n'entendait de tels hurlements au lever du soleil. Cette sérénade sinistre, après les événements de la nuit, m'emplissait d'angoisse.

– Aussi chaleureux qu'un concert de requins, plaisanta Bobby.

– De grands blancs... ajoutai-je.

L'espèce la plus redoutée des surfeurs.

Je montai sur le siège passager du Ford Explorer. Le temps pour Sasha de mettre le contact, Bobby nous dépassa dans sa Jeep, filant vers la maison de Jenna Wing, de l'autre côté de la ville.

Je ne comptais pas le voir avant les sept prochaines heures, mais, en ce début du 12 avril, nous ne savions ni l'un ni l'autre que la journée nous réservait une succession de sales nouvelles. Les mauvaises surprises allaient nous tomber dessus une à une, tel un chapelet de barres écumantes nourries par une tornade du Pacifique.

17.

Sasha se gara dans l'allée, car la voiture de mon père occupait le garage, ainsi que ses vêtements et ses effets personnels. Un jour viendrait sans doute où je pourrai me débarrasser de ces affaires sans avoir peur pour autant d'atténuer le souvenir que je gardais de lui. Mais ce n'était pas encore pour demain.

Un raisonnement parfaitement illogique. Les souvenirs que je conservais de mon père, ceux-là mêmes qui me donnaient de la force chaque jour, n'étaient en rien liés à quelque vêtement – ni à ses lunettes de lecture cerclées de métal, ni à son polo préféré. Ce n'étaient pas ces objets qui le gardaient vivant dans mon esprit, mais sa bonté, son intelligence, son courage, son amour de la vie. Durant les trois dernières semaines, cependant, j'avais, à deux reprises, rouvert les cartons pour regarder ces lunettes et ce polo. Il m'était impossible alors de me mentir : je n'avais pas encore fait le deuil de mon père, loin de là. Mon chagrin s'exprimait en une cascade abyssale, un Niagara sans fin. Le lac de la sérénité gisait encore au fond du gouffre, hors d'atteinte.

Une fois descendu de l'Explorer, je me dirigeai sans hâte vers la maison, bien que le jour teintât le ciel au-dessus de nos têtes. L'aube ne pouvait rendre au monde les couleurs que la nuit avait dérobées. Au contraire, la lumière semblait déposer une couche de cendres sur le monde, assourdir les sons, atténuer les reflets. Je préférais prendre une salve d'UV et admirer une minute les deux chênes qui se dressaient devant chez moi.

Ces arbres vénérables formaient un dais de verdure qui

surplombait la maison, donnant de l'ombre en toute saison. Je les avais toujours aimés. Combien de fois avais-je escaladé leurs branches pour me rapprocher des étoiles ? Dernièrement, ils avaient revêtu un sens nouveau pour moi : ils représentaient mes parents, qui avaient sacrifié leur vie pour élever un enfant comme moi et qui m'avaient offert, à chaque instant, une ombre salvatrice pour que je puisse me développer.

Dans l'air immobile, les chênes semblaient des monolithes, chaque feuille un pétale de bronze.

Au bout d'une minute, apaisé par leur magnificence, je gagnai la maison – une construction de cèdre édifiée sur un soubassement de pierre, le tout chapeauté par un toit d'ardoise, avec de larges auvents et un porche couvert en façade. Je l'avais toujours connue, et, étant donné mon espérance de vie limitée (et mon don inné pour chercher les ennuis), elle serait sans doute la seule que je connaîtrais jamais.

Sasha avait déjà ouvert la porte. Je la suivis dans l'entrée.

Des stores obturaient toutes les fenêtres, nuit et jour. Les lampes étaient équipées de rhéostats, réglés sur la position minimale. La plupart du temps, je vivais à la lueur de bougies, tamisée par des verres ambre ou rose qui dispensaient dans les pièces des clairs-obscurs propres à faire les délices de n'importe quel médium.

Sasha s'était installée ici un mois plus tôt, après la mort de mon père, délaissant l'appartement de fonction offert par la radio. Elle avait pris l'habitude de se déplacer de pièce en pièce, guidée par la seule lueur du soleil filtrant à travers les stores. Elle disait que mon monde de pénombre était apaisant pour l'âme, que la vie y était plus douce, plus romantique. Je partageais cet avis. Pourtant, parfois un sentiment de claustrophobie me gagnait, et ces ombres me paraissaient figurer l'antichambre de mon propre tombeau.

Sasha et moi montâmes à l'étage. À la lueur d'une lampe à huile ouvragée, nous prîmes une douche. Ces ablutions en duo n'étaient pas aussi joyeuses que d'habitude. Nous étions épuisés, nerveusement et émotionnellement, emplis d'inquiétude pour Orson et Jimmy.

Je fis un compte rendu synthétique à Sasha de mes

pérégrinations nocturnes – ma poursuite du kidnappeur, la rencontre troublante avec Grosse Tête, la découverte de Delacroix et le spectacle psychédélique dans la salle de l'Œuf.

Je téléphonai ensuite à Roosevelt Frost, qui vivait à bord du *Nostromo*, un yacht de dix-sept mètres mouillant dans la marina de Moonlight Bay. Je tombai sur un répondeur. Je laissai un message, lui demandant de passer me voir vers midi avec Mungojerrie.

J'appelai également Manuel Ramirez. La standardiste m'avertit qu'il n'était pas dans son bureau et me passa sa boîte vocale.

Après avoir donné le numéro d'immatriculation de la Suburban, j'ajoutai : « C'est la plaque du kidnappeur de Jimmy Wing. Si tu veux, passe-moi un coup de fil cet après-midi. »

Nous venions de tirer les couvertures lorsque la sonnette retentit à la porte. Sasha enfila un peignoir et descendit voir qui était notre visiteur. Je passai également un peignoir et me tins, pieds nus, en haut de l'escalier, pour écouter.

J'avais pris mon Glock. Moonlight Bay était moins truffé de monstres que Jurassic Park, pourtant je n'aurais été qu'à moitié surpris de trouver un velociraptor derrière la porte...

C'était Bobby – avec six heures d'avance sur l'horaire ! Sitôt que j'eus reconnu sa voix, je descendis les marches.

Le hall d'entrée était chichement éclairé, mais au-dessus de la console, une affiche de Maxfield Parrish reflétait le jour comme une fenêtre miraculeuse s'ouvrant sur un monde magique.

Bobby avait l'air sinistre.

– Je n'en ai pas pour longtemps. Mais il faut que vous soyez au courant. Après avoir emmené Jenna Wing chez Lilly, j'ai fait un saut chez Charlie Dai.

Charlie Dai – dont le nom vietnamien était Dai Tran Gi – était le corédacteur en chef de la *Moonlight Bay Gazette*. Bobby avait coupé les ponts avec ses parents, toutefois Charlie était resté son ami.

– Charlie ne peut sortir aucun papier concernant le rapt du gamin de Lilly tant qu'il n'a pas le feu vert des autorités... seulement je me suis dit qu'il devait savoir. Je pensais même qu'il était déjà au courant.

Charlie faisait partie des rares personnes à Moonlight Bay – peut-être une centaine sur les douze mille habitants – à savoir qu'une catastrophe biologique s'était produite à Wyvern. Sa femme, le Dr Nora Dai – autrefois Dai Minh Thu-Ha – était colonel, médecin militaire à la retraite. Elle avait dirigé tous les services médicaux de Fort Wyvern pendant six ans, un poste à haute responsabilité. Son équipe de médecins s'était occupée des blessés et des mourants la nuit où certains chercheurs, victimes d'une soudaine crise de folie, avaient assailli sauvagement leurs collègues. Nora Dai en savait trop long. Quelques heures après les tragiques événements, on les prévint que leurs certificats d'immigration, rédigés vingt-six ans auparavant, étaient des faux. Il s'agissait évidemment d'un mensonge, mais ils n'avaient pas le choix. Soit ils aidaient à effacer les traces des événements de Wyvern, soit ils étaient renvoyés au Vietnam sans autre procès. On avait même proféré des menaces de mort à l'encontre de leurs enfants et de leurs petits-enfants – ceux qui tenaient à étouffer l'affaire ne connaissaient pas la demi-mesure.

Bobby ignorait pourquoi ses parents s'étaient laissé corrompre et avaient autorisé la *Gazette* à publier une version soigneusement édulcorée des événements. Peut-être croyaient-ils en les vertus du secret ? Peut-être n'avaient-ils pas saisi toute l'horreur de la situation ? Ou peut-être avaient-ils simplement peur ?

– Charlie a été muselé, annonça Bobby, mais il a encore de l'encre dans les veines, tu vois ce que je veux dire… il a ni les yeux dans sa poche, ni les oreilles bouchées. C'est une seconde nature chez lui de recueillir des infos, qu'il puisse ou non les publier.

– Il est aussi amoureux de sa feuille de chou que toi de ta planche de surf.

– Un vrai petit rat des rotatives, reconnut Bobby.

Il se tenait près d'une des lucarnes qui flanquaient la porte d'entrée : un vitrail ambre, rouge, vert, transparent. Aucun store ne l'occultait car l'auvent et les chênes empêchaient les rayons du soleil de l'atteindre directement. Bobby s'en approcha et scruta les alentours comme s'il s'attendait à repérer un espion dans la rue.

– Je me suis dit que Charlie avait pu gagner quelques infos auprès de Manuel ou de quelqu'un d'autre... J'ai eu un choc. Je ne m'attendais pas à ça... il y a eu trois gosses kidnappés, cette nuit. Jimmy n'était que l'un des trois.

Mon estomac se vrilla dans l'instant.

– Trois ? répéta Sasha.

– Les jumeaux de Del et Judy Stuart.

Del Stuart avait un bureau à l'Ashdon College. Officiellement, il était un employé de l'Éducation nationale, mais on murmurait qu'il travaillait en secret pour une branche obscure du ministère de la Défense ou du ministère de l'Environnement. Stuart avait sans doute lancé lui-même ces rumeurs pour brouiller les pistes et éviter que l'on approche la vérité. Il s'était surnommé le *Grand Faciliteur*, un sobriquet aussi trompeur que si un tueur à gages se faisait appeler un *spécialiste du traitement des déchets organiques*. Son travail officiel était d'assurer le paiement des bourses fédérales de recherches aux professeurs à qui elles étaient allouées en échange de la publication régulière de leurs travaux. On avait de bonnes raisons de croire que la plupart de ces recherches visaient au développement d'armes non conventionnelles et que l'université était devenue la « datcha » de Mars, le dieu de la Guerre. Del était donc le lien entre les fonds secrets pour les projets d'armement et le corps professoral, le chaînon manquant expliquant l'étrange prospérité de certains professeurs – comme ma mère.

Nul doute que Del et Judy Stuart étaient désespérés par la disparition de leurs enfants, toutefois, à l'inverse de Lilly, qui ignorait tout des sombres activités de Wyvern, les Stuart avaient choisi en toute connaissance de cause le camp des méchants. Ayant passé un marché avec le diable, ils savaient qu'ils devaient endurer cette épreuve douloureuse dans le silence et l'isolement. J'étais donc pour le moins surpris que Charlie ait eu vent de ces kidnappings.

– Charlie et Nora sont voisins des Stuart, expliqua Bobby, mais je doute fort qu'ils fassent beaucoup de barbecues ensemble ! Les jumeaux ont six ans. Vers neuf heures, hier soir,

Judy était en train de rentrer les gamins lorsqu'elle a entendu un bruit. Elle s'est retournée et s'est retrouvée nez à nez avec un inconnu, qui se tenait juste derrière elle.

– Un type trapu, avec des cheveux bruns et drus, des yeux jaunes, de grosses lèvres et des petites dents de bébé, dis-je.

– Non. Un grand blond élancé avec des yeux verts et une balafre sur la joue gauche.

– Tiens, un nouveau... lâcha Sasha

– Tout frais, tout neuf. Il avait un tampon de chloroforme dans la main et avant que Judy ait eu le temps de dire ouf, il lui sautait dessus comme du gras dans une poêle.

– Comme du gras dans une poêle ? répétai-je.

– Ce sont les mots de Charlie.

Charlie Dai écrivait de très bons articles en anglais, sa langue d'adoption depuis vingt-cinq ans, cependant sa maîtrise de l'oral n'égalait pas celle de l'écrit. Expressions idiomatiques et métaphores lui causaient bien des soucis. Un soir d'été, très moite, il m'avait dit qu'il avait aussi chaud qu'un « crapaud dans un robot-mixer ». Pendant deux jours, j'en avais été plongé dans un abîme de perplexité.

Bobby jeta de nouveau un regard par la lucarne, plus appuyé cette fois, puis reprit le fil de son récit :

– Lorsque Judy reprit conscience, Aaron et Anson – les jumeaux – avaient disparu.

– Deux ravisseurs d'enfants opérant la même nuit ?

– Les coïncidences n'existent pas à Moonlight Bay, précisa Sasha.

– C'est une mauvaise nouvelle pour nous, et pis encore pour Jimmy, ajoutai-je. Si nous n'avons pas affaire à des pervers classiques, nous sommes face à des types qui assouvissent des pulsions inconnues, dont aucun manuel de psychiatrie ne traite. Ils sont au-delà de la folie, au-delà de l'anormal. Ils sont en pleine mutation, et c'est ce vers quoi ils sont en train de muter qui les incite à accomplir ces atrocités.

– C'est encore plus déroutant que s'ils s'étaient transformés en monstres des marais, renchérit Bobby. Le grand blond a laissé un dessin sur le lit des jumeaux.

– Un corbeau ? avança Sasha.

– Charlie parle de corneille. C'est du pareil au même. Une corneille posée sur une pierre, ailes déployées comme pour prendre son vol. Pas du tout la même pose que sur le premier dessin. Mais la légende est du même acabit : *Del Stuart sera mon serviteur en enfer.*

– Del sait ce que cela signifie ?

– Charlie Dai dit que non. Mais il pense que Del a reconnu le kidnappeur grâce à la description de Judy. C'est peut-être pour cette raison qu'il s'est montré à visage découvert. Il voulait que Del sache à qui il avait affaire.

– Si Del le connaît, ajoutai-je, il va aller trouver les flics et l'autre sera fichu ?

– D'après Charlie, Del n'a rien dit aux flics.

– Ses enfants ont été kidnappés et il cache des infos à la police ! s'exclama Sasha avec un mélange d'incrédulité et de dégoût.

– Del est mouillé jusqu'au cou dans l'histoire de Wyvern, répondis-je. Peut-être lui a-t-on demandé de ne pas révéler l'identité du ravisseur jusqu'à nouvel ordre.

– Si c'étaient mes enfants, leurs ordres, je me les mettrais où je pense !

Je demandai à Bobby si le dessin de corbeau trouvé sous l'oreiller de Jimmy avait évoqué quelque souvenir à Jenna Wing.

– Non. Rien ! En revanche, j'ai appris autre chose. Un truc qui rend l'affaire encore plus obscure.

– Je suis tout ouïe.

– D'après Charlie, il y a environ deux semaines, des infirmières de la ville et du service sanitaire du comté ont examiné les gosses de toutes les écoles de Moonlight Bay, primaires comme maternelles. Examens des yeux, tests d'audition, radiographies des poumons pour le dépistage de la tuberculose, les examens classiques des contrôles médicaux. Mais cette fois, ils ont également prélevé des échantillons de sang.

Sasha fronça les sourcils.

– Ils ont pris du sang à tous les gosses ?

– Deux infirmières scolaires ont rappelé qu'il fallait une autorisation parentale ; or les envoyés du comté qui supervisaient le programme les ont envoyées sur les roses, en leur parlant d'un risque éventuel d'épidémie d'hépatite si l'on ne pratiquait pas un dépistage à temps.

Comme moi, Sasha avait saisi toute la portée de cette nouvelle. Elle referma ses bras autour d'elle, comme prise d'un frisson subit.

– Ce n'est pas l'hépatite qu'ils cherchaient à dépister. Mais le rétrovirus de ta mère...

– Pour évaluer le degré de contamination parmi la population locale, ajoutai-je.

Bobby était arrivé à une conclusion encore plus troublante :

– On sait que les grosses têtes se grillent les neurones vingt-quatre heures sur vingt-quatre pour trouver un antidote, n'est-ce pas ?

– Ils ont les oreilles qui fument, convins-je.

– Imagine qu'ils aient détecté un petit pourcentage d'individus présentant des défenses naturelles contre le rétrovirus ?

– Peut-être que chez certains, la bestiole de ta mère ne parvient pas à lâcher son chargement de gènes ? renchérit Sasha.

– Ça ou autre chose, reprit Bobby en haussant les épaules. En tout cas, il me semble normal qu'ils aient envie d'examiner de près tous ceux qui seraient immunisés.

J'en avais le vertige.

– Tu veux dire que Jimmy Wing, les jumeaux des Stuart... leurs analyses de sang auraient révélé la présence d'un anticorps, d'un enzyme, d'un processus biologique ou je ne sais quoi, qui...

Sasha hésitait encore à nous suivre sur cette voie :

– Pour ce genre de recherches, ils n'auraient pas besoin de kidnapper des enfants. Des échantillons de tissus, des prélèvements sanguins réguliers suffiraient amplement.

Avec dégoût – parce que ces gens avaient travaillé autrefois avec ma mère – je rétorquai :

– Mais si tu n'as pas de principes éthiques, si tu as déjà utilisé des cobayes humains, comme ces prisonniers qu'on leur donnait... Avoir des enfants sous la main est la solution la plus pratique pour eux.

– Ainsi, ils n'ont aucune explication à donner. Ils ne risquent pas d'avoir les parents sur le dos !

Sasha lâcha un juron que je ne lui connaissais pas – digne du pire charretier.

– Tu sais, reprit Bobby, dans l'industrie automobile ou chez les constructeurs d'avions, il y a une phase du développement qui s'appelle le *crash test*.

– Je vois où tu veux en venir. Je suis sûr que dans la recherche biologique, il doit y avoir ce genre d'étapes. Ils testent les organismes pour mesurer leur seuil de tolérance à telle ou telle substance, jusqu'à l'autodestruction finale.

Sasha jura de nouveau puis nous tourna le dos, comme si nous voir et nous entendre parler de tout cela était physiquement trop douloureux.

– Peut-être est-ce simplement par impatience ? Parce qu'ils sont pressés de comprendre pourquoi un sujet – l'un de ces gosses – est immunisé contre ce virus, de connaître la réponse biologique de chacun d'eux à des doses de plus en plus grandes ?

– Jusqu'où ? Jusqu'à ce que mort s'ensuive ? lança Sasha avec aigreur en se retournant, son joli minois livide.

– Oui, sans doute. Jusqu'à ce que mort s'ensuive.

– Tout cela n'est qu'une hypothèse plus ou moins stupide, avança Bobby pour apaiser la tension.

– Plus ou moins stupide et plus ou moins sensée, rétorquai-je. Mais qu'est-ce que ces dessins de corbeaux viennent faire là-dedans ?

Nous échangeâmes des regards en silence. Personne n'avait de réponse. Bobby, d'un air suspicieux, observa de nouveau la rue à travers la lucarne.

– Qu'est-ce qu'il y a, vieux ? Tu as commandé une pizza ?

– Non, mais la ville déborde d'anchois.

– D'anchois ?

– Des types genre visqueux, tu vois ce que je veux dire. Comme les zombies que nous avons croisés hier soir en allant chez Lilly. Ces types aux yeux de poisson mort. J'en ai vu d'autres. J'ai l'impression que quelque chose se trame, quelque chose de sinistre.

– De plus sinistre que la fin du monde ?

Il me lança un regard et sourit à pleines dents.

– Tu as raison. Rien ne peut être pire. On est descendu si bas qu'on ne peut plus que remonter, pas vrai ?

– Tu oublies les galeries de traverse, intervint Sasha, celles qui mènent d'un enfer à l'autre.

– Je sais maintenant pourquoi tu l'aimes, lança Bobby à mon intention.

– C'est mon petit rayon de soleil, répondis-je.

– Du sucre d'orge.

– Soixante kilos de miel pur...

– Cinquante-huit, rectifia-t-elle. Au fond, vous n'êtes pas même dignes d'être comparés à Chico et à Harpo. Ce serait leur faire insulte !

– Parce que tu t'es réservée Groucho, peut-être ? lança Bobby.

– Honneur aux dames ! raillai-je.

– Devant le niveau des débats, messieurs, je vais me coucher, si vous n'y voyez pas d'inconvénients. À moins que tu aies d'autres mauvaises nouvelles à nous annoncer, Bobby ?

Il secoua la tête.

– Non, c'est tout ce que j'ai pour l'instant.

Il s'en alla. Je fermai la porte derrière lui. Je suivis son départ à travers le vitrail. Je n'avais jamais aimé voir mes amis s'en aller. Peut-être devenais-je paranoïaque ou névrosé. Ce qui, finalement, était un moindre mal... en ces circonstances, j'aurais très bien pu virer psychotique.

Si nous étions constamment conscients que les êtres chers étaient éminemment mortels, que leur vie ne tenait qu'à un fil, peut-être serions-nous plus aimables avec eux de leur vivant, plus reconnaissants de leur affection.

Sasha et moi montâmes nous coucher. Allongés, côte à côte, main dans la main, silencieux.

La peur nous tenaillait le ventre. Pour Orson, pour Jimmy, pour les jumeaux des Stuart, pour nous-mêmes. Nous étions poussière. Impuissants. Pour tromper l'angoisse, nous nous amusâmes quelques minutes à faire le hit-parade de nos sauces italiennes préférées – la sauce au pistou et pignons faillit gagner la première place, mais la sauce au marsala la coiffa au poteau. Nous nous tûmes ensuite, heureux de cette diversion.

Alors que je la croyais endormie, Sasha me dit :

– Tu ne me connais pas, Snowman.

– Je connais ton cœur, ce qu'il y a dedans. Et ça me suffit bien.

– Je ne t'ai jamais parlé de ma famille, de mon passé. Je ne t'ai jamais dit qui j'étais et ce que j'avais fait avant d'atterrir à la radio.

– Tu comptes me faire l'historique maintenant ?

– Non.

– Tant mieux. Je suis vanné.

– Espèce de Neandertal !

– Vous autres Cro-Magnon, il faut toujours que vous vous croyiez supérieurs.

Il y eut un silence.

– Peut-être ne te parlerai-je jamais du passé, annonça-t-elle finalement.

– Pas même du récent ?

– Tu t'en fiches complètement, n'est-ce pas ?

– J'aime la personne que tu es. Je suis certain d'aimer aussi la personne que tu étais. Mais c'est avec la Sasha du présent que je vis.

– Tu refuses de préjuger de quoi que ce soit ?

– Je suis un saint.

– Je parle sérieusement.

– Moi aussi. Je suis un saint.

– Idiot !

– On ne traite pas un saint ainsi.

– Tu es la seule personne que je connaisse qui ne juge les autres que sur leurs actes. Et qui leur pardonne quand ils te font un enfant dans le dos.

– Je ne suis pas le seul. Il y a eu Jésus avant moi.

– Abruti !

– Fais attention, femme impie ! Tu risques la punition divine. Éclairs rugissants, furoncles, nuées de criquets, pluie de crapauds, hémorroïdes en chapelets...

– Je te mets mal à l'aise, n'est-ce pas ?

– Oui, Groucho, tu me mets mal à l'aise.
– Elle est *là* ta différence, c'est tout ce que je veux te dire. C'est ça qui te rend différent des autres – pas ton XP.
Je restai silencieux.
– Toi, tu cherches désespérément une connerie à dire pour que je te traite d'abruti.
– Ou tout au moins de Neandertal.
– Ta différence, elle est là. Dors bien.
Elle lâcha ma main et se pelotonna en chien de fusil.
– Je t'aime Goodall.
– Je t'aime Snowman.
Malgré les stores et les rideaux, de fins rais de lumière suivaient le pourtour des fenêtres. Je rêvais de sortir, de me tenir sous le ciel flamboyant et de m'amuser à chercher dans les nuages des visages de personnages, des animaux fantastiques. Je rêvais d'être libre.
– Goodall ? demandai-je au bout d'un moment.
– Quoi ?
– En ce qui concerne ton passé…
– Oui ?
– Tu n'as pas versé dans la prostitution ?
– Abruti !
Je soupirai d'aise et fermai les yeux. Angoissé par la disparition d'Orson et des trois enfants, je m'attendais à ne pas trouver le sommeil, mais je dormis comme une masse, tel un Neandertal décérébré.
À mon réveil, cinq heures plus tard, Sasha n'était plus dans le lit. Je m'habillai rapidement et partis à sa recherche.
Dans la cuisine, un mot m'attendait, fixé sur la porte du réfrigérateur : *Suis partie régler quelques trucs. Reviens de suite. Ne mange pas les enchiladas au petit déj ! Fais-toi des cornflakes. Groucho.*
Pendant que les enchiladas chauffaient au four à microondes, je me dirigeai vers la salle à manger, transformée en studio d'enregistrement pour Sasha. Nous avions rangé la table, les chaises et autres meubles dans le garage afin que la pièce puisse accueillir son matériel – clavier électronique, synthétiseur, saxophone, flûte, clarinette, guitare (une électrique et une acoustique), violoncelle et tabouret *ad hoc*, pupitre et lutrin.

Nous avions également converti le bureau du rez-de-chaussée en salle de gym – un vélo d'appartement, un rameur, un rack d'haltères, et des tapis d'exercices. Sasha croyait à fond à l'homéopathie et à la médecine naturelle ; par conséquent les rayonnages croulaient sous les fioles de vitamines, de minéraux et de décoctions d'herbes. On trouvait même, dans cet assortiment d'apothicaire, de la poudre de chauve-souris, de l'onguent d'œil de crapaud et de la confiture de foie d'iguane – sans compter bien d'autres flacons étranges dont j'ignorais le contenu !

Les livres, qui couvraient autrefois les murs de son salon, étaient empilés un peu partout dans la maison. Sasha n'était pas femme à cultiver une seule passion. Elle comptait à son actif la cuisine, la musique, la gymnastique, les livres et moi (peut-être en avait-elle d'autres encore ?). Je ne lui avais jamais demandé de me révéler dans quel ordre d'importance elle les plaçait. Non par crainte d'être bon dernier, mais d'être hors classement !

Je me promenais dans la salle à manger, faisant sonner au passage ses guitares et son violoncelle. Finalement, je pris son saxophone et jouai les premières mesures de *Quater Till Three*, le vieux succès de Gary U.S. Bonds. Sasha me donnait des leçons. Sans prétendre être un virtuose, je ne me débrouillais pas si mal. La vérité, c'est que je n'avais pas choisi cet instrument par hasard… Jugez cela romantique ou trivial, à votre aise : je voulais mettre ma bouche où la sienne s'était posée. Alors, qui suis-je ? Roméo ou Hannibal Lecter [1] ? Faites votre choix !

Pour le petit déjeuner, j'avalai mes trois enchiladas au fromage avec un pot de sauce mexicaine, le tout arrosé de Pepsi bien frais. Si je vivais assez longtemps, mon métabolisme me ferait peut-être regretter un jour de n'avoir pas cherché dans la nourriture autre chose qu'une source de plaisir immédiat. Pour l'heure, j'étais à l'âge béni où tout m'était permis, où aucun excès ne pouvait me faire dépasser un petit trente-huit.

À l'étage, dans la chambre d'amis, qui me servait aujourd'hui

---

1. Le tueur psychopathe dans *Le Silence des agneaux. (N.d.T.)*

de bureau, je passai quelques minutes à observer, à la lueur des bougies, les photographies de mon père et de ma mère. Le visage de maman était plein de douceur et pétillant d'intelligence. Celui de mon père semblait emprunt de sagesse et de bonté.

J'avais rarement observé mon visage en pleine lumière. Les rares fois où cela s'était produit, j'avais été troublé par ce que j'avais vu : le visage d'un inconnu, où ne transparaissait aucune des qualités si visibles chez mes parents. Un visage fermé, énigmatique. Comment était-ce possible ? Les miroirs leur renvoyaient-ils à eux aussi des doubles mystérieux ? J'en doutais.

Savoir que Sasha m'aimait était une consolation – peut-être m'aimait-elle autant qu'elle aimait faire la cuisine, peut-être même davantage que son vélo d'intérieur. Je n'osais imaginer qu'elle tienne davantage à moi qu'à ses livres ou à sa musique, mais j'en cultivais le secret espoir.

Parmi les centaines d'ouvrages de poésie et de dictionnaires – nos collections communes, à mon père et à moi – se trouvait un gros lexique de latin. Je cherchai le mot « cerevisi ».

Bobby avait dit *Carpe cerevisi.* Littéralement, « retiens la bière ». *Cerevisi* se révéla correct.

Nous étions amis depuis toujours. Je savais que Bobby n'avait jamais franchi les portes d'une classe de latin. J'étais donc doublement touché de constater qu'il avait fait de véritables recherches pour trouver cette boutade. J'y voyais une nouvelle preuve de sa sincère amitié. Je refermai le dictionnaire et le posai à côté d'un exemplaire du livre de mémoires que j'avais écrit – ma vie d'enfant passée dans le noir. L'ouvrage avait été un best-seller quatre ans plus tôt. À l'époque, je croyais avoir compris le sens de mon existence. C'était avant de découvrir que ma mère, poussée par l'amour maternel et le désir de me libérer du carcan de ma maladie, avait mis en péril toute la planète et fait de moi l'emblème du jugement dernier.

Je n'avais pas ouvert ce livre depuis deux ans. Il aurait dû se trouver sur l'étagère, derrière mon bureau. Sans doute Sasha l'avait-elle pris pour le feuilleter et omis de le remettre à sa place.

Sur le bureau était posée une boîte en fer-blanc décorée de chiens sur cinq faces. Au milieu du couvercle, on pouvait lire quelques vers d'Elizabeth Barrett Browning :

Alors pour ce chien, je vais
avec tendresse et sans mépris,
prier et rendre grâce :
Avec ma main sur sa tête,
ma bénédiction est dite,
ainsi et à jamais.

Ma mère m'avait offert cette boîte le jour où elle avait rapporté Orson à la maison. J'y gardais des biscuits de sa marque préférée ; de temps à autre, je lui en donnais un, non pour le récompenser d'accomplir quelques tours (je ne lui en apprenais jamais, et Orson n'avait nul besoin de dressage), mais simplement pour lui faire plaisir.

Lorsque ma mère était arrivée avec Orson, j'ignorais à quel point il était différent des autres chiens. Le secret avait été gardé jusqu'après la mort de ma mère. En me donnant la boîte, elle m'avait simplement dit : « Je sais que tu lui donneras tout ton amour. Chris. Mais lorsqu'il en aura besoin – parce qu'il en aura besoin – aie de la compassion pour lui. Car sa vie n'est pas moins difficile que la nôtre. » À l'époque, j'avais cru qu'elle m'expliquait que les animaux étaient sujets à la peur et souffraient, comme nous. Aujourd'hui, ces paroles émettaient des résonances plus profondes.

J'approchai la main de la boîte, pour la soupeser et m'assurer qu'elle était pleine de friandises en prévision du retour d'Orson. Ma main trembla tellement que je dus renoncer à la saisir. Je posai mes mains, l'une au-dessus de l'autre, sur le plat du bureau. Je fixai du regard les jointures pâles de mes doigts et m'aperçus soudain que j'avais la même position que Lilly dans sa cuisine.

Orson. Jimmy. Aaron. Anson. Comme des défenses, des fils barbelés, ces noms s'enroulaient autour de mon esprit, se vrillaient en lui. Tous disparus. Des enfants perdus. J'avais des devoirs envers eux, envers eux tous. Je ne m'expliquais pas ce sentiment. Sauf que, moi aussi, j'étais un enfant perdu. Perdu dans la nuit.

L'impatience m'agaçait les nerfs. Dans les missions de sauvetage ordinaires – que ce soit pour des promeneurs égarés, des bateaux en perdition, des avions abîmés dans les montagnes – les secours opéraient de l'aube jusqu'au crépuscule. Nous, nous étions limités aux seules heures de la nuit, pas uniquement à cause de mon XP, mais parce que nous avions besoin d'agir dans la discrétion absolue. Les secouristes consultaient-ils leur montre toutes les deux minutes, se mordaient-ils les lèvres d'anxiété avec un sentiment de frustration qui les faisait voir rouge lorsque pointaient les premières lueurs à l'orient ? Ma montre à moi était usée par les regards, mes lèvres étaient tuméfiées et, à une heure moins le quart, je ne tenais déjà plus en place.

Peu avant treize heures, au moment où je sentais mon calme fondre comme neige au soleil, je fus sauvé par le gong : on sonna à la porte.

Le Glock à la main, je dévalai l'escalier. À travers les vitraux de la lucarne, j'aperçus Bobby. À demi-tourné, il observait la rue en contrebas. Une voiture de police ? un groupe d'anchois en maraude ?

– Jolie chemise ! lançai-je en lui ouvrant.

Il portait une chemise hawaiienne avec un motif de plage de sable noir, bordée de fougères bleues, enfilée sur un sweat-shirt noir à manches longues.

– C'est le modèle de Iolani, non ? Avec des boutons en coquille de noix de coco. Année 1955.

Au lieu de s'émerveiller devant tant de savoir, il se dirigea vers la cuisine sans m'accorder un regard.

– J'ai revu Charlie Dai.

La cuisine était plongée dans un clair-obscur égayé par les chiffres lumineux de l'horloge du four et les deux bougies sur la table.

– Un autre gosse a été enlevé.

Je sentis ma main recommencer à trembler. Je posai le Glock sur la table.

– Qui ça ? Quand ?

Bobby prit une Mountain Dew dans le réfrigérateur, où la lampe standard avait été remplacée par une ampoule sous-voltée peinte en rose.

– Wendy Dulcinea.

– Oh ! murmurai-je, incapable d'ajouter quoi que ce soit.

La mère de Wendy, Mary, était de six ans mon aînée. Lorsque j'avais treize ans, mes parents l'avait engagée pour me donner des leçons de piano et j'avais eu un petit béguin pour elle. À l'époque, je vivais dans l'illusion : je pensais devenir un pianiste de rock'n roll de la pointure de Jerry Lee Lewis, un virtuose des claviers qui ferait fumer l'ivoire des touches. Finalement, mes parents et Mary conclurent d'un commun accord – et me persuadèrent – que j'avais autant de chances de léviter que d'aligner trois notes sur un clavier.

– Wendy a sept ans, précisa Bobby. Mary l'emmenait à l'école. Elle faisait marche arrière pour sortir de l'allée quand elle s'est rendu compte qu'elle avait oublié quelque chose dans la maison. Elle y est retournée en courant. Deux minutes plus tard la voiture avait disparu. Et Wendy avec.

– Personne n'a rien vu ?

Bobby vida sa Mountain Dew – un soda avec un taux de sucre à provoquer un coma diabétique et de la caféine à tenir éveillé un chauffeur routier pendant dix mille kilomètres.

– Non. Personne n'a rien vu, rien entendu. À croire que les voisins sont sourds et aveugles. Parfois, je me dis qu'il n'y a pas que le virus de ta mère qui sévit dans le coin, mais une épidémie de clones des trois singes : ne rien voir, ne rien dire, ne rien entendre ! Les flics ont retrouvé la voiture abandonnée dans une ruelle derrière Nine Palms Plaza.

Nine Palms était un centre commercial dont toutes les boutiques avaient fermé les unes après les autres à la suite du démantèlement de la base militaire. Avec elle s'étaient envolés des millions de dollars pour l'économie locale. Aujourd'hui, les vitrines étaient murées, la mauvaise herbe poussait sur les parkings et six des neuf palmiers étaient morts sur pied – même les rats les avaient désertés. La chambre du commerce surnommait Moonlight Bay la « Perle de la côte ». La ville restait charmante, avec une jolie architecture et de belles avenues bordées d'arbres, mais les séquelles laissées par la fermeture de Wyvern étaient visibles partout. La perle avait bien terni.

– Ils ont fouillé toutes les boutiques. Ils avaient peur d'y retrouver le corps de la petite. Rien.

– Elle est vivante.

Bobby me lança un regard apitoyé.

– Les gosses sont vivants. Il le faut.

– Il y avait un autre corbeau, poursuivit Bobby. Mary prétend que c'est un merle. On a retrouvé le dessin sur la banquette arrière. On voit l'oiseau fondre en piqué sur sa proie.

– Un message ?

– « George Dulcinea sera mon serviteur en enfer. »

Le mari de Mary s'appelait Frank.

– Qui est ce George ?

– Le grand-père de Frank. Il est mort. Il était juge au tribunal du comté.

– Mort, il y a longtemps ?

– Quinze ans.

Je ne savais plus que penser…

– Si ce type kidnappe des gosses pour se venger… pourquoi s'en prend-il à Wendy, puisque l'autre est mort depuis quinze ans, bien avant la naissance de la fillette. Il ne l'a jamais connue. Alors, à quoi bon vouloir se venger ?

– Peut-être cela paraît-il parfaitement logique à notre homme ? rétorqua Bobby. Va savoir ce qu'il a dans la tête… À moins que ces dessins ne servent qu'à brouiller les pistes, à nous faire croire que les gosses ont été enlevés par un maniaque de la vendetta, alors qu'ils sont peut-être en ce moment même dans les cages d'un laboratoire.

– Peut-être, peut-être… il y a un peu trop de peut-être à mon goût.

Bobby haussa les épaules.

– Je ne suis pas le dalaï-lama. Je ne suis qu'un surfeur. Ce tueur dont tu m'as parlé… celui de la télé… il laisse lui aussi des dessins ?

– Pas que je sache.

– Les tueurs en série laissent parfois des trucs derrière eux, non ?

– Parfois. Ils appellent ça leur « signature ». Comme pour un écrivain. Histoire de revendiquer l'œuvre.

Je regardai ma montre. Le soleil se coucherait dans cinq heures. Nous pourrions alors repartir à Wyvern. Prêts ou pas, nous irions.

Deuxième partie

LE PAYS DE NULLE PART

18.

Une deuxième canette de Mountain Dew en main, Bobby s'assit sur le tabouret devant le violoncelle, mais s'abstint de prendre l'archet rangé sur le côté.

En plus des divers instruments, l'ancienne salle à manger abritait une chaîne hifi avec lecteur CD et un antique magnétophone à cassette. En fait, il s'agissait d'une double platine, ce qui permettait à Sasha de dupliquer ses propres enregistrements. J'allumai la chaîne. Les voyants apportaient aussi peu de lumière que le jour tamisé qui filtrait le long des stores.

Parfois, après avoir composé une chanson, Sasha craignait d'avoir involontairement plagié un autre artiste. Pour s'assurer que sa composition était bien une œuvre originale, elle passait des heures à écouter des morceaux dont elle croyait avoir emprunté les lignes mélodiques, jusqu'à ce qu'elle reconnaisse enfin que sa création était bel et bien née de son talent.

La musique était le seul domaine où Sasha se montrait pleine de doutes. Pour la cuisine, ses goûts littéraires, sa maîtrise du *Kâma-sûtra*, comme pour toutes les autres sphères d'activités où elle excellait, elle affichait une sérénité confiante. Mais face à la musique, elle perdait son assurance et retrouvait sa timidité d'enfant. Quand elle se sentait trop vulnérable, j'avais envie de la prendre dans mes bras pour la rassurer – c'eût été une très mauvaise idée ! je me serais fait aussitôt taper sur les doigts à coup de flûte ou de tout autre instrument de musique.

Rien ne valait une petite névrose pour enrichir les relations entre un homme et une femme. Et, dans ce domaine, je versais dans le tronc commun plus que ma quote-part !

Je glissai la cassette dans le lecteur – celle que l'on avait retrouvée à côté du corps en putréfaction de Leland Delacroix, dans la Ville fantôme. Je pris une chaise, m'assis face à l'appareil et lançai la lecture en pressant la télécommande.

Pendant une minute, je n'entendis que le ronronnement du moteur. Puis il y eut un *clic* et un bruit de respiration – celle de Delacroix, supposai-je. Des inspirations profondes, régulières.

– Je m'attendais à des révélations, pas à des ronflements, railla Bobby.

Les inspirations et expirations étaient parfaitement neutres, sans la moindre inflexion de peur ou de menace, sans nulle émotion. Pourtant, je sentis mes cheveux se hérisser sur ma nuque, comme si ce souffle provenait d'un inconnu tapi derrière moi.

– Il essaie de se calmer, dis-je. C'est pour ça qu'il respire ainsi, pour maîtriser sa panique.

Quelques instants plus tard, mon hypothèse se révéla juste : la respiration se fit plus forte, plus désespérée. Delacroix éclata en sanglots. Il tentait de réfréner ses pleurs, en vain : la douleur était trop forte, il gémissait entre ses larmes. Entendre un tel désarroi, un tel chagrin, même chez un inconnu, avait quelque chose d'angoissant. Heureusement, cela ne dura pas longtemps ; Delacroix coupa le magnétophone.

Un nouveau *clic* et l'enregistrement reprit. La voix de Delacroix était encore chevrotante, mais son élocution était claire. Parfois, sous l'émotion, il bredouillait, comme s'il était sur le point de pleurer. Il devait alors s'arrêter, prendre de profondes inspirations ou boire quelque chose – sans doute du whisky – pour trouver la force de poursuivre.

Ceci est une mise en garde. Un testament – mon testament – et un avertissement pour le monde entier... Je ne sais pas par où commencer. Peut-être le pire... Ils sont morts, et c'est moi qui les ai tués. C'était la seule façon de les sauver. La seule. Il faut que vous le sachiez... Je les ai tués parce que je les aimais. Seigneur, aidez-moi ! Je ne pouvais pas les laisser souffrir comme ça, les voir comme ça, pas dans cet état... C'était au-dessus de mes forces. Je n'avais pas le choix. Pas le choix...

Je me souvins des photos disposées à côté du cadavre de Delacroix : la fillette aux airs de fée Clochette, à qui il manquait une dent de devant ; le garçon dans son costume bleu, avec sa cravate rouge ; la jeune femme blonde, avec son joli sourire. C'étaient eux qu'il avait tués, pour les sauver.

Nous avions tous les symptômes cet après-midi, aujourd'hui, dimanche. Nous devions aller voir le médecin demain, mais nous n'avons pas pu tenir jusque-là. Fièvre. Frissons. Et de temps en temps cette... palpitation, cette étrange palpitation... dans la poitrine, ou encore dans l'estomac, puis dans la nuque, la moelle épinière. On dirait comme un nerf qui se vrille ou des battements de cœur... mais non, cela ne ressemble à rien de connu. À rien que je puisse décrire... ce n'est pas douloureux. C'est diffus, des palpitations diffuses mais qui dérangent... qui vous fichent la nausée... je ne peux plus rien avaler.

Delacroix marqua une nouvelle pause, respira pour se calmer, but une gorgée.

La vérité. Il faut que je dise ce qui s'est passé. Je n'aurai pas à aller chez le toubib demain. Je téléphonerai aux responsables du projet. Je leur dirai que ce n'est pas fini. Que ça continue encore, même après deux ans. Je le savais. Je savais que ce n'était pas fini. On le sentait tous. On n'avait jamais ressenti ça. Nom de Dieu, c'était évident ! Mais j'avais trop peur de le reconnaître. Comment ai-je pu me voiler la face ? Je n'avais pas les mots pour expliquer ce qui se passait exactement, mais je savais ce qui arrivait. Wyvern revenait en moi... je ne sais comment... remontait en moi ! Nom de Dieu, après tant d'années ! Maureen mettait Lizzie au lit, la bordait doucement lorsque ça a commencé... Lizzie s'est mise à hurler...

Delacroix avala une autre gorgée. Il reposa son verre. À la sonorité de l'impact, celui-ci était vide.

Je me trouvais dans la cuisine, et j'ai entendu ma Lizzie... ma petite Lizzie terrorisée... ses hurlements. J'ai accouru dans sa chambre. Elle était prise de convulsions... elle donnait des coups de poing, des coups de pied... Maureen ne parvenait pas à la maîtriser. J'ai eu peur qu'elle ne se morde la langue. Je l'ai plaquée sur le lit et pendant que je lui ouvrais la bouche, Maureen pliait une chaussette... pour en faire une sorte de tampon... pour éviter à Lizzie de se mordre. Mais il y avait quelque chose... quelque chose dans sa bouche... Pas sa langue... Quelque chose qui lui remontait de la gorge... quelque chose de vivant.

Elle gardait les yeux fermés. Soudain, elle les a ouverts. Son œil gauche était rouge sang. Quelque chose bougeait aussi dans son œil, une espèce de chose qui se tortillait…

En pleurs, Delacroix éteignit le magnétophone. Combien de temps avait-il fallu au malheureux pour retrouver ses esprits ? La bande ne le disait pas. Un nouveau *clic*, et l'enregistrement reprit.

J'ai couru dans notre chambre pour prendre mon… mon revolver… et je suis revenu. En passant devant la porte de la chambre de Freddie, j'ai vu mon fils. Il était debout devant son lit, les yeux écarquillés. Terrorisé. Je lui ai dit de se mettre au lit et de ne pas bouger, que j'arrivais tout de suite. Dans la chambre de Lizzie… Maureen était contre le mur, les mains sur les tempes. Lizzie continuait à se débattre… Oh ! mon Dieu… son visage était tout enflé… tout déformé… tous ses os étaient tordus… Ce n'était plus ma Lizzie. Il n'y avait plus aucun espoir. C'était cet endroit de malheur, l'Autre Côté, qui passait par elle, comme si ma Lizzie était une simple porte. Ça passait à travers elle. Oh ! Seigneur, je m'en veux tellement. J'ai participé à tout ça. J'ai ouvert cette porte, cette porte entre ici et l'Autre Côté. J'ai rendu ça possible ! C'est moi qui ai ouvert la porte ! Et voilà que ma Lizzie était… je devais la tuer… alors j'ai tiré… deux fois. Elle est retombée sur le lit. Morte. Elle paraissait si frêle, si immobile… Mais si quelque chose vivait encore en elle ? Maureen avait toujours les mains pressées contre ses tempes. Elle a dit : « Ça palpite. » Elle voulait dire que c'était dans sa tête, à présent. Moi aussi je le sentais, ça remontait ma colonne… Ça palpitait en rythme avec la chose qu'il y avait en Lizzie, qu'il y a toujours en Lizzie. Alors Maureen a dit… c'était si surprenant… si inattendu… elle m'a dit : « Je t'aime . » Parce qu'elle avait compris. Je lui avais parlé de l'autre monde, de la mission. Elle savait comment j'avais été infecté. C'était resté en sommeil pendant deux ans, mais j'avais été bel et bien infecté. Et eux aussi. J'avais détruit nos vies, je nous avais tous condamnés, et elle le savait. Et elle savait ce que je devais faire à présent. Alors elle m'a dit : « Je t'aime », pour me montrer qu'elle était d'accord. Je lui ai répondu que je l'aimais aussi, plus que tout, et que je regrettais tellement. Elle s'est mise à pleurer et j'ai tiré… une seule fois, tout de suite, pour que Maureen ne souffre pas. Et puis… et puis, Oh ! Seigneur…, je suis retourné dans la chambre de Freddie. Il était allongé dans son lit, sur le dos, le visage en sueur, les cheveux collés sur le front, les mains refermées sur son ventre. Lui aussi sentait bouger en lui, dans son ventre... Moi, ça s'agitait dans ma poitrine et mon bras gauche, comme une veine qui bat, dans mes testicules, puis de nouveau dans ma colonne. Je lui ai dit que je l'aimais. Je lui ai demandé de fermer les yeux... fermer les yeux... que j'allais le soulager. Je ne me croyais pas capable de faire ça, mais je l'ai fait. Mon fils... Mon enfant... Un garçon si gentil. Je l'ai soulagé... Et lorsque j'ai tiré, tous les mouvements en moi ont cessé. Tous. Complètement. Mais ce n'est pas fini. Je ne suis pas seul. Dans mon corps, il y a des... hôtes. Un poids. Une présence... Tout est calme et silencieux. Mais pas pour longtemps... Pas pour longtemps... J'ai rechargé le revolver.

Delacroix éteignit le magnétophone pour contenir le flot de ses émotions. J'arrêtai la lecture avec la télécommande. Leland Delacroix n'était pas le seul à avoir besoin de souffler un peu.

Sans rien dire, Bobby se leva de son tabouret et se dirigea vers la cuisine. Je l'y rejoignis au bout d'un moment. Il vidait le fond de sa canette de soda Mountain Dew dans l'évier pour la remplir d'eau fraîche.

– Ne ferme pas le robinet.

Bobby jeta sa canette vide dans la poubelle et ouvrit le réfrigérateur. Je m'approchai de l'évier et mis mes mains en coupe sous le filet d'eau. Je m'arrosai le visage pendant une bonne minute.

Après que je me fus séché, Bobby me tendit une bière. Il s'en était déjà ouvert une. Je voulais avoir les idées claires lorsque nous retournerions à Wyvern, mais après ce que j'avais entendu, et ce qu'il nous restait encore à entendre, j'aurais pu descendre un pack de six sans que ça me fasse plus d'effet que de l'eau.

– Qu'est-ce que c'est que cet endroit, cet *Autre Côté*, comme dit Delacroix ? lança Bobby.

– C'est là où Hodgson est parti dans sa combinaison spatiale.

– Et c'est de là qu'il revenait lorsqu'on l'a vu...

– Delacroix aurait pu péter un boulon ? Avoir des hallucinations et tuer toute sa famille sans raison ?

– Non.

– Tu crois que ce qu'il a vu dans la gorge de sa fille, dans ses yeux était… réel ?

– Oui, je le crois.

– Tu veux que je te dise… moi aussi. Ce qu'on a vu dans la combinaison d'Hodgson, ça pourrait être ce qui cause ces palpitations…

– Ça ou autre chose. Quelque chose de pire encore.

– Pire ? répétai-je préférant ne pas imaginer ce dont il pouvait s'agir.

– J'ai l'impression que cet Autre Côté, c'est une drôle de ménagerie.

Nous revînmes dans la salle à manger. Bobby reprit sa place sur le tabouret, moi sur ma chaise. Après un moment d'hésitation, je relançai la lecture de la bande.

La voix de Delacroix n'était plus aussi vibrante d'émotion. Il devait parfois s'interrompre pour retrouver son calme, mais la plupart du temps il parvenait à poursuivre son récit sans encombre.

Je range dans le garage mes outils et mon matériel de jardinage, dont un bidon de Spectracide. Un insecticide. J'ai pris le bidon et l'ai vidé sur les trois corps. Je ne sais pas si ça a servi à quelque chose. Rien n'a bougé. Rien n'a bougé dans les corps, je veux dire… En plus, il ne s'agit pas d'insectes. Du moins pas comme les nôtres. Nous ne savons même pas de quoi il s'agit au juste. Personne ne le sait. Il y a plein de théories. Certains disent que ce sont des êtres… métaphysiques. J'ai siphonné de l'essence dans la voiture. J'en ai cinq litres avec moi. Dans un jerrican. Je vais m'en servir pour mettre le feu avant de… avant de me faire sauter la cervelle. Pas question de laisser nos quatre corps aux mains des blouses blanches du programme ! Ces idiots feraient encore des conneries – comme de vouloir nous autopsier – et risqueraient de répandre partout ces saloperies. J'appellerai la direction du programme lorsque j'aurai mis cette cassette dans la boîte aux lettres, postée à ton attention… et puis je mettrai le feu… et je me tuerai. Tout est tranquille à présent. Tout est calme à l'intérieur. Pour l'instant… Mais pour combien de temps ? J'espère que j'aurai le…

Delacroix se tut au milieu de sa phrase, retenant son souffle comme s'il écoutait quelque chose, et puis coupa l'enregistrement.

J'arrêtai la lecture.

– Il n'a envoyé cette cassette à personne.

– Il a dû changer d'idée. Qu'est-ce qu'il veut dire par des « êtres métaphysiques » ?

– C'était justement ce que je voulais te demander.

Lorsque Delacroix reprit l'enregistrement, sa voix était plus lourde, plus lente, comme s'il était au-delà de la peur, au-delà de la douleur, au fin fond d'un puits de désespoir.

Je pensais avoir entendu quelque chose dans l'une des chambres. Mon imagination sans doute. Les corps sont là où je les ai laissés... immobiles. Parfaitement immobiles. Je me rends compte, tout à coup, que tu ignores tout de cette histoire. J'ai commencé par la fin, c'est stupide ! Il y a tant à raconter. Mais j'ai si peu de temps. Tant pis. Ce qu'il faut que tu saches, l'essence même du problème, c'est qu'il existe un programme de recherches secret à Wyvern. Son nom de code est Mystery Train. Ils auraient dû l'appeler le Train fantôme ! Bandes d'idiots, de mégalomaniaques sans cervelle ! Et je faisais partie du lot. Aller simple vers l'enfer ! Quand je pense que j'étais heureux de monter à bord ! Je ne mérite aucun pardon, aucun éloge après ma mort, vieux frère. Pas moi, surtout pas moi... J'ai retrouvé le nom des personnes clés du programme, pas tous, mais une bonne partie... Ceux que je connaissais ou dont je me souviens. Plusieurs sont morts. Beaucoup sont encore en vie. Peut-être l'un de ces abrutis parlera-t-il, un de ces gros bonnets qui en savent bien plus long que moi sur cette horreur. Ils doivent tous faire dans leur froc à l'heure qu'il est, et beaucoup doivent se sentir gênés aux entournures de leur conscience. Je sais que tu retouveras les coupables, tu as le chic pour ça.

Delacroix énonça une liste de plus de trente noms, précisant le sexe et la qualité – chercheurs civils ou officiers militaires : Dr Randolph Josephson, Dr Sarabjit Sanathra, Dr Miles Bennell, général Deke Kettleman... Ma mère n'était pas citée. Je reconnus seulement deux noms. Le premier était William Hodgson, sans doute le malheureux que nous avions entrevu dans la salle de l'Œuf. L'autre était le Dr Roger Stanwyk, qui vivait avec sa femme, Marie, dans ma rue, sept numéros plus loin. Stanwyk, biochimiste, était l'un des nombreux collègues de ma mère qui avait participé au programme de recherches génétiques de la base. Si le Mystery Train n'était pas né des travaux de ma mère, alors Stanwyk aurait sa part de responsabilité dans la destruction prochaine du monde.

La voix de Delacroix se fit plus douce et plus lente en livrant les six derniers noms de la liste. Il sembla même, pendant un moment, incapable de prononcer le dernier. Sa voix s'éteignit finalement sans que je sois certain qu'il ait été jusqu'au bout. Il resta silencieux durant trente secondes. Ensuite d'une voix brusquement énergique, il lança quelques phrases dans une langue étrangère puis coupa le magnétophone. J'arrêtai la cassette et me tournai vers Bobby.

– Qu'est-ce que c'était ?

– Du javanais.

Je rembobinai et écoutai de nouveau le passage.

Je ne connaissais pas cette langue, pourtant, j'étais sûr que ces phrases avaient une signification. J'y pressentais une syntaxe et, bizarrement, l'ensemble me paraissait familier.

Après avoir énuméré d'une voix éteinte la liste des personnes impliquées dans le programme Mystery Train, Delacroix avait prononcé ces mots inconnus avec émotion, presque avec passion, ce qui tendait à prouver que ces paroles avaient un sens.

Lorsqu'il reprit l'enregistrement, sa voix était redevenue monocorde, sourde – dénuée de toute inflexion –, à peine un murmure aux confins du désespoir.

À quoi bon cette cassette ? Ce qui est fait est fait. Tu ne pourras rien y changer. On ne peut pas revenir en arrière. Tout est perdu, hors de contrôle. Le rideau s'est déchiré. Les réalités s'interpénètrent.

Delacroix se tut de nouveau. Il n'y eut plus qu'un bruit de fond sur la bande. Des rideaux déchirés. Des réalités qui s'interpénétraient...

Je me tournai vers Bobby. Il semblait aussi perplexe que moi.

Une translation temporelle. Voilà comment ils appellent ça.

– Une machine à voyager dans le temps, dit-il avec un sourire de satisfaction.

On a envoyé des modules, des sondes bourrées d'instruments de mesure. Certaines sont revenues, d'autres pas. Elles ont rapporté des données intéressantes, mais mystérieuses. Si étranges que tout le monde a cru que les sondes avaient atteint un terminus du futur. Bien plus loin que prévu. Combien exactement ? Personne ne pouvait ou ne voulait le dire. Des caméras vidéo étaient installées sur les modules mais à leur retour, les compteurs de bande étaient à zéro. Peut-être avaient-elles tourné... et en revenant, avaient-elles été rembobinées et effacées ? Finalement, nous parvînmes à avoir des images... Les sondes étaient mobiles, comme celles envoyées sur Mars. L'une d'entre elles avait dû s'accrocher quelque part : le module ne bougeait pas, mais la caméra virait de droite à gauche, filmant un même coin de ciel bordé par des arbres. Il y avait huit heures de cet enregistrement allant de droite à gauche, de gauche à droite... Huit heures, et pas un nuage. Le ciel était rouge. Pas strié, comme lors d'un coucher de soleil, mais d'un rouge uni, aussi étale et uniforme que le bleu de notre ciel. Et pas la moindre variation de lumière – pas la moindre, en huit heures.

La voix sourde de Delacroix s'éteignit. Après un long moment de silence, on entendit un raclement de chaise sur le carrelage – probablement un sol de cuisine –, suivi par des bruits de pas. Delacroix quittait la pièce lentement, lourdement, comme si sa tristesse pesait sur ses épaules.

– Un ciel rouge, répéta Bobby, l'air songeur.

« Un ciel rouge et terrible », récitai-je en pensée, me remémorant les vers de Coleridge. Le « Dit du vieux marin » était mon poème préféré lorsque j'avais neuf ou dix ans. J'adorais alors les récits de destins implacables et tragiques. Avec le temps, mes goûts littéraires avaient changé – la noirceur de mon propre destin me suffisait amplement.

Pendant un moment, il n'y eut plus que du silence sur la bande ; puis je crus entendre la voix de Delacroix au loin, provenant d'une autre pièce. Je montai le volume, en vain. Ses paroles restaient inintelligibles.

– À qui parle-t-il ? demanda Bobby.

– À lui-même, peut-être.

– Ou à sa famille.

Sa famille décimée.

Delacroix devait passer de pièce en pièce, car sa voix fluctuait sans que je modifie le volume. À un moment donné, il traversa ce que j'imaginais être la cuisine, et nous l'entendîmes distinctement. Il s'exprimait de nouveau dans cette langue étrange, une vive émotion dans la voix. Ensuite il se tut, puis coupa l'enregistrement.

L'analyse par ordinateur a démontré que la couleur rouge du ciel était réelle. Qu'il ne s'agissait pas d'une erreur du système vidéo. Et les arbres, alentour, étaient bel et bien noirs ou gris. Il ne s'agissait pas d'ombres chinoises. C'était leur vraie couleur. L'écorce des troncs. Les feuillles... Noires pour la plupart, avec des taches grises. On parlait d'« arbres », sans savoir s'il s'agissait vraiment d'arbres, mais c'était l'image qui s'en approchait le plus. Ils étaient lisses, charnus, davantage comme de la chair que comme du bois. Peut-être s'agissait-il d'une sorte de champignon. Je n'en sais rien. Personne n'en savait rien. Huit heures d'un même ciel rouge, avec les mêmes arbres noirs ! Puis il y a eu quelque chose dans le ciel, qui volait. Tout bas. À toute allure. Quelques photogrammes, une image brouillée tellement la chose se déplaçait vite. On a fait un agrandissement, évidemment. Avec les ordinateurs. L'image restait brouillée. Les opinions divergeaient. Beaucoup d'interprétations possibles. Il y a eu des discussions, des débats à n'en plus finir. Moi, je savais. La plupart d'entre nous avaient compris dès que l'image avait été agrandie. Mais nous ne pouvions l'accepter... Un blocage psychologique. Nous nous sommes mis des œillères et avons continué à explorer d'autres hypothèses, d'autres voies jusqu'à ce que nous soyons trop loin pour voir la vérité. J'ai accepté de me voiler la face, comme les autres, jusqu'à aujourd'hui. Il faut que tout le monde sache la vérité.

Delacroix se tut de nouveau. On l'entendit verser quelque chose dans un verre. Puis boire. Nous profitâmes du silence pour avaler une lampée de bière.

Y avait-il de la bière dans ce monde au ciel rouge et aux arbres-champignons ? Je n'étais pas un accro de cette boisson, mais la Corona que je tenais entre mes doigts était le symbole des innombrables petits plaisirs de la vie – ceux-là mêmes que l'homme, dans son arrogance, risquait de faire disparaître de la terre. Cette bière dans ma main, en cet instant, avait plus de valeur à mes yeux que la plus belle rivière de diamants.

Delacroix recommença à s'exprimer dans cette langue incompréhensible. Il répétait les mêmes mots, encore et encore, comme un litanie. Les paroles m'étaient familières, même si le sens m'en échappait. J'en reconnaissais le rythme et le débit, et j'en avais des frissons tout le long de la colonne.

– Il est saoul, ou il est fou ! lança Bobby. Ou peut-être les deux !

Au moment où je commençais à craindre que Delacroix ne soit plus en mesure de poursuivre son récit, il parla en anglais.

Ils n'auraient jamais dû envoyer une expédition humaine de l'Autre Côté. Ce n'était pas prévu. Pas avant des années, voire des siècles. Mais il y avait un autre programme de recherches à Wyvern, un parmi tant d'autres où les expérimentations avaient dérapé. J'ignore quoi. Un truc important. La plupart des programmes de recherches sont des pompes à fric. Mais ce coup-là avait vraiment merdé. Les huiles faisaient dans leur froc. Et, bien sûr, ça retombait sur nous. Il fallait accélérer le Mystery Train, passer la surmultipliée. Ils voulaient avoir un bon aperçu de l'avenir. Savoir si on en avait un... Ils ne l'avaient pas dit explicitement, mais ça les tracassait... Il fallait savoir si l'échec de l'autre programme de recherches aurait des conséquences dramatiques ou non. Alors, contre tout bon sens, on a mis sur pied une expédition. La première.

Il y eut un autre silence. Puis d'autres mots incompréhensibles, au débit plus rapide, incantatoire.

– Il parle de ta mère, vieux. L'« autre programme », celui qui a fichu les jetons aux huiles.

– Elle ne faisait donc pas partie du Mystery Train...

– Il s'agissait apparemment d'une simple mission de reconnaissance. Elle a mal tourné. Les conséquences ont peut-être été désastreuses.

– Qu'est-ce que c'était, à ton avis, sur la vidéo, ces trucs qui volaient ?

– J'espère que notre homme va nous le dire.

L'incantation dura une minute ou deux, puis au beau milieu d'une phrase, Delacroix interrompit l'enregistrement. Lorsqu'il relança le magnétophone, il se trouvait dans un tout autre lieu. La qualité du son était médiocre ; on entendait un bruit de fond continu.

– Un moteur de voiture, déclara Bobby.

On distinguait effectivement un ronronnement de moteur, mêlé au bruissement du vent et au roulement de pneus sur l'asphalte. Delacroix changeait de quartier… L'adresse sur son permis de conduire indiquait Monterey, qui se trouvait à deux heures de route, plus au nord sur la côte. Il devait avoir laissé les corps des siens là-bas. Des murmures se firent entendre. Delacroix parlait si bas qu'on se rendait à peine compte qu'il s'exprimait dans une langue incompréhensible. Peu à peu, les chuchotements s'évanouirent.

Après un silence, il recommença à parler, d'une voix plus forte et en anglais, mais ses paroles n'étaient pas très distinctes – le micro était trop loin de sa bouche. Le magnétophone devait se trouver sur le siège passager ou, plus vraisemblablement, posé sur le tableau de bord. La tristesse avait de nouveau laissé place à la peur. Il parlait vite, avec un tremblement dans la voix.

Je suis sur l'autoroute 1, je roule vers le sud. Je me souviens d'être monté dans la voiture, mais ensuite, c'est le trou noir… J'ai versé l'essence sur eux. J'ai mis le feu. Je ne me suis même pas vu le faire… Pourquoi ne me suis-je pas tué ? J'ai retiré les bagues de ses doigts. J'ai pris quelques photos dans l'album de famille. La chose ne voulait pas, mais je l'ai fait quand même. J'ai pris le temps… J'ai pris le magnétophone aussi. Je crois savoir où je vais. Oui, je sais où je vais.

Delacroix fondit en sanglots.

– Il craque complètement, lança Bobby.

– Il perd les pédales parce qu'il sait que c'est la chose en lui qui tient les rênes, désormais.

– La chose qui se… tortille…

– Exactement.

Tout le monde est mort. Tous ceux de la première expédition. Trois hommes, une femme. Blake, Jackson, Chang et Hodgson. Un seul est revenu. Hodgson. Juste lui. Sauf que ce n'était plus Bill Hodgson qui se trouvait dans la combinaison.

Delacroix laissa échapper un hurlement de douleur, comme s'il venait d'être poignardé. Le cri fut suivi par une salve d'obscénités. Une série de jurons lâchés avec une hargne et une haine à glacer le sang. À l'évidence, sa fureur avait été accompagnée par des écarts de conduite. Un concert de klaxons se fit entendre.

Le flot d'obscénités prit fin. Le dernier klaxon s'évanouit.

Pendant un moment, on entendit la respiration sifflante de Delacroix, puis il reprit son récit.

Tu t'en souviens peut-être, Kevin… un jour, tu m'as dit que la science seule ne pouvait donner un sens à nos existences. Tu disais que la science rendrait nos vies insupportables si elle parvenait à tout expliquer, à éclaircir tous les mystères. Nous avons tous besoin de mystère, disais-tu. Dans le mystère réside l'espoir. Voilà ce que tu croyais. Eh bien, moi, ce que j'ai vu de l'autre côté, ce que j'ai vu là-bas, Kevin, est si mystérieux qu'un million d'années de science ne pourront jamais l'expliquer. Les bizarreries de l'univers dépassent l'entendement. Pourtant, ce monde semble sorti tout droit de nos fantasmes les plus primitifs.

Delacroix conduisit en silence pendant un moment, puis il se mit de nouveau à marmonner dans sa langue.

– *Kevin* ? Qui c'est celui-là ? s'interrogea Bobby.

– Peut-être son frère ? Il a dit tout à l'heure « vieux frère » en parlant de lui. Kevin doit être journaliste ou quelque chose comme ça.

Delacroix coupa soudain le magnétophone, en plein milieu d'une phrase. Je craignis que ce ne fût le point final de son testament, mais non.

J'ai envoyé du gaz de cyanure dans la capsule de translation. Cela n'a pas tué Hodgson, du moins pas ce qu'il y avait à sa place dans la combinaison.

– La capsule de translation… répéta Bobby, d'un air songeur.

– Il doit s'agir de la salle de l'Œuf.

On a pompé tout l'air. La capsule n'était plus qu'une grande boîte sous vide. Et Hodgson était toujours en vie. Parce que ça *ne vit pas… pas au sens où on l'entend. C'est de l'antivie. Comme la capsule était encore opérationnelle, on a lancé un nouveau cycle et Hodgson, ou plutôt la chose qui le remplace, est repartie d'où elle est venue.*

Delacroix éteignit le magnétophone. Il ne revint que quatre fois sur la bande, de façon de plus en plus chaotique. C'était sans doute ses derniers moments de lucidité.

Huit hommes pour la seconde expédition. Quatre seulement en sont revenus. Je faisais partie du lot. Je n'étais pas infecté. Les toubibs m'ont dit que tout était normal. Mais maintenant…

Et ensuite :

Infecté ou possédé ? un virus ? un parasite ? Qu'est-ce que je suis ? un simple porteur ? un passage ? Est-ce que la chose reste en moi ou est-ce qu'elle passe à travers moi ? Est-ce que quelque chose a été ouvert en moi ? ouvert comme une porte ?

On n'a jamais été en avant... mais de côté. Je n'imaginais même pas qu'il pût y avoir des voies latérales. Cela fait trop longtemps... trop longtemps qu'on avait chassé cette possibilité de notre esprit.

Il faudra que j'abandonne la voiture... que j'entre... mais pas là où la chose veut que j'aille. Pas dans la capsule. Pas si je peux l'éviter... La maison... Il faut que j'aille jusqu'à la maison... Je t'ai dit qu'ils sont tous morts ? Ceux de la première expédition ? Lorsque j'appuierai sur la gâchette... est-ce que je vais refermer la porte... ou l'ouvrir toute grande ? Est-ce que je t'ai dit ce que j'ai vu ? Est-ce que je t'ai parlé de leur souffrance ?... Ces choses qui rampent et volent... sous ce ciel rouge – tu sais ce que c'est ? Je te l'ai dit ? Comment suis-je arrivé là, mon Dieu ? Qu'est-ce que je fais ici ?

Les derniers mots sur la bande ne furent pas en anglais.

Je portai la Corona à ma bouche. À ma surprise, elle était quasiment vide.

– Alors, ce ciel rouge, ces arbres noirs... c'est le monde futur de ta mère ?

– Delacroix a parlé de voies latérales.

– Qu'est-ce qu'il veut dire ?

– Je n'en sais rien.

– Mais *eux*, ils savent...

– Ça m'en a tout l'air, répondis-je en pressant la touche retour rapide sur la télécommande.

– J'ai comme un mauvais pressentiment. Un truc qui me fait froid dans le dos.

– Les cocons ?

– C'est *ça* qui a tissé ces machins-là ? Des bestioles qui sont sorties de Delacroix ?

– Ou qui lui sont passées au travers. Comme par une porte ouverte.

– Peu importe. *Dedans, au travers*, c'est du pareil au même, pour nous.

– À mon avis, si son cadavre n'avait pas été là, les cocons n'y seraient pas non plus.

– Je vais rassembler quelques villageois mécontents et organiser une marche sur le château avec des torches et des fourches, comme dans *Frankenstein* ou *Dracula*, rétorqua Bobby avec plus de sérieux que ne pouvait le laisser supposer de prime abord le choix de cette métaphore.

La bande acheva de se rembobiner.

– Je ne sais pas si on fait bien de vouloir régler ça tout seuls, dis-je. On en sait si peu... Peut-être devrait-on parler à quelqu'un de ces cocons.

– Tu veux dire aux flics ?

– Ou assimilés.

– Tu sais ce qu'ils vont faire ?

– Tout faire foirer. Mais au moins ce sera leur faute, pas la nôtre.

– Ils refuseront de les brûler. Ils vont vouloir les récupérer, pour les étudier.

– Je suis sûr qu'ils prendront toutes les précautions possibles.

Bobby éclata de rire. Je l'imitai, avec davantage d'amertume que d'amusement.

– C'est bon. Je m'inscris pour ta marche aux flambeaux ! Mais d'abord, on s'occupe d'Orson et des gosses. Dès que nous aurons fichu le feu, nous ne pourrons plus approcher de Wyvern.

Je glissai une cassette vierge dans le second lecteur.

– Tu fais une copie ?

– On ne sait jamais. – Je lançai les deux platines. – Tu as dit un truc bizarre, l'autre fois.

– J'en dis tellement, tu sais ! Je ne peux me souvenir de tout.

– Dans la cuisine, à côté du corps de Delacroix.

– J'ai encore l'odeur dans les narines...

– Tu as entendu quelque chose et tu as regardé vers les cocons.

– Je te l'ai dit. Ce devait être dans ma tête.

– Certes. Mais quand je t'ai demandé ce que tu avais entendu, tu m'as dit : « Moi. » Qu'est-ce que tu voulais dire par là ?

Il vida le reste de sa bière.

– Tu avais pris la cassette. On était sur le point de partir. Et j'ai cru entendre quelqu'un dire : *Reste.*

– Quelqu'un ?

– Plusieurs personnes. Des voix. Toutes disant en même temps : *Reste, reste, reste.* Je me suis rendu compte que c'était moi qui parlais.

– Toutes les voix venaient de toi ?

– C'est dur à expliquer.

– J'imagine.

– Pendant une dizaine de secondes, je les ai entendues. Ensuite… j'ai eu l'impression qu'elles étaient encore là, qu'elles me parlaient tout bas.

– Des voix subliminales ?

– Peut-être. Un truc insidieux.

– Des voix dans la tête…

– Elles ne me demandaient pas de sacrifier une vierge ou d'assassiner le pape.

– Juste : *Reste, reste, reste.* Comme une pensée en boucle.

– Non, elles étaient réelles, comme à la radio. Au début, j'ai cru qu'elles provenaient de quelque part dans le bungalow.

– Tu as dirigé ta lampe au plafond. Vers les cocons.

La lueur des cadrans lumineux du magnétophone se reflétait dans ses yeux. Il soutint mon regard, mais resta silencieux. Je pris une profonde inspiration.

– Il y a quelque chose de bizarre… Après t'avoir appelé de la Ville fantôme, je me suis senti vulnérable à découvert. Alors, avant de joindre Sasha, j'ai préféré rentrer dans un bungalow, pour me mettre à couvert.

– Et parmi toutes ces maisons, il a fallu que tu choisisses celle-là. Celle avec le cadavre de Delacroix. Celle avec les cocons.

– C'est justement ça qui me tracasse.

– Tu as entendu des voix aussi ? *Entre Chris. Entre. Assieds-toi. Gentil voisin. On va éclore bientôt. Entre, et viens faire la fête avec nous.*

– Non. Aucune voix. Du moins pas à ma connaissance. Mais

ce n'était peut-être pas un hasard si j'ai choisi ce bungalow. Peut-être ai-je été guidé vers cet endroit ?

– De l'envoûtement vaudou ?

– Comme le chant des sirènes qui attirent les marins sur les récifs.

– Il ne s'agit pas de sirènes, mais de gros vers dans des cocons.

– Rien ne nous dit qu'il s'agisse de vers.

– En tout cas, ce ne sont pas des bébés bichons !

– J'ai comme l'impression qu'on est sortis de ce bungalow juste à temps.

Après un silence, Bobby ajouta :

– Quand je pense que ce sont des saloperies de ce genre qui danseront sur nos tombes après la fin du monde !

– Ça fait froid dans le dos. Nous ne sommes plus que des morceaux de bidoche jetés en pâture à une bande de requins !

La cassette était dupliquée. Je posai la copie sur la table et pris un stylo.

– Donne-moi un bon titre, genre néo-Buffet.

– Néo-Buffet ?

– C'est ce qu'écrit en ce moment Sasha. Une base de Jimmy Buffet. Rythme tropical, soleil et crustacés – mais avec un bémol, une touche de réalisme.

– Tequila Cirrhose blues ? suggéra-t-il.

– Pas mal.

J'écrivis le titre sur l'étiquette et rangeai la cassette sur les rayonnages de Sasha, parmi ses centaines de semblables.

– Si ça m'arrive à moi aussi, tu me promets de me faire sauter la cervelle ?

– Promis. Quand tu voudras.

– Attends simplement que je te le demande...

– Bien sûr. Et pour toi itou.

– Un mot de toi et tu es mort.

– La seule chose qui se tortille en moi pour l'instant, c'est mon estomac, lançai-je.

– Cela me semble normal à l'heure qu'il est.

J'entendis un coup sec suivi d'une série de cliquetis ; puis la porte arrière de la maison grinça sur ses gonds. Bobby se tourna vers moi.

– C'est Sasha ?

Je me dirigeai vers la cuisine et découvris Manuel Ramirez dans son uniforme. Il se tenait devant la table, regardant fixement mon Glock 9 millimètres. Il l'avait repéré aussitôt, malgré le peu de lumière dans la pièce. Je l'avais laissé là après que Bobby m'eut appris le kidnapping de Wendy Dulcinea.

– La porte était fermée, dis-je, tandis que Bobby me rejoignait dans la cuisine.

– Ouais, répondit Manuel. Comment tu as eu ce Glock ? de façon légale ?

– Il n'est pas à moi, mais à mon père.

– Ton père enseignait la poésie, à ce que je sache.

– C'est une profession dangereuse…

– Où l'avait-il acheté ? demanda Manuel en ramassant mon arme.

– À l'armurerie Thor.

– Tu as la facture ?

– Je peux la retrouver.

– Laisse tomber.

La porte entre la cuisine et l'escalier était ouverte. Frank Feeney, un adjoint de Ramirez, hésitait sur le seuil. J'aperçus dans ses yeux une fugitive lueur jaune. Je me demandais si je n'avais pas eu la berlue.

– J'ai trouvé un fusil à pompe et un 38 dans la Jeep d'Halloway, annonça Feeney.

– Vous appartenez à une milice ou quoi, les gars ? lança Manuel.

– Non, on comptait s'inscrire au club poésie du quartier, répliqua Bobby. Tu as un mandat ?

– Donne-moi un bout de Sopalin, je vais t'en rédiger un tout de suite.

Derrière Feeney, au bout du couloir, se tenait un autre adjoint. Il était éclairé en contre-jour par le vitrail – impossible de distinguer son visage.

– Qu'est-ce que tu fais ici ? demandai-je à Manuel.

Il me regarda un long moment, histoire de me rappeler qu'il n'était plus un ami.

– Comment peux-tu entrer ainsi chez moi ? insistai-je.

– En niant simplement tes droits de citoyen, rétorqua Ramirez avec un sourire aussi chaleureux qu'une entaille de scalpel dans le ventre d'un macchabée.

19.

Frank Feeney avait une tête de serpent – moins les crochets ; détail sans importance puisqu'il exsudait le poison par tous les pores de sa peau. Ses yeux avaient la froideur et l'immobilité reptiliennes, sa bouche semblait dissimuler une langue fourchue. Avant l'affaire de Wyvern, Feeney était déjà la pomme pourrie de la police de Moonlight Bay ; il était tellement toxique qu'il aurait plongé dans le coma tout un bataillon de Blanche-Neige.

– Vous voulez qu'on fouille la maison à la recherche d'autres armes, chef ? demanda-t-il.

– Ouais. Mais vas-y mollo. M. Snow a perdu son père, il y a un mois. C'est un orphelin. Il faut nous montrer humains.

Avec un sourire de chat surveillant une souris esseulée, Feeney tourna les talons pour rejoindre son collègue dans l'entrée.

– On confisque toutes les armes à feu, expliqua Manuel.

– Ce ne sont pas des armes illégales. Elles n'ont été impliquées dans aucun acte criminel. Tu n'as pas le droit de les confisquer, protestai-je. C'est dans le second amendement.

Manuel se tourna vers Bobby.

– Tu penses aussi que j'outrepasse mes droits ?

– Tu es le roi ici, tu peux faire ce que tu veux.

– Ton copain surfeur est moins stupide que toi.

Décidé à tester les nerfs de Manuel Ramirez et à voir si la police avait quelque rapport avec la légalité, Bobby lança :

– Avec une plaque, n'importe quel pervers psychotique peut faire ce qu'il veut de nos jours.

– Exact, répondit Manuel.

Manuel Ramirez n'était ni psychotique ni pervers. Il était de douze ans mon aîné, accusait quinze kilos de plus que moi et mesurait dix centimètres de moins. C'était un Hispanique, moi pas. Il adorait la musique country, tandis que j'avais été nourri au rock'n'roll. Il parlait espagnol, italien et anglais ; moi uniquement l'anglais, agrémenté de quelques maximes latines. C'était un homme engagé politiquement ; moi un oisif social. Il était fin cuisinier ; je ne savais que saucer les plats. Malgré ces différences, et bien d'autres encore, nous avions partagé autrefois le même amour pour les gens et la vie, et nous avions été amis.

Pendant des années, il avait dirigé l'équipe de nuit, les flics d'élite de la police de Moonlight Bay. Et depuis la mort du chef Lewis Stevenson, un mois plus tôt, Manuel était devenu le responsable de tout le département. Dans le monde de la nuit, là où nous avions fait connaissance et sympathisé, il était une lumière pour moi, une belle personne. Seulement rien n'est immuable, en particulier à Moonlight Bay. Aujourd'hui, il travaillait de jour, mais avait vendu son âme aux armées de l'ombre. Il n'était plus le Manuel que j'avais connu.

– Il n'y a que vous deux ici ? demanda-t-il.

– Oui.

J'entendis Feeney et l'autre adjoint parler dans l'entrée, puis des pas dans l'escalier.

– J'ai eu ton message. Le numéro de la plaque d'immatriculation.

Je hochai la tête.

– Sasha Goodall était chez Lilly Wing hier soir.

– Il y avait peut-être une réunion Tupperware ?

Manuel retira le chargeur du Glock.

– Vous y êtes passés, Bobby et toi, juste avant l'aube. Vous vous êtes garés derrière le garage et êtes entrés par la porte du fond.

– On avait besoin de Tupperware nous aussi, répondit Bobby.

– Qu'avez-vous fait le restant de la nuit ?
– On a épluché les catalogues Tupperware.
– Tu me déçois, Chris. J'ignorais que tu étais un petit connard.
– J'ai de multiples facettes.
Toute réponse à ses questions aurait été interprétée comme de la peur, et tout signe de peur aurait provoqué un durcissement des méthodes. Nous savions tous les deux que la loi martiale n'avait pas été instaurée ; même s'il était peu probable que Manuel et ses hommes soient poursuivis pour violation de droits civiques ou mauvais traitements à suspects, le risque zéro n'était pas assuré. En outre, Manuel avait été juriste à ses moments perdus, et malgré son ton péremptoire, il conservait une parcelle de conscience. Notre ironie – la mienne et celle de Bobby – lui rappelait que sa présence ici n'avait rien de légal et qu'il ne devait pas pousser le bouchon trop loin.
– Et moi, je t'ai déçu aussi ? s'enquit Bobby.
– Pas toi. J'ai toujours su que tu étais un connard, rétorqua Manuel en glissant le chargeur du Glock dans sa poche.
– Tu ne crois pas, Chris, qu'il devrait changer de fond de teint ? me lança Bobby.
– Oui. Trouver quelque chose qui couvre mieux, acquiesçai-je.
– Ouais, poursuivit Bobby en se tournant vers Manuel. On voit les trois « 6 [1] » gravés sur ton front.
Sans répondre, Manuel glissa mon Glock sous sa ceinture.
– Tu as vérifié le numéro ? lui demandai-je.
– Inutile. La voiture a été volée un peu plus tôt dans la soirée. On l'a retrouvée abandonnée cet après-midi, près de la marina.
– Des pistes ?
– Cela ne te regarde pas. J'ai justement deux petites choses à te dire, Chris, c'est pour ça que j'ai fait le déplacement. Reste en dehors de tout ça.
– C'était la numéro un ?
– Quoi ?

---

1. La marque du diable.

– C'était la première des deux choses que tu voulais me dire ? ou c'était juste un conseil préliminaire ?

– Deux choses ça va, on pourra s'en souvenir, railla Bobby. Mais s'il y a des conseils en sus, il va falloir qu'on sorte les calepins !

– Reste en dehors de tout ça, répéta Manuel, ignorant délibérément Bobby.

Je ne remarquai aucune lueur surnaturelle dans ses yeux, mais son ton tranchant était aussi terrifiant qu'un œil de fauve luisant dans la nuit.

– Tu as joué tous tes jokers avec moi, Chris. Je suis sérieux. Rien ne peut plus te protéger.

Un grand bruit retentit au premier. Un meuble venait d'être renversé. Je voulus me diriger vers le hall d'entrée. Manuel m'arrêta en abattant avec violence sa matraque sur la table. Le bruit claqua comme un coup de feu.

– J'ai dit à Frank d'y aller tout doux, alors reste tranquille.

– Il n'y a pas d'armes là-haut, répondis-je avec humeur.

– Un fan de poésie comme toi doit avoir tout un arsenal dans sa bibliothèque. Je tiens à en avoir le cœur net. Mon devoir est d'assurer la sécurité publique.

Bobby était adossé au plan de travail, près de la plaque de cuisson, les bras croisés sur la poitrine. Il semblait parfaitement résigné à accepter sans broncher notre impuissance face à l'autorité. Manuel se laissait sans doute leurrer. Mais moi, je connaissais suffisamment Bobby pour savoir qu'il bouillait intérieurement, telle une Cocotte-Minute près d'exploser. Le tiroir juste à sa droite contenait une collection de couteaux de cuisine, nul doute que cet attirail avait pesé dans le choix de sa position.

Il ne fallait pas chercher ouvertement la bagarre. C'eût été une grave erreur. Nous devions rester libres de nos mouvements, si nous voulions retrouver Orson et les enfants. Un bruit de bris de verre retentit à l'étage ; je ravalai ma colère et choisis de l'ignorer.

– Lilly a perdu son mari, dis-je solennellement à Manuel. Et aujourd'hui, peut-être, son enfant. Cela ne te fait donc rien ? À toi et tes pareils ?

– Je suis triste pour elle.
– C'est tout ?
– Si je pouvais lui ramener son fils, je le ferai.
Ces mots me glacèrent le sang.
– À t'entendre, il est déjà mort, ou quelque part où tu ne peux aller le chercher.
Sans une once de la sollicitude qui le caractérisait autrefois, il répéta :
– Reste en dehors de tout ça.
Seize ans plus tôt, Carmelita, la femme de Manuel, était morte en mettant au monde leur deuxième enfant. Elle n'avait que vingt-quatre ans. Il ne s'était jamais remarié. Il avait élevé son fils et sa fille avec beaucoup d'amour et de sagesse. Toby, son garçon, était mongolien. Manuel, comme tout un chacun, avait connu la souffrance. Vivre dans l'angoisse, avec de lourdes responsabilités, lui était coutumier. Pourtant, j'avais beau sonder son regard, je n'y discernais aucune trace de cette compassion qui avait fait de lui un père et un policier exemplaires.
– Et les jumeaux des Stuart ? demandai-je.
Son visage autrefois riant et chaleureux me renvoya un regard glacial.
– Et Wendy Dulcinea ?
J'en savais trop à son goût. Je vis la colère monter en lui…
– Écoute-moi bien, Chris, me dit-il d'une voix calme, mais en tapotant l'extrémité de sa matraque. Ceux qui savent la vérité n'ont qu'une alternative : ils la bouclent, ou ils s'étouffent avec. Alors avale et ferme-la. Parce que si tu t'étouffes, personne ne viendra te faire du bouche-à-bouche. *Comprendes ?*
– *Comprendo.* Je ne suis pas demeuré. C'est une menace de mort en bonne et due forme.
– Proférée avec un certain brio, renchérit Bobby. Une approche oblique, ingénieuse, sans effets de manches outranciers – quoique les petits coups de matraque soient, à mon avis, un peu clichés. On l'a vu des centaines de fois au cinéma. Tu n'as pas besoin de ça pour être crédible en tortionnaire de la Gestapo.
– Va te faire foutre !

– Tout le monde sait que tu en crèves d'envie.

Manuel semblait à deux doigts d'abattre sa matraque sur Bobby. Je me plaçai devant lui, pour faire écran.

– Si je rends tout ça public, insistai-je en espérant vainement réveiller une once de remords dans la conscience de Manuel, qui va me mettre une balle dans la tête ? Toi ?

Une lueur d'indignation fugitive traversa son visage.

– Je ne pourrais pas.

– C'est gentil de ta part. Mais je n'en serai pas moins raide refroidi si l'un de tes adjoints appuie sur la gâchette.

– Ce n'est facile pour personne.

– Je préférerais quand même être à ta place plutôt qu'à la mienne.

– Tu as été protégé en souvenir de ta mère, pour tout ce qu'elle a fait. Et parce que tu étais... autrefois... un ami. Mais il y a des limites, Chris.

– Quatre gosses enlevés en douze heures, Manuel. C'est le taux de change en cours ? Quatre gosses pour un Toby ?

C'était cruel de ma part, je le reconnais. Mais il y avait là un fond de vérité. Son visage s'assombrit. La haine étincela dans ses yeux.

– Oui, j'ai un fils. Et une fille. Et une mère. Une famille qui dépend de moi. J'ai d'autres soucis qu'un petit con solitaire dans ton genre.

Ça me rendait malade de voir deux ex-amis comme nous tomber aussi bas. Toute la police de Moonlight Bay était à la botte des autorités supérieures qui tenaient à étouffer l'affaire. Les raisons pour lesquelles les policiers avaient accepté de collaborer étaient légion : la peur, un patriotisme mal placé, la possibilité de se confectionner de moelleux matelas de billets. En outre, ils avaient participé aux recherches, deux ans plus tôt, lorsque des singes rhésus et des sujets humains contaminés s'étaient échappés du labo. Durant cette nuit de cauchemar, la plupart d'entre eux avaient été mordus, griffés, ou infectés. Ils risquaient tous de muter, alors ils étaient prêts à jouer le jeu, espérant qu'ils seraient les premiers à bénéficier d'un traitement si un antidote au rétrovirus était découvert.

Manuel ne pouvait être acheté avec de l'argent. Son

patriotisme franc et sincère ne pouvait être perverti. La peur était une arme redoutable, pourtant ce n'est pas elle qui avait eu raison de ses principes…

Les recherches à Wyvern avaient débouché sur une catastrophe mais aussi sur des découvertes intéressantes. À l'évidence, certaines expériences avaient permis de mettre au point des traitements génétiques prometteurs.

Manuel avait vendu son âme au diable dans l'espoir qu'un jour l'un de ces traitements expérimentaux pourrait soigner Toby. Nul doute qu'il rêvait de voir son fils transformé, intellectuellement *et* physiquement.

L'amélioration intellectuelle était imaginable. Des recherches menées à Wyvern visaient à l'accroissement des capacités mentales, et, chez certains sujets, les résultats étaient impressionnants, comme l'attestait l'existence d'Orson.

– Comment va Toby ?

Pendant que je parlais, j'entendis un bruit feutré bien reconnaissable derrière moi. Le chuintement d'un tiroir qu'on ouvre – le tiroir à couteaux.

Lorsque je m'étais interposé entre Bobby et Manuel, je ne cherchais qu'à désamorcer la tension entre eux deux, certainement pas à permettre à Bobby de s'armer en catimini. Je voulais le prévenir de laisser tomber, mais comment procéder sans alerter Manuel ? En outre, Bobby avait une meilleure intuition que moi. S'il avait le pressentiment que la situation risquait de dégénérer, il avait peut-être raison.

Apparemment, ma question à propos de la santé de Toby avait masqué le bruit du tiroir. Manuel semblait ne rien avoir entendu. Une lueur de fierté traversa son regard, à la fois touchante et terrifiante – un mélange sinistre.

– Il lit. De mieux en mieux. Il comprend plus vite. Il fait des progrès en arithmétique. C'est un crime ?

Je secouai la tête.

Certains se moquaient de son apparence, pourtant Toby était la gentillesse même. Avec son gros cou, ses épaules rondes, ses petits bras, ses jambes courtaudes, il me faisait penser à un gentil hobbit sorti tout droit d'un conte de Tolkien. Ses épais sourcils, ses oreilles trop basses, son visage rond et ses yeux bridés lui donnaient un air doux et débonnaire. Malgré ses tares, Toby était toujours heureux. Pourvu que les apprentis sorciers de Wyvern n'augmentent pas son QI ! S'ils lui volaient son innocence et le piégeaient dans la conscience de son état, le pauvre garçon ne s'en remettrait pas. Je connais trop bien la souffrance d'une quête inaccessible, d'un désir vain. Même si j'avais du mal à croire que l'apparence de Toby puisse être radicalement modifiée par la génétique, je craignais que la moindre tentative en ce sens ne le transforme en un monstre à ses propres yeux. Ceux qui ne perçoivent pas la beauté dans la face d'un trisomique sont ou aveugles ou tellement terrifiés par la différence qu'ils ne peuvent en supporter la vision. Dans tout visage, même dans le plus disgracieux, il subsiste une marque de la perfection divine, et, au tréfonds de chaque être, une beauté saisissante, rayonnante, qui vous inonde de joie. Cette lumière résistera-t-elle aux manipulations des scientifiques de Wyvern ?

– Toby a un avenir, maintenant, annonça Manuel.

– Ne perds pas ton fils en chemin, répliquai-je.

– Je le tire vers le haut.

– Mais est-ce qu'il restera ton fils ?

– Il sera ce qu'il devait être.

– Il l'était déjà.

– Tu ignores ce que c'est que d'être comme ça, rétorqua Manuel avec aigreur.

Il parlait de sa propre souffrance, pas de celle de Toby. Toby vivait serein dans son monde, du moins avant.

– Tu l'as toujours aimé tel qu'il était.

– Non, *malgré* ce qu'il était, lâcha-t-il d'une voix vibrante d'émotion.

– C'est faux. Toutes ces années, tu as été auprès de lui, à le chérir, à le protéger.

– Comment peux-tu savoir ce que je ressentais ? répondit-il en agitant sa matraque.

– Si c'est vrai, si je me suis trompé sur ce qu'il y avait entre toi et Toby, alors c'est que je me suis trompé sur toute la ligne à ton sujet, déclarai-je avec une boule de regret dans la poitrine.

– Peut-être est-ce le cas. Ou alors, tu ne supportes pas l'idée que Toby puisse mener une vie plus normale que toi. On a toujours besoin d'un plus mal loti que soi, n'est-ce pas, Chris ?

Mon cœur se serra. Sa colère était empreinte d'une telle terreur et d'une telle souffrance que je n'osai répondre. Nous avions été amis trop longtemps pour que je puisse le haïr, je n'éprouvais plus que pitié pour lui. Il était fou d'espoir. Certes, l'espoir nous aide tous à vivre, mais à trop fortes doses, il trouble la perception, endort l'esprit, corrompt les sens, tout aussi efficacement que l'héroïne. Non, je ne m'étais pas trompé sur Manuel durant toutes ces années. Dans sa folle quête, il avait oublié ce qu'il aimait, focalisant toute son attention sur le Graal plutôt que sur les siens. Cette erreur était à l'origine des malheurs de l'humanité.

Des bruits de pas résonnèrent dans l'escalier. Feeney et l'autre adjoint apparurent dans l'entrée. Feeney se dirigea vers le salon, l'autre vers le bureau. Ils allumèrent les lumières et poussèrent les rhéostats à fond.

– Quelle est la deuxième chose que tu voulais me dire ? demandai-je à Manuel.

– Ils sont sur le point de reprendre le contrôle.

– Le contrôle de quoi ?

– De cette épidémie.

– Ah oui ? lança Bobby. Avec quoi ? une bombe de Baygon ?

– Certaines personnes sont immunisées.

– Pas toutes, rétorqua Bobby tandis que des bris de verre retentissaient dans le salon.

– Les agents immunitaires ont été isolés. Bientôt, il y aura un vaccin et un sérum pour ceux qui sont déjà infectés.

Je songeai un instant aux enfants kidnappés, mais m'abstins de dire quoi que ce soit.

– Certaines personnes sont encore en train d'évoluer...

– On a découvert qu'elles ne peuvent tolérer qu'une certaine quantité de mutations.

Je tentai de contenir la bouffée d'espoir qui m'envahissait.

– Comment ça « une certaine quantité » ? Combien exactement ?

– Il y a un seuil... Ensuite, elles deviennent conscientes des changements qui s'opèrent en elles. Alors la peur vient. Une peur intolérable d'elles-mêmes. Une haine telle qu'elles... implosent psychologiquement.

– Une implosion psychologique ? Qu'est-ce que ça signifie – soudain, je compris – le suicide ?

– Une pulsion plus forte encore. Une autodestruction violente, frénétique. On a vu des dizaines de cas. Tu saisis ce que ça implique.

– Lorsqu'ils s'autodétruisent, ils cessent d'être porteurs du rétrovirus. L'épidémie se limite donc d'elle-même.

À en juger par le brouhaha, Frank Feeney projetait la table basse ou une chaise contre le mur, tandis que son collègue, dans le bureau, éjectait des étagères les flacons de vitamines et d'herbes médicinales de Sasha. C'était leur façon à eux de donner une leçon – dans la plus stricte légalité.

– La plupart d'entre nous n'en sortiront pas indemnes, poursuivit Manuel.

Mais les autres ? pensai-je.

– Les animaux aussi s'autodétruisent...

Il me lança un regard suspicieux.

– On manque de données à ce sujet. Qu'est-ce que tu as vu ?

Je songeai aux oiseaux, aux rats du sous-sol, morts depuis longtemps, à la meute de coyotes, sans nul doute sur le point d'atteindre son seuil de tolérance.

– Pourquoi est-ce que tu me racontes tout ça ? demandai-je à Manuel.

– Pour que tu restes en dehors. Laisse les gens compétents gérer la situation. Ceux qui savent ce qu'ils font, qui ont autorité pour agir.

– Les grosses têtes, tu parles ! rétorqua Bobby.

Manuel tendit sa matraque dans notre direction.

– Vous vous prenez pour des héros, tous les deux, mais vous nous gênez.

– Je ne me prends pas pour un héros, rassure-toi.

– Et moi, lança Bobby, je ne suis qu'un surfeur imbibé de bière et grillé par le soleil.

– Il y a trop de choses à gérer en même temps pour que nous laissions quiconque agir en solo.

– Et les troupes de singes ? demandai-je. Les rhésus ne se sont pas encore autodétruits, à ce que je sache.

– Ils sont différents. Ils ont été fabriqués en laboratoire. Ce sont des créatures artificielles, conçues dans un certain but. Ils peuvent peut-être évoluer encore... mais il faudrait pour ça qu'ils soient sensibles au virus, or rien ne le prouve. De toute façon, lorsque tous les citoyens seront vaccinés et les malades éliminés, nous les pourchasserons et les éradiquerons jusqu'au dernier.

– Pour l'instant, on ne peut pas dire que ce soit un succès, rétorquai-je.

– On a eu d'autres chats à fouetter.

– Tu parles ! lança Bobby. Détruire le monde est une occupation à plein temps.

– Une fois qu'on en aura fini avec l'épidémie, poursuivit Manuel en ignorant la remarque de Bobby, les singes n'en auront plus pour longtemps. Leurs jours seront comptés.

Feeney quitta le salon et alluma la lumière dans la salle à manger. Je m'écartai vivement de la lueur qui filtrait par la porte.

L'autre adjoint apparut dans le couloir. Je ne l'avais jamais vu, pourtant je connaissais tous les policiers de la ville. Peut-être les gros bonnets de Wyvern avaient-ils récemment décidé de financer une vague d'embauche dans les forces de l'ordre ?

– J'ai trouvé quelques boîtes de munitions, annonça le nouveau. Mais pas d'arme.

Manuel appela Frank.

– Oui, chef ? répondit-il depuis le seuil de la salle à manger.

– On s'en va, on a fini, annonça Manuel.

Feeney sembla déçu, mais le nouveau tourna les talons sans broncher et se dirigea vers la porte.

Avec une rapidité surprenante, Manuel s'élança soudain sur Bobby, abattant sa matraque. Dans un réflexe, Bobby plongea sur le côté. L'arme fouetta l'air à l'endroit où il s'était trouvé et heurta violemment le flanc du réfrigérateur. Bobby se redressa juste devant le visage de Manuel. Un instant je crus qu'il allait l'enlacer, ce qui aurait été pour le moins étrange, puis j'aperçus l'éclat d'une lame de couteau dans sa main – la pointe plaquée contre la gorge de Manuel.

Le nouvel adjoint était revenu dans la cuisine prêter main-forte à Feeney. Les deux hommes avaient sorti leur revolver et s'étaient mis en position de tir, bras tendus, les mains refermées sur la crosse.

– Reculez ! ordonna Manuel à ses hommes, tout en essayant d'écarter son cou de la pointe du couteau.

Pendant un instant de stupeur j'avais cru que Bobby allait enfoncer la lame dans la gorge de Manuel, mais Bobby était plus futé que ça. Sur leurs gardes, les deux policiers reculèrent de deux pas et cessèrent de mettre Bobby en joue, sans toutefois remiser leurs armes dans leurs étuis.

La lumière provenant de la salle à manger éclairait le visage de Manuel plus que je ne l'aurais souhaité. La colère avait curieusement distordu ses traits, ses yeux étaient exorbités – l'œil gauche beaucoup plus que le droit –, ses narines palpitaient, sa bouche dessinait un trait rectiligne en travers du visage puis s'incurvait sur la droite en un rictus torve, comme un portrait de Picasso tout en cubes et en éclats géométriques. Sa peau n'était plus d'un brun miel, mais de la couleur d'un jambon laissé trop longtemps dans le fumoir : un rouge terreux tacheté de noir.

Une telle haine ne pouvait être engendrée par les seules piques de Bobby. Elle était tout autant dirigée contre moi, mais notre vieille amitié d'autrefois avait empêché Manuel de me frapper. Il avait voulu m'atteindre à travers Bobby. Peut-être une part de sa fureur était-elle dirigée contre lui aussi, parce qu'il avait fait table rase de ses principes. Peut-être lâchait-il seize ans de colère contenue contre Dieu, contre la mort de Carmelita et la naissance d'un enfant trisomique. Peut-être une part de cette fureur provenait-elle du fait qu'il ne voulait pas – n'osait pas – admettre qu'il aimait Toby, son petit Toby, son cher et tendre Toby... Après tout, l'amour est davantage une épée à double tranchant qu'un angelot rondouillard. Il peut aussi bien refermer les trous dans le cœur et amender les âmes que couper, blesser, saigner à mort.

Manuel, se sentant observé, tentait de reprendre contenance, en vain. L'assaut furieux contre le réfrigérateur, dont il avait défoncé le flanc, n'avait pas suffi à le calmer. Deux minutes plus tôt je pensais que Bobby était une sorte de bombe à retardement, mais ce fut Manuel qui explosa sous mes yeux ! À coups de matraque, il fit voler en éclats les vitres des placards, puis fracassa le service en porcelaine auquel ma mère tenait tellement. Les soucoupes, les tasses, les petites assiettes, le beurrier, le sucrier tombèrent sur le buffet avant de terminer leur chute par terre, en une pluie d'éclats qui se répandirent jusque sous la table. Le four à micro-ondes se trouvait à côté du placard. Manuel y abattit sa matraque – une fois, deux fois, trois fois, quatre fois... la vitre en Plexiglas ne céda pas. En revanche, dans sa charge, Manuel avait mis le four en marche... S'il y avait eu un sac de pop-corn, il aurait pu griller à point le temps de sa crise de nerfs !... Manuel empoigna alors la bouilloire en Inox et la lança à travers la pièce, puis le grille-pain, qu'il jeta au sol alors que la malheureuse bouilloire rebondissait encore sur les murs – *pic, poc* – comme le spot affolé d'un ping-pong de jeu vidéo en furie. Il s'en prit de nouveau au grille-pain qu'il projeta d'un coup de pied. Celui-ci rebondit sur le carrelage dans un tintement de ferraille, tel un chien terrifié ayant un cordon d'alimentation en guise de queue. Soudain, la crise cessa.

Manuel se tenait au milieu de la cuisine, les épaules voûtées, la tête en avant, les yeux mi-clos, hébété, la bouche molle, le souffle court. Il jetait autour de lui des regards ahuris, pareil à un taureau cherchant à repérer la muleta du toréador.

Pendant tout le temps de la folie destructrice de Manuel, je m'attendais à apercevoir la lueur jaune de son regard. Mais non, pas le moindre reflet démoniaque. Il luisait dans ses prunelles les braises de la colère et de la tristesse. S'il était en pleine évolution, il n'avait pas atteint le stade des yeux jaunes.

Le nouvel adjoint avait observé la scène d'un air sombre, les yeux aussi éteints que les fenêtres d'une maison abandonnée. En revanche, ceux de Frank Feeney étaient aussi lumineux, jaunes et chargés de menaces que les orifices d'une citrouille d'Halloween. Cette lueur n'était pas constante – elle allait et venait dans ses pupilles – tandis que la cruauté qui l'animait ne vacillait pas. Feeney était éclairé en contre-jour par le lustre de la salle à manger. Devant ces yeux luisants, on avait l'impression que la lumière traversait son crâne et illuminait ses orbites par-derrière.

Je craignais que l'accès de fureur de Manuel déclenche chez ses adjoints une crise de démence collective. Peut-être les trois hommes étaient-ils des mutants ? Peut-être une vague de folie dévastatrice allait-elle s'emparer d'eux et nous livrer, Bobby et moi, à une meute en furie ? Nous nous retrouverions alors cernés par l'équivalent biotechnologique d'une bande de loups-garous assoiffés de sang. Ayant stupidement oublié de nous équiper de chapelets de gousses d'ail et de balles en argent, nous allions devoir nous défendre avec l'argenterie de ma mère... Erreur : la seule menace tangible était Feeney. Sauf qu'un seul loup-garou muni d'un revolver chargé recelait autant de danger qu'une meute entière... Il tremblait, ruisselant de sueur, haletant. Dans son excitation, il s'était mordu la lèvre ; ses dents et son menton étaient rouges de sang. Il tenait son arme à deux mains, dirigée vers le sol, tandis que ses yeux enfiévrés semblaient chercher une cible, son regard allant de Manuel à Bobby, du second policier à moi. Il semblait prêt à nous tuer tous les quatre.

Je me rendis soudain compte que Manuel parlait à Feeney et à son autre adjoint. Les battements de mon cœur m'avaient rendu momentanément sourd.

– On a fini ici. Ça suffit. On en a fini avec ces connards ! Allez, Frank, Harry, on s'en va, c'est terminé. Ces ordures n'en valent pas la peine. Le boulot nous attend. On s'en va.

La voix de Manuel sembla apaiser Feeney comme la litanie d'un prêtre, une psalmodie envoûtante recueillant un assentiment non formulé. La lueur qui palpitait encore dans les prunelles du policier faiblissait. L'adjoint desserra l'étreinte de ses mains sur la crosse de son arme et la rangea dans son étui. Il battit des paupières, l'air surpris, découvrit le goût du sang sur sa langue, s'essuya les lèvres sur la main et contempla, incrédule, la trace rouge sur sa paume. Harry, l'autre adjoint, était déjà dans l'entrée lorsque Feeney passa le seuil de la cuisine.

Manuel lui emboîta le pas. Je fermai la marche, à distance respectueuse.

Ils avaient perdu leur aura sinistre d'émissaires de la Gestapo. Ils semblaient épuisés, comme trois gamins qui ont joué aux gendarmes et aux voleurs avec enthousiasme tout l'après-midi et rentrent flapis chez eux, rêvant d'un bol de chocolat chaud et d'une bonne sieste. Ils avaient l'air égaré. Dans l'entrée, tandis que Feeney et Harry sortaient sur le perron, je demandai à Manuel :

– Tu as vu ses yeux, n'est-ce pas ?

Il s'arrêta sur le seuil, se retourna et me dévisagea sans répondre. La colère brillait encore dans son regard, mais aussi la contrition. Cerné par la lumière du dehors, du bureau et du salon, je me sentais plus vulnérable que sous la menace de l'arme de Feeney et de son regard jaune… Pourtant, j'avais encore un mot à dire à Manuel.

– Tu as vu les yeux de Feeney ? Il mute. Tu ne peux pas le nier !

– Il y aura un remède. Bientôt.

– Il est à la limite. Que comptes-tu faire si les pilules miracles n'arrivent pas à temps ?

– On s'occupera de lui.

Manuel s'aperçut qu'il avait toujours sa matraque à la main. Il la glissa dans sa ceinture.

– Frank est des nôtres. On saura lui donner la paix. À notre manière.

– Il aurait pu me tuer. Moi, Bobby, toi. Nous tous.

– Reste en dehors de tout ça, Snow. Je ne te le répéterai plus.

Snow. Exit Chris. Mettre à sac la maison d'un ex-ami constituait un point de non-retour.

– Peut-être que le kidnappeur est ce type dont parle la télé ?

– Quel type ?

– Le ravisseur d'enfants. Celui qui kidnappe quatre ou cinq gosses pour les brûler vifs, tous ensemble.

– Cela n'a rien à voir avec ce qui se passe ici.

– Comment peux-tu être aussi catégorique ?

– Nous sommes à Moonlight Bay.

– Tous les méchants ne sont pas forcément des types en évolution.

Il me lança un regard noir, prenant mes paroles pour une pique à son encontre. Je décidai d'aborder le sujet qui me préoccupait.

– Toby est un gentil gamin. Je l'aime bien. Et je suis inquiet de ce qui pourrait lui arriver. Les risques sont terribles. J'espère que tout se passera comme tu le souhaites pour lui. Je l'espère vraiment, Manuel. Plus que tout.

Manuel hésita un instant.

– Reste en dehors de tout ça. Je suis sérieux, Snow.

Je le regardai sortir de ma maison dévastée, pour rejoindre un monde encore plus mal en point que le service en porcelaine de ma mère. Deux voitures de patrouille les attendaient dans la rue. Manuel monta dans l'une d'entre elles.

– Reviens quand tu veux, lançai-je, comme s'il pouvait m'entendre. Il reste encore quelques verres, quelques assiettes à casser !

Bien que le ciel fût d'un gris de cendres, je clignai des yeux sous la lumière. Je refermai vite la porte. Lorsqu'un être qui m'était cher mourait – ou était perdu pour moi – je ne pouvais m'empêcher de lancer une plaisanterie afin de tromper le chagrin. La nuit où mon père bien-aimé, rongé par son cancer, avait succombé, j'avais en pensée improvisé quelques strophes comiques sur la mort, les cercueils et les ravages de la maladie. J'évitais de me laisser aller à la douleur pour ne pas sombrer aussitôt dans les abîmes du désespoir, pour ne pas m'apitoyer sur mon sort, sur la vie de paria à laquelle j'étais condamné, sur mon existence nocturne qui était à la fois mon salut et ma prison... Car à force de me sentir exclu de tout, je risquais de devenir le monstre, la bête curieuse que l'on prétendait que j'étais dans mon enfance. Il me semblait sacrilège de ne pas profiter de la vie au maximum, à tout instant... et, dans les moments d'épreuves, il me fallait aller chercher la beauté cachée au tréfonds du drame. Elle était là, toujours, prête à s'offrir au regard sous le prisme de l'humour. On pouvait me croire superficiel, voire insensible, parce que je cherchais à rire dans les moments de douleur... mais pourquoi ne pas rendre hommage aux disparus avec la même joie et le même amour que ceux que nous leur accordions de leur vivant ? Dieu nous a donné la capacité de rire de nos douleurs parce qu'Il a mis une bonne dose d'absurdité dans le grand chaudron de la Création. J'avais été terrassé de chagrin bien des fois, mais tant qu'il resterait une once d'humour en moi, l'envie de vivre ne me quitterait pas tout à fait.

J'inspectai rapidement le bureau et le salon pour me rendre compte des dégâts. Les ravages n'égalaient pas ceux qu'aurait pu commettre un Belzébuth en maraude, mais restaient toutefois plus importants que ceux provoqués par le passage d'un esprit frappeur classique. Bobby avait déjà éteint les lumières dans la salle à manger. À la lueur des bougies, il avait entrepris de nettoyer la cuisine. Armé d'une poêle et d'un sac-poubelle, il ramassait les débris de porcelaine.

– Une vraie fée du logis ! dis-je en le regardant travailler.

– Je devais être femme de chambre dans une vie antérieure.

– Sous quel règne ?

– Le tsar Nicolas de Russie.

– Il a mal fini, c'est le moins que l'on puisse dire.

– Je me suis ensuite réincarné en Betty Grable.

– La star de cinéma ?

– Il n'y a qu'une seule Betty Grable !

– Je t'ai adoré dans *Maman était new-look.*

– *Gracias.* Mais cela fait du bien d'être redevenu un homme.

Il ferma son sac-poubelle déjà plein et en prit un second.

– Je devrais être furieux, mais je n'y arrive pas.

– Pourquoi furieux ? Parce que tu es jaloux de toutes ces vies fabuleuses que j'ai eues ?

– Il est venu me botter le cul, pour se botter le sien du même coup.

– Un vrai contorsionniste !

– J'aime pas dire du mal des gens… mais c'est moralement qu'il se contorsionne !

– Quel euphémisme !

– Il sait qu'il prend un risque énorme avec Toby, et cela le ronge de l'intérieur, même s'il refuse de l'admettre.

Bobby laissa échapper un soupir.

– C'est moche pour Manuel. Vraiment. Mais il me fiche encore plus la pétoche que Feeney.

– Feeney mute.

– Manuel me fiche vraiment les jetons parce qu'il s'est transformé *tout seul*, sans le rétrovirus de ta mère, tu vois ce que je veux dire ?

– Je vois, oui.

– Tu y crois... à son histoire de vaccin ? demanda Bobby, en reposant le grille-pain cabossé sur le buffet.

– Pourquoi pas ? Mais qu'il produise les effets escomptés est une autre histoire.

– Pourquoi en serait-il autrement ?

– Nous savons que l'autre partie de son histoire est vraie. L'implosion psychologique.

– Les oiseaux.

– Et peut-être les coyotes aussi.

– Quand on pense que le microbe de ta mère n'est qu'une partie du problème, ça fait carrément froid dans le dos ! rétorqua Bobby en rangeant le couteau de boucher dans son tiroir.

– Le Mystery Train, murmurai-je, en songeant aux bestioles grouillant dans la combinaison d'Hodgson, au testament de Delacroix, aux cocons suspendus dans le bungalow.

On sonna à la porte.

– Dis-leur que s'ils reviennent pour tout casser, on a de nouvelles règles, lança Bobby. C'est cent dollars l'entrée et cravate exigée.

Je me rendis dans l'entrée et regardai au-dehors par l'un des carreaux colorés du vitrail. La silhouette sur le perron était si grande qu'on aurait dit qu'un chêne du jardin était sorti de terre pour venir me demander cinquante kilos d'engrais. J'ouvris la porte et reculai d'un pas pour laisser entrer notre visiteur.

Roosevelt Frost était immense, musclé, noir, avec un visage d'une telle noblesse qu'à côté les visages sculptés du mont Rushmore faisaient figure d'effigies de stars de sitcom. Il entra avec Mungojerrie, un chat gris, niché dans le creux de son bras gauche, et referma la porte derrière lui.

– Salut, fiston ! lança-t-il de sa voix chaleureuse de baryton.

– Merci d'être venu, Roosevelt.
– Toi, je parie que tu t'es encore fourré dans un beau pétrin !
– Inutile d'être devin pour le savoir.
– La mort est sur le chemin, annonça-t-il avec solennité.
– Pardon ?
– C'est ce que le chat dit.

Je considérai le chat. Étalé de tout son long sur le bras de Roosevelt, il paraissait dépourvu d'ossature. Il ressemblait à un manchon ou à une étole de vison, genre d'atours que Roosevelt n'était pas homme à porter. Mais ses yeux verts et pailletés d'or brillaient d'une intelligence hors du commun et vaguement dérangeante.

– La mort est sur le chemin, répéta Roosevelt.
– La mort de qui ?
– La nôtre.

Mungojerrie releva la tête vers moi.

– Les chats savent des choses, annonça Roosevelt.
– Ils ne savent pas tout.
– Ils savent des choses, insista Roosevelt.

Les yeux du chat semblaient emplis de tristesse.

20.

Roosevelt déposa Mungojerrie sur une chaise de la cuisine pour qu'il ne se blesse pas avec les éclats de porcelaine qui jonchaient le sol. Mungojerrie, rescapé de Wyvern, avait été conçu dans les laboratoires de génétique. Il était peut-être aussi intelligent que ce brave Orson, en tout cas autant qu'un participant à la *Roue de la Fortune* et bien plus que la plupart des conseillers politiques de la Maison-Blanche. Mais il restait suffisamment de félin en lui pour qu'il se mette en boule sur la chaise et s'endorme aussitôt comme n'importe quel matou. Les chats savent des choses, prétendait Roosevelt ; mais ils ne connaissaient, à l'inverse de moi, ni les assauts d'une imagination galopante, ni les affres de l'angoisse.

Dans le domaine du savoir, Roosevelt n'était pas en reste. Dans les années soixante et soixante-dix, il avait été une star du ballon ovale, surnommée par les chroniqueurs sportifs M. Marteau-pilon. Aujourd'hui, à soixante-trois ans, il était un homme d'affaires prospère. Il s'occupait de son magasin de vêtements pour hommes, possédait un petit centre commercial et cinquante pour cent du Moonlight Bay Inn & Country Club. Il s'intéressait également beaucoup à la mer et aux bateaux et il vivait trois cent soixante-cinq jours par an sur le *Nostromo*, un yacht de dix-sept mètres arrimé à l'entrée de la marina. Et, bien entendu, il n'avait pas son pareil pour parler aux animaux (il battait le Dr Dolittle à plate couture), ce qui était une qualité précieuse dans notre Edgar Allan Disneyland.

Roosevelt insista pour nous aider à nettoyer. Je lui mis dans les mains l'aspirateur, une vision incongrue pour cette célébrité nationale et ce fils spirituel de saint François. Le ronronnement de l'appareil réveilla le chat. Il leva la tête et découvrit ses crocs le temps de signifier son mécontentement, puis il se rendormit du sommeil du juste.

Ma cuisine est grande, mais elle semblait réduite de moitié lorsque Roosevelt s'y trouvait. Il mesurait un mètre quatre-vingt-dix et, devant les dimensions imposantes de son cou, de ses épaules, de son torse et de ses bras, on avait peine à croire qu'un délicat ventre de femme ait pu concevoir une telle montagne. Il avait l'air taillé dans le granit, coulé dans une fonderie ou assemblé sur une chaîne de montage de camions. Il paraissait beaucoup plus jeune que son âge, ses tempes étaient à peine grisées. Il devait sa longue carrière sur les terrains de rugby non seulement à sa taille, mais également à son intelligence. À son âge, il était presque aussi fort qu'à vingt ans, et beaucoup plus savant – sa soif de connaissance était intarissable.

Il était également un dieu de l'aspirateur. À nous trois, nous achevâmes rapidement de nettoyer la cuisine. Les étagères vides constituaient un triste spectacle. Ma mère adorait tant ses délicates soucoupes peintes à la main, ces tasses aux motifs pastel de pommes et de prunes, ces petites assiettes décorées de mûres et de poires… Allons, il ne s'agissait que de *choses*, de simples objets liés à elle ! Pourtant, nos plus beaux souvenirs d'un être cher, ceux d'amour et de joie, n'étaient pas aussi inaltérables que l'acier. Ils s'estompaient avec une rapidité terrifiante… Finalement, les souvenirs les moins sensibles à l'usure du temps étaient ceux liés aux objets, aux lieux. Ceux-ci résistaient mieux, parce qu'ils étaient enchâssés dans la matière tangible.

Roosevelt disposa sur la table les tasses et les soucoupes du service ordinaire. J'apportai la cafetière fumante. Bobby découvrit dans le réfrigérateur une boîte pleine de petits pains à la cannelle fourrés de noix de pécan. Mon péché mignon depuis des années.

– *Carpe crustulorum !* s'écria-t-il.

– Qu'est-ce qu'il baragouine ? me demanda Roosevelt.

– C'est du latin. Laissez tomber.
– Retiens le gâteau ! traduisit Bobby.
Je pris une paire de coussins dans le salon et les disposai sur une chaise. Ce qui permit à Mungojerrie, à présent réveillé, d'être assez haut pour pouvoir profiter de la collation.
Alors que Roosevelt émiettait des morceaux de petits pains dans l'assiette de lait du chat, Sasha fit son entrée. Roosevelt l'appelait « fillette » de la même manière qu'il m'appelait « fiston », moi ainsi que tous les représentants du sexe masculin. C'était une manie chez lui, mais il tenait Sasha en si haute estime qu'il devait regretter de ne pas être son véritable père. Il la prit dans ses bras robustes et la souleva de terre. Je la vis disparaître, avalée dans l'embrassade.
Elle alla chercher une chaise dans la salle à manger et vint s'installer entre Bobby et moi. Elle toucha la manche de Bobby.
– Super ta chemise !
– Merci.
– J'ai vu Doogie, expliqua-t-elle. Il rassemble l'équipement, l'artillerie. Il est tout juste trois heures passées. On pourra se mettre en route dès la nuit tombée.
– L'artillerie ? répéta Bobby.
– Doogie a de jolies réserves.
– Des réserves ?
– Il faut se préparer à toutes les éventualités pour le succès de l'opération.
– « L'opération » ? répéta Bobby en se tournant vers moi. Ma parole, t'es maqué avec GI Jane ou quoi ?
– Avec Emma Peel, rectifiai-je. Je me tournai vers Sasha. On aura effectivement besoin d'un peu d'artillerie. Manuel et ses adjoints ont confisqué nos armes.
– Cassé de la vaisselle, renchérit Bobby.
– Renversé quelques meubles.
– Et tabassé le grille-pain.
– Doogie aura tout ce qu'il faut, répondit Sasha. Pourquoi le grille-pain ?
Bobby haussa les épaules.
– C'était le plus petit d'entre nous.
La collation se poursuivit. Quatre adultes et un chat à table,

buvant du café, grignotant et parlant stratégie à la lueur des bougies.

– *Carpe crustulorum*, lança Bobby.

– *Carpe furcam*, répondit Sasha en brandissant sa fourchette.

– *Carpe coffeum*, renchérit-il en levant sa tasse comme pour porter un toast.

– De vrais conspirateurs ! marmonnai-je.

Mungojerrie nous considérait avec un vif intérêt.

Roosevelt Frost parlait aux animaux bien avant que les laboratoires de Wyvern offrent à la ville des citoyens à quatre pattes peut-être dix fois plus intelligents que leur créateur. La seule excentricité de Roosevelt était qu'il croyait dur comme fer pouvoir s'entretenir tant avec des animaux ordinaires qu'avec des bêtes génétiquement modifiées. Pour le reste, il était sain d'esprit. Il ne prétendait ni avoir été contacté par des extraterrestres voulant lui faire subir une coloscopie, ni avoir écrit un livre en communication astrale avec l'esprit de Truman Capote, ni avoir pris le thé avec Big Foot ou le yéti.

Voilà plusieurs années, à Los Angeles, une certaine Gloria Chan lui avait appris les arcanes de la communication avec les animaux, après avoir ouvert un espace de dialogue extrasensoriel entre Roosevelt et Sloopy, son petit chien corniaud, aujourd'hui décédé. Gloria savait des détails de la vie intime de Roosevelt qu'elle n'aurait jamais connus si Sloopy n'avait pas été là pour lui faire des confidences. Roosevelt disait que communiquer avec les bêtes ne nécessitait aucun don particulier, aucune prédisposition psychique. Il suffisait de développer un sens enfoui et inutilisé que nous possédions tous, d'être réceptif aux autres espèces. Les plus grands obstacles à l'acquisition des techniques de communication interespèces étaient le doute, le cynisme, les idées préconçues. Au bout de quelques mois de travail acharné sous la houlette de Gloria Chan, Roosevelt devint un adepte de la communication avec les animaux – à la ville comme aux champs. Il voulait m'enseigner ces techniques et j'avais hâte de tenter l'expérience. L'idée d'approfondir les liens avec Orson m'enchantait, le dialogue avec mon frère à fourrure ayant été en sens unique depuis deux ans. Soit les techniques de Roosevelt m'ouvriraient les portes d'un monde merveilleux, soit elles me laisseraient idiot et honteux de ma crédulité. Ayant bien des fois connu la honte et le ridicule, je risquais peu à tenter l'expérience.

Bobby se moquait des tête-à-tête de Roosevelt avec les animaux, laissant entendre, par-devers lui, qu'ils constituaient les séquelles malheureuses de mauvais coups reçus sur les terrains de rugby. Dernièrement, toutefois, son scepticisme avait été soumis à rude épreuve. Les événements de Wyvern lui avaient enseigné que la science n'apportait pas toutes les réponses à nos questions, la vie dépassait l'entendement des biologistes, des physiciens et des mathématiciens.

Orson m'avait conduit à Roosevelt voilà plus d'un an, se fiant à son instinct. Plusieurs chats, et Dieu sait quelles autres espèces échappées des laboratoires de Wyvern, étaient venus trouver Roosevelt à la recherche d'une oreille compatissante. Orson était l'exception. Il avait rendu visite à Roosevelt mais sans communiquer avec lui. Le Vieux Sphinx, comme le surnommait Roosevelt, restait silencieux comme une tombe – un labrador laconique. Ma mère avait dû falsifier les papiers d'Orson pour pouvoir me l'apporter. Elle l'avait sans doute déclaré mort. Peut-être Orson craignait-il d'être ramené dans les laboratoires de Wyvern si l'on s'apercevait qu'il était l'une de leurs créations. Quelles que soient ses raisons, il veillait à jouer le bon chien-chien lorsqu'il était avec quelqu'un d'autre que Bobby, Sasha ou moi. En présence de Roosevelt, il restait muet comme une carpe.

Mungojerrie continuait de grignoter ses morceaux de petits pains à la cannelle imbibés de lait, sans chercher à se faire passer pour un chat ordinaire. Pendant que nous racontions les événements des douze dernières heures, ses yeux verts suivaient la conversation avec intensité. Si nos propos le surprenaient, ses yeux s'écarquillaient, si d'autres le choquaient, il inclinait la tête comme pour dire : « T'as trop forcé sur l'herbe à chat ou t'es un baratineur de première » ? Parfois, il souriait – le plus souvent lorsque Bobby ou moi racontions l'une de nos bêtises. Il souriait un peu trop souvent à mon goût. Lorsque Bobby se lança dans la description des créatures grouillantes dans la combinaison d'Hodgson, le chat sembla perdre tout appétit. Mais sa nature féline reprit bientôt le dessus – la faim et la curiosité l'emportèrent. Il demanda à Roosevelt, et obtint, une autre portion de *crustulorum* au lait avant que nous ayons achevé le récit de nos aventures.

– Nous sommes convaincus que les gosses et Orson sont détenus quelque part à Wyvern, dis-je à Roosevelt, n'osant m'adresser directement à Mungojerrie – une réticence idiote puisque je m'adressais bien à Orson. Seulement l'endroit est trop grand pour le passer au peigne fin. Il nous faut une piste.

– Le hic, intervint Bobby, c'est que nous n'avons ni de satellite espion à disposition, ni de meute de chiens affamés, et ne connaissons aucun pisteur sioux...

Tous les yeux se tournèrent vers le chat. Mungojerrie nous dévisagea tous tour à tour. Il ferma les paupières un moment, comme s'il soupesait le problème, puis il se tourna finalement vers Roosevelt. Le géant repoussa son assiette et sa tasse de café, se pencha vers l'animal, les coudes sur la table, le menton dans les mains, et riva son regard à celui de notre hôte à moustaches. Au bout d'une minute, durant laquelle j'essayais en vain de retrouver le thème musical de *L'Espion aux pattes de velours*[1], Roosevelt annonça :

– Mungojerrie se demande si vous avez bien entendu ce que je vous ai dit en arrivant.

– « La mort est sur le chemin. »

– La mort de qui ? s'enquit Sasha.

– La nôtre.

– D'où tiens-tu ça ?

Je désignai le chat du doigt. Mungojerrie arbora un air de bonze tibétain.

– Nous savons que c'est dangereux, déclara Bobby.

– Il ne vous dit pas que c'est dangereux, expliqua Roosevelt. Il vous fait une... *prédiction.*

Je restai silencieux, à considérer le chat, qui nous fixait avec des yeux aussi insondables que les chats de jade des tombeaux égyptiens.

---

1. Film de fiction produit par les studios Disney, qui met en scène les péripéties d'un chat. *(N.d.T.)*

– Tu veux dire que Mungojerrie est une sorte de voyant ? lui demanda finalement Sasha.
– Non.
– Alors, qu'est-ce que tout ça veut dire ?
– Les chats savent des choses, répéta Roosevelt tandis que Mungojerrie contemplait la flamme sinueuse de la bougie comme s'il y lisait l'avenir.
Bobby, Sasha et moi échangeâmes un regard, sans qu'aucun de nous ne trouve un trait d'humour pour détendre l'atmosphère.
– Qu'est-ce que les chats savent, au juste ? insista Sasha.
– Des choses, répondit Roosevelt laconiquement.
– Comment ?
– Parce qu'ils les savent.
– C'est le dilemme de l'œuf et la poule, lança Bobby, osant une métaphore.
Le chat tourna la tête vers lui, comme pour dire : *En voilà enfin un qui a compris !*
– Ce chat a trop lu Deepak Chopra [1], railla Bobby.
Sasha n'était pas convaincue. Un certain agacement la gagnait.
– Tu peux être plus clair, Roosevelt ?
Lorsqu'il haussa les épaules, je sentis un mètre cube d'air se déplacer au-dessus de la table.
– Fillette, communiquer avec les animaux n'est pas aussi simple que de parler au téléphone. Parfois tout va bien, je reçois cinq sur cinq. Parfois il y a des… ambiguïtés.
– Très bien, intervint Bobby. Notre exterminateur de souris pense donc que nous n'avons aucune chance de retrouver Orson et les gosses vivants – pas une seule ?
Roosevelt grattouilla l'animal entre les oreilles avec affection.
– Il dit qu'il y a toujours une chance. Rien n'est jamais sans espoir.
– Combien ? Cinquante-cinquante ? demandai-je.
Roosevelt émit un petit rire.
– Mungojerrie dit qu'il n'est pas bookmaker.

1. Écrivain versant dans un ésotérisme mâtiné de New Age. *(N.d.T.)*

– Le pire qui puisse donc nous arriver en allant là-bas, poursuivit Bobby, c'est d'y laisser notre peau et d'y être transformés en pâté pour chien. Tout le monde s'attend à finir plus ou moins de la sorte. Alors, que ce soit là-bas ou ailleurs…

– Je suis de ton avis, déclara Sasha.

– Et si les enfants et Orson se trouvent à un endroit que vous ne pouvez atteindre ? répliqua Roosevelt, jouant visiblement les porte-parole du chat qui ronronnait sous ses caresses. Et s'ils sont dans le Trou ?

– Règle numéro un. Tout endroit dénommé le Trou ne peut être un bon lieu de séjour.

– C'est le surnom qu'ils ont donné au centre de recherche génétique, expliqua Roosevelt.

– Qui ça « ils » ?

– Les gens qui y travaillent. Ils l'ont baptisé le Trou parce que…

Roosevelt pencha la tête comme si le chat murmurait à son oreille.

– … entre autres parce que les labos sont enterrés profondément dans le sol.

Je m'adressai à mon tour au chat :

– Ils fonctionnent donc encore ! On avait vu juste. Avec toutes les équipes ? la sécurité ? les chercheurs ?

– Oui, répondit Roosevelt, en caressant le chat sous le menton. Ils travaillent dans un confinement maximum. On les approvisionne tous les six mois.

– Tu sais où se trouvent les labos ? demandai-je au chat.

– Oui. Il le sait. Je te rappelle qu'il en vient, répondit Roosevelt en se renfonçant dans sa chaise. C'est de là qu'il s'est enfui… Mais si Orson et les enfants sont dans le Trou, il n'y a aucun moyen de les atteindre, et encore moins de les en faire sortir.

Nous restâmes tous silencieux.

Mungojerrie souleva une patte et entreprit de la lécher, lissant sa fourrure. Il était intelligent ; il détenait des informations et pouvait nous guider. Il était notre seul espoir – mais il était également chat. Comment avoir confiance en un compagnon qui pouvait, à tout moment, recracher à vos pieds une boule de poils ? Entre rire et pleurer, je ne savais que choisir. Finalement, Sasha trouva une solution :

– S'ils sont dans le Trou, nous n'avons aucune chance de les sauver, c'est entendu. Il ne nous reste donc plus qu'à espérer qu'ils soient ailleurs.

– La grande question reste la même, répliqua Roosevelt. Mungojerrie acceptera-t-il de nous aider ?

Le chat avait rencontré Orson une fois, à bord du *Nostromo*, la nuit où mon père était mort. Ils avaient paru s'apprécier. Ils partageaient le fait d'avoir été conçus dans un laboratoire de recherche génétique ; ma mère, d'une certaine manière, était leur mère à eux deux, par le cœur et l'esprit – leur créatrice. Je refermai mes mains autour de ma tasse de café, refusant de croire que le chat pourrait nous laisser tomber, passant en revue toutes les raisons qui *devaient* le convaincre de participer à notre mission de sauvetage, prêt à sortir mon argument de choc – à déclarer haut et fort qu'il était mon frère spirituel, à l'instar d'Orson, et qu'il s'agissait quasiment d'une affaire de famille !

Lorsque Roosevelt articula « oui », j'étais tellement abîmé dans mes pensées, à tenter de trouver des parades à un refus éventuel, que je ne savais pas ce que notre porte-parole humain venait de nous dire.

– Oui, nous acceptons de vous aider, précisa Roosevelt devant mon air interdit.

Tous nos visages s'éclairèrent d'un sourire. Puis Sasha fronça les sourcils :

– Comment ça « nous » ?

– Vous avez besoin de moi comme interprète.

– Mungo ouvre le chemin, et on suit, déclara Bobby. Où est le problème ?

– Ce ne sera peut-être pas aussi simple, répondit Roosevelt.

Sasha secoua la tête.

– On ne peut pas vous demander de prendre de tels risques.

Roosevelt lui tapota la main, en souriant.

– Tu ne me demandes rien, fillette. C'est moi qui le veux. Orson est mon ami. Et ces enfants, ce sont ceux de mes voisins.

– La mort est sur le chemin, répétai-je.

– Rien n'est jamais définitivement écrit, rétorqua Roosevelt.

– Le chat sait des choses, insistai-je en citant ses propres paroles.
– Il ne sait pas tout, répliqua-t-il en me citant à son tour.
Mungojerrie releva la tête vers nous, comme pour nous dire : *Les chats savent, c'est comme ça – faudra vous y faire !*
Je ne pouvais laisser Roosevelt et Mungojerrie se joindre à notre aventure sans leur avoir fait écouter la cassette de Delacroix. Que nous retrouvions ou non Orson et les enfants, il nous faudrait revenir dans ce bungalow infesté de cocons pour y mettre le feu. Un pressentiment me soufflait que nous allions rencontrer en chemin de nouveaux produits du programme Mystery Train, dont certains représenteraient une menace mortelle. Si, après avoir entendu le récit angoissé de Delacroix, Roosevelt et Mungojerrie revenaient sur leur décision, je ferais tout mon possible pour les convaincre de nous aider, mais j'aurais la conscience tranquille : j'aurais joué cartes sur table avec eux.
Les derniers mots, incompréhensibles, de la cassette résonnèrent dans la pièce.
– Les paroles sont bonnes, mais ce n'est pas très dansant, lança Bobby.
Roosevelt examinait le lecteur de cassettes, les sourcils froncés.
– Quand partons-nous ? demanda-t-il.
– Dès qu'il fera nuit.
– Il n'y en a plus pour très longtemps, déclara Sasha en regardant le jour décliner derrière les stores.
– Si ces pauvres gosses sont à Wyvern, murmura Roosevelt, ils sont aux portes de l'enfer. Peu importe les risques, nous ne pouvons les laisser là-bas.
Roosevelt portait un col roulé noir, un pantalon de toile noire et des tennis noires, comme s'il avait prévu notre raid commando nocturne. Malgré ses dimensions imposantes et son visage buriné, il ressemblait à un prêtre, à un exorciste s'apprêtant à mener un combat à mort contre le Démon.
Je me tournai vers Mungojerrie, assis sur la table :
– Et toi, que décides-tu ?
Roosevelt se pencha et regarda le chat, les yeux dans les

yeux. Pour moi, Mungojerrie restait d'un détachement magnifique, qui faisait honneur à la réputation de son espèce, que l'on prétend indifférente, froide, mystérieuse et détentrice d'une sagesse surnaturelle. Au bout de quelques instants, Roosevelt fit son rapport :

– Mungojerrie dit deux choses. Un, il retrouvera Orson et les enfants où qu'ils soient à Wyvern, peu importe les risques à courir, peu importe le temps que ça prendra.

– Et la deuxième chose ? demandai-je, soulagé, empli de reconnaissance pour ce vaillant animal.

– Il veut sortir pisser.

21.

Lorsque le soir tomba, pris de nausée, je dus me rendre dans la salle de bains. Impossible de vomir. Je me lavai le visage à l'eau chaude, puis à l'eau froide. Je m'assis sur le bord de la baignoire, les mains fermées sur mes genoux, traversé de violents tremblements, comme si j'étais victime d'une crise de paludisme ou d'un contrôle fiscal. Mourir cette nuit ne me terrifiait pas. Mais survivre et rentrer à la maison sans Orson et les enfants, perdre Sasha, Bobby, Roosevelt et Mungojerrie... En compagnie des êtres aimés, le monde peut être froid. Sans eux, ce serait le retour assuré des grandes glaciations.

Je me rafraîchis une troisième fois le visage, urinai par solidarité avec Mungojerrie, et me lavai les mains (ma mère, bien que prétendue éradicatrice de l'humanité, m'avait appris toutes les règles d'hygiène). Je revins dans la cuisine où les autres m'attendaient. Je suspectais que tous, à l'exception du chat, avaient connu les mêmes affres que moi.

Sasha, comme Bobby, avait remarqué des types louches traînant en ville. Elle était persuadée que quelque chose se tramait et que notre maison serait surveillée par les autorités, ne serait-ce qu'à cause des liens qui nous unissaient à Lilly Wing. Elle avait donc organisé un rendez-vous avec Doogie Sassman dans un endroit discret, à l'abri de tout regard importun.

Le Ford Explorer de Sasha, la Jeep de Bobby et la Mercedes de Roosevelt étaient garés devant la maison. Nous serions sans aucun doute pris en filature, sitôt que nous aurions tourné la clé de contact. Mieux valait partir à pied, en catimini. Derrière la maison, au bout du jardin, sinuait une allée de terre battue, bordée d'une haie d'eucalyptus longeant le parcours de golf du Moonlight Bay Inn & Country Club, dont Roosevelt possédait cinquante pour cent des parts. Le sentier devait être surveillé, et il y avait peu de chances que nos « anges gardiens » puissent être achetés avec des invitations gratuites au brunch du Country Club. Notre plan était de traverser les jardins attenant – même si l'on risquait de se faire repérer par les voisins et leurs chiens – jusqu'à être hors de vue de nos espions.

Depuis la visite de Manuel, seule Sasha détenait une arme – son 38 Chiefs Special avec deux chargeurs de rechange. Elle ne voulut confier son arme à aucun d'entre nous et déclara crânement qu'elle ouvrirait la marche pour parer à toute éventualité.

– Où avons-nous rendez-vous avec Doogie ? demandai-je, tandis que Bobby rangeait dans le réfrigérateur le dernier petit pain à la cannelle.

– Sur Haddenbeck Road, répondit Sasha, juste après Crow Hill.

– Crow Hill ? Ce nom ne me dit rien qui vaille [1] , lança Bobby.

Sasha ne comprit pas tout de suite, puis fit soudain le rapprochement :

– Allons ! C'est juste un nom. Cela n'a rien à voir, évidemment, avec les dessins !

J'étais, quant à moi, plus inquiet par la distance à parcourir.

– C'est à plus de dix kilomètres.

– Presque quinze. Avec toute cette agitation en ville, il n'y a que là-bas que l'on peut retrouver Doogie sans éveiller l'attention.

– Cela va prendre un temps fou pour s'y rendre à pied ! protestai-je.

– Pas de panique ! On ne va faire que deux ou trois cents mètres à pied. Après, on volera une voiture.

Bobby sourit en me lançant un clin d'œil.

– Tu es tombé sur la nouvelle Bonnie Parker !

---

1. La colline du corbeau. *(N.d.T.)*

– Quelle voiture ? demandai-je.
– Je ne sais pas. N'importe laquelle, répondit-elle. Je me contrefiche de la marque pourvu que ça roule.
– Et si on n'en trouve aucune avec la clé sur le contact ?
– Je bidouillerai les fils.
– Tu sais faire ça ?
– J'ai été chez les scouts.
– Notre fillette a gagné le fanion de la meilleure voleuse de voiture, expliqua Roosevelt à Mungojerrie.

Je refermai la porte de derrière, en laissant les stores tirés et des lumières allumées à l'intérieur. J'avais laissé ma casquette Mystery Train. Elle ne me rapprochait plus de ma mère et ne semblait plus guère un porte-bonheur à mes yeux.

La nuit était douce et sans vent, avec des senteurs d'iode et de goémon. La lune était occultée par la couverture noire des nuages. Çà et là, les réverbères de la ville perçaient l'obscurité, un halo jaunâtre éclaboussait l'envers des nuages, sans parvenir toutefois à repousser les ténèbres. Des conditions idéales pour notre petite entreprise !

Une clôture de cèdre haute d'un mètre quatre-vingts, solide comme un mur, sans le moindre interstice entre les lattes, entourait notre terrain. Un portillon, tout au fond, donnait sur l'allée de terre battue.

Je bifurquai vers le flanc est du jardin qui jouxtait la propriété des Samardian. La palissade devait sa solidité aux trois entretoises horizontales fixées en travers des lattes. Chacune d'elles pourrait aisément nous servir d'échelon pour escalader l'obstacle.

Mungojerrie sauta sur la barrière comme s'il était insensible à la pesanteur. Les pattes arrière sur l'entretoise supérieure, les pattes avant sur le sommet des lattes, il étudia les alentours. Puis il baissa la tête et regarda Roosevelt.

– Il n'y a personne, traduisit son interprète.

Un à un, dans un silence relatif, nous suivîmes le chat de l'autre côté, puis traversâmes le jardin des Samardian pour escalader une autre clôture de bois, celle des Landsberg. De la lumière brillait aux fenêtres, mais nous passâmes inaperçus. Vint le tour du jardin des Perez… Maison après maison, nous progressâmes vers l'est sans encombre, à l'exception d'une rencontre avec Bobo, le golden retriever des Wladski, qui n'était en rien méchant mais prenait un malin plaisir à vous culbuter par terre pour vous lécher comme un pain de sucre. Nous sautâmes par-dessus la barrière de cèdre rouge des Stanwyk, échappant ainsi aux assauts de Bobo, par chance silencieux, mais sautillant de frustration derrière la palissade, le souffle court et la langue pendante.

Pour moi, Roger Stanwyk était un brave homme qui avait offert ses talents aux labos de recherche de Wyvern dans le plus noble but – le progrès de la science et de la médecine –, à l'instar de ma mère. Sa seule faute était du même ordre que celle commise par Wisteria Snow : l'excès de confiance en la science et en sa capacité à résoudre tous nos maux, en sa propre intelligence. Involontairement, Stanwyk avait été l'un des architectes de l'apocalypse. Voilà ce que j'avais toujours cru. À présent, je n'étais plus aussi sûr de ses bonnes intentions. À en croire les révélations de Delacroix sur sa cassette, Stanwyk était impliqué à la fois dans les travaux de ma mère et dans le programme Mystery Train. Il était plus obscur que je ne le supposais.

Profitant du couvert des arbres et des buissons, je traversai avec mes compagnons le jardin paysager de Stanwyk, priant pour que personne ne soit à la fenêtre. Une fois que nous arrivâmes au pied de la barrière, de l'autre côté, Mungojerrie manquait à l'appel... Pris de panique, nous rebroussâmes chemin, fouillant les massifs et les parterres coupés au cordeau, chuchotant son nom. Nous le repérâmes enfin. Il se trouvait près du porche de la maison – ombre grise sur le noir de l'herbe. Notre petit groupe se rassembla autour de notre chef miniature et Roosevelt se connecta sur la fréquence Radio Bizarre pour recueillir les confidences du chat.

– Il veut rentrer dans la maison, murmura Roosevelt.

– Pourquoi ?

– Il y a quelque chose d'anormal à l'intérieur.

– Quoi donc ? demanda Sasha.

– La mort vit ici, traduisit Roosevelt.

– En tout cas, elle s'occupe du jardin à merveille ! lança Bobby.

– Doogie nous attend, rappela Sasha.

– Mungojerrie dit que les gens à l'intérieur ont besoin de notre aide.

– Qu'est-ce qu'il en sait ? lançai-je par réflexe avant de me souvenir et de répéter en chœur avec Sasha et Bobby : *Les chats savent des choses.*

L'envie me brûlait de ramasser le chat, de le coincer sous mon bras et de piquer un cent mètres. Il avait des crocs et des griffes, certes, et pouvait protester avec véhémence. Mais le plus important, c'était que nous avions besoin de son entière coopération pour l'expédition de sauvetage qui nous attendait. Il risquait de prendre la mouche si je le traitais comme un vulgaire ballon de rugby – même si je n'avais nullement l'intention de tenter un drop en fin de course.

Résigné, je contemplai la maison à l'allure victorienne. Il émanait d'elle une sorte d'aura surnaturelle, à la *X-Files.* Au premier, les fenêtres étaient éclairées par les lumières vacillantes de postes de télévision. Au rez-de-chaussée, les deux pièces donnant sur l'arrière de la maison – sans doute la cuisine et la salle à manger – étaient illuminées par la lueur orangée de bougies ou de lampes à huile. Notre Nostradamus à moustaches s'élança vers elle, grimpa les marches du perron ventre à terre et disparut dans l'ombre du porche. Peut-être notre Mungojerrie avait-il un sens aigu des responsabilités ? Peut-être ses principes moraux étaient-ils si affûtés qu'il ne pouvait se soustraire au moindre appel au secours ? Mais je suspectais, en mon for intérieur, que cet altruisme était dû uniquement à la curiosité intrinsèque de son espèce. Nous restâmes un moment accroupis en demi-cercle.

– À mon humble avis, c'est la dernière des choses à faire !

Tout le monde hocha la tête. À contrecœur, nous emboîtâmes le pas à Mungojerrie pour le rejoindre sur le porche où il grattait la porte avec insistance. Par les quatre vitres, j'avais une vue de la cuisine – si victorienne par son mobilier et son bric-à-brac que je m'attendais à voir Charles Dickens, William Gladstone et Jack l'Éventreur en train de prendre le thé. Une lampe à huile était posée sur la table ovale, comme si vivait dans ces lieux l'un de mes frères de XP.

Sasha prit l'initiative et toqua à la porte. Pas de réponse. Mungojerrie continua à gratter.

– C'est bon, on a compris, lui lança Bobby.

Sasha referma la main sur la poignée ; elle tourna. Nous nous attendions à ce qu'un verrou en entrave l'ouverture. Mais non. Mungojerrie se faufila aussitôt dans l'interstice, prenant de surprise Sasha.

– La mort. La mort partout, murmura Roosevelt, communiquant à l'évidence avec notre exterminateur de souris.

Je me préparais à voir surgir Stanwyk dans une combinaison identique à celle d'Hodgson, le visage mangé par les vers, un corbeau malveillant perché sur l'épaule. Cet homme qui me paraissait autrefois gentil et avisé – malgré quelques excentricités – prenait soudain des airs terrifiants, comme l'invité surprise dans le *Masque de la mort rouge* d'Edgar Allan Poe. Roger et Marie Stanwyk, âgés chacun d'une cinquantaine d'années, formaient un couple heureux. Roger portait des favoris et une grosse moustache et se promenait rarement autrement qu'en costume cravate – visiblement, il regrettait le temps des cols cassés et des montres de gousset. Il s'autorisait toutefois à porter des vestes fantaisie et consacrait un temps inconcevable à cureter et à préparer sa pipe à la Sherlock Holmes. Marie, une forte femme aux joues roses et rebondies, collectionnait les dessertes et les services à thé anciens ainsi que les peintures du XIXe représentant lutins et autres habitants du pays des fées. Sa garde-robe suivait bon an mal an la mode du XXe siècle, mais son amour des bottines à boutons, des jupes à panier et des ombrelles n'était que trop évident. Roger et Marie semblaient déplacés en Californie, quasiment anachroniques... Toutefois, ils roulaient dans une Jaguar rouge, ils allaient au cinéma voir des films à grand spectacle parfaitement insipides et, socialement, ils se comportaient en parfaits citoyens du nouveau millénaire.

Sasha appela depuis le seuil de la porte.

Mungojerrie avait traversé la cuisine sans l'ombre d'une hésitation et avait disparu dans les profondeurs de la maison.

Après son troisième appel demeuré sans réponse, Sasha dégaina son .38 et pénétra dans la pièce. Bobby, Roosevelt et moi lui emboîtâmes le pas. Si Sasha avait porté une jupe, nous aurions pu nous y cacher comme des petits enfants apeurés, cependant, pour l'heure, nous nous sentions davantage protégés par son Smith & Wesson.

La maison paraissait silencieuse, mais, de la cuisine, des voix nous parvinrent, provenant de l'une des pièces côté rue. Elles soutenaient une conversation. Nous nous figeâmes, tendant l'oreille, sans parvenir à comprendre ce qui se disait. Rapidement, toutefois, lorsque de la musique retentit, nous comprîmes qu'il s'agissait de voix à la télévision ou à la radio.

L'entrée de Sasha dans la salle de séjour fut instructive et pour le moins intrigante : elle franchit le seuil d'un seul mouvement, les deux mains refermées sur la crosse, bras tendus à l'horizontale, la mire du canon juste sous la ligne du regard, puis se plaqua contre le mur et se déplaça sur la gauche. En un instant, elle avait disparu de ma vue, mais je pouvais voir l'extrémité de ses bras, brandissant le .38, qui balayaient l'espace autour d'elle de droite à gauche. Une prestation instinctive toute professionnelle où l'on reconnaissait la même aisance dont elle faisait preuve au micro. Elle devait avoir été, dans son adolescence, une fan de séries TV policières.

– Tout est OK, murmura-t-elle.

De hautes vitrines semblaient s'incurver au-dessus de nous, comme si elles se détachaient du mur, renfermant des trésors de porcelaine et d'argent, qui luisaient faiblement. Les lustres de cristal étaient éteints, mais la lueur des bougies se reflétait sur les larmes et perles aux multiples facettes. Au centre de la pièce, se trouvait une grande vasque apparemment emplie de jus de fruits, entourée d'une dizaine de bougies. Quelques verres propres étaient rangés sur le côté. Disséminées un peu partout sur la table, des boîtes vides de médicaments. La lumière était trop faible pour que nous puissions lire les étiquettes, et personne ne voulut s'approcher plus avant, de crainte de toucher à quoi que ce soit. « La mort vit ici », avait dit Mungojerrie. Sans doute était-ce la raison pour laquelle chacun de nous pensait se trouver sur les lieux d'un drame. En voyant les boîtes de cachets sur la table, nous échangeâmes un regard silencieux. La nature du drame nous apparaissait peu à peu.

J'aurais pu utiliser ma lampe de poche, mais je risquais d'attirer l'attention. En outre, le nom des médicaments n'avait que peu d'importance.

Sasha nous conduisit dans le salon, une grande pièce éclairée par un poste de télévision niché dans un buffet décoré de motifs d'inspiration japonaise. Malgré la lumière chiche, l'abondance des bibelots et la décoration chargée me sautèrent aux yeux : des meubles peints néorococo ; des capitonnages en brocart d'or et d'argent ; des papiers peints gothiques ; des tentures de velours ourlées de galons ouvragés, surmontées de lambrequins à franges ; une méridienne égyptienne aux fuseaux torsadés et aux coussins de soie damassée ; des lampes mauresques à chérubins noirs avec des turbans dorés sous des abat-jour ornés de chapelets de perles, des objets partout, amassés sur les étagères et les dessertes... Parmi cette surenchère, les cadavres semblaient presque faire partie du décor.

Dans la lueur vacillante du téléviseur, un homme, vêtu d'un pantalon noir et d'une chemise blanche, gisait sur la méridienne. Avant de s'étendre, il avait retiré ses chaussures et les avait déposées au pied du sofa, soigneusement alignées, les lacets rentrés à l'intérieur. À côté des souliers, un verre vide, identique à ceux qui se trouvaient sur la table de la salle à manger – du cristal de Waterford, à première vue –, où il restait un fond de jus de fruits. Le bras gauche pendait dans le vide, le dos de la main effleurant le tapis persan, la paume en l'air. L'autre bras reposait en travers de la poitrine. La tête était nichée sur deux coussins de brocart, le visage recouvert d'un carré de soie noire. Sasha surveillait nos arrières, moins intéressée par le mort que par l'éventualité d'une attaque surprise. Le voile noir sur le visage était d'une immobilité totale. L'homme dessous ne respirait plus. Je savais ce qui l'avait tué – non pas une maladie contagieuse, mais son cocktail de barbituriques. Toutefois, j'hésitai à ôter le tissu, comme un enfant craignant de tomber nez à nez avec un croque-mitaine.

Je soulevai un coin du voile et le retirai du visage.

Il était vivant ! Ses yeux étaient ouverts, et je crus y voir de la vie. Mais après une seconde de stupeur, je m'aperçus que son regard était d'une fixité absolue. Ses yeux avaient paru bouger parce que les images de la télévision s'y reflétaient.

La lumière était tout juste suffisante pour identifier le mort. Il s'agissait de Tom Sparkman. Un collègue de Stanwyk, professeur à Ashdon, également biochimiste et sans nul doute impliqué dans les recherches de Wyvern. Le corps ne présentait aucun signe de décomposition. La mort était récente. Rassemblant tout mon courage, je posai ma main sur le front de Sparkman.

– Encore chaud.

Je suivis Roosevelt jusqu'à un sofa capitonné avec des accoudoirs et un dosseret de bois sculptés. Un autre homme y gisait, les mains croisées sur son ventre. Il avait encore ses chaussures. Son verre vide, renversé par terre, reposait là où il avait roulé après sa chute. Roosevelt retira le voile noir qui masquait le visage. Il faisait plus sombre dans cet endroit de la pièce. Impossible d'identifier le corps.

J'allumai ma lampe l'espace d'une seconde. Le cadavre numéro deux était celui de Lennart Toregart, un mathématicien suédois enseignant aussi à Ashdon – une couverture pour son véritable travail à Wyvern. Les yeux de Toregart étaient fermés. Son visage détendu. Un faible sourire suggérait qu'il faisait un rêve agréable – ou du moins qu'il en faisait un agréable au moment où la mort l'avait emporté.

Bobby tâta de deux doigts le pouls de Toregart. Il secoua la tête. Rien. Des ombres mouvantes glissèrent le long d'un mur puis coururent au plafond. Sasha se tourna aussitôt vers le mouvement. Je plongeai, par réflexe, la main sous ma veste, mais il n'y avait ni arme ni étui. Il s'agissait d'un jeu d'ombre et de lumière, rien de plus.

Le troisième cadavre était effondré dans un grand fauteuil, les jambes sur un repose-pieds assorti, les bras sur les accoudoirs. Bobby retira le carré de soie. Je rallumai fugitivement ma torche.

– C'est le colonel Ellway, dit Roosevelt à voix basse.

Le colonel Eaton Ellway avait été le commandant en second de Fort Wyvern. Il avait pris sa retraite à Moonlight Bay sitôt la base fermée. À moins qu'il n'ait secrètement poursuivi ses activités ?

Maintenant que nous avions inspecté tous les morts présents dans la pièce, je me tournai vers la télévision. Elle diffusait *Le Roi Lion*, de Disney.

Nous restâmes un moment immobiles, à écouter les bruits de la maison. D'autres voix, d'autres musiques se faisaient entendre. Mais ni ces voix ni ces musiques n'étaient issues d'êtres vivants.

La mort vit ici.

Nous quittâmes la salle de séjour – éternel, pour certains – puis traversâmes le hall d'entrée à pas de loup pour rejoindre le bureau. Sasha et Roosevelt, qui ouvraient la marche, s'immobilisèrent sur le seuil. Au milieu de la bibliothèque, un autre poste de télévison diffusait également *Le Roi Lion*, en sourdine. Nathan Lane et sa bande chantaient *Hakuna Matata* à pleins poumons.

Je découvris deux autres membres du club des suicidés, des carrés de soie sur le visage – un homme assis au bureau et une femme, avachie dans un fauteuil Morris [1], des verres vides à côté d'eux. Je n'eus pas le courage d'ôter leur voile. Chaque carré de soie masquant leur visage semblait trahir leur honte et leur regret d'avoir participé à des recherches susceptibles d'anéantir l'humanité. S'ils avaient éprouvé ces remords, alors leur mort revêtait une véritable dignité. Les déranger dans leur repos serait sacrilège. Avant de quitter le salon, j'avais replacé les carrés de tissu sur les visages de Sparkman, de Toregart et d'Ellway.

Bobby semblait comprendre mon hésitation. Ce fut lui qui se chargea de soulever le voile couvrant l'homme au bureau. J'allumai un bref instant ma lampe pour l'identifier. Aucun d'entre nous ne connaissant ce visage plutôt gracieux, avec une fine moustache grise. Bobby repositionna le tissu.

La femme reposant dans le fauteuil Morris était également

1. William Morris (1834-1896) artisan, écrivain et militant socialiste ayant participé au renouvellement de l'art décoratif anglais, entre autres, par les motifs de ses tissus et tentures. *(N.d.T.)*

une inconnue, mais lorsque j'éclairai son visage, je marquai un temps d'arrêt avant d'éteindre ma lampe. J'entendis Bobby étouffer un hoquet de stupeur.

– Seigneur ! soufflai-je entre mes dents, faisant mon possible pour contenir le tremblement de mes mains.

Intrigués, Sasha et Roosevelt s'approchèrent. À leur tour ils blêmirent. L'œil gauche de la morte était normal, avec un iris marron. Le droit était vert, au-delà de toutes normes. Presque tout le blanc avait été mangé. L'iris était énorme et jaune, le cristallin jaune-vert. La pupille n'était plus ronde mais elliptique – comme celle d'un serpent. L'orbite où se nichait cet œil de cauchemar était très déformée. Tout le côté droit du visage, autrefois harmonieux, était affecté : front, tempe, pommette, maxillaire, étaient contournés, distordus. La bouche béait en un cri silencieux. Les lèvres, retroussées en une grimace de terreur, révélaient une rangée de dents normales – pour la plupart. Quelques-unes, toutefois, sur la partie droite, étaient curieusement pointues, et une canine semblait avoir été en voie de se métamorphoser en croc.

Je fis courir le faisceau de ma lampe sur le corps de la morte, sur ses mains reposant sur ses cuisses. Je pensais découvrir d'autres mutations, mais les deux mains étaient normales. Ses doigts étaient entrelacés, refermés sur un rosaire de perles noires, terminé par une délicate croix d'argent. J'éteignis la lampe, pris d'une immense pitié. Contempler davantage une telle détresse avait quelque chose d'indécent.

Ces personnes ne s'étaient donc pas suicidées uniquement parce qu'elles se sentaient coupables d'avoir participé aux travaux de Wyvern. Peut-être éprouvaient-elles des regrets, mais la raison principale de ce hara-kiri collectif était qu'elles se savaient en train d'évoluer. La terreur de ce qu'elles allaient devenir les avait poussées à cette solution extrême.

Pour l'instant, les effets du rétrovirus, sectionnant la chaîne ADN des cellules humaines pour y insérer des séquences d'autres espèces, avaient été limités. Pour la grande majorité des cas, ses manifestations en étaient psychologiques à l'exception des yeux jaunes chez les sujets les plus affectés. Certains pontes assuraient que les changements physiques étaient impossibles. Toutes les cellules du corps étant éliminées une à une au cours du cycle biologique normal, ils étaient persuadés que les cellules infectées seraient remplacées par des nouvelles qui ne porteraient pas en elles les séquences d'ADN animal qui avaient contaminé la génération précédente – et ce, même si les cellules régulant les processus de croissance étaient elles-mêmes infectées. Cette femme défigurée était la preuve manifeste qu'ils se trompaient.

Les processus de détérioration psychique pouvaient, à l'évidence, être accompagnés de bouleversements physiques aigus.

Chaque individu infecté recevait un échantillon d'ADN étranger différent de celui du voisin. Pour chaque cas, les effets étaient spécifiques. Certaines victimes ne développeraient aucun changement perceptible, mental ou physique, parce que l'échantillon d'ADN reçu provenait de tant de sources différentes qu'il ne pouvait y avoir d'effets cumulatifs cohérents, à l'exception d'un dérèglement général de l'organisme générant cancers métastatiques et dysfonctionnements fatals. D'autres devenaient fous. Réduits à un état sous-humain, ils étaient traversés par des crises de folie meurtrière, des désirs et des besoins inconcevables. Ceux qui, de plus, subissaient des métamorphoses physiques étaient des spécimens uniques – une vraie galerie de monstres !

Ma bouche devint soudain pâteuse, ma gorge sèche. Mon cœur semblait pomper à vide, les battements sonnaient creux dans ma tête. Les personnages comiques du *Roi Lion* avaient perdu de leur aura joyeuse. Pourvu que Manuel dise vrai lorsqu'il annonçait l'imminence d'un vaccin !

Lorsque Bobby s'approcha de la malheureuse pour remettre le voile sur son visage dénaturé, mes mains se crispèrent par réflexe sur ma lampe, comme sur la crosse d'une arme. Je m'attendais à la voir se réveiller et sauter sur Bobby dans un rugissement de bête fauve, gueule ouverte, crocs en avant, refermant son rosaire autour de son cou pour l'attirer à elle et lui donner un baiser mortel. Je n'étais pas le seul à avoir une imagination galopante, car je vis le visage de Bobby se crisper et ses mains trembler en replaçant le tissu.

Au moment de quitter la pièce, Sasha hésita sur le seuil et revint inspecter une dernière fois les lieux. Elle ne tenait plus le 38 à bout de bras, mais elle avait encore le doigt sur la gâchette, comme si elle craignait qu'un verre plein de leur punch mortel ne suffise à terrasser la créature effondrée sur le fauteuil.

Au rez-de-chaussée, il restait une buanderie et une lingerie – toutes deux désertes.

De retour dans le couloir, Roosevelt appela de nouveau Mungojerrie. Nous ne l'avions toujours pas revu depuis notre entrée dans la maison. Un miaou étouffé nous parvint, suivi par deux autres, plus audibles, malgré le bruit des télévisions. Mungojerrie nous attendait dans l'entrée, juché sur le pilastre de l'escalier. Dans la pénombre, il contempla Roosevelt de ses yeux verts puis se tourna vers Sasha d'un air courroucé lorsqu'elle proposa de quitter cet endroit de cauchemar.

Sans l'aide du chat, nous n'avions guère de chances de mener à bien notre expédition à Wyvern. Nous étions les otages de sa curiosité – ou de ce qui le motivait ainsi à nous tourner le dos et à gravir la rampe d'escalier pour disparaître, au premier étage, dans l'obscurité.

– Qu'est-ce qu'il fait ? demandai-je à Roosevelt.

– Comment veux-tu que je le sache, fiston ? Il faut être deux pour communiquer, murmura-t-il.

22.

Encore une fois, Sasha passa en tête. Je fermai la procession. Les marches craquaient un peu sous nos pas – beaucoup plus sous ceux de Roosevelt – mais les bruits des télévisions provenant du rez-de-chaussée et de l'étage masquaient notre approche.

Arrivé sur le palier, je me retournai. Aucun zombie, coiffé d'un carré de soie noire ne nous avait suivis. Six portes donnaient dans le couloir. Cinq d'entre elles étaient ouvertes. Dans trois pièces, on distinguait la lumière clignotante de postes de télévision... À en croire les sons qui nous parvenaient, *Le Roi Lion* n'était pas le programme unique de la maisonnée. De crainte de laisser un assaillant dans notre dos, Sasha tint à explorer toutes les pièces. Elle se dirigea donc vers la première porte, celle qui était fermée. Je me tins collé au mur côté gonds, Sasha en face de moi de l'autre côté du chambranle. Je tendis le bras et attrapai la poignée. Sitôt que j'eus ouvert la porte, Sasha s'engouffra dans la pièce, genoux fléchis, l'arme dans la main droite, la gauche cherchant à tâtons l'interrupteur pour allumer la lumière. C'était la salle de bains. Personne. Elle revint dans le couloir, éteignit la lumière, laissant la porte ouverte. La porte à côté de la salle de bains donnait sur un placard. Restaient quatre pièces à explorer. Toutes avaient leur porte ouverte. Des voix et de la musique provenaient de trois d'entre elles.

Dieu sait que je n'étais pas un amateur d'arme à feu ! J'avais tiré ma première balle voilà un mois. Et j'avais toujours peur de me tirer dans le pied, par erreur ou par devoir, afin de ne pas me retrouver dans la position de tuer un autre être humain… Mais, à présent, je brûlais d'avoir un pistolet entre les mains, avec autant de désespoir qu'un affamé rêvant d'un rôti, car il m'était insupportable de voir Sasha prendre tous les risques.

Elle entra rapidement dans la pièce suivante. N'entendant aucune fusillade, Bobby et moi lui emboîtâmes le pas, tandis que Roosevelt restait sur le pas de la porte pour surveiller le couloir.

Une lampe de chevet luisait faiblement. À la télévision : un documentaire animalier. Des images apaisantes, presque mélancoliques, choisies sans doute pour aider les malheureux à boire le cocktail de la mort. Encore qu'à cet instant précis on voyait à l'écran un renard dévorer les viscères d'une caille.

Il s'agissait de la chambre des maîtres de maison, flanquée d'une salle de bains privative. De dimensions généreuses, elle était décorée de couleurs plus vives que les pièces du rez-de-chaussée. Je fus aussitôt oppressé par la luxuriance du décorum victorien. Les tapisseries, les rideaux, le couvre-lit, le baldaquin posé sur ses quatre poteaux d'angle arboraient tous le même motif : un entrelacs savant de fleurs et de rubans torsadés – des cascades de rose, de vert et de jaune sur un fond beige. Le tapis offrait au regard un assemblage de chrysanthèmes jaunes, de roses rouges et de rubans bleus – beaucoup de rubans bleus, beaucoup trop, un véritable canevas qui ressemblait à des veines ou à des intestins ! Le tout au milieu d'une débauche de bibelots de cristal, de porcelaines, de statuettes de bronze et de photos dans des cadres argent.

Sur le lit à baldaquin bariolé gisaient un homme et une femme, habillés de la tête aux pieds, avec, sur le visage, un carré de soie. Les voiles n'étaient peut-être là, au fond, que pour suivre un code de convenance tout victorien, afin d'épargner la sensibilité de ceux qui découvriraient leurs dépouilles. Quelque chose me soufflait qu'il s'agissait de Roger et de Marie Stanwyk – couchés côte à côte sur le dos, se tenant la main. Lorsque Bobby et Sasha retirèrent les voiles noirs, je sus que j'avais deviné juste.

Par réflexe, j'examinai le plafond, de crainte d'y trouver de gros cocons suspendus. Pas trace de la moindre pelote, bien entendu. La folie me guettait. Sentant une crise de claustrophobie me gagner, je sortis de la chambre pour rejoindre Roosevelt dans le couloir. Toujours pas de mort-vivant en vue ! J'en fus presque surpris.

La chambre suivante était d'inspiration tout aussi victorienne que le reste de la maison. Les deux cadavres qui s'y trouvaient étaient couchés sur le flanc, face à face, enlacés jusqu'à leur dernier souffle. Nous contemplâmes le profil que nous offraient leurs visages d'albâtre. Aucun de nous ne les connaissait. Bobby replaça vite les voiles de soie.

Il y avait, ici aussi, un poste de télévision. À l'évidence, les Stanwyk, malgré leur amour des temps anciens, étaient des fans du petit écran comme bon nombre d'Américains, une inclination qui devait avoir contribué à leur abrutissement puisqu'il était presque prouvé – ou tout au moins hautement probable – que pour tout poste de télévision installé dans un foyer, chaque membre de la famille voyait son QI baisser de cinq points. Le couple enlacé avait choisi de faire le grand saut avec la énième rediffusion d'un épisode de *Star Trek*. Présentement, le capitaine Kirk expliquait d'un air inspiré que la tolérance et la compassion étaient des facteurs aussi importants pour l'évolution et la survie de l'espèce humaine que la vue et l'apparition des pouces préhensiles. J'eus l'envie pressante de changer de chaîne pour revenir au renard en train de dévorer les entrailles du volatile. Je ne voulais en rien juger ces personnes, mais, s'il me fallait mourir, je doute que j'aurais choisi les produits de l'empire Disney, le festin sanguinaire d'une bête sauvage ou les aventures de l'*Enterprise* pour m'accompagner durant mon ultime voyage. J'aurais préféré Beethoven, Bach, peut-être Brahms, Mozart ou encore un bon vieux morceau de Chris Isaak.

Le nombre des morts s'élevait à présent à neuf. Je revins dans le couloir avec une impression d'étouffement à la limite du supportable, une imagination en hyperactivité, un désir quasi sexuel d'avoir en main une arme et des testicules rétractés dans l'entrejambe sous l'effet de l'angoisse.

Nous ne ressortirions pas tous vivants de cette maison, je le savais. Christopher Snow, lui aussi, *savait des choses.* Je le savais, malgré moi. Un pressentiment.

La pièce suivante était plongée dans l'obscurité ; une rapide inspection révéla qu'elle faisait office de réserve pour stocker des meubles et autres objets. Le temps d'allumer ma lampe deux ou trois secondes, j'aperçus tout un bric-à-brac – des tableaux, des chaises en pagaille, une cave à liqueurs, des statuettes en terre cuite, des vases, un bureau XVIIIe... Les Stanwyk avaient donc l'intention de remplir le moindre recoin de leur maison jusqu'à ce que la masse du mobilier distorde l'espace-temps et les propulse à la bonne vieille époque de sir Conan Doyle et de lord Chesterfield ?

Mungojerrie, apparemment en rien gêné par cette surcharge de morts et de mobilier, se tenait dans le couloir, dans la lueur palpitante qui filtrait de la dernière chambre. Il regardait avec intensité vers l'intérieur de la pièce. Soudain, il s'arc-bouta, son poil se hérissa comme une sorcière venant de voir Satan en personne sortir de son chaudron brûlant. Pas question de laisser Sasha passer encore une fois la première. Celui qui franchirait le seuil de cette porte serait transformé en poussière ou haché menu comme une branche de céleri dans un robot-mixer. Mis à part la femme au rez-de-chaussée, nous n'avions pas eu affaire à d'autres échappés de *L'Île du docteur Moreau.* Mon sixième sens m'informait qu'une nouvelle rencontre à soulever le cœur était imminente. L'idée me traversa de prendre Mungojerrie et de le lancer dans la pièce pour qu'il essuie la première salve, mais le chat était trop précieux. Je passai devant lui et franchis le seuil, plongeant tête la première, inondé d'adrénaline, sans aucun plan d'attaque – ni de retraite – en réserve. Je me retrouvai dans la seconde noyé sous une nouvelle débauche de mobilier victorien. Sasha surgit sur mes talons, pestant contre moi, comme si elle prenait ombrage de se voir ôter sa dernière chance d'être tuée.

Parmi les fontaines multicolores de roses, de festons brodés et la collection inconcevable de bibelots, un téléviseur diffusait, là encore, les aventures du *Roi Lion.* Si les spécialistes du marketing de chez Disney l'apprenaient, ils sauteraient sur l'aubaine et sortiraient à un million d'exemplaires une édition spéciale du film à l'intention des éclopés, des amoureux éconduits, des jeunes atteints de spleen et des boursicoteurs désespérés au sortir d'un nouveau Lundi noir – un lot « spécial suicide » avec la cassette ou le DVD du film, le carré de soie noire, le bloc-notes et le stylo pour les ultimes confessions, et les paroles des chansons pour se faire un karaoké en solo en attendant que le poison fasse effet.

Deux autres cadavres – les numéros dix et onze – reposaient sur le couvre-lit matelassé. Ces deux-là attiraient moins le regard que la silhouette en robe noire, digne de l'Ankou, qui se dressait à côté du lit. La Grande Faucheuse était venue, curieusement, sans sa faux. Elle se tenait penchée au-dessus des morts, arrangeant soigneusement les morceaux de tissu noir sur les visages, retirant çà et là une poussière, lissant un pli. Une méticulosité surprenante de la part du fossoyeur du Diable, mais tout professionnel souhaitant rester au sommet de son art se devait de ne laisser aucun détail au hasard. L'Ankou était également un peu plus petit que je ne l'imaginais – il ne dépassait pas un mètre soixante-cinq. Et il était curieusement plus grassouillet qu'on le représentait dans l'iconographie populaire. Cet embonpoint, certes, relevait peut-être d'une illusion d'optique, car la robe qu'il portait était vague et ne flattait en rien sa ligne.

Lorsqu'il se rendit compte de notre intrusion, l'être se tourna lentement pour nous faire face. Il ne s'agissait pas de l'Ankou, le seigneur de tous les vers de la terre, mais simplement du père Eliot – le révérend Tom Eliot, curé de l'église Sainte-Bernadette. Voilà pourquoi il n'avait pas de capuche, ni de faux... Et sa robe était une simple soutane. *Le prêtre blafard du peuple muet*, voilà comment Robert Browning avait décrit la Mort. Même dans cette pièce, nimbé par les feux orange de la savane cathodique de Disney, le visage du père Eliot semblait aussi blanc et rond que ses hosties.

– Je n'ai pas pu les convaincre de remettre leur sort aux mains de Dieu, déclara le père Eliot, avec un tremblement dans la voix, les yeux luisant de larmes.

Il ne fit aucune remarque sur les raisons de notre présence en ces murs, comme s'il avait toujours su que quelqu'un le surprendrait en train d'accomplir cette funeste besogne.

– C'est un terrible péché, un outrage à Dieu, se détourner ainsi de la vie. Plutôt que souffrir en ce bas-monde, ils ont opté pour la damnation. Oui, ils ont préféré cela, et je ne pouvais que leur apporter mon réconfort. Mais ils n'ont pas voulu de moi. Ce n'est pourtant pas faute d'avoir essayé. Dieu m'en est témoin ! De la tendresse, c'est tout ce que je pouvais leur offrir. De la tendresse, vous comprenez ?

– Oui, nous comprenons, répondit Sasha avec un mélange de compassion et de méfiance.

En temps ordinaire, avant notre entrée dans l'ère de la fin des temps, le père Eliot était un homme plein de vie, dévot sans être importun, soucieux du bien-être de son prochain. Avec son visage expressif, ses petits yeux rieurs et son sourire désarmant, il était d'un comique naturel, mais lorsqu'un drame frappait, il était un roc sur lequel on pouvait s'appuyer. Je ne suivais pas ses offices, mais je savais que ses ouailles l'aimaient avec ferveur.

Dernièrement, l'existence lui avait réservé de mauvais tours. Il en était ressorti très affecté. Sa sœur, Laura, était une collègue et amie de ma mère. Le père Eliot l'adorait – il ne l'avait pas vue depuis plus d'un an. Très probablement Laura, en évolution, était soumise à des transformations si profondes qu'on la retenait dans le Trou à Wyvern, pour y être examinée sous toutes les coutures.

– Quatre de ces malheureux étaient catholiques, expliqua-t-il. Des membres de ma paroisse. Leurs âmes étaient entre mes mains. *Entre mes mains !* Les autres étaient luthériens, méthodistes. Il y avait un juif aussi, et deux athées... du moins jusqu'à ces derniers jours. Toutes ces âmes à sauver. Ces âmes perdues.

Il parlait vite, comme s'il savait qu'une bombe à retardement était lancée, comme s'il avait peur d'être rayé de la planète avant de n'avoir pu tout révéler.

– Deux d'entre eux, un jeune couple dans l'erreur, avaient adopté les croyances de diverses tribus indiennes. Ils avaient fait leur propre cuisine et avaient concocté une mixture qui aurait laissé perplexe n'importe quel Indien. Ils croyaient en des choses si absurdes, si bizarres... Ils vouaient un culte au bison, aux esprits des rivières, aux esprits de la terre, du maïs... Mais est-ce que j'appartiens à un monde où l'on révère le bison et les épis de maïs ? Je vous le demande ? Je suis perdu. Vous comprenez ? Perdu !

– Oui, mon père, dit Bobby. Ne vous inquiétez pas, nous vous comprenons parfaitement.

Le prêtre portait un gant de jardinage à la main gauche. Pendant qu'il parlait, il ne cessait de le tripoter, tirant sur le tissu, pinçant les coutures, comme s'il n'était pas de la bonne taille.

– Je ne leur ai pas donné l'extrême-onction, expliqua-t-il nerveusement en haussant la voix, parce qu'il s'agit de suicides. Mais j'aurais peut-être dû les bénir. Oui, j'aurais peut-être dû. Faire fi de la doctrine pour laisser parler la compassion. Tout ce que j'ai fait pour eux, pour ces pauvres êtres torturés, c'est de leur donner le réconfort des mots, rien que des mots vides, alors je ne sais pas, je ne sais plus si ces âmes sont perdues à cause de moi ou malgré moi...

Un mois plus tôt, la nuit où était mort mon père, j'avais fait une rencontre pour le moins troublante avec le père Eliot. Il s'était montré bien moins maître de ses émotions qu'il ne le paraissait ce soir dans ce mausolée des Stanwyk. Je m'étais dit alors que lui aussi était en évolution, mais, à la fin de notre rencontre, il m'avait semblé davantage rongé d'inquiétude pour sa sœur et d'angoisse devant sa propre détresse spirituelle que par un corps étranger. Aujourd'hui encore, je cherchais à distinguer dans ses prunelles un soupçon de lueur jaune. Il n'y en avait nulle trace. Le téléviseur projetait sur son visage des ombres colorées, comme un vitrail de cathédrale, orné non pas de saints mais de caricatures d'animaux.

Le père Eliot reprit le fil de son récit, tripotant toujours son gant avec agacement – sa voix était sifflante et haut perchée, des gouttes de sueur ruisselaient sur son visage.

– Ils ont trouvé une porte de sortie, même si c'est la pire qui soit, le pire des péchés... Je ne peux les suivre, j'ai trop peur. Parce qu'il ne faut pas oublier l'âme, notre âme immortelle. Je suis davantage attaché à l'âme qu'à la libération des souffrances. Je n'ai donc aucun moyen de fuite ! J'ai des pensées impies. Des pensées terribles. Des rêves. Des rêves sanguinaires. Je me vois me nourrir de cœurs battants, me repaître des gorges des femmes et je me vois violer… violer des petits enfants. Je me réveille malade, dégoûté de moi, mais aussi *excité*… et je n'ai aucun moyen de m'enfuir.

Il retira soudain son gant. La chose qui s'y trouvait n'était plus une main d'homme. C'était une chose en évolution, en pleine métamorphose. La couleur et la texture de la peau étaient d'origine humaine, ainsi que l'emplacement des doigts, mais les doigts eux-mêmes ressemblaient davantage à des serres – pas à des serres d'oiseaux connus, car chaque extrémité était fendue pour former une paire d'appendices préhensiles, à la manière des pinces de bébé homard.

– Je n'ai que Jésus vers qui me tourner, murmura le prêtre, les yeux embués de larmes – des larmes pas moins acides que le vinaigre imbibant l'éponge offerte pour alléger les souffrances de son Sauveur.

– Je crois en la miséricorde du Christ. En Sa miséricorde infinie.

Une lumière jaune s'alluma dans ses yeux.

Jaune.

Le père Eliot fondit sur moi, peut-être parce que je bloquais l'accès à la porte, peut-être aussi parce que ma mère s'appelait Wisteria Jane Snow. Elle avait permis la réalisation de petits miracles comme Orson et Mungojerrie, mais également l'apparition de cette chose qui se tortillait au bout du bras gauche du prêtre. Même si cet homme croyait pronfondément en l'immortalité de l'âme et en la miséricorde sans défaut du Tout-Puissant, il était parfaitement compréhensible qu'une part plus sombre de son être éprouve le désir de se venger de manière sanglante.

Le père Eliot restait toutefois un prêtre… et on ne m'avait pas éduqué pour boxer un représentant de Dieu, ni tout pauvre hère fou de désespoir. Le respect, la pitié, et vingt-huit ans d'éducation parentale furent plus forts que mon instinct de survie – n'en déplaise à ce cher Darwin ! – et, au lieu de me défendre, je croisai les bras devant mon visage et tentai d'éviter le gros de l'assaut.

Le père Eliot n'était pas un combattant expérimenté. Tel un garçonnet en fureur, il se jeta tête la première sur moi, se servant de la simple masse de son corps comme d'un bélier. Je fus projeté contre une grande armoire. L'une des poignées de porte me rentra dans le dos, juste sous l'omoplate gauche. L'ecclésiastique me frappait de son poing droit, pourtant je m'inquiétais davantage de ce que pouvait faire l'autre « main ». Les mâchoires dentelées des pinces étaient-elles aussi acérées qu'elles en avaient l'air ? Le pire, c'était l'idée même d'être touché par cette chose. Elle me paraissait *sale*, sale comme peut l'être la queue fourchue du démon. Tout en me rouant de coups, le prêtre psalmodiait sa déclaration de foi :

– Je crois en la miséricorde du Christ. En la miséricorde du Christ... la... mi-sé-ri-corde... du... Christ !

Il me postillonnait au visage et son haleine était curieusement fraîche, parfumée à la menthe poivrée. Malgré la lueur malveillante dans ses yeux, malgré la haine qui animait ce corps dénaturé, je distinguais encore l'homme de Dieu vulnérable qui luttait pour chasser cette sauvagerie en lui et retrouver le chemin de la grâce.

Bobby et Roosevelt saisirent le prêtre, tentant de l'écarter. Tout en s'accrochant à moi, il leur donnait des coups de pied et de coude pour se libérer.

Quelques instants plus tôt il était un pugiliste débutant, mais il progressait à vue d'œil ! Ou alors il était en train de perdre son combat intérieur contre son hôte, un être qui, lui, était expert en massacre humain.

Je sentis quelque chose tirer mon polo. La pince ! Les dents des mâchoires s'accrochaient aux mailles de laine. Avec un hoquet de dégoût, je saisis le poignet du prêtre pour lui faire lâcher prise. La chair sous mes doigts était étrangement chaude, huileuse – j'avais l'impression de toucher un corps en décomposition. Par endroits elle était molle, répugnante, en d'autres, elle s'était durcie comme s'il se formait des morceaux de carapace. Jusqu'à présent, notre lutte, quoique pathétique, pouvait paraître amusante – une sorte de tragi-comédie qui prêterait à sourire, plus tard, autour d'un verre, ou tranquillement allongé sur la plage. Cette mêlée ouverte avec un prêtre fou dans une chambre rococo avait quelque chose de risible, entre Tex Avery et Lovecraft. Puis soudain, la perspective d'une fin heureuse sembla plus qu'improbable. La situation perdit toute connotation comique, pour ne pas dire qu'elle emprunta une tournure carrément sinistre.

Le poignet du prêtre ne ressemblait plus à l'articulation que l'on peut observer, élève, sur les squelettes qui trônent dans la classe de sciences naturelles, mais plutôt à une hallucination née d'un *delirium tremens* après dix bouteilles de bourbon. La main entière pivota sur cent quatre-vingts degrés – ce qu'aucun humain n'était capable de faire – comme si elle était montée sur rotule, et les pinces attrapèrent mes doigts, me forçant à lâcher prise, de crainte d'être tailladé.

J'avais l'impression d'avoir lutté une éternité contre le prêtre, pourtant, la mêlée, aussi intense fût-elle, ne dura pas plus d'une minute avant que Roosevelt ne me libère du forcené. Notre paisible interprète de la gent animale trouva un nouveau moyen de communiquer avec la bête furieuse à l'intérieur du prêtre : il souleva ce dernier et le projeta dans les airs, comme s'il ne pesait pas plus lourd que l'Ankou, qui n'était, comme le sait tout un chacun, qu'un tas d'os lévitant sous une cape. La soutane flotta dans l'air comme un étendard, et le père Eliot termina son vol contre le pied de lit où reposait le couple de suicidés. Un concert de ressorts s'éleva du matelas. Le prêtre se releva aussitôt avec une vélocité surhumaine.

Il n'était plus question de psalmodier quelque profession de foi. Des grognements de sanglier avaient remplacé les mots, accompagnés d'effusion de bave et de borborygmes. Le prêtre saisit, à bras-le-corps, une chaise en noyer tapissée de capitons brodés à motif de jonquilles. Pendant un instant, il la tint au-dessus de sa tête, semblant vouloir s'en servir comme d'une masse pour dévaster tout ce qui se trouvait à sa portée, mais il se ravisa et lança la lourde chaise sur Roosevelt. Celui-ci se détourna *in extremis* et reçut le projectile dans le dos. Du téléviseur, montait la voix sirupeuse d'Elton John, avec chœur et orchestre philharmonique, en train de chanter *Can you feel the love tonight ?*.

La chaise avait à peine touché le sol que le père Eliot jetait le tabouret de la coiffeuse sur Sasha. Elle ne s'écarta pas assez vite. Le siège la heurta à l'épaule et la projeta sur une ottomane.

Le prêtre fou ramassait déjà les objets sur la coiffeuse pour les envoyer sur Roosevelt, Bobby et moi. Il continuait à pousser des grognements bestiaux, mais quelques mots intelligibles s'échappaient de sa bouche, crachés avec hargne. La valse des objets était ainsi ponctuée : un miroir à main cerclé de perles – *au nom du Père* ; une grosse brosse à vêtements en argent – *du Fils* ; un jeu de petits coffrets vernis – *et du Saint-Esprit !*... Un vase en porcelaine heurta Roosevelt en pleine face ; il perdit l'équilibre sous le choc. Un flacon de parfum rasa ma tempe et explosa contre un meuble de l'autre côté de la pièce, exhalant dans la chambre une senteur de roses. Sous le tir de barrage, les mains en bouclier devant le visage, Bobby et moi tentâmes de nous rapprocher de Tom Eliot. Un mouvement réflexe. Peut-être pensions-nous pouvoir immobiliser le forcené et le maintenir hors d'état de nuire jusqu'à la fin de la crise, jusqu'à ce que le prêtre recouvre la raison – si toutefois elle n'était pas irrémédiablement perdue ?

Quand le père Eliot eut lancé le dernier bibelot de la coiffeuse, Bobby se précipita vers lui. Je suivis aussitôt le mouvement de contre-attaque. Au lieu de battre en retraite, le prêtre s'élança tête la première. Dans la collision, Bobby se retrouva soulevé de terre. Ce n'était plus le père Eliot qui était là ! Nous avions affaire à une nouvelle entité à la force surnaturelle et à la férocité aveugle d'un taureau. Le prêtre emporta Bobby à travers la pièce, renversant un fauteuil dans son élan, et le plaqua dans un coin. Je crus entendre sous le choc ses omoplates se briser. Bobby poussa un cri de douleur. Le prêtre se pencha sur lui et roua ses côtes de coups, cherchant à déchirer les chairs, à s'y *enfoncer.* L'instant suivant, j'étais dans la mêlée, accroché aux épaules du père Eliot, le bras droit refermé autour de son cou, la main gauche faisant verrou. Un étranglement en règle. Une torsion de la tête pour écraser le larynx. Tout tenter pour lui faire lâcher Bobby ! Il le lâcha. Mais au lieu de tomber à genoux, de s'avouer vaincu, il ne sembla nullement gêné par la strangulation – ni par le manque d'air, ni par la carence de sang dans son cerveau que je provoquais en pinçant ses carotides. Il s'arc-bouta soudain, essayant de me faire passer par-dessus son épaule. Vainement. Il fit une nouvelle tentative, avec une hargne redoublée. Nouvel échec.

J'entendais Sasha crier derrière moi, mais je n'écoutais pas ce qu'elle disait... Ce ne fut qu'à la quatrième tentative, lorsque le prêtre faillit pour de bon me faire faire un soleil et que je menaçais de lâcher prise sous le choc alors que sonnait déjà à mes tympans le grognement de triomphe de mon assaillant, que j'entendis enfin ce que criait Sasha...

– Écarte-toi, Chris. Nom de Dieu, écarte-toi !

Faire ce qu'elle me demandait réclamait une bonne dose de confiance aveugle. Mais survivre était toujours une question de confiance, que ce soit dans un combat à mort ou pour un baiser d'amour... Je lâchai ma prise sur son cou et le prêtre me projeta en l'air dans l'instant qui suivit.

Le père Eliot se dressa de toute sa hauteur – il semblait soudain plus grand, mais il devait s'agir d'une illusion d'optique. Sa fureur démoniaque avait atteint un tel niveau d'intensité que je m'attendais à voir jaillir de lui des gerbes de feu. La rage le faisait doubler de volume. Ses yeux lumineux semblaient éclairés de l'intérieur, comme si sous son crâne enflait un brasier nucléaire, annonçant l'imminence d'un second Big Bang près d'engendrer un nouvel univers.

Je reculai, le souffle coupé, cherchant désespérément sous mon bras l'arme que Manuel m'avait confisquée.

Sasha tenait un oreiller, qu'elle venait de prendre sous la tête de l'un des suicidés. Décidément, la folie gagnait tout le monde ! Espérait-elle vraiment venir à bout du prêtre en furie avec un sac rempli de duvet d'oie ? En fait, lorsqu'elle lui ordonna de reculer et de s'asseoir, je m'aperçus que l'oreiller était enroulé autour de son .38 pour atténuer une éventuelle déflagration. La chambre donnait en effet sur la rue.

Le prêtre n'écouta pas Sasha. Peut-être était-il rendu sourd par l'ouragan qui rugissait en lui. Sa bouche s'ouvrit toute grande, les lèvres retroussées sur ses dents. Un cri strident s'échappa de sa gorge, puis un autre, encore plus terrifiant, suivi par une série de plaintes et de grognements, oscillant entre le plaisir et la souffrance, le désespoir et la joie, la colère et le remords.

Sasha changea de mode de communication et se mit à supplier le prêtre de se calmer. Elle ne voulait pas être contrainte d'utiliser son arme. Peut-être parce qu'elle craignait d'alerter l'attention des voisins. Sa voix tremblait sous l'émotion, les larmes brillaient dans ses yeux, mais je la savais capable d'aller jusqu'au bout.

Le père Eliot leva les bras comme s'il voulait attirer sur nous les foudres célestes, puis se mit à trembler avec violence, comme un malade atteint de la danse de saint Guy.

Bobby était toujours effondré dans un coin de la chambre, les mains plaquées contre son flanc gauche. Apparemment, il était blessé et tentait d'empêcher le sang de couler...

Roosevelt bloquait la sortie, se tenant le visage à l'endroit où le vase l'avait heurté.

À leurs regards, il était évident qu'ils s'attendaient, comme moi, à un nouveau déferlement de violence, pire que le précédent. Même si, évidemment, le père Eliot n'allait pas se métamorphoser sous nos yeux en un monstre sanguinaire digne des films fantastiques, moitié salamandre, moitié araignée, prêt à nous dévorer sauvagement avant de gober le chat en guise d'After Eight. La chair et les os ne pouvaient subir de transformations aussi rapides qu'un paquet de pop-corn dans un four à micro-ondes. Le prêtre, cependant, nous réserva une surprise, et de taille ! Lorsqu'il décida de retourner sa fureur contre lui-même. L'homme d'Église poussa un long cri, entre colère et douleur, un cri terrifiant non pas par sa puissance, mais par le désespoir sans fond qui le portait. Il se mit à se cogner le visage avec son poing droit, puis avec sa main gauche déformée, refermée tant bien que mal en poing. Les coups étaient si forts que son nez éclata, puis ses lèvres, qui se déchirèrent... Sasha continuait à le supplier, mais le père Eliot était perdu pour les habitants de ce monde. Dans sa tentative d'extraire le démon de sa chair, il se lacéra les joues, enfonça ses ongles sous la peau, monta sa main terminée de pinces vers son œil droit, comme s'il voulait l'arracher de son orbite.

Des plumes volèrent soudain dans la pièce, retombant en

neige sur le prêtre. Il me fallut quelques instants pour comprendre que Sasha venait de tirer. L'oreiller ne pouvait avoir assourdi totalement la déflagration, mais les plaintes du père Eliot avaient empli tout mon être.

Le prêtre tressauta sous l'impact, sans s'écrouler. Il continua à hurler et à se lacérer.

J'entendis un second coup de feu – *stomp !* – puis un troisième. Tom Eliot s'effondra sur le flanc, les jambes parcourues de mouvements saccadés, tel un chien pourchassant en rêve un lapin, puis il s'immobilisa enfin, mort.

Sasha avait abrégé l'agonie du prêtre et assuré son salut en l'empêchant de s'autodétruire. L'âme du père Eliot ne serait pas condamnée aux flammes de la damnation éternelle comme il en était persuadé.

Il s'était passé tellement de choses depuis que le prêtre avait jeté la chaise sur Roosevelt, qu'entendre Elton John chanter *Can you feel the love tonight ?* me fit l'effet d'une douche froide.

Avant de retirer l'oreiller, Sasha se tourna vers la télévision et fit feu une dernière fois, faisant voler l'écran en éclats. L'obscurité qui envahit la chambre sitôt retombée la pluie d'étincelles projetées par le téléviseur nous donna le frisson. Le prêtre *devait* être mort, parce que avec trois balles de .38 dans le corps n'importe qui aurait été réduit en charpie, mais, ainsi que Bobby l'avait remarqué la veille, les règles du jeu étaient différentes à l'aube de l'apocalypse.

Je cherchai ma lampe glissée sous ma ceinture. Elle n'était plus là ! J'avais dû la perdre dans la bagarre. En pensée, j'imaginais le prêtre se relever, métamorphosé en un Hulk furieux dont une armée de marines n'aurait pu venir à bout. Bobby alluma l'une des lampes de chevet. Le mort était parfaitement humain, un amas de chair pathétique. Sasha rengaina son arme, se détourna du cadavre et se cacha le visage dans les mains pour retrouver son calme. Je repérai ma lampe par terre, la récupérai et la glissai sous ma ceinture. Faisant mon possible pour recouvrer une respiration normale, je m'approchai d'une des fenêtres donnant sur la rue. Les rideaux étaient aussi épais qu'une peau d'éléphant doublée de noir et devaient assourdir les coups de feu aussi efficacement que l'oreiller de Sasha. J'en tirai un pan et observai la rue. Personne en vue. Aucune voiture arrêtée. Tout était tranquille. Désert.

Nous n'échangeâmes pas un mot jusqu'à notre retour dans la cuisine au rez-de-chaussée, où le chat, impérial, nous attendait, à proximité d'une lampe à huile. Bobby retira sa chemise hawaïenne et son sweat-shirt noir maculé de sang. Sur son flanc gauche, quatre entailles infligées par la main tératoïde du prêtre.

J'avais chipé ce mot bien utile à ma mère et à son jargon de généticienne. Cela signifiait monstrueux, un organisme ou une portion d'organisme dénaturée, déformée par des dommages dans le matériel génétique. Enfant, je me passionnais pour les travaux de ma mère. Elle cherchait Dieu dans les rouages des horloges, m'expliquait-elle – et cela me paraissait le travail le plus important qui soit. Mais Dieu aime nous voir nous débrouiller seuls. Il refuse de nous faciliter la tâche. Sitôt que l'on pense Le savoir derrière telle ou telle porte, on se retrouve nez à nez avec une chose tératoïde.

Dans la buanderie, jouxtant la cuisine, Sasha trouva un nécessaire de premier secours et une boîte d'aspirine. Bobby se tenait au-dessus de l'évier, nettoyant ses plaies avec un torchon imbibé d'eau et de liquide vaisselle. Je l'entendais souffler entre ses dents.

– Ça fait mal ?

– Pas du tout.

– À d'autres !

– Et toi, ça va ?

– Rien que des bleus.

Les quatre entailles n'étaient pas profondes, mais saignaient abondamment. Roosevelt s'assit sur une chaise. Il avait pris des glaçons dans le réfrigérateur et les avait emballés dans une serviette. Il tenait cette compresse de fortune sur son arcade gauche, qui ne cessait d'enfler. Par chance, le vase ne s'était pas brisé sous le choc, sinon il aurait pu avoir des éclats de porcelaine dans l'œil.

– C'est grave ? demandai-je.

– J'ai eu pire.

– Au rugby ?

– Avec Alex Karras.
– Un grand joueur.
– Très grand.
– Il t'a déjà plaqué ?
– Plus d'une fois.
– Cela devait faire mal.
– Comme si un trente tonnes te passait dessus, fiston. Alors c'est pas un malheureux petit vase qui va m'arrêter !

Sasha imbiba une compresse d'eau oxygénée et l'appliqua sur les blessures de Bobby. Chaque fois qu'elle soulevait le tampon, une écume rouge s'échappait des entailles.

J'avais mal partout, et l'impression d'avoir passé six heures dans le tambour d'un sèche-linge. J'avalai deux aspirines avec quelques gorgées de jus d'orange. Mes mains tremblaient tellement que je m'éclaboussai le menton et le col – mes parents n'auraient pas dû me supprimer le biberon à l'âge de cinq ans.

Après plusieurs applications d'eau oxygénée, Sasha passa à l'alcool à 90°. Bobby serrait les dents en grimaçant silencieusement. Enfin, alors que toutes ses incisives menaçaient de se briser sous la pression, Sasha reposa son tampon et entreprit d'enduire les blessures avec une pommade antiseptique et cicatrisante. Ce nettoyage minutieux et exhaustif fut accompli sans le moindre commentaire ; nous savions qu'il était vital d'utiliser tous les produits antibactériens que nous avions sous la main. Expliciter les raisons d'une telle minutie nous aurait fichu le moral à zéro. Pendant les semaines et les mois à venir, Bobby passerait plus de temps que d'habitude devant sa glace, à s'observer sous toutes les coutures, non par coquetterie, mais à la recherche de l'émergence de quelque chose de... tératoïde.

L'œil de Roosevelt n'était plus qu'une fente, pourtant il croyait encore aux vertus de la glace.

Tandis que Sasha achevait le pansement de Bobby, je découvris un tableau porte-clés à côté de la porte reliant la cuisine au garage. Deux jeux de clés de voiture étaient suspendus aux crochets. Sasha n'aurait pas à trafiquer les fils d'un moteur : dans le garage, nous attendaient une Jaguar rouge et une Ford Explorer blanche. À la lueur de ma lampe de poche, je baissai les sièges arrière de la Ford pour augmenter le volume du coffre. Cela permettrait à Roosevelt et Bobby de s'allonger, sous le niveau des fenêtres. Nous attirerions moins l'attention si Sasha paraissait être seule à bord de la voiture.

Bobby pénétra dans le garage à la suite de Sasha et de Roosevelt ; il s'était rhabillé et se déplaçait avec une certaine raideur.

– Ça ira ? lui demandai-je en lui montrant le coffre du Ford.

– Je vais en profiter pour dormir un peu.

Une fois tassé sur le siège passager, sous la vitre de ma portière, je pris conscience du moindre hématome parsemant mon corps. Mais j'étais vivant. Nous étions tous ressortis vivants de chez les Stanwyk. Mon pressentiment s'était révélé inexact. À l'inverse de certains chats, les prédictions de Christopher Snow étaient sans fondement – ce qui était plutôt rassurant.

Lorsque Sasha démarra le moteur, Mungojerrie sauta sur la console entre les deux sièges. Il s'assit sur son arrière-train, les oreilles dressées, regardant droit devant lui, fier comme un ornement de capot. Sasha, avec la télécommande, releva la porte du garage.

– Et toi, ça va ? demandai-je.

– Pas trop.

– Tant mieux.

Je la savais physiquement indemne ; elle faisait évidemment référence à son état psychologique. En tuant le père Eliot, non seulement elle avait sauvé un ou plusieurs d'entre nous, mais permis aussi au prêtre de s'éviter cette abominable autodestruction. Ces trois balles qu'elle avait dû tirer la rendaient toutefois malade. Elle sentait sur ses épaules le poids écrasant d'une nouvelle responsabilité. Ce n'était pas de la culpabilité – elle était suffisamment intelligente pour ne pas se méprendre sur son geste, mais certaines actions, même motivées par de nobles et justes raisons, pouvaient heurter le cœur et l'esprit. Si elle avait répondu à ma question avec un détachement doublé d'un sourire débonnaire, elle n'aurait pas été ma Sasha – pas celle que j'aimais. J'aurais eu alors toutes les raisons de croire qu'elle aussi était victime du rétrovirus de ma mère.

Trois kilomètres après notre départ, le chat perdit tout intérêt pour le paysage. À ma grande surprise il se jucha sur mon ventre et me regarda droit dans les yeux. Son regard vert était fixe et intense. Je sondais un certain temps ses prunelles dans le vain espoir de discerner ses pensées. Son mode de raisonnement devait être à mille lieues du mien, même si nos QI étaient de niveau comparable. Mungojerrie appréhendait ce monde d'un point de vue quasiment extraterrestre. Il affrontait chaque jour nouveau sans porter sur ses épaules le poids de l'humanité, avec son histoire, ses croyances, sa bêtise, ses tragédies et ses triomphes. Ce devait être exaltant de ne pas sentir ce fardeau. Le chat était à la fois sauvage et civilisé. Il était plus proche de la nature ; et, par conséquent, il se faisait moins d'illusions à son sujet. Il savait que la vie est dure par essence, que la nature est belle mais sans pitié. Roosevelt prétendait que d'autres chats s'étaient échappés des laboratoires de Wyvern, mais leur nombre ne pouvait être très important... Que Mungojerrie ne soit pas un spécimen unique comme Orson, et soit, par sa nature de chat, plus habitué à une vie de solitaire que les chiens, ne devait pas l'empêcher d'éprouver des moments de grande solitude.

Sitôt que je me mis à le caresser, Mungojerrie cessa de me regarder et se pelotonna sur ma poitrine. Je sentais son poids chaud sur ma peau, ses battements de cœur sous ma paume. Je ne sais rien de la communication interespèce, mais je sais pourquoi Mungojerrie nous avait conduits dans la maison des Stanwyk. Il ne nous avait pas conviés là pour être les témoins des suicidés, mais pour délivrer le père Eliot. Depuis des temps immémoriaux, les hommes suspectaient certains animaux de posséder un sens de plus que nous, une *prescience.* L'association de cette faculté de perception avec une intelligence nouvelle, plus aiguë, donnait naissance à une conscience d'une finesse inconcevable... En passant devant la maison des Stanwyk, Mungojerrie avait perçu l'angoisse du père Eliot, la torture de son âme, et s'était senti obligé de venir délivrer le malheureux de ses tourments.

Du moins c'était ainsi que j'interprétais les choses – mais j'étais peut-être en train de perdre la tête. Toutefois, les probabilités pour que je sois à la fois en train de devenir fou et que j'aie raison à propos de Mungojerrie n'étaient pas réduites strictement à zéro.

Les chats savent des choses.

23.

Haddenbeck Road était un ruban de bitume qui, pendant quelques kilomètres, longeait la limite septentrionale de la base de Wyvern, avant de bifurquer brutalement au sud-est, pour desservir une poignée de ranches isolés aux confins du comté. Les étés torrides, les pluies d'hiver et les tremblements de terre avaient achevé de défoncer la route. Des bas-côtés herbeux, parsemés de fleurs au printemps, séparaient le macadam des champs et des collines avoisinantes.

Nous venions de rouler un certain temps sans croiser le moindre véhicule, lorsque Sasha freina brutalement.

– Regardez ! lança-t-elle.

Je me redressai sur mon siège, sondant la nuit autour de moi, imité aussitôt par Bobby et Roosevelt, tandis que Sasha enclenchait la marche arrière et reculait sur une dizaine de mètres.

– J'ai failli leur rouler dessus, expliqua-t-elle.

Sur la chaussée, dans la lumière des phares, des serpents en pagaille, en nombre suffisant pour faire les beaux jours de tous les terrariums de la région. Bobby se pencha sur mon dossier et poussa un sifflement admiratif.

– Quelqu'un a dû laisser dans le coin une porte ouverte sur les enfers, dit-il.

– Qu'est-ce que c'est ? Un nœud de serpents à sonnette ? demanda Roosevelt, en soulevant le sac de glaçons de son œil.

– Difficile à dire, répondit Sasha. Mais il est bien possible qu'il n'y ait que des crotales.

Mungojerrie se dressa sur ses pattes arrière, les pattes

antérieures sur le tableau de bord, le cou tendu en avant. Il émit un de ces bruits typiquement félins, à mi-chemin entre le feulement et le grognement.

Il était impossible de savoir le nombre exact de serpents qui se tortillaient sur l'asphalte, et je n'avais aucune intention d'aller à pied procéder au recensement. À première vue, ils devaient être une centaine. Les serpents à sonnette, à ma connaissance, étaient des prédateurs solitaires et ne voyageaient pas en groupe. Les seules fois où l'on pouvait en apercevoir plusieurs à la fois, c'était lorsque, malencontreusement, on venait de tomber sur un nid – et jamais le nombre de pensionnaires ne dépassait la dizaine. Le comportement de ces animaux était d'autant plus étrange que ce rassemblement avait lieu à découvert. Ils s'enroulaient les uns aux autres pour former des entrelacs luisants, des tresses mouvantes d'où saillaient par intermittence huit ou dix têtes, qui oscillaient au bout de leur cou longiligne à près d'un mètre au-dessus du sol, mâchoires ouvertes, crocs dénudés, langues vibrantes, avant de retomber, quelques instants plus tard, dans la masse sinueuse et grouillante pour être remplacés par un nouveau groupe de têtes, comme une relève de sentinelles. C'était la Méduse qui se prélassait sur le bitume d'Haddenbeck Road, mirant sous la lune sa prodigieuse coiffure.

– Tu comptes rouler là-dessus ? demandai-je.

– J'aimerais mieux pas, répondit Sasha.

– Fermez les écoutilles et en avant toute ! lança Bobby. En route sur la Serpent Road !

– Ma mère disait toujours : Tout arrive à qui sait attendre, ajouta Roosevelt.

– La présence de ces serpents n'a rien à voir avec nous, claironnai-je. Ils se contrefichent de nous. Ils ne cherchent pas à nous bloquer le passage. C'est juste une coïncidence. Ils vont bien finir par s'en aller.

Bobby me tapota l'épaule.

– La mère de Roosevelt était plus synthétique que toi.

Chaque tête de serpent qui s'élevait au-dessus de la masse grouillante rivait son regard sur nous. Suivant leur position, les yeux s'illuminaient d'éclats rouges ou argent, comme de petits diamants. Sans doute étaient-ils intrigués par la lumière des phares. Les crotales, comme la plupart des serpents, étaient quasiment sourds. Ils avaient, en revanche, une bonne vision, en particulier la nuit. Leur odorat était sans doute moins fin que celui d'un chien, puisqu'on voyait rarement des serpents pister des évadés de prison ou repérer les colis contenant de la drogue, mais la relative faiblesse de cet odorat se trouvait compensée par un autre organe olfactif : l'organe de Jacobson, constitué de deux sacs recouverts d'un tissu chémorécepteur, logé dans le palais. Voilà pourquoi les serpents sortaient sans cesse leur langue ; pour capturer dans l'air des molécules et les convoyer sur les sacs sensoriels afin d'être analysées. Nos serpents à sonnette suçaient consciencieusement l'air pour savoir si l'odeur qu'ils percevaient derrière les phares correspondait à une proie goûteuse. J'avais beaucoup appris sur les serpents au fil de mes errances nocturnes. Malgré leur apparence repoussante, ils étaient d'une beauté saisissante.

Soudain, l'une des sentinelles se retourna vers son homologue et le mordit. L'animal attaqué répliqua aussitôt. Les deux serpents s'enroulèrent l'un à l'autre dans leur fureur. Le groupe se referma sur eux. Pendant une minute, des ondes parcoururent son corps multiforme. Ce n'étaient plus des mouvements langoureux qui l'animaient, mais des soubresauts violents, semblables à des coups de fouet, la tresse vivante se tordant sous le choc. La frénésie de mordre semblait avoir gagné tous les individus, une révolte ébranlait la colonie entière. Lorsque le calme revint, Sasha demanda :

– Les serpents à sonnette ont l'habitude de se mordre comme ça ?

– Cela m'étonnerait, répondis-je.

– Je croyais qu'ils étaient vulnérables à leur propre venin ? ajouta Roosevelt en retournant le sac de glace sur son œil.

– Si nous étions encore à l'école, lança Bobby, on pourrait faire un chouette exposé là-dessus !

De nouveau, un serpent dressé, après avoir goûté l'air de sa langue, se retourna contre l'un de ses congénères pour l'attaquer. Un troisième animal, excité par la mêlée, s'en prit au premier. Le trio en furie disparut dans l'épaisseur des corps et une nouvelle onde de choc et de fureur parcourut la masse grouillante.

– C'est comme les oiseaux, dis-je. Les coyotes...

– Et les gens chez Stanwyk, ajouta Roosevelt.

– Implosion psychologique, commenta Sasha.

– Je ne pensais pas qu'un serpent pût avoir un cerveau sensible à ce genre de choses, rétorqua Bobby, mais vous avez raison : il s'agit bien du même phénomène.

– Ils se mettent à bouger, observa Roosevelt.

En effet, l'amas ondulant se déplaçait. Il traversa le ruban d'asphalte, gravit le talus sur la droite pour disparaître ensuite dans les hautes herbes de la prairie alentour. La procession serpentine dépassait largement la centaine estimée. À mesure que les animaux disparaissaient sur la droite de la route, d'autres apparaissaient sur la gauche, comme issus d'une machine à mouvement perpétuel. Ils furent au moins trois ou quatre cents, de plus en plus querelleurs et agités, à traverser ainsi la route. Enfin, la voie fut de nouveau libre, le dernier serpent disparut du macadam... Nous restâmes un moment silencieux, clignant des yeux, comme au sortir d'un rêve.

Maman, je t'aime et je t'aimerai toujours... Mais, mon Dieu, qu'as-tu fait ?

Sasha enclencha la première et redémarra. Mungojerrie gronda de nouveau. Il changea de position sur mes cuisses, afin de poser ses pattes avant sur la portière. Il contempla les champs noirs où la horde de serpents s'était évanouie.

Un kilomètre plus loin, nous atteignîmes Crow Hill ; Doogie Sassman devait nous attendre dans le coin – à moins que lui aussi n'ait croisé la colonie de serpents... J'ignore pourquoi on avait appelé cet endroit Crow Hill. La forme de la colline ne rappelait en rien celle d'un corbeau, on ne trouvait pas davantage ces volatiles ici qu'ailleurs et ce n'était pas non plus le nom d'une famille importante de la région... Au sommet de la colline, un gros rocher sortait de terre, tel un squelette de géant. Sur une face du mégalithe une silhouette de corbeau était gravée – mais ce n'était pas là l'origine du nom du lieu, comme je l'avais cru jadis. Une nuit de juillet, quarante-quatre ans plus tôt, un – ou des – inconnu avait gravé cette silhouette dans la pierre. Simple mais intrigante, la gravure captait le caractère effronté de l'oiseau, ainsi que son aura vaguement menaçante, comme s'il s'agissait là d'un totem de quelque tribu guerrière, intimant aux voyageurs de faire un détour plutôt que de tenter de traverser son territoire.

La curiosité m'avait conduit à découvrir l'origine récente de cette gravure, pourtant je me plaisais à imaginer qu'elle datait d'un autre siècle, d'une époque précédant l'arrivée des Européens sur le continent. Les anciens disaient que l'endroit s'appelait déjà Crow Hill du temps de leurs grands-parents – assertion confirmée par les registres jaunis des archives. Même si la gravure semblait primitive et ancestrale, gardienne d'un savoir perdu de l'homme moderne, le nom de la colline lui avait bel et bien préexisté. Le graveur anonyme n'avait cherché qu'à illustrer le nom, à le symboliser visuellement.

Cette image ne ressemblait pas au dessin trouvé chez Lilly Wing, à l'exception de la malveillance qui émanait de chacun d'eux. Elle ne ressemblait pas non plus aux autres esquisses trouvées sur les autres lieux des rapts. La coïncidence restait toutefois troublante…

À mesure que l'on s'approchait du sommet, le corbeau de pierre devenait plus distinct et paraissait nous regarder. Les parties bombées de l'animal se paraient de blanc sous la lueur de nos phares, tandis que les creux dessinaient des lignes sombres et sinueuses. La roche comportait des particules brillantes, peut-être des incrustations de mica. La sculpture avait été savamment composée pour que la plus volumineuse de ces incrustations représente l'œil de l'oiseau – un œil doté d'un reflet quasi vivant comme s'il était le détenteur de redoutables secrets. Tout le monde dans l'habitacle, y compris le chat, observait le corbeau de pierre d'un air mal à l'aise.

Nous dépassâmes la sculpture qui aurait dû sombrer aussitôt dans la nuit. Illusion d'optique sans doute, mais, pendant un bref instant, les lignes de l'oiseau semblèrent se déformer, contre toute loi physique, comme si elles cherchaient à suivre la lumière. Au moment où la nuit s'était définitivement refermée derrière nous, j'aurais pu jurer que la forme s'était arrachée de la pierre et avait pris son envol. Alors que nous descendions le versant est de la colline et que je faisais tout mon possible pour ne pas scruter le ciel, Bobby déclara :

– Je n'aime pas cet endroit.

– Moi non plus, ajouta Roosevelt.

– Moi itou, concédai-je.

– L'être humain n'est pas fait pour s'éloigner autant du bord de mer, professa Bobby.

– Tu as raison, renchérit Sasha, nous nous approchons dangereusement du bord du monde.

– Tout juste !

– Tu as déjà vu une carte datant de l'époque où l'on croyait que la terre était plate ? demandai-je.

– Ne me dis pas que tu fais partie de ces fous qui croient qu'elle est ronde ? railla Bobby.

– Les géographes, pour symboliser le bord du monde, montraient la mer tombant en cascade dans un abîme sans fond. Parfois ils écrivaient en légende : *Territoires des monstres.*

Après un moment de silence dans le groupe, Bobby déclara :

– T'as pas d'autres sujets de conversation ?

– Il a raison, dit Sasha en ralentissant pour sonder du regard les champs noirs sur sa droite, à la recherche de Doogie Sassman. Une petite anecdote amusante sur la mort de Marie-Antoinette, par exemple ?

– Ça nous changerait les idées !

Roosevelt assombrit l'humeur en annonçant :

– Le chat dit que le corbeau s'est envolé du rocher.

– Sauf votre respect, rétorqua Bobby, Mungojerrie n'est qu'un chat à la con.

Roosevelt tendit l'oreille, comme pour écouter une voix audible à lui seul.

– Mungojerrie dit que tout chat à la con qu'il est, cela le place quand même à des années-lumière au-dessus d'un branleur de surfeur !

Bobby éclata de rire.

– Il n'a pas dit ça !

– Tu vois d'autres chats ici ? répliqua Roosevelt.

– C'est *vous* qui avez dit ça, l'accusa Bobby.

– Impossible, se défendit Roosevelt, ce n'est pas du tout mon genre de langage.
– Mais c'est celui du chat ?
– Exact.
– Bobby croit depuis peu en ces histoires de communication avec les animaux, précisai-je à Roosevelt.
– Hé, le chat ! lança Bobby.
Mungojerrie se tourna pour le regarder.
– Je retire ce que j'ai dit...
Le chat leva une patte vers lui. Il fallut quelques instants à Bobby pour comprendre. Son visage s'illumina soudain d'émerveillement et il tendit le bras au-dessus de mon dossier.
– C'est toi qui as raison, vieux ! bredouilla-t-il en lui serrant la patte à deux doigts.
Du bon travail, m'man. Tout ça est très mignon. Espérons que lorsque ça sera fini, il nous restera davantage de chats intelligents que de serpents aliénés.
– Nous y voilà, annonça Sasha, au moment d'atteindre le pied de la colline.
Elle enclencha le levier des quatre roues motrices de la Ford Explorer et quitta la route par le nord, au pas, tous phares éteints et ne se guidant plus qu'à la lueur des veilleuses. Après avoir traversé une prairie luxuriante et serpenté à travers une chênaie, nous approchâmes de la clôture de Fort Wyvern. Nous nous arrêtâmes à côté du plus grand véhicule tout-terrain que j'avais jamais vu de ma vie : un Hummer, version civile du Humvee. Celui-ci était peint en noir et avait subi une customisation lourde depuis sa sortie du concessionnaire. Il était équipé de pneus surdimensionnés, plus grands que ceux montés sur la version standard, et le coffre avait été agrandi d'un bon mètre.
Sasha coupa les lumières et le moteur. Nous sortîmes de la voiture. Mungojerrie s'accrocha à moi comme s'il ne voulait pas que je le pose par terre. Je comprenais son inquiétude. L'herbe nous montait jusqu'aux genoux, même en plein jour, il aurait été difficile de repérer un serpent. Roosevelt tendit les bras ; je lui donnai le chat. La porte du Hummer, côté conducteur, s'ouvrit. Doogie Sassman descendit du véhicule pour nous accueillir, comme un père Noël nourri aux stéroïdes

descendant de son traîneau high-tech. Il prit soin de refermer la portière pour éteindre le plafonnier de la cabine.

Doogie Sassman mesurait dix centimètres de moins que Roosevelt, mais il était le seul à faire passer ce dernier pour un gringalet. Doogie accusait cinquante kilos de plus que Roosevelt, et ce demi-quintal était du meilleur effet. Un léviathan sur terre, un type qui aurait pu déjeuner avec Godzilla afin de discuter avec lui de la meilleure façon de réduire une ville à l'état de ruines. Doogie déplaçait sa montagne de chair avec une grâce aérienne ; jamais personne n'aurait songé à le qualifier d'obèse. Il était imposant, très imposant, gargantuesque même, mais tout en muscles. Un Goliath insensible à l'artériosclérose, aux balles et à l'usure du temps. Avec sa barbe et ses cheveux de feu, il semblait l'incarnation de Thor, le dieu du Tonnerre dans l'ancienne Scandinavie – pays dont les habitants, aujourd'hui, comme le reste de la planète, ne vénéraient plus que les stars de latex et les paillettes. Ses cheveux étaient drus à faire défaillir Krishna et sa barbe si fournie qu'elle ne pouvait être attaquée qu'à la tondeuse à gazon. Une belle chevelure avait de tout temps renforcé le prestige d'un homme – comme en témoignaient les chevelus qui avaient été élus à la présidence des États-Unis –, mais cette force surnaturelle qui semblait émaner de sa personne ne pouvait provenir uniquement de la générosité de son système pileux, de sa taille, de ses tatouages qui couvraient chaque centimètre de son corps ou de son regard bleu acier. Il y avait autre chose. Il portait ce soir une combinaison noire et des Rangers. Loin de ressembler à un gros bébé joufflu de Brobdingnag [1] dans sa grenouillère, il faisait figure de fier ramoneur prêt à déboucher la cheminée de Satan encombrée par les âmes récalcitrantes d'une dizaine de tueurs en série !

– *Ave,* Sa Seigneurie ! lança Bobby.

– *Ave,* demi-portion, répliqua Doogie.

– Jolies roues, dis-je admiratif.

– Ouais, c'est mimi, reconnut-il.

– Je pensais que vous étiez à fond Harley ? dit Roosevelt.

---

1. Pays des géants dans *Les Voyages de Gulliver. (N.d.T.)*

– Doogie est un homme large d'esprit, répondit Sasha.

– Je suis un maniaque de tout ce qui roule, admit-il. Qu'est-ce que vous est arrivé à l'œil, Rosie ?

– Une petite bagarre, avec un prêtre.

L'œil était encore enflé, mais il n'était plus complètement fermé. La glace avait finalement fait son effet.

– Ne traînons pas ici, annonça Sasha. Il se passe de drôles de trucs, cette nuit.

Doogie hocha la tête.

– J'ai entendu des coyotes tout à l'heure. Mais ce n'étaient pas des cris de coyotes qu'ils poussaient. J'avais jamais entendu ça.

Nous échangeâmes un regard. Sasha avait raison lorsqu'elle avait prédit que nous n'en avions pas fini avec la meute qui était sortie du canyon derrière la maison de Lilly Wing. Les champs et les collines alentour s'étendaient sous le ciel nuageux, silencieux comme une cathédrale, la brise réduite au souffle d'une nonne mourante. Dans la chênaie derrière nous, les feuilles bruissaient moins fort qu'un souvenir remontant à la surface de la mémoire, les herbes se dressaient immobiles.

Doogie fit le tour du Hummer et ouvrit le hayon arrière. Deux fusils se trouvaient dans le coffre : des Remington avec une crosse façon pistolet et chargement à pompe, des armes bien plus agréables que le Mossberg que Manuel nous avait confisqué.

– Cela m'étonnerait que des blancs-becs comme vous puissiez percer une pièce d'un dollar avec une arme de poing, ces fusils vous iront mieux. Je sais que vous êtes habitués au fusil à pompe, mais attention au recul, dedans je vous ai mis des magnums. Avec ça, vous pourrez arrêter n'importe quoi, ce n'est même pas la peine de viser !

Il tendit un fusil à Bobby, me confia l'autre et nous donna à chacun une boîte de munitions.

– Chargez-les et répartissez le reste dans vos poches. N'en laissez pas une seule dans la boîte. Ce sera peut-être celle qui vous sauvera la vie – il se tourna vers Sasha et lui envoya un sourire – comme en Colombie !

– En Colombie ? demandai-je.

– On a bossé là-bas une fois, répondit Sasha.

Doogie habitait Moonlight Bay depuis six ans, Sasha depuis deux ans. Ce voyage d'affaires était-il récent ou datait-il d'avant leur arrivée dans notre « Perle de la côte » ? Je croyais pourtant qu'ils avaient fait connaissance à la radio.

– Ne me dites pas qu'il s'agissait de drogue ! lança Bobby.

Doogie secoua la tête.

– Une opération de sauvetage.

Sasha sourit d'un air énigmatique.

– Alors, Snowman, voilà que l'on s'intéresse au passé ?

– Pour l'instant, l'avenir me suffit amplement.

Doogie se tourna vers Roosevelt :

– Je n'avais pas compris que vous étiez du voyage. Je n'ai pas d'arme pour vous.

– J'ai le chat, répondit Roosevelt.

– Un vrai tueur.

Mungojerrie souffla. Ce bruit me rappela le sifflement des serpents. Je regardai nerveusement autour de moi, espérant que ces chères petites bêtes auraient l'amabilité de faire tinter leurs anneaux pour annoncer leur venue.

– Allons-y ! lança Doogie en refermant le hayon.

Outre le coffre – qui renfermait deux jerricans d'essence, deux cartons et un sac à dos ventru –, le Hummer offrait huit places assises. Derrière la paire de sièges avant se trouvaient deux banquettes pouvant chacune accueillir trois adultes – mais pas de la corpulence de Doogie.

La réincarnation de Thor se mit au volant, Roosevelt à côté, son chat pisteur sur son giron. Juste derrière eux, Bobby, Sasha et moi.

– Pourquoi ne passons-nous pas par la rivière pour entrer à Wyvern ? demanda Bobby.

– Le seul accès à la Santa Rosita est en ville, répondit Doogie, et, ce soir, ça fourmille là-bas de gens peu recommandables.

– Les anchois, traduisit Bobby.

– On serait aussitôt repérés et arrêtés, expliqua Sasha.

À la seule lueur de ses feux de position, le Hummer se faufila dans un grand trou ménagé dans la clôture, dont les fils de fer déchiquetés étaient aussi emmêlés qu'une pelote de laine après le passage d'un chaton.

– Tu as coupé tout ça tout seul ? demandai-je.

– Avec du plastique.

– L'explosif ?

– Un petit boum et le tour était joué.

– Cela n'a pas attiré l'attention ?

– Il suffit de confectionner une petite cordelette avec le plastique et de la faire passer à l'endroit où tu veux faire sauter les maillons. Tu utilises si peu de charge que c'est pas plus bruyant qu'un gong de grosse caisse.

– Même si quelqu'un passe dans les parages, précisa Sasha, la déflagration est si brève qu'elle est impossible à repérer.

– Décidément, il faut en savoir, des choses, pour bosser dans une radio !

Doogie demanda la direction à prendre. Je lui indiquai le groupe d'entrepôts dans le quart sud-ouest où j'avais perdu Orson. Il semblait connaître le coin, car il ne lui fallut que peu d'indications pour nous mener à destination.

Il arrêta le véhicule près de l'énorme porte roulante. La petite porte latérale était toujours grande ouverte, comme je l'avais laissée la veille. Je descendis du Hummer, avec mon fusil. Roosevelt et Mungojerrie me rejoignirent ; les autres attendirent dans l'habitacle, pour ne pas gêner le chat dans son travail de pisteur.

Avec ses flaques d'ombre, son odeur d'essence et de cambouis, son sol jonché de bidons vides, de papiers et autres détritus, cette allée de service, cernée par les silhouettes noires des autres entrepôts, n'avait jamais été un endroit gai, le lieu idéal pour fêter des noces royales. Aujourd'hui, l'ambiance était plus sinistre que jamais. La veille, le petit teigneux aux cheveux noirs, se sachant suivi par Orson et moi, devait avoir demandé de l'aide via un téléphone portable – peut-être au grand type blond avec la cicatrice sur la pommette gauche, qui avait kidnappé les jumeaux Stuart quelques heures plus tôt. Il lui avait confié Jimmy, à moins que ce ne soit à un autre, et m'avait attiré dans l'entrepôt, avec la ferme intention de me tuer. De la poche intérieure de ma veste, je sortis le haut de pyjama de Jimmy, avec lequel le teigneux nous avait entraînés sur une fausse piste. Pour rendre à César ce qui lui revenait, je dois dire qu'Orson ne s'en était pas laissé compter aussi facilement : c'était moi qui l'avais contraint à me suivre à l'intérieur du bâtiment, lorsque j'avais entendu des bruits et des voix étouffées. Le vêtement semblait si petit, comme un habit de poupée...

– Je ne sais pas si ça peut aider, dis-je.

– Essayons toujours, répondit Roosevelt.

Mungojerrie renifla le tissu avec délicatesse, mais insistance. Il se mit alors à explorer les alentours. Humant le sol, un jerrican vide – ce qui le fit éternuer –, puis la minuscule fleur jaune d'une mauvaise herbe – ce qui le fit éternuer encore plus fort. Il revint vers moi pour sentir une nouvelle fois le vêtement. Il s'éloigna vers le bâtiment et se soulagea au pied du mur, renifla son dépôt et revint prendre une bouffée de pyjama. Il passa ensuite trente secondes à explorer un vieux seau rouillé, s'assit pour se gratter derrière l'oreille et revint humer la fleur jaune. Il arrivait en tête de ma liste de personnes et des animaux à occire au plus vite, lorsqu'il se figea soudain et tourna ses yeux émeraude vers son interprète humain.

– Il l'a ! annonça Roosevelt.

Le chat partit au trot dans l'allée. Je lui emboîtai le pas. Bobby nous rejoignit avec son fusil tandis que Doogie et Sasha suivaient à distance avec le Hummer. Empruntant un chemin différent de celui que j'avais pris la veille, nous traversâmes un terrain de sport devenu prairie et une esplanade poussiéreuse, avant de nous enfoncer entre des alignements de baraques décrépies, pour gagner un quartier résidentiel de la Ville fantôme que je ne connaissais pas, puis des champs encore, jusqu'à une autre aire d'activités. Après une demi-heure de marche à bon train, nous arrivâmes au dernier endroit où je souhaitais remettre les pieds : l'immense hangar de tôle ondulée, haut de six étages, vaste comme un terrain de football, qui se dressait comme un temple extraterrestre au-dessus de la salle de l'Œuf.

Lorsque je compris où nous nous dirigions, je fis signe à Doogie de se garer dans une allée latérale entre deux bâtiments, à une centaine de mètres de l'immense construction. Le moteur du Hummer était sensiblement plus bruyant et repérable que le mouvement d'une montre suisse !

Doogie coupa le contact et les lumières ; le Hummer, dans sa robe noire, disparut presque de notre vue. Nous nous regroupâmes derrière le véhicule pour étudier le grand bâtiment. Le Pacifique exhalait un souffle frais qui faisait vibrer une plaque de tôle mal arrimée sur le toit. Je me remémorai les paroles de Roosevelt, relayant celles de Mungojerrie, alors que nous passions devant la maison des Stanwyk. *La mort vit ici.* Je ressentais des ondes de même nature en provenance de ce hangar, mais bien plus puissantes. La résidence des Stanwyk n'était qu'un pied-à-terre pour la mort. Le bâtiment que j'avais devant les yeux devait être son habitation principale.

– C'est impossible, articulai-je, accroché à un espoir vain.

– Ils sont là-dedans, insista Roosevelt.

– Mais nous sommes allés là-bas hier soir ! protesta Bobby. Ils n'y étaient pas.

Roosevelt ramassa son chat, lui caressa le cou et lui murmura des choses à l'oreille.

– Ils étaient là-bas, dit le chat, et ils y sont toujours.

– J'aime pas ça. Ça pue, déclara Bobby.

– Pire que les égouts de Calcutta, concédai-je.

– Cela m'étonnerait, intervint Doogie. Les égouts de Calcutta forment une classe spéciale à eux tout seuls !

Je préférai ne pas pousser ce sujet plus avant.

– Si ces gosses ont été kidnappés juste pour être étudiés et subir des examens, parce que leur sang présente une immunité contre le rétrovirus, ils ont dû être emmenés, en toute logique, dans les labos de biogénétique. Je ne sais pas où ils se trouvent, mais il est sûr qu'ils ne sont pas dans ce bâtiment.

– Selon Mungojerrie, le labo d'où il vient se situe dans le secteur est de la base, là où il y a des friches en surface. Les labos sont enterrés profond, bien à l'abri. Mais c'est bien dans ce hangar que se trouvent Jimmy et Orson.

Après une hésitation, je demandai :

– Vivants ?

– Mungojerrie n'en sait rien.

– Je croyais que les chats savaient des choses ! lança Sasha.
– Oui, mais pas celles-là.

Nous contemplâmes le bâtiment en silence. J'étais certain que chacun de nous se remémorait les paroles de Delacroix concernant le Mystery Train – un ciel rouge, des arbres noirs. Quelque chose qui bouge à l'intérieur…

Doogie prit le sac à dos dans le coffre du Hummer et l'enfila sur ses épaules.

– En route ! lança-t-il en fermant le hayon.

Pendant le bref instant où la lumière du coffre s'était allumée, j'aperçus l'arme que Doogie avait sur lui – un objet pas vraiment gentil. Voyant mon intérêt, il éclaira ma lanterne :

– C'est un Uzi. Un pistolet-mitrailleur, avec un magasin grande contenance.
– C'est légal ?
– Oui, s'il n'est pas équipé pour le tir en rafales.

Doogie se dirigea vers le hangar. Avec le vent agitant sa crinière blonde, il faisait penser à un chef viking quittant un village mis à sac pour regagner son drakkar, avec des trésors plein son sac à dos. Il ne lui manquait plus que le casque à cornes ! J'imaginais en pensée le même Doogie en smoking et couvre-chef à pointe, en train de danser un tango langoureux avec une créature de rêve dans un concours de danse… Mon imagination était à facettes…

La porte latérale, découpée dans le grand battant d'acier, était fermée. Je ne me rappelais plus si Bobby ou moi l'avions refermée avant de partir. Sans doute pas. On avait trop de soucis en tête à ce moment-là pour jouer les fées du logis. Une fois arrivé devant la porte, Doogie sortit deux lampes de poche de sa combinaison et les confia à Roosevelt et à Sasha, de sorte que Bobby et moi avions les mains libres pour tenir nos fusils. Doogie tourna la poignée. Le battant s'ouvrit vers l'intérieur.

La technique de Sasha sembla, cette fois encore, aussi huilée que ses annonces à la radio. Elle franchit le seuil, se posta aussitôt sur le côté gauche de la porte et alluma sa lampe pour balayer les entrailles du hangar. Il était si grand que le faisceau se perdait avant d'atteindre la paroi opposée. Il n'y eut toutefois aucun coup de feu, ni de sa part ni à son encontre. Notre présence n'avait, pour l'heure, pas encore été repérée. Bobby la suivit, le fusil levé, ainsi que Roosevelt, tenant le chat dans ses bras. Je leur emboîtai le pas et Doogie referma la porte derrière nous. Je me tournai vers Roosevelt et le regardai d'un air interrogateur. Celui-ci caressa le chat et murmura :

– Il faut descendre.

Puisque je connaissais le chemin, j'ouvris la marche – deuxième étoile à droite et tout droit jusqu'au matin. Attention aux vilains pirates et au crocodile qui fait *tic-tac* ! Nous avançâmes dans la grande salle, passant sous les poutrelles qui supportaient autrefois la grue roulante, évitant les trous dans le sol où trouvaient place de mystérieux mécanismes hydrauliques. Au fil de notre progression, des lames d'ombre et de lumière filtraient des rails d'acier et semblaient croiser le fer en silence sur les murs et le plafond voûté, reflétées par les vitres des derniers lanterneaux en état.

Soudain, je fus gagné par une sensation étrange, une sorte de malaise diffus : un changement dans l'air peut-être, infime, un picotement léger sur ma joue, un frémissement des poils dans mon oreille, comme s'ils vibraient au passage d'un son qui m'était encore inaudible. Sasha et Roosevelt avaient sans doute ressenti la même chose que moi, car ils s'étaient arrêtés et tournaient sur eux-mêmes, balayant l'espace de leur lampe. Doogie avait levé son Uzi. Bobby qui se trouvait près d'un des piliers supportant les rails de la grue toucha le montant d'acier.

– Viens voir, souffla-t-il.

En m'approchant de lui, je perçus un bourdonnement ténu, évanescent. Lorsque je posai les doigts sur le pilier, je sentis des vibrations dans l'acier. La température de l'air changea brusquement. Jusqu'à présent, il faisait frais, presque froid, dans ce hangar. En un instant, la température monta de quinze ou vingt degrés. Ce qui était inconcevable, même si le système de chauffage n'avait pas été démantelé.

Sasha, Doogie et Roosevelt nous rejoignirent, formant instinctivement un cercle pour prévenir toute attaque. Les vibrations dans le pilier augmentèrent. Je me retournai. La porte par laquelle nous étions entrés se trouvait à vingt mètres de nous. Les faisceaux des lampes pouvaient encore l'atteindre

– tout juste. J'apercevais l'extrémité des rails ; rien ne semblait avoir bougé. De l'autre côté, en revanche, les faisceaux ne parvenaient pas à percer l'obscurité ; il restait encore quatre-vingts à cent mètres à parcourir. Dans notre champ lumineux tout était normal.

Ce qui m'inquiétait, c'était l'obscurité qui enveloppait la vingtaine de mètres au-delà. Il ne s'agissait pas d'une obscurité d'encre – on y discernait des formes grises, plus ou moins sombres, un kaléidoscope d'ombres. Je croyais y voir un grand objet, haut comme une tour aux formes complexes. Une chose noir et gris, si bien camouflée dans la pénombre que l'œil ne parvenait à en distinguer les contours.

– Sasha, éclaire un peu par ici, murmura Bobby en désignant une portion de sol à ses pieds.

Elle dirigea sa lampe vers l'endroit demandé. Une plaque d'acier boulonnée dans le béton apparut, qui servait autrefois de point d'ancrage à une machine. Il y en avait un peu partout autour de nous. Qu'est-ce qui intriguait Bobby ? Cet objet n'avait rien de remarquable.

– C'est propre, constata-t-il.

Il avait raison ! La nuit dernière – comme chaque fois que j'avais exploré cet hangar –, ces plaques étaient recouvertes de cambouis et de poussière. Celle-ci brillait comme un sous neuf ! Le chat dans un bras. Roosevelt fit courir le faisceau de sa lampe sur le sol, puis sur le pilier d'acier, sur les rails au-dessus de nos têtes...

– Tout est plus propre, murmura Doogie.

Il ne parlait pas de la nuit dernière, mais de maintenant.

J'entendais un faible bourdonnement résonner dans toute la structure d'acier au-dessus de nous. Les vibrations s'étaient amplifiées... Je relevai les yeux vers l'extrémité du bâtiment. J'aurais pu jurer que quelque chose se déplaçait dans l'obscurité.

– Nom de Dieu ! souffla Bobby.

Je me tournai vers lui. Il regardait sa montre avec effarement. Je l'imitai et vis les chiffres défiler à rebours. Une onde de terreur me traversa, comme une douche glacée.

Une étrange lumière rouge nimba soudain tout le hangar.

Une lumière étale, sans source apparente, comme si les molécules mêmes de l'air rayonnaient de la lumière. Je courais peut-être des risques avec mon XP... mais c'était pour l'heure le cadet de mes soucis. L'air était devenu lumière, cependant la visibilité ne s'était guère améliorée. Cette étrange lueur enrobait les objets plus qu'elle ne les éclairait. J'avais l'impression d'être sous l'eau, dans un monde sous-marin, plongé dans une mer rouge de sang.

Les lampes n'étaient plus d'aucune utilité. La lumière qu'elles produisaient semblait rester piégée : les ampoules formaient un point aveuglant mais étaient incapables de traverser l'épaisseur de verre pour pénétrer l'air écarlate. Entre les colonnades, des formes noires se matérialisaient, là où quelques instants plus tôt il n'y avait qu'un sol de ciment nu. Des machines. Elles ne semblaient pas tout à fait réelles. Des mirages. Des machines fantômes qui reprenaient peu à peu vie. Les vibrations devenaient de plus en plus puissantes. Leur tonalité se modifia, se fit plus grave, plus inquiétante. Un grondement. À l'extrémité du hangar, près des formes grises, dans la pénombre, j'aperçus une grue sur ses rails et, au bout de sa flèche, un objet massif. Un moteur, peut-être. En même temps que je distinguais la grue roulante et son étrange chargement, je voyais à travers eux, comme s'ils étaient de verre. Je reconnus enfin le grondement grave qui ne cessait de s'amplifier : le roulement des boggies d'un train sur des rails. La grue devait être pourvue de roues d'acier – un jeu supérieur pour la guider et un inférieur, pour assurer l'arrimage aux rails.

– Écartez-vous ! lança Bobby.

Je le vis se mouvoir, comme dans un film au ralenti, pour s'éloigner des rails. Roosevelt, les yeux aussi écarquillés que ceux de son chat, lui emboîtait le pas.

La grue était moins transparente, plus matérielle. Le gros objet se balançait au bout de la flèche, sous le niveau des rails. La charge avait la taille d'une petite voiture et elle allait traverser l'endroit où nous nous trouvions lorsque la grue passerait au-dessus de nos têtes. L'engin approchait avec une rapidité inconcevable comparée à ses dimensions et à son poids. Il ne s'approchait pas physiquement de nous, je crois ; c'était le temps qui nous ramenait en arrière, jusqu'à l'instant où notre groupe et cette chose occuperaient le même espace. Au fond, peu importait que la grue se déplace ou que le temps recule. Le seul fait tangible, c'était que nous ne pouvions pas tous occuper le lieu au même instant. La collision engendrerait une déflagration audible jusqu'à Cleveland ou l'éradication totale et définitive de l'un des protagonistes – à savoir l'un de nous ou la charge de la grue. Je commençai à m'enfuir, entraînant Sasha avec moi, tout en sachant que nous n'avions aucune chance de nous écarter à temps.

À temps...

Nous remontâmes ainsi dans le passé, jusqu'au moment où le hangar bourdonnait d'activités, où la grue était sur le point de se matérialiser... lorsque la température chuta brutalement. La lumière rouge faiblit. Le grondement des roues sur les rails se fit plus aigu et ténu. Je m'attendais à voir la grue repartir en sens inverse, s'évanouir dans les profondeurs du hangar, mais, lorsque je relevai la tête, l'engin passa au-dessus de nous – un mirage scintillant. Sa cargaison, devenue encore plus transparente que du verre, nous heurta tour à tour, Sasha et moi. « Heurter » n'est pas le bon terme – je ne saurais décrire la sensation exacte. La grue fantôme fila au-dessus de ma tête. Sa cargaison m'enveloppa, passa à travers moi, avant de disparaître de l'autre côté de mon corps. Une bourrasque glacée me fit suffoquer. Pourtant, pas la moindre mèche de mes cheveux ne bougea. Le vent était intérieur. Un souffle froid s'insinuait entre mes cellules, traversait mes os comme s'ils étaient de vulgaires pipeaux. L'espace d'une seconde, je crus m'être désintégré, mon corps dispersé comme de la poussière. Les dernières lueurs rouges s'éteignirent et les photons jaillirent de nouveau de nos lampes. J'étais vivant, toujours entier – mentalement comme physiquement.

– C'était moins une ! hoqueta Sasha.

– Tu l'as dit !

Secouée, elle s'adossa à un pilier. Doogie, qui s'était tenu deux mètres derrière nous, avait vu la chose nous traverser le corps et s'évanouir sous ses yeux, alors qu'elle allait le percuter à son tour.

– On rentre à la maison ? lança-t-il, à demi sérieux.
– Un petit verre de lait chaud pour se requinquer ?
– Et six Prozac.
– Bienvenue au laboratoire hanté ! dis-je.
– Je ne sais pas ce qui s'est passé hier dans la salle de l'Œuf, déclara Bobby en nous rejoignant, mais cela affecte à présent le bâtiment entier.
– Tu crois que c'est à cause de nous ? demandai-je. On aurait relancé la machine ?
– Tout ça à cause de nos deux malheureuses lampes ? J'ai dû mal à l'avaler !
– Il ne faut pas traîner, intervint Roosevelt. Tout l'endroit est en train de se… désintégrer.
– C'est ce que croit Mungojerrie ? s'enquit Sasha.
En temps ordinaire, Roosevelt pouvait vous jeter des regards à glacer le sang d'un croque-mort, mais aujourd'hui, avec son œil bouffi injecté de sang et l'autre dur et assombri par les derniers événements, l'effet était décuplé. Il vous aurait presque donné envie de sauter à pieds joints dans un train fantôme plutôt que de supporter plus longtemps la noirceur de ses prunelles !
– Mungojerrie ne croit pas, il *sait*, déclara-t-il solennellement. Tout, ici, va se désintégrer. Très bientôt.
– Alors allons trouver les gosses et Orson.
– Il n'y a pas une seconde à perdre, ajouta Roosevelt.

24.

Le puits de l'ascenseur se trouvait, comme la veille, dans le coin sud-ouest du hangar. Mais les montants et le seuil de la porte – délaissés par les équipes de démontage – ne présentaient plus nulle trace de graisse ou de salissures, ce qui n'avait jamais été le cas, ni hier ni un an plus tôt. Sous la lampe de Sasha, les premières marches n'étaient plus couvertes de poussière, et les cloportes morts avaient disparu. Soit un gentil lutin nous avait précédés et avait tout nettoyé pour rendre notre périple plus agréable, soit le phénomène dont nous avions été témoins Bobby et moi, la veille, avait eu des effets au-delà de la salle de l'Œuf. Entre nous, je n'aurais pas misé gros sur l'hypothèse du lutin.

Mungojerrie se tenait sur la deuxième marche, observant l'escalier, humant l'air, tendant l'oreille. Puis il commença à descendre les degrés de ciment. Sasha le suivit. Les marches étaient assez larges pour accueillir deux personnes de front. Je me tenais à côté de Sasha, heureux de pouvoir partager avec elle la *pole position* du risque, Roosevelt suivait, puis Doogie, Bobby fermait la marche, dos au mur, pour s'assurer que personne ne nous suivait.

Mis à part cette propreté suspecte, l'escalier était comme on l'avait laissé la veille. Du béton nu de part de d'autre, des trous réguliers au plafond, ceux des chevilles qui servaient autrefois à fixer les systèmes d'éclairage et les gaines électriques. Un tube en fer peint, fixé à la paroi, faisait office de rampe. L'air était froid, épais, avec une odeur de salpêtre qui suintait du béton.

Une fois arrivé au premier palier, alors que nous nous apprêtions à nous engager dans la deuxième volée de marches, je posai ma main sur le bras de Sasha, pour l'arrêter.

– Hé ! le chat ! attends, lançai-je à notre éclaireur félin.

Mungojerrie s'immobilisa quatre marches plus bas et me regarda d'un air intrigué. Le plafond au-dessus était équipé de tubes fluorescents éteints. Ils n'y étaient pas la veille ! Tout le matériel électrique avait été démonté à la fermeture de Wyvern. Il y avait même de fortes probabilités pour que ce bâtiment particulier ait été démantelé bien avant la fermeture définitive de la base, lorsque le Mystery Train avait déraillé et que ses concepteurs s'étaient aperçus que la locomotive poursuivait sa course folle.

Le passé et le présent coexistaient ici, en compagnie de notre avenir, même si ce dernier nous restait encore invisible. Tous les temps, ainsi que disait le poète T.S. Eliot, n'étaient qu'un éternel présent courant vers une fin inéluctable – une fin qui semblait dépendante de nos actions alors que la maîtrise de notre destinée n'était que pure illusion. Pour l'heure ce bon Eliot était trop sinistre pour moi. Qu'est-ce qui nous attendait plus bas ? Je tentai de me remémorer le premier couplet de Winnie l'ourson : « Un ours, malgré tous ses efforts/ deviendra rond comme une barrique/ si on ne le laisse pas pour mort/ sur le tapis de gymnastique. » Mais les vers de A.A. Milne ne parvenaient pas à chasser ceux d'Eliot. Nous ne pouvions pas plus échapper aux dangers qui nous guettaient dessous, à cette confusion surnaturelle entre le passé et le présent, que je ne pouvais retourner dans mon enfance. Comme il aurait été doux, pourtant, de se blottir sous la couette avec mon nounours à moi et de lui promettre qu'il serait mon ami pour toujours, même lorsque j'aurais cent ans !

– C'est bon, Mungojerrie, dis-je au chat pour l'inciter à poursuivre la descente.

Une fois sur le palier, qui débouchait sur le premier des trois sous-sols, Bobby m'appela en chuchotant. Je me retournai. Les tubes fluo avaient disparu. Sur le plafond de béton, plus que des trous de cheville, à espaces réguliers. Le présent était revenu. Pour l'instant.

– Je préfère de loin la Colombie ! grogna Doogie en fronçant les sourcils.

– Ou Calcutta ! renchérit Sasha.

– Dépêchons-nous, intervint Roosevelt, pressé par Mungojerrie. Le sang va couler si nous lambinons.

Conduits par notre courageux matou, nous descendîmes les quatre dernières volées de marches qui conduisaient au troisième sous-sol. Au moment où Mungojerrie s'apprêtait à nous conduire dans le couloir ovale qui faisait le tour de ce niveau, la même lumière rouge que nous avions vue au rez-de-chaussée apparut soudain devant nous. Cela ne dura pas – aussitôt, les ténèbres revinrent régner sur les lieux.

Le groupe resta figé de stupeur. Notre trouble ne se traduisit que par des jurons étouffés et le feulement sourd du chat. Quelque part, des voix résonnèrent, graves et distordues, comme enregistrées sur une cassette tournant au ralenti. Sasha et Roosevelt éteignirent leurs lampes.

La lueur rouge se mit de nouveau à palpiter devant nous, comme un gyrophare de police. Chaque pulsation plus longue que la précédente. Finalement, l'obscurité céda la place et la lumière étrange s'installa en un scintillement rapide. Les voix se firent plus fortes, toujours déformées, mais presque intelligibles... Curieusement, aucun photon émis par cette lumière ne franchissait le seuil de l'ancienne porte palière où nous nous trouvions. Cette limite semblait être un sas entre deux réalités : d'un côté les ténèbres absolues, de l'autre un monde écarlate. La ligne rouge entre les deux chambranles était rectiligne comme le fil d'une lame de couteau. La lumière éclairait à peine ce qu'elle touchait, faisant naître des formes et des mouvements fantomatiques, discernables uniquement du coin de l'œil, créant davantage de mystère qu'elle n'en révélait.

Trois hautes silhouettes apparurent dans le couloir – des ombres marron dans l'aura rouge. Peut-être des hommes, peut-être des êtres... plus monstrueux. Lorsque ces trois formes passèrent devant le seuil de la porte, les voix s'amplifièrent, perdant presque toute distorsion, puis elles s'évanouirent. Une fois que les silhouettes eurent disparu de notre champ de vision, Mungojerrie s'aventura plus loin. Je m'attendis à le voir se désintégrer au passage de la ligne rouge, comme touché par un rayon de la mort, sans laisser de traces, à l'exception d'une odeur de poils grillés. Mais non. Son corps devint simplement une ombre marron, aux contours flous, allongés. À un mètre de distance, il était impossible de dire s'il s'agissait ou non d'un chat.

La lumière recommença à palpiter, tantôt rouge sombre, tantôt rose fuchsia. Entre chaque cycle, un bourdonnement électrique retentissait dans tout le bâtiment, grave et inquiétant. Le mur de ciment sous mes doigts vibrait faiblement, comme le pilier de la grue dans le hangar. Soudain, la lumière vira du rouge vif au blanc. Le clignotement cessa. Le couloir s'ouvrait, aveuglant, devant, éclairé par une enfilade de tubes fluorescents. Dans l'instant, comme si j'avais subi une surpression, je sentis mes tympans reprendre leur place. Un air chaud tombait de la cage d'escalier, apportant une odeur d'ozone typique des nuits d'orage.

Mungojerrie n'était plus une silhouette confuse. Il était parfaitement net et observait quelque chose sur sa droite. Le sol était maintenant recouvert de carrelage blanc. Je jetai un coup d'œil derrière moi. L'escalier semblait être solidement ancré à notre époque. Tout le bâtiment n'oscillait donc pas entre le passé et le présent. Le phénomène opérait suivant un canevas complexe.

Je brûlais de remonter les marches quatre à quatre et de sortir au plus vite de ce hangar maudit, mais j'avais dépassé le point de non-retour lorsque Jimmy et Orson avaient disparu. L'amitié exigeait que l'on sorte des limites des cartes, pour s'aventurer en ces *terra incognita* que les anciens cartographes, incapables de les concevoir, avaient baptisées « Territoires des monstres ».

Je sortis mes lunettes de soleil de la poche intérieure de ma veste et les coinçai sur mon nez. Je ne pouvais empêcher la lumière de toucher mes mains et mon visage, mais je devais me protéger les yeux.

Dès que nous pénétrâmes dans le couloir, je sus que nous venions d'entrer dans le passé, dans un temps où ces installations n'avaient pas encore été fermées, ni visitées par les équipes de démontage venues effacer toute trace de leur activité. J'aperçus un planning sur un mur, un tableau d'affichage et deux chariots contenant divers instruments. Le bourdonnement n'avait pas disparu avec la lumière rouge. Un pressentiment me disait qu'il provenait de la salle de l'Œuf en pleine effervescence. Le bruit me vrillait les tympans, traversait mon crâne pour venir vibrer tout contre mes neurones.

Des portes de métal remplaçaient désormais les trous béants ouvrant sur les pièces du périmètre intérieur. L'une d'entre elles, la plus proche, était grande ouverte. Dans la petite salle derrière, deux chaises pivotantes, vides, devant un pupitre de commande, vaguement comparable à une table de mixage d'ingénieur du son pour la radio. Sur un côté, une boîte de Pepsi et un sachet de chips – preuve que les fondateurs de l'apocalypse n'avaient rien contre une petite collation de temps à autre. Sur la droite, à une vingtaine de mètres de nous, trois hommes s'éloignaient. L'un portait un jean et une chemise blanche aux manches roulées, l'autre était vêtu d'un costume sombre, et le dernier d'une blouse blanche de chimiste. Ils marchaient côte à côte, têtes baissées, en pleine conversation, mais nous ne pouvions saisir leurs paroles, couvertes par le bourdonnement électronique. Finalement, les trois silhouettes qui étaient passées devant nos yeux étaient bel et bien humaines.

Je jetai un coup d'œil sur ma gauche, de crainte que quelqu'un nous aperçoive et donne l'alarme. Pour l'instant, pas âme qui vive. Mungojerrie observait toujours les trois hommes, refusant apparemment de nous guider plus avant tant qu'ils n'avaient pas disparu dans la courbe du couloir ou pénétré dans une pièce. Cette portion du couloir mesurait cent cinquante mètres, et les trois hommes devaient encore parcourir près de trente mètres avant d'être hors de vue. Nous étions dangereusement à découvert. Il valait mieux battre en retraite. En outre, je m'inquiétais déjà de la quantité de lumière qui assaillait ma peau. Je fis signe à Sasha de reculer vers l'escalier. Elle se retourna et écarquilla les yeux. Je me tournai à mon tour et constatai avec effroi qu'une porte bloquait l'accès à la cage d'escalier. Précédemment, il n'y avait aucune porte ; nous avions une vue directe sur le couloir d'abord rouge puis éclairé par les tubes fluo. Mais de ce côté, la barrière existait.

Je me dirigeai rapidement vers elle, l'ouvris toute grande et allai franchir le seuil dans la foulée quand un pressentiment me retint. Les ténèbres en face de moi avaient quelque chose de bizarre. Je baissai les lunettes sur mon nez pour les scruter. Je contemplai un ciel nocturne, avec ses chapelets d'étoiles et son croissant de lune. Voilà ce qu'il y avait derrière la porte ! Rien d'autre ! Ou la porte s'ouvrait quelque part en altitude, dans l'espace intersidéral, à des années-lumière du premier café. Ou bien elle donnait sur un temps où la Terre n'existait plus – plus de sol au-delà du seuil, rien d'autre que le vide piqueté d'étoiles comme autant de diamants, un gouffre infini et glacé.

Impressionnant !

Je la refermai, serrant le fusil avec force, non pas parce que je comptais m'en servir, mais parce qu'il était réel, lui, solide, immuable, une ancre dans cette mer des mystères. Sasha se tenait juste derrière moi. Lorsque je me tournai vers elle, je sus, à son regard, qu'elle avait vu le même panorama cosmique. Doogie n'avait pas encore remarqué ce paysage inconcevable, trop occupé qu'il était à surveiller les trois hommes qui s'éloignaient. Quant à Roosevelt, l'air soucieux, les poings sur les hanches, il étudiait le chat. De l'endroit où il se trouvait, Bobby ne pouvait avoir aperçu l'étendue céleste derrière la porte, mais il avait ressenti mon trouble. Il avait l'air grave et solennel d'un colvert lisant la recettte du canard au sang. Mungojerrie semblait le seul à peu près serein.

Préférant oublier cette fenêtre s'ouvrant sur le néant, je reportai mon attention sur le chat. Comment allait-il pouvoir retrouver Orson et les enfants si eux étaient prisonniers dans le présent et nous coincés dans le passé ? Je tentai de me rassurer : si nous avions pu passer d'un temps à un autre, être emportés ainsi dans les bourrasques temporelles, pourquoi en serait-il autrement pour eux ?

Selon toute vraisemblance, toutefois, nous n'avions pas réellement remonté le temps. Le passé et le présent, voire l'avenir, semblaient se dérouler simultanément, être imbriqués les uns dans les autres par les forces engendrées par la salle de l'Œuf.

Peut-être ne vivions-nous pas une seule et même nuit du passé, mais des moments différents, distants de plusieurs jours, datant de l'époque où la salle de l'Œuf fonctionnait ?

Les trois hommes n'avaient pas encore atteint le bout du couloir. Ils prenaient tout leur temps ! Le bourdonnement électrique produisait de curieux effets. Je commençais à avoir le vertige, et le couloir – et tout le sous-sol – semblait tourner comme un manège. Je serrais trop fort le fusil. Involontairement, j'exerçais une dangereuse pression sur la gâchette. Je retirai mon doigt pour le poser sur la garde, c'était plus sûr. J'avais mal à la tête. Ce n'était pas une séquelle de ma bagarre avec le père Eliot chez les Stanwyk, mais le résultat d'un excès de cogitation sur les paradoxes temporels et sur la réalité de ce qui nous arrivait. De telles réflexions nécessitent des connaissances en mathématiques et en physique fondamentale ; à mon grand regret, je n'avais pas hérité de ma mère sa passion pour les mathématiques et les sciences. Je pouvais comprendre la mécanique élementaire qui sous-tendait le fonctionnement d'un décapsuleur, pourquoi la gravité interdisait de sauter du haut d'un immeuble et pourquoi le fait de foncer la tête la première dans un mur de briques n'avait aucune conséquence pour les briques. Pour le reste, je laissais au cosmos le soin de tourner tout seul comme un grand, sans rien comprendre à la mécanique céleste – j'adoptais d'ailleurs la même attitude à l'égard des rasoirs électriques, des montres à quartz, des grille-pain et autres machines.

La seule façon de faire face à ce qui nous arrivait était de se convaincre qu'il s'agissait de phénomènes paranormaux, de les accepter au même titre que les esprits frappeurs ou les apparitions spectrales de zombies au milieu d'un cimetière les nuits de pleine lune. Il ne fallait pas céder à la panique, mais demeurer calme. Lucide. Cet endroit n'était rien de plus qu'une maison hantée. Notre meilleure chance de traverser ce labyrinthe et d'en sortir sains et saufs était de garder à l'esprit que les fantômes ne pouvaient rien faire aux humains. Seule notre propre peur les rendait dangereux, qui armait leurs bras – théorie bien connue des médiums et des chasseurs de fantômes à travers toute la planète. Je l'avais apprise dans une BD.

Les trois spectres n'étaient qu'à quelques mètres du virage qui nous placerait enfin hors de leur vue lorsqu'ils s'arrêtèrent. Ils conversèrent un moment, leurs paroles noyées dans le bourdonnement qui résonnait dans tout le bâtiment. Le fantôme en jean et chemise blanche se tourna vers une porte et l'ouvrit. Les deux autres – celui en costume et celui en blouse de laborantin – poursuivirent leur chemin. Au moment où il allait franchir le seuil, l'homme se retourna vers nous. Il avait dû sentir notre présence à la périphérie de son champ de vision. Nous devions, nous aussi, lui apparaître comme des fantômes ! Il fit deux pas dans notre direction puis s'arrêta – peut-être avait-il remarqué nos fusils ? Il cria quelque chose. Des mots qui nous restèrent incompréhensibles, mais qui ne constituaient sûrement pas un toast à notre santé. Ses paroles n'étaient pas adressées à nous, mais aux deux spectres qui s'éloignaient au bout du couloir. Ils se retournèrent et écarquillèrent les yeux de surprise comme deux marins devant le spectacle du vaisseau fantôme de la *Marie Céleste* sortant du brouillard. La peur était identique dans les deux camps.

Le type au costume n'était pas, à l'évidence, un scientifique soucieux de sa tenue vestimentaire, ni un responsable administratif, encore moins un témoin de Jéhovah venu vendre sa brochure, car il plongea la main sous sa veste et en sortit un pistolet. Où avais-je lu que les fantômes ne pouvaient rien contre nous si nous n'avions pas peur d'eux ? Pourvu que ce soit dans une BD sérieuse, du genre *Contes d'outre-tombe* et non dans *Mickey Magazine* ! Cela s'appliquait-il aux fantômes *armés* ?

Au lieu d'ouvrir le feu, le spectre au pistolet bouscula ses deux collègues et fila par la porte que le premier venait d'ouvrir. Il devait être allé téléphoner à la sécurité. On allait se retrouver plaqués au mur, ligotés, empaquetés dans des sacs-poubelle et jetés aux ordures.

Autour de nous, le couloir se mit à onduler. La réalité changea. Le carrelage blanc disparut sous nos pieds pour laisser place au ciment nu. Çà et là, le long du couloir, quelques carreaux subsistaient, aux contours indéfinis, les bords enchâssés dans le béton, comme des miettes éparses du passé que le présent n'avait pu effacer. Les portes donnant accès aux pièces latérales avaient de nouveau disparu. L'obscurité reprenait ses droits à mesure que s'évanouissaient les plafonniers fluo. Toutefois, quelques tubes éclairaient encore certaines portions du couloir.

Je retirai mes lunettes de soleil et les rangeai dans ma poche au moment où le tableau du planning se dissolvait. Le panneau d'affichage, en revanche, resta inchangé. L'un des chariots disparut devant mes yeux. L'autre résista, quoique quelques instruments dans ses casiers devinrent transparents.

Le spectre en blue-jean et l'autre en blouse blanche avaient vraiment l'air de fantômes, à présent, de simples ectoplasmes se cristallisant dans une brume blanche. Ils se dirigèrent vers nous, d'un pas précautionneux, puis se mirent à courir, peut-être parce que nous disparaissions de leur vue. Ils parcoururent la moitié de la distance avant de s'évanouir dans le néant. Le type au costume revint dans le couloir, ayant sans doute prévenu les vigiles que le bâtiment était assailli par une armée de Vikings et de chats. Mais il n'était plus qu'une oscillation dans l'air, une vibration. Au moment où il leva son arme pour tirer, il quitta le temps présent sans laisser de traces. Le bourdonnement électrique avait diminué de moitié, mais, à l'instar des tubes fluo, il n'avait pas disparu totalement.

Ce retour au présent ne rassura personne. Au contraire. Mungojerrie avait bel et bien raison : tout l'endroit se désintégrait. Les effets résiduels du Mystery Train prenaient de l'ampleur, s'autoalimentaient, s'étendaient au-delà de la salle de l'Œuf. Les conséquences ultimes étaient encore inconnues, mais sans nulle doute catastrophiques. Dans ma tête, j'entendais le tic-tac d'une horloge. Ce n'était pas la montre du capitaine Crochet dans le ventre du crocodile, mais le cliquetis d'un compte à rebours vers la destruction finale.

Sitôt les fantômes effacés, le chat se dirigea vers le puits de l'ascenseur.

– Mungojerrie dit qu'il faut descendre, déclara Roosevelt. Plus bas encore.

– Nous sommes au dernier sous-sol, répondis-je. Il n'y a rien au-dessous.

Le chat m'observa de ses yeux verts. Roosevelt traduisit :

– Il y a trois autres niveaux sous celui-ci. Classés top secret, c'est pourquoi leur accès est dissimulé.

Au cours de mes explorations, je n'avais jamais songé à regarder dans le puits de l'ascenseur pour savoir s'il desservait d'autres niveaux inaccessibles par l'escalier.

– L'accès aux étages inférieurs se trouve dans un autre bâtiment, via un tunnel. Ou par cet ascenseur.

Un problème épineux se posait, car le puits de l'ascenseur n'était pas libre. Impossible d'emprunter l'échelle de service pour descendre. Comme le prouvaient les restes de carrelage et les quelques tubes fluo qui subsistaient dans le couloir, ainsi que le bourdonnement qui persistait, le passé gardait un certain contrôle des lieux – en particulier de l'ascenseur. Une paire de portes d'acier interdisait l'accès au puits et une cabine, à n'en pas douter, se trouvait de l'autre côté.

– Nous allons y rester si nous traînons ici, prédit Bobby en tendant la main pour enfoncer le bouton d'appel.

– Attends, lançai-je en arrêtant son geste.

– Bobby a raison, Chris, intervint Doogie. Parfois la chance sourit aux plus hardis.

Je secouai la tête.

– Et si l'ascenseur disparaît pendant que nous sommes dedans ?

– Alors nous tombons au fond du puits, répliqua Sasha, sans autre émotion.

– Certains se casseront la cheville, ajouta Doogie, mais pas tous. Il doit y avoir tout au plus dix ou douze mètres. Un joli saut, mais pas forcément mortel.

– On va avoir d'une seconde à l'autre une bande de Vil Coyote aux fesses ! insista Bobby, en fan qu'il était des dessins animés de Bip-Bip !

– Il faut sortir d'ici ! intervint Roosevelt, voyant Mungojerrie gratter impatiemment le bas de la porte, qui refusait toujours de se dissoudre dans le passé.

Bobby appuya sur le bouton d'appel. J'entendis la cabine de

l'ascenseur s'approcher de nous. Gêné par le bourdonnement fluctuant de la salle de l'Œuf, je ne pouvais déterminer si elle montait ou descendait.

Soudain le couloir se mit à onduler. Les carreaux de céramique réapparurent un à un sous mes pieds. Les portes de l'ascenseur commencèrent à s'ouvrir, lentement. Les tubes fluo illuminèrent de nouveau les lieux et je clignai des yeux sous la soudaine clarté.

La cabine était nimbée d'une lumière rouge. L'ascenseur se trouvait donc en un autre espace-temps. Et il y avait des passagers – beaucoup.

Je reculai d'un pas, craignant que ces inconnus nous causent des ennuis.

Dans le couloir, le bourdonnement s'amplifia. Je distinguais plusieurs silhouettes, dont les contours restaient flous.

Il y eut un coup de feu, puis un autre. On nous tirait dessus ! Non pas depuis la cabine, mais depuis le couloir, où l'affreux en costume avait sorti son pistolet et nous avait mis en joue.

Bobby reçut une balle. Quelque chose éclaboussa mon visage. Bobby partit à la renverse sous le choc, comme au ralenti, le fusil lui échappant des mains. Avant qu'il eût touché le sol, je compris que c'était du sang qui avait giclé sur mon visage. Le sang de Bobby ! Par réflexe, je fis volte-face, tirai une cartouche à la volée et rechargeai aussitôt.

Le type au costume avait été remplacé par deux gardes en uniforme. Pas des militaires. Des vigiles privés, embauchés pour assurer la sécurité du programme Mystery Train. Ils étaient trop loin pour être inquiétés par mon fusil.

Un autre pan du passé venait de se matérialiser autour de nous. Doogie leva son Uzi alors que Bobby achevait de s'écrouler au sol. Le pistolet-mitrailleur mit un terme final et définitif à la fusillade.

Je détournai la tête des deux gardes morts. Les portes de l'ascenseur s'étaient refermées. Personne n'avait eu le temps d'en sortir.

Les coups de feu allaient attirer d'autres gardes.

Bobby gisait sur le dos. Du sang maculait les carreaux blancs autour de lui. Beaucoup de sang. Beaucoup trop.

Sasha s'agenouilla à côté de lui. Je l'imitai.

– Tu t'en es pris une belle, articula-t-elle.

– Une sacrée claque, souffla Bobby. « Prendre une claque » voulait dire être salement frappé par une vague.

– Accroche-toi à la planche, dis-je.

– Impossible. Je suis vidé, répondit-il avant de tousser.

– Pas encore. Il te reste du jus, insistai-je, pris d'une terreur panique que je m'efforçai de dissimuler.

Sasha déboutonna la chemise hawaïenne, glissa les doigts dans l'ouverture du sweat-shirt, à l'endroit où était passée la balle, et agrandit le trou. L'impact était bien bas sur l'épaule gauche, trop bas, trop à droite.

– C'est l'épaule, annonçai-je à Bobby.

Le bourdonnement faiblit, le carrelage disparut sous Bobby, emportant avec lui la flaque de sang. Encore une fois, quelques tubes fluo résistèrent à la dissolution. Le présent reprenait ses droits, un nouveau cycle – une minute ou deux de répit avant que d'autres affreux en uniforme, armés jusqu'aux dents, ne rappliquent.

Un sang épais, presque noir sortait de la blessure. Nous ne pouvions arrêter l'hémorragie. Aucune compresse, aucun garrot, aucun bandage n'aurait pu endiguer ce flot.

– Arrête ton baratin, lâcha Bobby.

La douleur avait emporté le hâle de sa peau. Son teint avait viré au jaune cireux. Il semblait au plus mal.

Les tubes fluo étaient moins nombreux dans le couloir et le bourdonnement était plus faible que jamais. Pourvu que le passé ne disparaisse pas tout entier, nous laissant devant un puits d'ascenseur vide ! Porter Bobby à dos d'homme sur trois étages risquait d'aggraver son état. Je me relevai et croisai le regard grave de Doogie. Une bouffée de révolte m'envahit. Bobby allait vivre, nom de Dieu !

Mungojerrie gratta de nouveau à la porte. Roosevelt enfonça le bouton d'appel. Soit il exauçait les souhaits du chat, soit il avait deviné mes inquiétudes concernant le recul du passé. Un indicateur d'étage était apparu au-dessus des portes, indiquant quatre niveaux – R.d.C, S.S-1, S.S-2, S.S-3 - alors qu'il y en avait sept.

– Allez, allez ! marmonna impatiemment Roosevelt.

Bobby tenta de relever la tête, mais Sasha le fit rallonger, en posant sa main sur son front. Il risquait de s'évanouir. Il aurait fallu surélever ses jambes pour que le sang afflue vers la tête, mais nous n'avions rien sous la main pour fabriquer un brancard de fortune. Les syncopes tuaient aussi sûrement que les balles. Les lèvres de Bobby bleuissaient. Était-ce le signe qu'il allait bientôt perdre connaissance ?

La cabine se trouvait au premier sous-sol. Nous étions au troisième. Mungojerrie me regardait fixement, comme pour me dire : *Je t'avais prévenu.*

– Les chats savent que dalle ! lui lançai-je avec aigreur.

À ma grande surprise, j'entendis Bobby rire. Un rire faible, mais bel et bien un rire. Pouvait-on vraiment mourir ou s'évanouir si l'on riait ainsi ? Peut-être que tout irait bien au fond... J'étais d'un optimisme navrant.

L'ascenseur atteignait le deuxième sous-sol. Encore un. Je levai mon arme, au cas où il y aurait encore des occupants dans la cabine... De nouveau, les pulsations des mécanismes de la salle de l'Œuf ou de quelques machines infernales se firent plus puissantes.

– Vite ! lâcha Doogie, sachant que si le passé revenait maintenant, il allait apporter avec lui une ribambelle de gardes armés.

L'ascenseur s'arrêta au troisième sous-sol – notre niveau. Le couloir était de nouveau presque entièrement éclairé. Alors que les portes s'ouvraient, une peur panique m'étreignit. Et s'il n'y avait pas de cabine derrière ces portes, ni de lumière rouge, mais le néant, le même vide intersidéral qui s'était ouvert devant moi un peu plus tôt ? Par bonheur, la cabine était là. Déserte.

– Dépêchez-vous ! nous pressa Doogie.

Roosevelt et Sasha avaient déjà mis Bobby sur ses jambes, le soulevant pratiquement de terre, tout en essayant de soulager son épaule gauche. Je retins la porte de la cabine et les laissai passer. Bobby grimaçait de douleur. Mais au lieu de laisser échapper une plainte, il me lança :

– *Carpe cerevisi !*

– Plus tard, la bière ! Promis ! lui répondis-je.
– Je préférerais maintenant, vieux.

Tout en retirant son sac à dos, Doogie nous suivit dans le grand ascenseur, où nous faisions notre possible pour ne pas marcher sur le chat. La cabine pouvait accueillir une quinzaine de personnes. La cage oscilla un peu à l'arrivée du Viking.

– Au rez-de-chaussée et droit vers la sortie ! lançai-je.
– Non, en bas, rectifia Bobby.

Le panneau de commande ne présentait aucun bouton pour les trois niveaux sous nos pieds. Il y avait sur le tableau une fente pour carte magnétique – c'était ainsi que les personnes munies d'autorisations pouvaient reprogrammer le panneau de commande pour atteindre les étages inférieurs. Nous n'avions évidemment pas la carte *ad hoc.*

– Nous n'avons aucun moyen de descendre, répondis-je.
– Il y a toujours un moyen, renchérit Doogie tout en fouillant dans son sac.

Le corridor était aveuglant de lumière. Le bourdonnement avait encore forci. Les portes de l'ascenseur se refermèrent. Lorsque je levai le bras pour appuyer sur le bouton RdC, Doogie me donna une tape sur la main comme à un enfant voulant prendre un gâteau sans demander la permission.

– C'est de la folie ! dis-je.
– Absolument, concéda Bobby.

Il se laissa tomber contre le mur du fond, soutenu par Sasha et Roosevelt. Il était couleur cendres.

– Inutile de jouer les héros !
– Je n'ai pas le choix.
– Qu'est-ce que tu racontes ?
– Kahuna.
– Quoi ?
– Si je suis Kahuna, je ne peux pas jouer les deuxièmes rôles.
– Tu n'es pas Kahuna !
– Le roi du surf, lâcha-t-il.

Il toussa de nouveau et cette fois des gouttes de sang maculèrent ses lèvres.

Paniqué, je me tournai vers Sasha.

– On monte et on se tire d'ici !

Il y eut un grand crac derrière moi, suivi par un long grincement. Doogie avait forcé le panneau de commande pour exposer le câblage.

– Quel étage, messieurs-dames ? demanda-t-il.

– Mungojerrie dit « tout en bas », répondit Roosevelt.

– On ne sait même pas si Orson et les gosses sont vivants ! protestai-je.

– Ils sont vivants, déclara Roosevelt.

– On n'en sait rien !

– Si, on le sait.

Je me tournai de nouveau vers Sasha, cherchant son soutien.

– Et toi ? Tu es tombée sur la tête, comme eux ?

Elle ne répondit rien, mais il y avait une telle tristesse dans son regard que je dus détourner les yeux. Elle savait que Bobby et moi étions comme des jumeaux. Une part de moi allait mourir avec Bobby, laissant un vide qu'elle ne pourrait jamais combler. Elle aurait fait n'importe quoi pour sauver Bobby, n'importe quoi, mais il n'y avait rien à faire. Dans son désespoir, je voyais ma propre impuissance. Je baissai les yeux vers le chat. Un instant, j'eus envie de l'écraser à coups de pied, de le réduire en bouillie, comme s'il était responsable de notre malheur. J'avais demandé à Sasha si elle n'était pas devenue aussi folle que les autres… en vérité, c'était moi qui perdais la boule.

Avec une secousse, l'ascenseur amorça sa descente. Bobby poussa un gémissement.

– Je t'en prie, Bobby. Accroche-toi.

– Kahuna, me rappela-t-il.

– Tu n'es pas Kahuna, abruti !

Sa voix était à peine audible, un souffle vacillant.

– Pia est persuadée que je le suis.

– Pia est une folle dingue.

– Ne dis pas de mal de ma meuf !

La cabine s'arrêta au septième et ultime sous-sol.

Les portes s'ouvrirent sur les ténèbres. Ce n'était pas le vide intersidéral qui s'étalait devant nous, mais une alcôve plongée dans le noir. Avec la lampe de Roosevelt, j'éclairai la sortie. Il s'agissait d'un petit hall, froid et humide. Ici, le bourdonnement était assourdi, presque inaudible. Nous allongeâmes Bobby sur le dos, à gauche de l'ascenseur. Nous étendîmes sous lui ma veste et celle de Sasha pour l'isoler au mieux du béton.

Sasha trifouilla dans le panneau de commandes afin de mettre l'ascenseur momentanément hors service. La cage serait donc encore là à notre retour. Sauf, bien entendu, si le passé disparaissait complètement et emportait avec lui l'ascenseur. Nous devrions alors remonter à pied. Bobby ne pourrait pas grimper à l'échelle de service. Et nous ne pourrions jamais le hisser à dos d'homme, pas dans son état.

Ne pas penser à ça. Les fantômes ne peuvent rien nous faire si on n'a pas peur d'eux et le pire n'arrive jamais si on ne l'invente pas en pensée.

Je m'accrochai à tout, y compris aux défenses et stratagèmes éprouvés durant mon enfance.

Doogie vida son sac à dos. Avec l'aide de Roosevelt, il plia le sac et le glissa sous les hanches de Bobby, pour surélever la partie inférieure de son corps. C'était loin d'être suffisant, mais c'était mieux que rien. Je déposai la lampe à côté de Bobby.

– Je serai plus en sécurité dans le noir, dit-il. La lumière risque d'attirer l'attention.

– Tu n'auras qu'à l'éteindre au moindre bruit suspect.

– Tu l'éteindras toi, avant de partir, répondit-il. Moi, je ne peux pas.

Lorsque je pris sa main, je fus saisi par la faiblesse de ses doigts. Il n'avait plus la force de tenir la lampe. Il était inutile de lui laisser une arme pour se défendre. Je ne savais que lui dire. Pour la première fois, j'étais à court de mots devant lui. Ma bouche était emplie de sable, comme si j'étais déjà sous terre, dans ma tombe.

– Tiens, lança Doogie en me donnant une paire de grosses lunettes et une lampe bizarre. Ce sont des lunettes infrarouges. Du surplus de l'armée israélienne. Et une lampe infrarouge.

– Pour quoi faire ?

– Pour qu'ils ne nous voient pas arriver.

– Qui ça ?

– Ceux qui ont les gosses et Orson.

Je dévisageai Doogie comme s'il était un Martien.

– En plus, il danse la valse comme personne ! lança Bobby en claquant des dents.

Un grondement se fit soudain entendre, comme si un train de marchandises passait au-dessus de nos têtes. Tout se mit à trembler autour de nous. Puis le bruit s'éloigna et l'ordre revint.

– On ferait mieux d'y aller ! lança Sasha.

Ils avaient tous chaussé leurs lunettes et les tenaient pour l'instant relevées sur le front. Bobby avait fermé les yeux.

– Ça va ? demandai-je, inquiet.

– Ça va, me répondit-il en rouvrant les paupières.

– Si tu me lâches, j'irai te botter les fesses en enfer.

– Ne t'inquiète pas, dit-il en souriant. Je n'ai aucune envie d'y aller avant toi.

– On revient vite.

– Je ne bouge pas, nous assura-t-il, tentant une pointe d'humour – sa voix n'était plus qu'un souffle. Je te rappelle que tu m'as promis une bière.

Il y avait une douceur indescriptible dans son regard. Tant à dire et si peu à formuler… Même si le temps ne nous avait pas été compté, rien de ce qui était dans mon cœur n'aurait pu être exprimé par des mots. J'éteignis la lampe et la déposai à côté de lui. L'ombre était mon amie, mais je détestais ces ténèbres glacées.

Les lunettes étaient pourvues d'une bande Velcro. Mes mains tremblaient tellement qu'il me fallut un bon moment pour les ajuster sur ma tête. Je positionnai enfin les oculaires devant les yeux. Doogie, Roosevelt et Sasha avaient allumé leurs lampes infrarouges. Sans les lunettes, je ne pouvais pas remarquer le rayonnement de cette longueur d'onde. Désormais, le hall m'apparaissait dans un camaïeu de verts de diverses intensités. J'allumai ma lampe et fis courir mon faisceau sur le corps de Bobby. Étendu au sol, les bras le long du corps, auréolé de vert, il ressemblait déjà à un fantôme.

– Ta chemise produit son petit effet dans cette lumière lui dis-je.

– Ah oui ?

– Carrément psychédélique !

Le train de marchandises passa de nouveau au-dessus de nos

têtes, dans un vacarme plus puissant encore. L'acier et le béton du bâtiment tremblèrent comme un vieil arbre. Le chat, qui n'avait nul besoin de lunettes, nous conduisit vers la sortie. Je suivis Roosevelt, Doogie et Sasha – trois spectres verts hantant des catacombes.

Rien ne me fut plus pénible que d'abandonner ainsi Bobby derrière moi – assister aux funérailles de ma mère, ou veiller mon père sur son lit de mort, avait été moins douloureux.

25.

Dans le mur du vestibule s'ouvrait un petit tunnel, descendant sur environ cinq mètres. Après ce palier, nous suivîmes une longueur de couloir parfaitement horizontale, mais sinueuse. À chaque tournant, l'architecture et la structure générale du conduit passaient d'un niveau étrange à celui de carrément extraterrestre.

La première section arborait des parois de ciment, mais les suivantes, en béton armé, semblaient recouvertes de métal. Même dans la lumière glauque de nos lampes à infrarouge, je remarquai que le revêtement métallique changeait de nature de temps en temps. Si j'avais allumé ma lampe normale, j'aurais eu sous les yeux une succesion d'acier, de cuivre, de laiton, tout un échantillon d'alliages que seul un spécialiste des métaux aurait pu identifier.

La plus large section du conduit mesurait deux mètres cinquante de diamètre, mais nous devions souvent cheminer dans des parties deux fois plus étroites qui nous obligeaient à ramper. Çà et là dans les parois s'ouvraient d'autres conduits ; certains d'une dizaine de centimètres de diamètre, d'autres d'une cinquantaine – rien de particulier à l'intérieur, lisses comme des canons de fusil ou des tuyaux de plomberie. Nous étions peut-être au milieu d'un gigantesque système de refroidissement ou d'un réseau de gaines techniques desservant tous les palaces des dieux de la mythologie ?

Sans l'ombre d'un doute, quelque chose avait circulé dans ce labyrinthe : un liquide ou un gaz. Nous aperçûmes de nombreux tuyaux équipés de turbines, dont les lames devaient être animées par le fluide circulant dans les conduits. À d'autres jonctions, des écoutilles à commande électrique semblaient prêtes à réguler le débit ou à le dévier en divers points du réseau. Tous les orifices de métal étaient en position ouverte ou semi-ouverte. À chaque passage des valves, je craignais de voir les lames d'acier se refermer derrière nous et nous emprisonner à vie.

Ces conduits n'avaient pas été décapés jusqu'au ciment, à l'inverse des trois premiers sous-sols. Ne voyant aucune lampe au plafond, j'en déduisis que les ouvriers de maintenance utilisaient leurs lampes personnelles. De temps en temps, un souffle parcourait ces étranges conduits, mais, en général, l'air était aussi immobile que sous une cloche. À deux reprises, je sentis des relents de charbons brûlés, mais le plus souvent, il planait une odeur acide, comparable à celle de l'iode, sauf que celle-là laissait un goût amer dans la bouche et une sensation de brûlure dans les narines. Le train fantôme retentit plusieurs fois, chaque passage durant plus longtemps, les plages de silence entre deux va-et-vient devenant de plus en plus courtes. Chaque fois que le tintamarre se faisait entendre, je m'attendais à voir le plafond s'écrouler, nous ensevelissant sous les décombres tels des mineurs de fond. Un autre bruit, à glacer le sang, résonnait parfois dans les conduits, une sorte de sifflement strident, semblable à celui d'une machine emballée au bord de la dislocation.

Je luttais tant bien que mal contre la crise de claustrophobie qui me menaçait. Où étions-nous ? En enfer ? Avions-nous passé le septième cercle ou en étions-nous encore au sixième ? Le lac de sang bouillonnant se trouvait-il dans le septième cercle ou arrivait-il après le désert du feu ? Mais ni le lac de sang ni les sables brûlants n'étaient verts, or tout ici l'était. Où étaient les araignées, les scorpions ? Nous ne progressions peut-être pas dans les enfers, après tout, mais dans les entrailles d'une baleine. La folie me guettait. J'avais perdu toute notion du temps. J'étais persuadé que l'horloge du purgatoire réglait nos pas, une horloge dont les aiguilles des heures et des minutes tournaient sans jamais avancer. Le lendemain, Sasha m'apprendrait que notre périple dans ces tunnels n'avait pas duré plus d'un quart d'heure. Sur le moment, je ne l'aurais jamais crue – pourtant Sasha ne mentait jamais ! J'en aurais déduit que nous étions prisonniers d'un cercle infernal réservé aux menteurs (et menteuses) cliniques.

La dernière section – celle qui allait nous conduire aux kidnappeurs et à leurs otages – était l'une des plus spacieuses. Une fois passés les premiers mètres, nous découvrîmes que les malfrats – tout au moins, l'un d'entre eux – avaient orné les parois de décorations funestes. Des articles de journaux et des photos étaient scotchés sur les parois de métal ; les textes étaient difficiles à lire à la lumière infrarouge, mais les titres et les sous-titres étaient parfaitement clairs.

Le premier article daté du 18 juillet, quarante-quatre ans plus tôt, provenait de la *Moonlight Bay Gazette.* Le grand-père de Bobby dirigeait alors le journal. Le titre annonçait : « Un garçon reconnaît avoir tué ses parents. » Et le sous-titre : « À douze ans, il ne peut être poursuivi pour meurtre. » D'autres articles de la *Gazette* dataient du même été et de l'automne suivant. Ils narraient les suites de ce double meurtre, apparemment commis par un certain John Joseph Randolph. Ce dernier avait été envoyé dans une maison de correction dans le nord de l'État, jusqu'à sa majorité. Il serait alors examiné et s'il était déclaré irresponsable de ses actes, il serait conduit dans un hôpital psychiatrique.

Les trois photos du jeune John montraient un garçon aux cheveux filasse, plutôt grand pour son âge, avec des yeux pâles, un corps longiligne mais musclé. Sur tous les clichés – qui semblaient sortir d'un album de famille – il arborait un sourire victorieux. Ce soir de juillet, il avait tué son père de cinq balles dans la tête. Puis il avait massacré sa mère à coups de hache.

John Joseph Randolph... Ce nom avait une consonance familière, mais je n'arrivais pas à savoir pourquoi.

Un sous-titre attira plus particulièrement mon regard. Il faisait référence au policier qui avait procédé à l'arrestation : l'agent Louis Wing. Le beau-père de Lilly. Le grand-père de Jimmy, aujourd'hui dans le coma après trois attaques cérébrales.

Louis Wing sera mon valet en enfer.

Jimmy n'avait pas été kidnappé parce que son échantillon de sang, prélevé à l'école, présentait des facteurs l'immunisant contre les effets du rétrovirus, mais pour une vieille affaire de vengeance.

– Regardez ici, lança Sasha en désignant un autre article.

Son sous-titre révélait le nom du juge présidant le procès : George Dulcinea. L'arrière-grand-père de Wendy. Enterré depuis quinze ans.

George Dulcinea sera mon valet en enfer.

Aucun doute, Del Stuart ou quelqu'un de sa famille avait croisé aussi le chemin de ce Joseph Randolph.

John Joseph Randolph... Ce nom continuait de me tourmenter. Tout en suivant Sasha et les autres dans ce tunnel, je fouillais ma mémoire – mais revenais chaque fois bredouille.

L'article suivant datait de trente-sept ans et traitait du meurtre et du démembrement d'une jeune fille de seize ans dans une banlieue de San Francisco. La police, selon le sous-titre, n'avait aucune piste. Le journal avait publié la photo de la victime, prise au lycée. En travers du visage, quelqu'un avait écrit au marqueur : C'EST MOI.

Si Joseph Randolph n'avait pas été déclaré irresponsable de ses actes, il avait pu sortir libre de la maison de correction cette année-là – avec une poignée de main, un casier vierge, un peu d'argent de poche et une prière d'adieu.

Les trente-cinq articles suivants, classés par ordre chronologique, relataient trente-cinq affaires de crimes sanglants non résolus. Les deux tiers avaient été perpétrés en Californie, dans une zone limitée entre San Diego et Sacramento ; les autres étaient localisés en Arizona, au Nevada et au Colorado. Les victimes, dont chaque photo était affublée d'un C'EST MOI manuscrit, semblaient choisies au hasard. Des hommes, des femmes. Des jeunes, des vieux. Des Noirs, des Blancs, des Asiatiques, des Hispaniques. Hétéros ou homos. Si tous ces crimes étaient l'œuvre d'un même individu – à savoir ce John Joseph Randolph –, alors notre criminel n'avait pas de préférence bien arrêtée et faisait feu de tout bois.

Je ne voyais que deux points communs à tous ces meurtres :

le degré extrême de violence avec lequel ils avaient été perpétrés – tous les titres parlaient de barbarie, de sauvagerie ; aucune des victimes n'avait subi de sévices sexuels – la seule obsession de Johnny était l'équarrissage en gros. Mais à raison d'un seul abattage par an… Lorsque Johnny perpétrait son crime annuel, il se donnait entièrement, brûlait tout son surplus d'énergie, libérait toute sa bile, jusqu'à la dernière goutte. Ce devait être une première dans les annales des crimes de psychopathes. Trois cent soixante-quatre jours d'abstinence pour une journée de boucherie extatique ! Que faisait-il donc le restant de l'année ? Par quoi son désir de violence était-il canalisé ?

Mon sentiment d'enfermement avait laissé place à une horreur viscérale. Le bourdonnement électrique, ténu mais lancinant, le grondement du train et les sifflements rares mais terrifiants masquaient tous les bruits que nous pouvions faire en approchant du repaire du tueur. Toutefois, ils masqueraient ceux de Johnny s'apprêtant à fondre sur nous. Je fermais la marche. Chaque fois que je me retournais – c'est-à-dire toutes les dix secondes – je m'attendais à surprendre ce brave Johnny en train de foncer sur moi, rampant sur le ventre ou courant au plafond comme une araignée. À l'évidence, il avait été un violent toute sa vie. Était-il, lui aussi, en train *d'évoluer* ? Était-ce la raison pour laquelle il kidnappait ces enfants et les entraînait en ce lieu étrange – en plus de son désir de vengeance ? Si un brave homme comme le père Eliot avait pu être pris d'une telle folie meurtrière, jusqu'où un John Joseph Randolph était susceptible d'aller ? Quel monstre pouvait-il devenir ?

Aujourd'hui, je sais que ces réflexions échevelées n'étaient destinées qu'à occulter l'angoisse terrible de savoir Bobby seul, saignant à mort à côté de l'ascenseur.

Je balayai de mon faisceau la fin de l'expo photo. Deux ans plus tôt, la fréquence des meurtres avait augmenté. À en juger par la disposition des articles sur le mur, ils étaient perpétrés tous les mois. Les titres parlaient de meurtres en série et non plus de crimes isolés. Deux ou trois victimes étaient chaque fois retrouvées. Peut-être Johnny avait-il décidé de prendre un associé – le petit teigneux, par exemple, qui avait tenté de me fracasser le crâne dans le sous-sol de l'entrepôt ? Où ces deux-là s'étaient-ils rencontrés ? Sûrement pas dans une église ou dans un gala de bienfaisance. Étaient-ils des adeptes de la division du travail ou opéraient-ils par roulements ? Avec un associé, la zone d'influence de Johnny semblait s'être brusquement agrandie : les articles relataient des crimes commis jusque dans le Connecticut et le sud de la Géorgie. On en notait aussi en Floride, en Louisiane et dans les deux Dakotas. Un grand voyageur, notre Johnny !

Ses choix concernant les armes s'étaient également affinés : plus de marteau, ni de tube de fer, ni de couteau, ni de fendoir à viande, ni de pic à glace, ni de hache, ni même de scie ou de perceuse… Ces derniers temps, le brave garçon avait opté pour le feu.

Toutes les victimes de ces deux dernières années avaient un point commun – immanquable : c'étaient toutes des enfants.

Étaient-ils tous les descendants de personnes ayant croisé son chemin ? Ou le tueur n'avait-il eu d'autre motivation que la quête du plaisir pur et simple ?

À présent, j'étais encore plus inquiet pour Jimmy et les autres enfants… J'avais peine à les savoir entre les mains de ce Joseph Randolph. Seul réconfort : à en croire les coupures de journaux de cette galerie des horreurs, Randolph ne commettait ses atrocités que sur des groupes de victimes. Il les immolait toutes ensemble, dans un grand feu, comme s'il sacrifiait à un rituel. Si l'un des enfants était encore en vie, les autres avaient donc de fortes chances de l'être également.

Nous avions supposé que les disparitions des quatre enfants avaient un lien avec le rétrovirus destructeur d'ADN et les événements de Wyvern, mais, apparemment, tout le mal sur terre ne provenait pas uniquement des travaux de ma mère. John Joseph Randolph détenait un passeport pour l'enfer depuis sa douzième année. Peut-être avais-je vu juste, hier soir, à propos du tueur ? Randolph avait peut-être kidnappé ces enfants par hasard, simplement parce qu'il se trouvait dans les parages et qu'il aimait bien le coin, son ambiance gothique.

L'exposition s'achevait par deux objets troublants. Scotchée au mur, une feuille de papier Canson arborait un dessin de corbeau. *Le* corbeau. Celui sur le rocher en haut de la colline.

La reproduction avait été réalisée en plaquant la feuille sur le motif et en la noircissant au fusain jusqu'à ce que les lignes apparaissent. À côté du dessin, se trouvait un badge du Mystery Train, identique à celui cousu sur la combinaison d'Hodgson.

Il y avait donc un lien entre les recherches secrètes de Wyvern et les agissements de Randolph, une entente à laquelle ma mère et son rétrovirus étaient peut-être totalement étrangers.

Un îlot de vérité commençait à jaillir de cet océan de confusion. Je brûlais de m'y accrocher, d'escalader son sommet. Mais j'étais exsangue et le rocher glissant. John Joseph Randolph n'était pas simplement en train d'évoluer. Peut-être ne mutait-il pas du tout. Son lien avec Wyvern était bien plus complexe.

Je me souvenais vaguement d'une histoire de gosse ayant tué ses parents dans une maison sur Haddenbeck Road, voilà plusieurs années, mais j'avais oublié son nom. Moonlight Bay était une ville très conservatrice, un paradis bien propret pour touristes dont les citoyens préféraient vanter les charmes et la qualité de vie, laissant dans l'ombre ses aspects négatifs. Les hauts faits de Johnny Randolph, orphelin autoproclamé, ne risquaient pas de figurer dans les rayons du syndicat d'initiative ou dans les guides des curiosités locales. S'il était revenu à Moonlight Bay adulte, pour y vivre et y travailler, cela aurait fait les choux gras de la presse locale. Tout le monde en aurait parlé, on aurait déterré les morts et j'aurais eu vent de tous les ragots.

Il avait pu, certes, réapparaître sous un faux nom, avec la bénédiction des autorités carcérales voulant l'aider à laisser le passé derrière lui, à prendre un nouveau départ, à retrouver l'estime de lui-même, un cœur sain, etc. Adulte, méconnaissable, ne ressemblant plus en rien à l'enfant parricide, il avait pu s'établir en ville en toute impunité et trouver, à Fort Wyvern, un emploi relatif au programme Mystery Train. John Joseph Randolph...

Tandis que Mungojerrie nous guidait vers l'extrémité de ce dernier boyau, qui semblait finir en cul-de-sac, je me retournai pour contempler une dernière fois la curieuse exposition. J'en compris alors le sens. Au début, cela m'avait paru un simple étalage de trophées, à l'instar d'un rayonnage de coupes dans la chambre d'un champion, une exhibition qui devait faire gonfler de fierté la poitrine de Randolph. Un tueur psychopathe était toujours fier de ses hauts faits, mais n'avait guère l'occasion de montrer son album photo à sa famille et à ses voisins. Il ne pouvait se pavaner que dans la stricte intimité. J'avais aussi imaginé que cette galerie des horreurs était un excitant sexuel pour un esprit perturbé. Les titres des journaux faisaient peut-être à ce monstre le même effet que des mots obscènes. Les photos des victimes ou du lieu des crimes pouvaient le transporter d'extase plus rapidement que n'importe quelle scène d'un film classé XXX. À présent, il me paraissait évident que j'avais sous les yeux une offrande. Toute la vie de ce Randolph était une offrande. Le meurtre de ses parents, les crimes annuels, les trois cent soixante-quatre jours d'abstinence, le rapt et l'immolation de groupes d'enfants... Des offrandes, des sacrifices ! J'ignorais à qui ou à quoi étaient offerts ces ex-voto, ni dans quel but ; quoique j'eusse ma petite idée sur la question.

Le tunnel se terminait par une valve de deux mètres cinquante de diamètre, entièrement fermée, et mue autrefois par commande électrique. Doogie posa sa mitraillette et glissa ses doigts dans l'interstice des lames. À la seule force de ses bras, il parvint à écarter les lames de l'écoutille géante aussi facilement que s'il avait poussé une porte coulissante. Bien que l'installation n'eût pas fonctionné depuis plus de deux ans, la valve s'ouvrit sans émettre le moindre grincement, du moins détectable par nos oreilles dans le brouhaha provenant de la salle de l'Œuf. Je pensai aux marins naufragés, récupérés par le capitaine Nemo dans *Vingt Mille Lieues sous les mers*, à leur effarement lorsqu'il leur avait fait visiter les entrailles mécaniques et démesurées du *Nautilus*. Finalement, ils étaient parvenus à s'y sentir plus ou moins à leur aise puisqu'ils avaient démonté un tuyau d'orgue pour interpréter une gigue endiablée. Ici, dans ces intestins de métal qui couraient sous la salle de l'Œuf, à jamais perdus dans une terre étrangère et hostile, avec la meilleure volonté du monde, les plus accommodants et les plus grégaires des aventuriers ne pourraient se sentir chez eux.

Sitôt que Doogie eut ouvert la valve sur moins d'un mètre, la lumière vive d'une ampoule déferla sur nous. Je relevai mes lunettes infrarouges, éteignis ma lampe infrarouge et la glissai dans ma ceinture. La lumière était bien moins vive que je ne m'y attendais. Les lunettes, qui n'étaient pas faites pour fonctionner dans le spectre ultraviolet, l'avaient grandement exagérée. Mes compagnons m'imitèrent.

Derrière la valve s'étendait une portion de tunnel de cinq mètres – les parois doublées de métal brillant, sans le moindre rivet apparent – terminée par une seconde valve, identique à la première. Celle-ci était déjà ouverte sur un diamètre d'un mètre ; la lumière provenait de la pièce qui se trouvait derrière cette seconde valve. Sasha et Roosevelt restèrent près de la première écoutille. Armée de son .38, Sasha assurerait nos arrières. Roosevelt, dont l'œil gauche enflait de nouveau, demeurait avec elle parce qu'il n'était pas armé et qu'il était notre seul moyen de communication avec le chat. Le tueur de souris fut laissé en sécurité avec Sasha et Roosevelt, loin de la première ligne des combats. Nous n'avions pas semé de petits cailloux en venant, et nous étions loin d'être sûrs de pouvoir retrouver le chemin du retour sans notre guide félin.

Je suivis Doogie jusqu'à la seconde valve. Il leva deux doigts, m'indiquant ainsi qu'il n'y avait, de l'autre côté, que deux personnes susceptibles de représenter un danger. Par gestes, il me fit comprendre qu'il passerait le premier et se posterait aussitôt sur la droite. J'entrerais derrière lui, et prendrais position à gauche.

Sitôt qu'il eut franchi la valve, je lui emboîtai le pas, le fusil levé. Le grondement et les multiples bruits qui ébranlaient tout le bâtiment, des fondations au toit, étaient fortement assourdis ici. La lumière provenait d'une lampe tempête à pile posée sur une table. La pièce ressemblait à la salle de l'Œuf, en modèle réduit – dix mètres de long pour cinq de large. Les surfaces incurvées n'étaient pas recouvertes de cette substance vitreuse et irisée, mais de simples plaques de cuivre.

Mon cœur sauta un battement lorsque j'aperçus les quatre enfants, assis dos au mur dans le fond de la salle. Ils semblaient épuisés et effrayés. Leurs petits poignets et leurs chevilles étaient entravés, leurs bouches bâillonnées, mais ils paraissaient en bonne santé. Leurs yeux s'écarquillèrent de surprise en nous voyant arriver, Doogie et moi. Je repérai Orson, couché sur le flanc, près des enfants, muselé et ligoté. Ses yeux étaient grands ouverts et il respirait. *Il était vivant.* Je détournai la tête, de crainte de pleurer de joie.

Au milieu de la pièce, figés devant l'arme de Doogie, se trouvaient deux hommes, assis face à face de chaque côté de la table, la lampe tempête entre eux deux. Ce tableau me rappelait ces pièces de théâtre minimalistes traitant de l'ennui, de l'isolement, de la rupture, de la futilité des relations modernes et des implications philosophiques du cheeseburger.

À droite, je reconnus le type qui avait tenté de me fracasser le crâne dans les sous-sols de l'entrepôt. Il portait les mêmes vêtements et arborait toujours ces curieuses petites dents. Son sourire était figé, comme s'il venait de mordre dans une pomme habitée par une colonie d'asticots. Je brûlais de lâcher une balle dans la face de cette ordure, dont émanaient non seulement la méchanceté mais aussi la vanité. Après avoir pris une balle de magnum à cette distance, sa superbe serait réduite en pâtée pour chiens.

Le type de gauche, grand, blond, avec des yeux vert pâle et une cicatrice, était âgé d'une cinquantaine d'années. C'était lui qui avait kidnappé les jumeaux Stuart. Son sourire était aussi triomphant que celui qu'il arborait enfant, après avoir massacré ses parents. John Joseph Randolph ne semblait pas le moins du monde troublé par notre arrivée.

– Bonjour Chris. Comment ça va ?

J'ignorais qu'il connaissait mon nom. Nous nous rencontrions pour la première fois. Sa voix se répercuta en écho, propagée comme une onde électrique par les parois de cuivre, les mots se superposant les uns sur les autres.

– Wisteria – votre mère – était une grande dame.

Comment pouvait-il connaître ma mère ? Un pressentiment m'intimait de ne pas trop creuser plus avant la question. Un coup de fusil le réduirait au silence et effacerait pour de bon le sourire de ce visage – le sourire avec lequel il charmait l'innocent et le naïf – pour ne laisser que la denture grimaçante d'une tête de mort.

– Elle était plus dangereuse encore que Dame Nature, railla-t-il.

Tout homme civilisé se devait de réfléchir avant d'agir, de pondérer et d'analyser les conséquences morales de ses actes, de choisir toujours les voies de la persuasion et de la négociation à celles de la violence... À l'évidence, j'avais oublié de renouveler ma carte de membre du club des Lumières et on m'avait repris mes beaux principes... car je brûlais de faire sauter la cervelle de cette ordure. Où alors étais-je, moi aussi, en train d'évoluer ? C'était une véritable épidémie ces derniers jours. Le cœur plein de haine, j'aurais pressé la gâchette sans remords, mais je ne voulais pas que les enfants soient témoins du carnage. Mes ardeurs étaient également réfrénées par la présence des parois de cuivre qui risquaient de faire dangereusement ricocher les balles. Mon âme était donc sauvée non pas par la pureté de mes principes moraux, mais par les circonstances – une confession humiliante.

Avec le canon de l'Uzi, Doogie désigna les cartes sur la table.

– Vous jouiez à quoi ?

Sa voix courut sur les murs courbes. Je n'aimais pas le calme de ces deux types. Il n'y avait pas de peur dans leurs yeux. Randolph déposa son jeu sur la table, côté face et répondit à la question de Doogie avec un petit sourire.

– Au poker.

Il fallait savoir si les deux hommes étaient armés – sous leurs vestes pouvaient se trouver des pistolets. Coincés, les deux tueurs pouvaient tenter le tout pour le tout – tirer sur les gosses, et non sur nous, dans l'espoir de tuer une nouvelle victime innocente avant de mourir, de s'offrir un dernier petit plaisir avant le grand saut. Avec les quatre enfants dans la salle, nous ne pouvions prendre aucun risque.

– Sans Wisteria, poursuivit Randolph, en se tournant vers moi, Del Stuart m'aurait coupé les vivres depuis longtemps.

– Coupé les vivres ?

– Lorsqu'elle a merdé, ils ont eu besoin de moi. Enfin, c'est ce qu'ils ont cru. Pour voir ce que nous réservait l'avenir.

– La ferme ! lançai-je, sentant venir une révélation que je ne désirais pas entendre – mais ma voix n'était qu'un murmure, peut-être parce que, au fond de moi, je savais qu'il me fallait boire le calice jusqu'à la lie.

– Vous ne m'avez pas demandé quel était l'enjeu ? demanda Randolph à l'intention de Doogie.

Le mot « enjeu » se répercuta en écho tandis que Doogie demandait sagement :

– Exact. Quel est l'enjeu ?

– On a joué pour savoir qui, de Conrad ou de moi, allait avoir le plaisir d'asperger les gosses d'essence.

Le dénommé Conrad ne devait pas avoir d'arme à feu, sinon, la veille, il m'aurait logé une balle dans la tête.

– Puis on a joué, reprit Randolph en faisant mine d'abattre des cartes imaginaires sur le tapis, pour décider qui allait gratter l'allumette.

Doogie sembla sur le point de tirer, mais se ravisa, songeant sans doute aux ricochets.

– Pourquoi ne les avez-vous pas encore tués ?

– La numérologie nous dit qu'ils doivent être cinq pour ce sacrifice. Jusqu'à tout récemment, on pensait n'avoir que quatre offrandes, mais maintenant, on est persuadé que... – il m'adressa un sourire – ... que le chien n'est pas un chien comme les autres, qu'il peut aisément faire le cinquième. Quand vous êtes arrivés, on était en train de miser pour savoir qui allait faire cramer le toutou.

Randolph n'avait sans doute pas d'arme à feu non plus. D'après ce que j'avais vu dans la galerie des horreurs, le père de Randolph était la seule victime à avoir été tuée par balle, quarante-quatre ans plus tôt. Depuis, Randolph privilégiait l'engagement personnel : marteaux, couteaux et autres objets tranchants avaient ses préférences, jusqu'à ce qu'il découvre les vertus de l'immolation par le feu.

– Votre mère aimait jouer aux dés. Jouer aux dés avec le destin de l'humanité. Elle a perdu. Moi, mon truc, c'est les cartes.

Feignant de ramasser un pli imaginaire, Randolph avait approché sa main de la lampe tempête électrique.

– À votre place, je ne ferais pas ça, lança Doogie.

Randolph fit la sourde oreille. Il poussa l'interrupteur de la lampe, nous plongeant dans l'obscurité. Alors que le filament de l'ampoule achevait à peine de s'éteindre Randolph et son compère se levèrent de table. Ils bondirent si vite sur leurs jambes que leurs chaises se renversèrent. Le bruit de l'impact se réverbéra sur les voûtes en un staccato assourdissant, pareil au bruit émis par un enfant s'amusant à heurter les barreaux d'une grille avec un bout de bois. Je me déplaçai aussitôt le long de la paroi en direction des enfants, pour tenter de me mettre hors d'atteinte du sieur Conrad qui allait sûrement fondre vers moi. Ni lui ni Randolph n'étaient du genre à chercher la sortie pour s'enfuir. Tout en rasant le mur vers les jeunes prisonniers, je glissai les lunettes devant les yeux et allumai ma lampe infrarouge. Je balayai la pièce de mon faisceau invisible, à la recherche de mon assaillant. Il était plus près que prévu et avait anticipé mon mouvement pour protéger les enfants. Un couteau à la main, il fouettait l'air à l'aveuglette, avec l'espoir de me toucher.

Quel effet étrange que de voir dans le noir ! En apercevant mon affreux aux petites dents se démener dans l'obscurité, impuissant, désorienté, enragé de frustration, j'avais un vague aperçu de ce que pouvait éprouver un dieu devant les pitoyables soubresauts de nos existences chaotiques.

Je contournai mon agresseur qui cherchait avec l'énergie du désespoir à m'éventrer. Au risque d'entendre le conseil de l'ordre des dentistes pousser des hauts cris, je coinçai le culot de ma lampe entre mes dents pour empoigner mon fusil à deux mains et écraser sa crosse contre la nuque de mon adversaire. L'homme s'écroula au sol.

Apparemment, ni le dénommé Conrad ni John Joseph Randolph n'avaient compris que nos lunettes faisaient partie d'un équipement de vision infrarouge, car Doogie dansait pratiquement un pas de deux autour du plus dangereux tueur en série de tous les temps. Il le harcelait de coups avec un enthousiasme bon enfant et une précision acquise à force de jouer les videurs dans les bars de motards.

Peut-être parce qu'il se souciait davantage de sa dentition que moi, ou qu'il n'aimait pas le goût du revêtement de la lampe, Doogie s'était contenté de poser la lampe sur la table et confinait Randolph dans le périmètre du faisceau par une savante distribution de taloches portées de la crosse ou de la pointe de son arme. Randolph tomba à deux reprises et se releva les deux fois, pensant avoir encore sa chance. Finalement, il s'écroula comme un dinosaure prêt à se laisser fossiliser. Doogie lui roua les côtes de coups de pied. Lorsque Randolph cessa de bouger, Doogie lui administra les premiers secours en usage chez les *Hell's Angels*, à savoir une nouvelle série de coups de pied. Doogie Sassman était, sans conteste, un homme aux talents multiples et cachés ; un fan authentique de Harley, un brave type en bien des domaines, un érudit à sa manière, gardien d'un savoir précieux à défaut d'être ésotérique, un compagnon jovial aussi…, mais il ne serait jamais venu à l'esprit de quiconque de le choisir comme gourou et de fonder une secte autour de sa personne.

– Snowman ? me demanda-t-il.

– Oui.

– Tu peux supporter un peu de vraie lumière ?

– Vas-y, répondis-je en relevant mes lunettes infrarouges.

Il alluma la lampe tempête. Les parois de cuivre de la salle se couvrirent de reflets rouille et dorés. Le grondement assourdi résonnait comme des borborygmes. Il valait mieux ne pas traîner dans ces boyaux.

Les enfants n'étaient pas ligotés à l'aide d'une corde, mais de fil de fer cruellement serré. Je grimaçai malgré moi en voyant sur leurs poignets et leurs chevilles les hématomes et les traces de sang séché.

Je m'approchai d'Orson. Il respirait faiblement. Ses pattes étaient ficelées. Une muselière de fil de fer enserrait son museau. Il poussait de faibles gémissements.

– C'est fini, vieux frère, murmurai-je en lui caressant le flanc.

Doogie se dirigea vers la valve à l'entrée de la pièce.

– On les a ! Ils sont tous vivants ! cria-t-il à l'intention de Sasha et Roosevelt à l'autre bout du tunnel.

On les entendit pousser des hourras. Sasha nous demanda toutefois de nous presser.

– On arrive ! la rassura Doogie. Mais reste sur tes gardes.

Peut-être ce labyrinthe nous réservait-il, en effet, d'autres dangers que Randolph et Conrad ?

Deux sacoches, des sacs à dos et une glacière se trouvaient à côté de la table. Supposant que ces affaires appartenaient aux tueurs, Doogie entreprit de les fouiller à la recherche d'une pince ou de quelque outil susceptible de venir à bout des fils de fer entravant Orson et les enfants. Les brins étaient tressés et noués avec une telle minutie que nous ne pouvions les défaire à mains nues. Je retirai doucement la bande adhésive bâillonnant Jimmy. Aussitôt, il me fit savoir qu'il avait envie de faire pipi. Moi aussi. Je lui répondis qu'il lui faudrait attendre encore un peu et que je savais qu'il y arriverait parce qu'il était un grand garçon. Le gamin acquiesça d'un air solennel. Les jumeaux Stuart – Aaron et Anson –, âgés de six ans, me remercièrent poliment une fois leurs bâillons retirés. Anson m'informa que les deux types étendus par terre étaient des « méchants ». Aaron fit moins de détours et les qualifia simplement de « salauds », s'empressant aussitôt de préciser que si sa mère apprenait qu'il avait dit ça, elle lui tannerait la peau.

Je m'attendais à des effusions de larmes, mais ces gosses avaient déjà pleuré toutes les larmes de leurs corps. Les enfants possèdent une force que les adultes refusent de reconnaître, parce qu'ils se rappellent leur propre enfance à travers le prisme déformant de la nostalgie et du regret.

Wendy Dulcinea était, à sept ans, la copie conforme de sa mère, Marie – qui avait désespéré de m'apprendre le piano, mais qui avait éveillé chez moi mes premiers émois amoureux. La fillette voulut me faire un bisou ; je m'exécutai de bonne grâce.

– Le chien a très soif, me dit-elle. Tu devrais lui donner à boire. Ils nous ont donné à boire, à nous, mais pas à lui.

Des dépôts blancs et secs étaient incrustés aux coins des yeux d'Orson. Le fil de fer qui emprisonnait son museau l'avait empêché de transpirer normalement, or les chiens éliminent la transpiration, non par les pores de la peau, mais par la langue.

– Tout ira bien, lui promis-je. On va s'en aller d'ici. Et rentrer à la maison. Toi, moi et les autres. On va tous rentrer chez nous.

Doogie me rejoignit après ses fouilles. Il tenait une paire de pinces d'électricien, aux mâchoires tranchantes. Il coupa les fils entravant les pattes d'Orson. Venir à bout de la muselière nécessita plus de temps. Je trompai l'attente en ânonnant que tout allait bien, que tout était fini. Au bout de trente secondes, le museau d'Orson était enfin délivré. Doogie s'occupa alors des enfants. Orson, sans faire l'effort de se relever, se mit à me lécher la main. Sa langue était sèche et râpeuse.

Les belles paroles que je venais de prononcer m'avaient ôté le courage d'en dire davantage : le moindre mot aurait été trop lourd de sens et de regrets. Et avec les épreuves qui nous attendaient, je ne pouvais me laisser aller aux larmes et à l'apitoiement. Plus tard, peut-être. Beaucoup plus tard. Ne pouvant articuler un mot, je posai ma main sur le flanc d'Orson. Son cœur battait trop vite – mais battait tout de même, son brave cœur de chien, bien vivant. Je me penchai et lui embrassai le front.

Wendy avait dit qu'Orson n'avait rien bu. Ses babines, marquées par le fil de fer, étaient sèches et pendantes. Ses yeux noirs étaient voilés. La résignation de son regard me terrifia.

Je me dirigeai vers la glacière à côté de la table. Elle était remplie à moitié d'eau où flottaient encore quelques glaçons. Les tueurs avaient été prudents : les seules boissons à leur disposition étaient des jus de fruits et de l'eau d'Évian. Je revins vers Orson avec une bouteille. Il avait roulé sur le ventre, le museau plaqué au sol, comme s'il n'avait pas la force de tenir sa tête droite. Je mis ma main gauche en coupe et versai de l'eau. Avec beaucoup de peine, Orson se mit à la laper, d'abord avec faiblesse, puis avec un enthousiasme croissant. À mesure que je versais de l'eau dans ma paume, je sentais ma colère grandir en moi, et je sus que je pourrais contenir mes larmes. Le cartilage de son oreille gauche paraissait écrasé et le poil tout autour était couvert de sang séché. On avait dû lui asséner un coup sur la tête, avec un bâton ou une barre de fer, autre spécialité de John Joseph Randolph. Sur son museau, à un centimètre de sa truffe, il y avait une entaille. Deux ongles à sa patte avant droite étaient cassés et ses orteils étaient maculés de rouge. Orson s'était défendu comme un lion. Ses quatre pattes portaient toutes la trace des fers. Deux entailles saignaient, mais rien de sérieux.

Doogie avait terminé de délivrer les enfants et s'était rendu auprès de Conrad, toujours inconscient. Il avait entravé les chevilles de l'homme et s'occupait à présent de ligoter ses poignets dans le dos. Il aurait été trop risqué d'emmener les deux types avec nous. Dans certaines sections, il fallait progresser en rampant. Nous aurions été obligés de les détacher ; ils seraient alors devenus incontrôlables. Nous enverrions la police sur les lieux – si tout le bâtiment ne s'effondrait pas sous les coups de bélier qu'occasionnait chaque saut dans le temps. Pour l'heure, je voulais les ligoter, les bâillonner et laisser une bouteille d'eau sous leurs yeux, hors de portée, pour qu'ils la contemplent, la gorge sèche, jusqu'à ce que mort s'ensuive.

Orson avait fini de boire. Il se remit sur ses pattes, chancelant, haletant. La vie revenait dans ses yeux ; il jetait des regards curieux autour de lui.

– *Poki akua*, lui dis-je – ce qui signifiait *chien des dieux* en hawaiien.

Il s'ébroua avec maladresse, comme s'il était sensible au compliment.

Un bruit métallique retentit, suivi par des craquements désagréables, qui se répercutèrent à travers les plaques de cuivre. Orson et moi relevâmes la tête, explorant le plafond, puis les parois, sans remarquer la moindre déformation suspecte. *Tic, tic, tic*, entendait-on quelque part dans les profondeurs de la structure. Je tirai la glacière jusqu'à Orson et en ôtai le couvercle. Le chien contempla l'eau, les glaçons qui tintaient entre les bouteilles, et se mit à boire avec entrain.

Un peu plus loin, recroquevillé en position fœtale, Randolph, poussa un gémissement. Doogie déroula une nouvelle longueur de fil de fer, de quoi achever de ligoter Conrad, puis me tendit la bobine. Je retournai Randolph face contre terre et lui attachai rapidement les poignets dans le dos. Je brûlais de serrer les liens aussi fort qu'il l'avait fait avec Orson et les enfants, mais je réfrénai mes pulsions de tortionnaire. Après avoir entravé ses chevilles, je reliai ses pieds à ses poignets, afin de limiter sa liberté de mouvement. Randolph avait dû se réveiller entre-temps, car lorsque j'eus terminé la dernière torsade, il parla d'une voix étonnement claire.

– J'ai gagné, déclara-t-il.

Je le contournai pour me planter devant lui. Il avait la tête tournée sur le côté, la joue gauche contre le cuivre, les lèvres éclatées, en sang. Son œil droit était vert pâle et lumineux, mais sans la moindre trace de lumière jaune. Il ne semblait nullement inquiet. Il paraissait en paix, serein, comme s'il était en train de se reposer dans un transat. Sa voix était calme, vaguement euphorique, comme s'il avait avalé un Lexomil. Il eût été moins inquiétant de le voir pester, cracher sa rage. Son air détendu semblait confirmer qu'il avait gagné, malgré les circonstances présentes.

– Je serai de l'autre côté avant la fin de la nuit. Ils ont démonté le moteur. Mais ce n'est pas une blessure mortelle pour elle... il s'agit d'une machine... organique. Avec le temps, elle a guéri. Maintenant elle s'autoalimente. On l'entend d'ici. Ça se sent dans les parois, dans le sol.

Les grondements semblables à ceux d'un train lancé à toute allure s'étaient encore amplifiés et les plages de silence entre deux passages étaient de plus en plus courtes. Même si les bruits étaient étouffés dans cette salle, ondes et vibrations gagnaient en puissance.

– Il lui suffit d'un rien pour s'autoalimenter. Un coup de lampe tempête dans la chambre de translation voilà deux heures... il ne lui en faut pas plus pour redémarrer. Ce n'est pas une machine *ordinaire.*

– Vous avez travaillé sur ce projet ?

– Il s'agit de *mon* projet.

Dr Randolph Josephson..., soufflai-je, me souvenant soudain du nom du responsable du programme que citait Delacroix sur sa bande.

John Joseph Randolph, enfant meurtrier, était devenu le professeur Randolph Josephson...

– Mais tout ça pour quoi ? Pour qui ? Pour aller où ?

Au lieu de me répondre, il esquissa un sourire.

– Le corbeau vous est-il apparu ? me demanda-t-il. Conrad, lui ne l'a jamais vu. Il prétend l'avoir vu, mais il ment. Moi, le corbeau m'est apparu ! J'étais assis à côté du rocher, le corbeau est sorti de la pierre et s'est envolé. Il soupira. Il s'est arraché au rocher cette nuit-là, devant mes yeux.

Orson était avec les enfants, acceptant leurs caresses. Il agitait la queue. Tout irait bien. Le monde n'était pas fichu, du moins pas encore, pas cette nuit. On sortirait d'ici, on survivrait. Il y aura des pique-niques sur la plage, des vagues à surfer..., j'en avais la preuve sous les yeux, le signe indiscutable : *Orson remuait la queue.*

– Lorsque j'ai vu le corbeau, poursuivit Randolph, j'ai su que je n'étais pas comme les autres, qu'une grande destinée m'attendait. Je l'ai accomplie.

Une fois encore un craquement sinistre ponctua le passage du train fantôme – du métal quelque part cédait.

– Il y a quarante-quatre ans, dis-je, vous avez gravé le corbeau au sommet de la colline.

– Je rentrais chez moi, ce soir-là, plein d'entrain pour la première fois de ma vie. J'avais fait ce dont je rêvais depuis longtemps : Faire sauter la cervelle de mon père et couper ma mère en morceaux. Il proféra ces mots avec la fierté tranquille du devoir bien accompli. La vraie vie commençait.

Doogie faisait sortir les enfants de la salle, l'un après l'autre, pour qu'ils aillent rejoindre Sasha et Roosevelt à l'autre bout du tunnel.

– Il y avait tant de travail, tant de choses à faire, poursuivit le tueur avec un soupir de retraité savourant un repos bien mérité. J'ai tant travaillé, tant appris, tant étudié, tant *réfléchi*... Il y a eu trop de privations, trop de frustrations que je m'imposais à moi-même.

Un meurtre tous les douze mois.

– Et lorqu'elle a été construite, alors que le succès était à portée de main, ces chiffes molles à Washington ont eu peur. Ils étaient terrorisés par ce qu'ils avaient vu sur les cassettes vidéo rapportées par les sondes.

– Qu'est-ce qu'il y avait sur ces cassettes ?

Il ignora ma question et poursuivit :

– Ils voulaient tout arrêter, tout annuler. Del Stuart était prêt à me couper les subventions.

Voilà pourquoi Aaron et Anson étaient dans cette pièce. Peut-être tous les autres enfants kidnappés et immolés à travers le pays étaient-ils liés par le sang aux diverses personnes ayant déçu Randolph ?

– C'est alors que la bestiole de votre mère s'est fait la belle, reprit Randolph. Alors ils ont voulu savoir ce que nous réservait l'avenir, s'il y avait un avenir pour nous.

– Le ciel rouge ? demandai-je. Les arbres bizarroïdes ?

– Ce n'est pas l'avenir, ça. C'est *à côté.*

Du coin de l'œil, je vis la paroi de cuivre s'incurver. Horrifié, je me retournai vers l'endroit où le mur concave semblait devenir convexe. Mais je ne remarquai rien d'anormal. Aucune déformation visible.

– Les rails sont posés à présent, annonça Randolph avec satisfaction. Personne ne peut plus couper la voie. La frontière est percée. La route est ouverte.

– La route vers quoi ?

– Vous verrez. Nous allons tous y aller bientôt, répondit-il avec une assurance déconcertante. Le train quitte déjà la gare.

Wendy était le quatrième et le dernier enfant à franchir la valve. Orson la suivit, chancelant encore un peu sur ses pattes. Doogie me fit signe de me presser. Je levai à mon tour le pied pour enjamber le sas.

Les yeux vert pâle de Randolph me regardaient fixement. Il esquissa un sourire curieusement attendri, découvrant une rangée de dents cassées, sanguinolentes.

– Le temps passé, le temps présent, le temps futur sont une chose, mais le plus important ce sont les *autres* temps. Je voulais y aller, et votre mère m'en a donné l'occasion.

– Mais où sont-ils, ces autres temps ? demandai-je avec impatience, tandis que le bâtiment se mettait à trembler autour de nous.

– Là où est ma destinée, répondit-il laconiquement.

Sasha appela ; sa voix vibrait d'angoisse. Doogie regarda dans le tunnel et pâlit d'effroi.

– Chris, cria-t-il, prends une chaise ! Vite !

Au moment où je ramassais l'une des chaises renversées, John Joseph Randolph psalmodia :

– Il existe des aiguillages sur la voie, des chemins parallèles vers d'autres temps, d'autres gares. Nous le savions depuis le début, mais nous ne voulions pas y croire.

Ces étranges déclarations contenaient une vérité..., j'avais envie d'en savoir plus, de comprendre, mais s'attarder ici plus longtemps aurait été suicidaire. Alors que je rejoignais Doogie, la valve d'accès à la salle commença à se refermer. Doogie, poussant un juron, agrippa les lames d'acier et banda ses muscles. Les veines de son cou gonflèrent sous l'effort, contraignant l'orifice de métal à se rouvrir.

– Vite ! Passe ! lança-t-il.

Je suis du genre à reconnaître un bon conseil. J'enjambai donc l'écoutille et poussai un sprint dans la portion de tunnel entre les deux sas.

Dans un brouhaha de tonnerre et de vent déchaînés digne du jugement dernier, j'entendis crier John Joseph Randolph, d'une voix non pas vibrante de terreur, mais emplie de joie et de conviction.

– Mais moi j'y crois ! J'y crois !

Sasha, les enfants, Mungojerrie et Orson avaient déjà franchi la deuxième valve. Roosevelt se tenait près de l'ouverture, empêchant les lames de se refermer sur Doogie et moi et de nous prendre au piège. J'entendais à l'intérieur du mur le moteur ronfler pour refermer les pales de la valve. J'enfonçai la chaise métallique dans l'ouverture, juste au-dessus de la tête de Roosevelt, bloquant le système de fermeture.

– Merci, fiston, lança-t-il.

Je franchis la valve avec Roosevelt. Le reste du groupe nous attendait de l'autre côté. Dans la lumière naturelle, Sasha était bien plus belle que dans la faisceau vert de nos lampes infrarouges. L'ouverture était étroite pour un géant comme Doogie, mais il se fraya un chemin lui aussi et récupéra la chaise ; elle pouvait nous être encore utile.

Nous passâmes de nouveau devant le badge Mystery Train et le dessin du corbeau. Il n'y avait pas le moindre courant d'air dans ce tunnel. Les articles collés aux parois étaient tous immobiles, pourtant la feuille de papier Canson où était représenté le corbeau faseyait comme un fanion sous un vent de force 9. Les extrémités du papier s'incurvaient et frappaient la paroi avec violence. Le corbeau de fusain semblait vouloir arracher le ruban adhésif qui le retenait prisonnier pour prendre son envol. Peut-être mon imagination me jouait-elle des tours, néanmoins je n'avais aucune intention de m'attarder dans les parages pour voir si un corbeau de chair et de sang allait s'extraire du papier.

Sachant qu'il me faudrait peut-être des preuves pour étayer mes dires, je détachai quelques coupures de presse et les fourrai dans ma poche.

Nous abandonnâmes le corbeau qui agitait avec fureur ses ailes de papier et battîmes en retraite, veillant à ne perdre personne en route, car le monde menaçait de s'écrouler de toutes parts et la mort guettait l'égaré au premier détour du chemin. Comme une ombre, ainsi que l'intimaient la sagesse et le bon sens en pareil cas, nous suivîmes le chat. Je faisais mon possible pour ne pas penser à Bobby. La première difficulté consistait à arriver jusqu'à lui. Si nous parvenions à le rejoindre, tout irait bien. Il nous attendrait, près de l'ascenseur – transi, endolori et faible, mais vivant. Et il me rappellerait aussitôt ma promesse en lançant : *Carpe cerevesi !*

L'odeur d'iode qui nous avait accompagnés depuis le début de notre périple souterrain se faisait plus présente. On respirait également des effluves de charbon de bois, de soufre, de roses pourrissantes, ainsi qu'une odeur aigre, indescriptible que je n'avais jamais sentie auparavant. Si les sauts temporels gagnaient les profondeurs du bâtiment, nous courions de sérieux risques. L'éventualité la plus dramatique n'était pas que notre retraite soit retardée ou empêchée par la fermeture des écoutilles électriques, mais que, par une funeste coïncidence des temps – comme cela s'était déjà produit –, nous nous retrouvions emportés dans le passé, au moment où des flots écumants ou des jets de gaz envahissaient ces conduits. Ce serait alors la noyade ou l'asphyxie assurée pour tous.

26.

Un chat, quatre enfants, un chien, une DJ de radio, un interprète pour animaux, un Viking, et votre serviteur, futur porte-étendard du Jugement dernier, couraient, rampaient, se relevaient pour courir encore à travers un dédale de conduits de cuivre, de laiton et d'acier. Avec, pour percer les ténèbres, une lampe blanche dont le faisceau jouait sur les parois courbes, dessinait des spirales, soulevant devant lui des volutes d'ombres tourbillonnantes qui se refermaient comme des ailes au-dessus de nos têtes. Et, tout autour, partout, le grondement de trains invisibles, le sifflet furieux de locomotives inconcevables, accompagnés d'une odeur d'iode, chaque fois plus lourde, plus suffocante, à mesure que déferlaient les vagues du temps, chassant une à une le présent en grandes coulées.

Pourchassés, terrifiés, par le gargouillis d'eau – d'eau ou pire – qui résonnait de temps à autre dans notre sillage, nous parvînmes enfin au tunnel qui menait à l'ascenseur. Bobby était là où on l'avait abandonné, vivant. Tandis que Doogie trifouillait de nouveau les fils du panneau de commande de l'engin et que Roosevelt, Mungojerrie dans ses bras, faisait rentrer dans la cabine son cheptel de têtes blondes, Sasha, Orson et moi nous nous approchâmes de lui. Il avait la tête d'un déterré un jour de pluie.

– Tu as l'air en forme ! ânonnai-je.

Bobby articula quelques mots à Orson d'une voix à peine audible, absorbée par le bruit des mondes et des temps s'entrechoquant. Je crus entendre : comment vas-tu, tête de poil ?

Orson renifla le cou de Bobby, puis sa blessure, et releva vers moi des yeux inquiets.

– Alors tu l'as fait, Bioman ! souffla Bobby.

– Cela tenait plus du capitaine Fracasse que du super-héros.

– Tu es revenue pile à l'heure pour ton émission de la nuit, dit-il à Sasha.

J'eus la désagréable impression, à la limite de la nausée, qu'il nous disait au revoir.

– La radio est toute ma vie.

Le bâtiment trembla. Le grondement du train se mua en rugissement et de la poussière de ciment tomba du plafond.

– Il faut que l'on te mette dans l'ascenseur, déclara Sasha.

Bobby tourna la tête vers moi :

– Tiens-moi la main, vieux.

Je lui obéis. Elle était glacée. Son visage n'était plus qu'un masque de douleur.

– J'ai bien merdé.

– Jamais de la vie.

– J'ai pissé dans mon froc, aussi, répondit-il d'une voix tremblante.

Le froid de sa paume traversait mes doigts et remontait le long de mon bras.

– C'est pas grave. Un petit rail d'urinophorie. Tu as toujours adoré ça.

– Je ne suis pas en combinaison.

– C'est que tu fais dans le *free style*... Pourquoi pas ?

Bobby rit, mais son rire se transforma rapidement en toux souffreteuse.

– L'ascenseur est prêt, annonça Doogie.

– Allons-y, nous pressa Sasha, tandis que de petits morceaux de ciment se détachaient du plafond.

– Je ne pensais pas mourir de façon si peu élégante, souffla Bobby, en serrant ma main plus fort.

– Tu n'es pas en train de mourir.

– Je t'aime... vieux frère.

– Moi aussi, je t'aime.

– Je suis vidé, ajouta-t-il, dans un filet de voix.

Ses yeux se figèrent sur un point derrière moi. Sa main devint molle dans la mienne. Un morceau de mon cœur se déchira, comme un pan de falaise tombant dans un gouffre noir. Sasha posa ses doigts sur sa gorge, cherchant le pouls de la carotide.

– Oh ! mon Dieu !

– Il faut se tirer d'ici, insista Doogie.

D'une voix sourde que je ne reconnus pas, j'articulai :

– Emmenons-le dans la cabine.

– Il est mort.

– Aide-moi à le transporter dans la cabine !

– Chris, mon chéri, il est mort.

– On l'emmène avec nous.

– Snowman, je...

– On l'emmène avec nous, j'ai dit !

– Pense aux enfants. Ils vont...

J'étais fou de chagrin et de désespoir, un tourbillon noir emportait toutes pensées. Il n'était pas question de le laisser ici. Je préférais mourir, à côté de lui, plutôt que de l'abandonner. Je le pris par les épaules et commençai à le traîner vers l'ascenseur. J'allais sans doute effrayer les enfants, qui avaient eu leur compte d'émotions pour la journée. L'idée de voyager avec un cadavre ne devait guère les enchanter, mais ce serait comme ça. Point final ! Voyant ma détermination, Sasha et Doogie m'aidèrent à transporter Bobby dans la cabine.

Les grondements, les craquements stridents, les grincements émaillés de coups secs qui semblaient annoncer une implosion imminente s'évanouirent soudain. La pluie de ciment cessa. Ce sursis ne pouvait être que de courte durée. Nous étions dans l'œil du cyclone, et le pire restait à venir. Sitôt Bobby installé à l'intérieur, les portes de l'ascenseur se refermèrent. Orson eut tout juste le temps de se faufiler, manquant de se faire coincer la queue.

– Que se passe-t-il ? lança Doogie. Je n'ai appuyé sur aucun bouton.

– Quelqu'un a appelé l'ascenseur, répondit Sasha. En haut.

La cabine s'éleva vers la surface. Je vis avec terreur mes mains rouges du sang de Bobby. L'idée me gagna qu'on pouvait encore changer tout ça. Le passé et le présent étaient inscrits dans l'avenir, et l'avenir contenait le passé, proclamait

T.S. Eliot. Par conséquent, rien n'était révisable. Ce qui était écrit était écrit. Ce qui aurait pu être n'était qu'illusion, car le possible coïncidait avec le réel. Nous étions impuissants à modifier le cours des événements car nous étions les sujets mêmes de notre destinée, et que le destin nous avait fait un bras d'honneur (ce n'étaient évidemment pas les paroles exactes d'Eliot, mais le sens général y était). En revanche, Winnie l'Ourson, un grand optimiste comparé à Eliot, croyait en l'équiprobabilité des événements. À ses yeux, tout était possible, peut-être parce qu'il n'était qu'un ours en peluche, avec de la paille en guise de cerveau. Mais rien ne nous prouvait que Winnie l'Ourson n'était pas un maître zen qui en savait plus long sur le sens de la vie que le sinistre Eliot.

L'ascenseur continuait à s'élever. Nous dépassâmes le S.S–5. Bobby gisait mort à mes pieds. Mes mains étaient poisseuses de son sang, pourtant mon cœur était plein d'espoir. Impossible d'expliquer les raisons d'un tel optimisme… Peut-être était-il dû à la combinaison des thèses d'Eliot et de Winnie l'Ourson…

Alors que nous dépassions le S.S–4, je baissai les yeux vers Orson. Je l'avais cru mort, lui aussi, et il vivait, ressuscité comme la fée Clochette après avoir bu la coupe de poison censée délivrer Peter Pan des griffes du capitaine Crochet. Je perdais la raison… Trop de peur, trop de désespoir… Je ne pouvais m'empêcher de penser à cette gentille Clochette, sauvée par la seule foi : celle de tous les enfants de la planète tapant des mains à l'unisson dans leur rêve pour proclamer qu'ils croyaient aux fées. Dans un coin de mon subconscient, je devais savoir ce que je faisais, mais lorsque j'arrachai l'Uzi des mains de Doogie, je n'avais aucune idée précise en tête. À voir l'expression du roi de la valse, je devais paraître passablement fou.

S.S–3.

Les portes de l'ascenseur s'ouvrirent. Le couloir était plongé dans la lumière rouge. Dans ce brouillard lumineux se détachaient cinq silhouettes. Une petite créature les accompagnait, une tache marron, avec quatre pattes et une queue – peut-être un chat. Malgré le déterminisme d'airain d'Eliot, je n'hésitai pas une seconde, le temps pour agir m'étant chichement compté. Je sortis de l'ascenseur. Aussitôt le rouge fit place à la lumière blanche des tubes fluo.

Devant moi, Roosevelt, Doogie, Sasha, Bobby, Mungojerrie et moi – moi, Christopher Snow ! – se tenaient devant l'ascenseur, l'air éberlué, s'attendant au pire.

Une minute plus tôt quelqu'un avait appelé l'ascenseur, et ce quelqu'un était Bobby – le Bobby vivant.

Dans ce bâtiment bizarre, passé, présent et avenir pouvaient coexister en un seul et même endroit. Devant mes amis – et moi-même ! –, me regardant bouche bée comme si j'étais un fantôme, je traversai le hall et tournai à droite dans le couloir, en direction des deux gardes de la sécurité qui s'approchaient à l'insu du groupe. L'un d'entre eux allait tirer la balle qui tuerait Bobby.

Je lâchai une copieuse rafale avec l'Uzi. Les deux hommes s'écroulèrent, fauchés, avant d'avoir pu tirer.

Mon estomac se crispa de dégoût à l'idée du crime que je venais de commettre. J'essayai de soulager ma conscience en me disant que Doogie aurait, de toute façon, tué ces types quelques instants plus tard. J'avais simplement précipité leur fin, dans l'espoir de sauver la vie de Bobby. Tout le monde sait que le chemin de l'enfer est pavé de bonnes intentions.

Derrière moi, Sasha, Doogie et Roosevelt sortirent de l'ascenseur. Sur le palier, les doubles se contemplaient avec stupéfaction.

Je ne comprenais pas comment tout cela était possible. En effet cette rencontre n'avait pas eu lieu à notre premier passage, lorsque nous nous apprêtions à descendre trois niveaux plus bas pour aller délivrer les enfants, pourtant, nous étions face à face *maintenant.* Pourquoi n'avais-je aucun souvenir de cette rencontre ?

Le paradoxe temporel, je suppose. Moi et les mathématiques, cela faisait deux... J'appartenais davantage au camp de Winnie qu'à celui de T.S. Eliot. La migraine me gagnait... J'avais changé le destin de Bobby, ce qui, pour moi, tenait davantage du miracle que des mathématiques.

La lumière rouge envahit soudain l'ascenseur. Les silhouettes des enfants se brouillèrent et les portes commencèrent à se fermer.

– Retiens-les ! criai-je.

Le Doogie du présent bloqua les portes, une moitié de lui dans la lumière rouge de la cabine, l'autre dans celle blanche des tubes fluo.

Le bourdonnement s'amplifia encore.

Je me rappelai la sérénité de John Joseph Randolph, sa certitude de pouvoir rejoindre l'autre côté, ces temps parallèles qu'il ne pouvait nommer. Le train, avait-il dit, s'apprêtait à quitter la gare. Sous-entendait-il que tout le bâtiment était du voyage – pas seulement la salle de l'Œuf, mais le rez-de-chaussée et les six sous-sols ?

Sentant une nouvelle montée de panique, je demandai à Doogie de vérifier si Bobby était toujours dans la cabine.

– Je suis là, répondit le Bobby du hall.

– Dans l'ascenseur, tu n'es plus qu'un tas de viande froide, lui expliquai-je.

– Ça m'étonnerait.

– Eh bien étonne-toi.

– Hou là !...

– Voilà qui est mieux.

La logique me soufflait qu'il valait mieux ne pas remonter en surface avec les deux Bobby, le mort et le vivant. Le Doogie du présent, bloquant toujours la porte, se pencha dans la cabine, marqua un temps d'arrêt puis se retourna vers moi.

– Il n'y a plus de Bobby !

– Où est-il passé ? demanda la Sasha du présent.

– Les gosses disent qu'il a disparu. Ils n'en reviennent pas.

– Le corps a disparu parce que Bobby n'a pas été tué ici, répondis-je – une explication aussi lumineuse que celle qui décrirait une explosion atomique par un boum.

– Tu as dit que j'étais de la viande froide, intervint le Bobby du passé.

– Que se passe-t-il ? s'enquit le Doogie du passé.

– Nous avons affaire à un paradoxe, je suppose, répondis-je.

– Ce qui signifie, en clair ?

– Je n'en sais rien, j'ai fait de la poésie, pas de la physique relativiste ! répliquai-je avec frustration.

– C'est tout à ton honneur, fiston, lancèrent les deux Roosevelt en chœur.

Les deux hommes se regardèrent avec étonnement.

– Monte dans l'ascenseur, ordonnai-je à Bobby.

– Où va-t-on ?

– Dehors.

– Et les gosses ?

– Ils sont avec nous.

– Et Orson ?

– Il est là aussi.

– Génial !

– Vas-tu te décider à bouger, à la fin !

– On est un peu sur les nerfs, à ce que je vois, railla-t-il en me tapotant l'épaule avant de se diriger vers la cabine.

– Tu ne sais pas ce que je viens d'endurer...

– C'est quand même moi qui avais le plus mauvais rôle ! rétorqua-t-il en pénétrant dans la cabine.

La lumière rouge l'avala le transformant aussitôt en une silhouette marron incertaine. La Sasha, le Doogie, le Roosevelt du passé – et même le Chris Snow du passé – restèrent interdits.

– Et nous, qu'est-ce qu'on fait ? me demanda mon double.

– Tu me déçois, me répondis-je. J'imaginais que tu l'aurais deviné tout seul. Eliot et Winnie l'Ourson, nom de Dieu !

Les moteurs de la salle de l'Œuf vrombissaient, un grondement sourd faisait trembler le sol, comme les premiers tours de roues d'un train.

– Il faut que vous descendiez sauver les gosses et Orson !

– Mais tu viens de le faire.

J'en avais le tournis.

– Tu dois descendre récupérer les gosses, sinon, nous ne les aurons plus avec nous.

Le Roosevelt du passé ramassa son Mungojerrie présent et déclara :

– Le chat a compris.

– Alors suivez ce putain de chat ! m'irritai-je.

Le groupe du présent – Sasha, Roosevelt, moi et Doogie qui tenait les portes de la cabine – retourna dans l'aura rouge de l'ascenseur. Une fois le seuil franchi et les enfants retrouvés, la lumière carmin se dissipa pour laisser place à l'aura blanche du plafonnier. Le hall était de nouveau plongé dans le brouillard écarlate et nos doubles du passé – moins Bobby – étaient redevenus des silhouettes informes. Doogie enfonça le bouton du rez-de-chaussée. Les portes se refermèrent. Orson se faufila entre Sasha et moi pour se plaquer contre ma jambe.

– Salut, vieux frère ! soufflai-je.

Il remua la queue.

Il y a quand même de bons moments, dans la vie.

Tandis que la cabine remontait vers la surface à une lenteur désespérante, je consultai ma montre. Les chiffres lumineux ne défilaient plus à toute vitesse, que ce soit en avant ou à rebours, mais de curieuses ondulations lumineuses distordaient les cristaux liquides par intermittence. Avions-nous cessé de nous déplacer longitudinalement sur le temps pour amorcer un mouvement latéral, comme Randolph le souhaitait si ardemment ?

– Tu étais mort, déclara Aaron Stuart à Bobby.

– C'est ce que j'ai cru comprendre.

– Tu ne t'en souviens pas ? demanda Doogie.

– Pas que je sache.

– Il ne peut s'en souvenir, rétorquai-je, puisque cela ne lui est jamais arrivé.

J'étais pris en étau entre le chagrin et la joie. Une combinaison étrange, comme si j'étais à la fois le roi Lear et Bozzo le Clown. Une boule d'angoisse, en outre, ne cessait d'enfler dans mon ventre. Nous n'étions pas encore tirés d'affaire ; et nous avions cette fois beaucoup plus à perdre – si l'un d'entre nous mourait, je ne pourrais pas le ressusciter d'un nouveau tour de passe-passe temporel.

Alors que nous approchions du deuxième sous-sol, un puissant grondement s'éleva dans le puits de l'ascenseur. J'avais l'impression que nous étions dans un sous-marin pris sous le tir des grenades d'un croiseur ennemi. Le mécanisme de l'ascenseur commença à émettre des grincements inquiétants.

– Si c'était moi qui étais morte, insista Wendy, je suis sûre que je m'en souviendrai.

– Il n'a jamais été mort, répondis-je plus calmement.

– Mais si, je l'ai vu ! insista Aaron Stuart.

– Moi aussi, renchérit Anson. Il était mort.

– Tu as même fait pipi dans ton pantalon, précisa Jimmy Wing.

– Jamais de la vie ! rétorqua Bobby.

– C'est toi-même qui nous l'as dit, insista Jimmy.

Bobby se tourna vers Sasha d'un air perplexe.

– Tu agonisais, c'est parfaitement excusable, répondit-elle.

Sur ma montre, les ondulations lumineuses se succédaient de plus en plus rapidement. Le Mystery Train quittait peut-être la gare et prenait de la vitesse sur une voie *parallèle*...

Au niveau du S.S–2, le bâtiment tremblait tellement que la cage de l'ascenseur se mit à cogner contre les parois du puits. Nous dûmes nous accrocher aux mains courantes pour ne pas perdre l'équilibre.

– Mon pantalon est sec, insista Bobby.

– Parce que tu n'es pas mort, répliquai-je, tu n'as donc jamais mouillé ton pantalon.

– Si, il l'a mouillé ! lança Jimmy.

– Du calme, fiston, intervint Roosevelt, voyant la moutarde me monter au nez.

Orson posa une patte sur mon pied comme pour m'enjoindre d'écouter les conseils de Roosevelt.

Les portes s'ouvrirent brusquement, alors que Doogie avait appuyé sur le bouton R.d.C.

Avec un peu de chance les enfants, coincés dans le fond de la cabine, ne pouvaient distinguer ce que nous avions sous les yeux... Normalement, un couloir de ciment nu ou entièrement équipé avec plafonniers et carrelage aurait dû nous attendre de l'autre côté du seuil. Mais un tout autre panorama s'offrait à notre regard : un paysage, un ciel rouge ; des champignons noirs aux formes vaguement arborescentes, couverts d'un jus visqueux comme du bitume s'échappant des pustules disséminées sur leur tronc ; de gros cocons, identiques à ceux que nous avions vus dans la Ville fantôme, oscillant, suspendus à certaines branches, gras et ventrus, les entrailles grouillantes.

Pendant un moment, nous restâmes pétrifiés devant ce spectacle. Aucune odeur, aucun bruit ne nous parvenait. J'espérai un instant qu'il s'agissait simplement d'une vision et non d'une réalité physique. Un mouvement attira alors mon regard. Les vrilles rouge et noir d'une vigne rampante, aux allures de serpents corail, exploraient le seuil de la porte. Elles croissaient à une vitesse vertigineuse, comme dans un film en accéléré, et s'insinuaient dans la cabine.

– Ferme la porte ! hurlai-je.

Doogie enfonça le bouton de fermeture puis le bouton R.d.C., mais les portes restèrent ouvertes. Alors que le grand Viking écrasait de nouveau son pouce sur le bouton, quelque chose bougea à côté de nous, à moins d'un mètre sur la gauche. Nous levâmes nos armes. Un homme dans une combinaison étanche apparut. Le nom *Hodgson* était inscrit sur le bandeau de son casque. Derrière la visière, il y avait un visage humain et non une masse grouillante de vers. Nous étions à la fois dans le passé *et* à côté. En plein chaos. Les vrilles de la vigne se tortillaient comme des vers de terre sur la moquette de la cabine. Orson les renifla. Les vrilles se redressèrent comme des cobras miniatures, prêtes à attaquer la truffe du chien. Orson recula. Maugréant, Doogie s'acharnait sur le bouton de fermeture. Hodgson écarquillait les yeux d'étonnement.

Soudain un vent s'engouffra dans la cabine, donnant dans l'instant une réalité tangible au paysage que nous avions sous les yeux. Un vent chaud et humide, lardé d'odeurs de bitume et d'humus. L'air tourbillonnait autour de nous, allait et revenait, comme une entité vivante. Prenant soin d'éviter les vrilles, de crainte qu'elles ne s'insinuent dans ma chaussure et ne me transpercent le pied, j'agrippai la porte et tirai de toutes mes forces. Le panneau ne bougea pas d'un iota. Un bruit se fit bientôt entendre, apporté par le vent. Une rumeur faible mais terrifiante – des plaintes, des gémissements montant du lointain – et, dans cette mélopée vagissante, un cri, un hurlement, non humain. Hodgson se tourna vers nous, nous montrant du doigt pour attirer l'attention d'un de ses collègues qui entra alors dans notre champ de vision, vêtu, comme lui, d'une combinaison spatiale. Les portes commencèrent à se fermer. Les vrilles de la vigne s'accrochèrent entre les deux panneaux coulissants. La porte trembla, manquant de se rouvrir, mais la plante recula et la cabine put de nouveau s'élever. Un liquide jaune et visqueux, accompagné d'une odeur de soufre, s'échappa des vrilles sectionnées. Elles se tortillèrent au sol un moment puis se muèrent en une bouillie inerte. Le bâtiment était secoué en tous sens comme s'il abritait sous son toit la forge de Vulcain. Les vibrations devaient affecter le moteur de l'ascenseur, ou les câbles élévateurs, voire les deux, car la cabine s'élevait plus lentement, en émettant des grincements inquiétants.

– Le pantalon de M. Halloway est sec maintenant, lança Aaron, reprenant la conversation comme si de rien n'était, mais je sens l'odeur de pipi.

– Nous aussi, s'empressèrent de confirmer Anson, Wendy et Jimmy.

Orson surenchérit d'un jappement.

– C'est un paradoxe, répondit Roosevelt d'un ton solennel, comme pour m'épargner la peine d'une explication.

– Encore ? Vous n'avez que ce mot-là à la bouche, grommela Doogie en surveillant l'indicateur d'étage au-dessus de la porte, impatient de voir le témoin S.S-1 s'allumer.

– Un paradoxe temporel, précisai-je.

– Comment ça marche ? s'enquit Sasha.

– Comme un grille-pain, mais en plus compliqué, répliquai-je pour lui faire mesurer mon ignorance.

Doogie pressa le bouton R.d.C. et le maintint enfoncé. Nous n'avions aucune envie que les portes s'ouvrent au S.S-1 – deux initiales qui avaient une très mauvaise réputation depuis le siècle dernier.

– Monsieur Snow ? dit Aaron Stuart.

– Oui, répondis-je en soupirant.

– Si M. Halloway n'est pas mort, alors à qui est le sang sur vos mains ?

Je regardai mes paumes. Elles étaient encore rouges et poisseuses du sang de Bobby.

– C’est bizarre, reconnus-je.

– Si le cadavre s’est envolé en fumée, poursuivit Wendy Dulcinea, pourquoi le sang est-il toujours là ?

J’avais la bouche sèche, la langue comme un chiffon, la gorge trop serrée. Impossible de trouver une réponse crédible.

L’ascenseur heurta quelque chose dans le puits. La cabine fut un instant bloquée, puis se libéra dans un fracas de métal. Arrivée au niveau du premier sous-sol, elle s’arrêta. Doogie garda enfoncé le bouton de fermeture des portes et celui du rez-de-chaussée. Mais rien n’y fit. La cabine refusait d’aller plus loin. Les portes s’ouvrirent inexorablement. La chaleur, l’humidité, l’odeur fétide nous assaillirent aussitôt. Je m’attendais à être submergé par la végétation affamée. Dans notre petite bulle de temps, nous nous étions élevés d’un étage, mais William Hodgson était toujours dans son pays de nulle part [1], là où nous l’avions laissé. Le doigt pointé vers nous. Le type derrière Hodgson – un dénommé Lumley, si l’on en croyait l’inscription sur son casque – se tourna dans notre direction.

Tout à coup, une créature jaillit du ciel dans un hurlement, zigzaguant entre les arbres-champignons. Une sorte d’animal noir ailé, muni d’une longue queue, le corps couvert d’écailles comme un lézard, une gargouille qui se serait arrachée à la corniche d’une cathédrale gothique pour prendre son envol. Elle fondit sur Lumley et cracha un jet d’objets, chacun de la taille d’un noyau de pêche et grouillant à l’intérieur d’une vie inquiétante. Lumley se tordit sous le choc, comme fauché par un tir de mitrailleuse. Des petits trous circulaires apparurent un peu partout sur son corps, identiques à ceux qui parsemaient la combinaison d’Hodgson la veille dans la salle de l’Œuf. Lumley hurla comme s’il était dévoré vivant. Hodgson recula de terreur.

Tandis que les portes commençaient à se refermer, la gargouille changea soudain de cap et descendit en piqué vers nous. À l’instant où les deux panneaux achevaient de se souder, une rafale heurta le métal, provoquant sur la paroi interne une série de renflements. Le visage de Sasha était blanc comme un

1. Pays imaginaire dans *Peter Pan. (N.d.T.)*

linge. Le mien devait l'être encore davantage, eu égard à mon nom[1]. Même Orson semblait un peu moins noir que d'habitude.

La cage s'ébranla enfin. Nous montions vers le rez-de-chaussée dans un concert de grincements métalliques, de grondements de tonnerre, de sifflements et de bourdonnements électriques. Pourtant, derrière ce tintamarre, nous pouvions entendre un autre bruit, plus proche, plus effrayant. Sur le toit de la cabine, quelque chose rampait. Il pouvait s'agir d'un simple morceau de câble décroché, ce qui aurait pu expliquer cette ascension laborieuse. Cependant, cette chose-là semblait vivante et dotée de pensée. C'était inconcevable ! Rien ne pouvait s'être insinué ainsi dans le puits de l'ascenseur alors que nous étions dans la cabine avec les portes fermées ! Peut-être les deux réalités n'étaient-elles pas totalement indépendantes ? Auquel cas, à tout moment, cette chose pouvait traverser le toit, comme un fantôme, et se retrouver avec nous dans la cage. Seul Doogie gardait les yeux fixés sur l'indicateur d'étage. Les autres – animaux, enfants et adultes – avaient la tête levée, épiant les bruits inquiétants.

Au milieu du plafond se trouvait une trappe de secours. Une sortie. Une *entrée.* Je pris une nouvelle fois l'Uzi des mains de Doogie et levait le canon à la verticale. Sasha m'imita avec son fusil. Je ne me faisais guère d'illusion quant à l'efficacité de nos armes. Aux dires de Delacroix, plusieurs membres de l'expédition étaient lourdement armés lorsqu'ils étaient passés de l'autre côté, et cela ne les avait pas sauvés pour autant.

Le pourtour de la trappe de visite ne comportait aucune charnière ni poignée. Pas de verrou non plus. Pour sortir, il fallait pousser le panneau vers le haut. Afin que les ouvriers d'entretien puissent l'ouvrir, la trappe devait être équipée à l'extérieur d'une poignée ou d'une saignée. La gargouille volante avait des mains, de gros doigts en forme de serres. Peut-être trop gros pour se faufiler dans une saignée… Ça grattait avec frénésie au-dessus de nos têtes, comme si la chose tentait de creuser le toit d'acier. Il y eut un craquement, un bruit sec… ; quelque

1. *Snow* signifie « neige » en anglais. *(N.d.T.)*

chose avait cédé. Les gamins s'agrippèrent les uns aux autres. Orson grogna en sourdine. Moi aussi.

Les murs parurent se rapprocher, comme si la cage d'ascenseur se métamorphosait en cercueil. L'air était suffocant. Chaque inspiration emplissait nos poumons d'une boue invisible. La lumière du plafonnier vacilla.

En un grincement strident, la trappe se déforma, comme sous la contrainte d'une charge trop lourde. La sueur brouillait ma vue. Je m'essuyai les yeux du revers de la main.

– Bingo ! lança Doogie victorieusement lorsque le voyant R.d.C. s'illumina.

Cependant la délivrance ne fut pas immédiate : les portes refusèrent de s'ouvrir. La cabine se mit à tanguer comme si les câbles, les poulies, les guides étaient sur le point de céder. Sur le toit, la gargouille tirait sur la trappe de secours, tentant de la décoincer.

Les portes ne s'ouvraient toujours pas. Doogie, avec agacement, enfonça le bouton d'ouverture.

Sous les efforts acharnés de la gargouille, les bords de la trappe commençaient à glisser dans leur logement.

Enfin, les portes s'ouvrirent. Je me retournai aussitôt vers elles, certain de me retrouver nez à nez avec ce monde de cauchemar où prospéraient les petites sœurs de la gargouille. Mais non. Nous étions au rez-de-chaussée. Le tintamarre dans le hangar équivalait à celui que ferait une horde de loups hurlant au son d'un groupe *trash* équipé d'amplis nucléaires pendant une fête du nouvel an organisée dans un hall de gare. Une consolation : il s'agissait bel et bien d'un hangar. Pas de ciel rouge, pas d'arbres-champignons, pas de vignes grouillantes comme des nids de serpents.

Au-dessus de nous, la trappe déformée commençait à se disloquer sous les secousses. Violemment secouée, la cabine montait et descendait devant le seuil de la porte comme un pont flottant par gros temps. Je rendis l'Uzi à Doogie, attrapai mon fusil et sautai avec lui sur le sol du hangar. Bobby et Orson suivirent. Sasha et Roosevelt firent sortir les enfants de la cage. Mungojerrie fut le dernier à quitter l'ascenseur, non sans avoir lancé un dernier regard méfiant en direction du plafond.

Au moment où Sasha se retournait pour surveiller la cabine, la trappe céda. La gargouille se laissa tomber du toit. Ses ailes de cuir noir étaient repliées, mais sitôt que le monstre eut touché le sol, il les déploya, occupant tout l'espace. Il banda les muscles de son poitrail et ses écailles se déformèrent sous la contrainte. La bête s'apprêtait à bondir. Sa queue fouettait l'air, martelant les parois de la cage, ses yeux argent scintillaient, sa gueule rouge vif renfermait une langue fourchue d'un noir d'ébène.

Je revis en pensée la salve de projectiles qui avait frappé Lumley et Hodgson. Je criai aussitôt à Sasha de s'écarter, mais la gargouille poussait déjà son hurlement de mort. Sasha tira pour la forme. L'ascenseur se démantela alors, et la cabine disparut dans le puits, emportant la créature hurlante et traînant derrière elle une tresse vertigineuse de câbles, de contrepoids, de poutrelles et de poulies. La gargouille ayant des ailes, je m'attendais à la voir jaillir des décombres. Mais il n'y avait plus de puits, plus d'escalier. Juste un trou noir béant – une fenêtre ouverte sur le même vide intersidéral qui avait remplacé, plus tôt, la cage d'escalier.

S'agissait-il d'une porte enchantée donnant sur un pays imaginaire, avec des miroirs magiques, des lapins blancs qui parlent et d'irascibles reines de cartes à jouer ? D'une crise de folie passagère ?

Je repris mes esprits, décidai, comme Winnie l'Ourson, d'accepter crânement ce que je voyais et conduisis ma petite bande intrépide à travers le hangar où s'entrechoquaient passé, présent, avenir et temps parallèles. Je saluai d'un petit coucou un ouvrier fantôme, qui écarquilla les yeux de stupeur à notre passage, levai plus loin mon fusil pour tenir en respect un groupe de trois autres fantômes qui me semblaient plus belliqueux, tout en faisant mon possible pour éviter les endroits où risquait de se matérialiser quelque objet en provenance d'un autre temps. Une tâche herculéenne, je vous le promets !

Tantôt nous marchions dans un hangar désert et abandonné, tantôt nous étions plongés dans un brouillard rouge, puis dans une salle bondée, brillamment éclairée, peuplée de fantômes aussi tangibles que vous et moi. Le moment le plus effrayant se situa au sortir d'un passage au rouge : alors que nous étions encore bien loin de la porte du hangar, nous nous sommes soudain retrouvés dehors, dans un paysage d'arbres-champignons tendant leurs doigts crochus vers un ciel écarlate, piqueté de deux soleils rasant l'horizon. Un instant plus tard, nous étions de retour parmi les ouvriers fantômes, puis de nouveau dans les ténèbres. Enfin, ce fut la sortie.

Personne ne nous suivit, mais nous courûmes comme des dératés jusqu'au Hummer. Nous ne nous retournâmes qu'à la fin de notre sprint pour contempler le hangar pris dans une tempête temporelle. Les fondations en ciment, les murs de tôle ondulée et le toit en arc de cercle étaient nimbés de rouge. Des vasistas s'échappaient des rayons ardents qui zébraient le ciel de traits écarlates. À en juger par le vacarme, on eût dit qu'un millier de taureaux dévastaient autant de boutiques de porcelaine, que des colonnes de chars y défilaient et que des hordes d'émeutiers scandaient leur fureur. Le sol sous nos pieds tremblait comme lors d'un séisme. Étions-nous hors de portée du phénomène ?

Je m'attendais à voir le bâtiment exploser, ou s'embraser comme un fétu de paille, mais la lueur rouge faiblit, les rayons de lumière sortant des vasistas s'éteignirent. Tout le hangar se mit à trembloter, comme si deux mille nuits et deux mille jours défilaient en deux minutes, le clair de lune alternant avec l'éclat du soleil. Les parois en tôle ondulée semblaient éclairées par un stroboscope géant. Soudain, l'édifice commença à se démanteler, comme si le temps défilait à rebours. Des nuées d'ouvriers sortirent du bâtiment, marchant à reculons ; grues et échafaudages se matérialisèrent autour de l'édifice ; le toit disparut ; les murs perdirent leurs tôles ; des convois de bétonneuses vinrent aspirer le béton des fondations pour le remettre dans leurs cuves ; les poutrelles d'acier furent retirées par une armada de grues, tels les os gigantesques d'un dinosaure enfoui dans une crevasse du Jurassique. Finalement, les six sous-sols furent démontés jusqu'au dernier parpaing, puis un ballet endiablé de camions et d'excavateurs rapportèrent la terre qui avait été enlevée. Il y eut une dernière salve de lumière rouge, et tout disparut.

Le hangar et les installations souterraines avaient cessé d'exister.

Le spectacle avait laissé les enfants bouche bée, comme s'ils avaient vu E.T., à cheval sur le dos d'un brontosaure, s'envoler vers la lune.

– C'est fini ? articula Doogie.

– Comme si le hangar n'avait jamais été là, répondis-je.

– Pourtant il a existé, déclara Sasha.

– Un effet résiduel. Un phénomène de traîne. Tout l'endroit a implosé dans le passé.

– Mais si cet endroit n'a jamais existé, insista Bobby, comment se fait-il que j'en aie le souvenir ?

– Ne commence pas à tout compliquer ! rétorquai-je.

Nous nous installâmes dans le Hummer – cinq adultes, quatre enfants excités, un chien vacillant sur ses pattes et un chat imbu de lui-même. Doogie prit la direction de la Ville fantôme : nous devions nous occuper du cadavre en décomposition de Delacroix et des gros cocons qui décoraient les plafonds de son bungalow – l'endroit avait besoin d'un exorcisme définitif.

En chemin, Aaron Stuart, le coupeur de cheveux en quatre, nous donna sa conclusion, avec solennité, sur la présence du sang de Bobby sur mes mains.

– M. Halloway doit être réellement mort.

– On en a déjà discuté, répliquai-je avec impatience. Il était mort, mais il ne l'est plus.

– Non, il est mort, renchérit Anson.

– C'est bien possible, insista Wendy.

– Vous êtes sourds ou quoi, les gosses ? lançai-je en me retournant vers eux. Il n'est pas mort. C'est un paradoxe, mais il n'est pas mort ! Tout ce qu'il vous suffit de faire, c'est de taper dans vos mains comme dans *Peter Pan*, de croire très fort aux contes de fées et la fée Clochette ressuscitera. C'est pas si compliqué !

– Tout doux, Snowman, intervint Sasha.

– Je suis calme !

Je continuai à regarder les enfants d'un air revêche. Ils étaient assis sur la troisième banquette, juste devant le coffre où se trouvait Orson. Le chien inclina la tête, comme pour me dire : *calme-toi.*

– Tout va bien, assurai-je.

Il renifla d'un air guère convaincu.

Bobby était mort – tout ce qu'il y avait de plus mort. D'accord. Il était temps de tirer un trait là-dessus et de passer à autre chose ! Ici, à Wyvern, la vie continuait parfois même après la mort. C'était ainsi, point !

– Fiston, ton histoire de fée Clochette n'est pas si idiote que ça, annonça Roosevelt – soit il se fichait de moi, soit il perdait la tête.

– C'est vrai, renchérit Jimmy Wing.

– Ça explique tout ! lancèrent en chœur les jumeaux Stuart.

– Le coup de la fée Clochette ! J'aurais dû y penser plus tôt, s'écria Wendy [1].

Mungojerrie miaula (impossible de vous traduire le fond de sa pensée). Doogie monta sur le trottoir et se gara sur la pelouse devant le bungalow de Delacroix. Les enfants restèrent dans le véhicule avec le chat et Orson. Sasha, Roosevelt et Doogie prirent position autour du Hummer, surveillant les alentours. À la demande de Sasha, Doogie avait chargé deux jerricans d'essence dans le coffre. Avec la ferme intention de détruire un autre bien de l'État, Bobby et moi prîmes les bidons et nous dirigeâmes vers le bungalow.

Retourner dans cette petite maison était aussi réjouissant que d'aller chez le dentiste pour une séance de roulette, mais nous étions des hommes, des vrais, et c'est avec courage et détermination – mais néanmoins discrétion – que nous grimpâmes les marches du perron. Une fois dans le salon, nous déposâmes nos bidons en silence – de crainte de réveiller quelque dormeur irascible. J'allumai alors ma lampe. Les cocons suspendus au plafond avaient disparu. Au début, je crus que les occupants, ayant quitté leurs nids douillets, arpentaient le bungalow en toute liberté – Dieu sait sous quelle forme ! Mais je ne distinguai plus le moindre brin de soie – ni au plafond ni au sol.

La chaussette rouge abandonnée, qui avait sans doute

---

1. Wendy est l'un des personnages principaux de *Peter Pan. (N.d.T.)*

appartenu autrefois à l'un des enfants de Delacroix, gisait au même endroit, sous sa couche de poussière. Dans l'ensemble, le bungalow était dans l'état où nous l'avions trouvé la première fois.

Aucun cocon dans la salle à manger, ni dans la cuisine.

Le cadavre de Delacroix avait disparu, lui aussi, ainsi que les photographies de sa famille, le porte-cierge en verre, la bague et le pistolet avec lequel il s'était donné la mort. Le linoléum était toujours aussi craquelé mais ne présentait aucune trace ou souillure d'origine organique prouvant qu'un cadavre avait pourri là.

– Le Mystery Train n'a jamais été construit, dis-je, donc Delacroix n'est jamais allé... de l'autre côté. N'a jamais ouvert la porte.

– Il n'a donc jamais été infecté... ou possédé. Je ne sais trop comment dire. Et il n'a jamais transmis son mal à sa famille. Les Delacroix seraient donc tous sains et saufs ?

– Je l'espère. Mais comment se fait-il que nous nous souvenions de son cadavre ?

– Un paradoxe, répondit Bobby, comme s'il avait décidé de se satisfaire de cette explication lumineuse. Que fait-on ?

– On fout le feu quand même, déclarai-je.

– Pour être sûr ?

– Non, parce que je suis un pyromane dans l'âme.

– Première nouvelle.

– Réduisons en cendres cette bicoque !

À plusieurs reprises, alors que nous déversions notre essence dans les pièces du bungalow, je dus m'interrompre, croyant entendre du bruit à l'intérieur des murs. Chaque fois que je tendais l'oreille, les bruits cessaient.

– Des rats, suggéra Bobby.

La réponse de Bobby m'inquiéta davantage. S'il avait entendu quelque chose, c'étaient que ces bruits existaient bel et bien. En outre, ce n'étaient pas des grattements ou des petits cris de rongeurs que l'on entendait, mais des chuintements liquides.

– De gros rats, répéta-t-il avec davantage de force, mais moins de conviction.

Pour me rassurer, j'en déduisis que nous étions sous l'effet des vapeurs d'essence et que nous ne pouvions plus nous fier à nos sens. Il n'empêche que je m'attendais à tout instant à entendre des voix me susurrer : *Reste, reste, reste...*

Nous sortîmes du bungalow indemnes, sans avoir servi de nourriture aux hypothétiques rongeurs. En vidant le dernier litre d'essence, je traversai le perron, descendis les marches et m'éloignai dans l'allée, afin d'allumer le feu à distance. Doogie recula le Hummer dans la rue, loin de la maison.

Le clair de lune recouvrait la Ville fantôme. Chaque bâtisse semblait abriter quelque créature hostile, nous épiant derrière les fenêtres obscures.

Après avoir vidé le bidon, je retournai voir Doogie pour lui demander de placer l'une des roues du Hummer sur la bouche d'égout au milieu de la rue – la bouche d'égout des singes. Lorsque je revins devant le bungalow, Bobby alluma la mèche d'essence. Une flamme bleu-orange longea l'allée, gravit les marches du perron...

– Dis-moi, au moment de mourir..., commença Bobby.

– Oui ?

– Est-ce que j'ai crié, pleuré comme une Madeleine ou perdu toute dignité ?

– Tu étais très calme. À part le fait que tu aies pissé dans ton pantalon.

– Mon froc est sec, à présent.

La flamme atteignit le salon gorgé d'essence. Une torche furieuse s'éleva derrière les fenêtres.

– Au moment de mourir..., dis-je tout en reculant du brasier.

– Oui ?

– Tu as dit : *Je t'aime, vieux frère.*

Il grimaça.

– J'aurais pu trouver mieux.

– Et j'ai répondu que c'était réciproque.

– Pourquoi avons-nous dit un truc pareil ?

– Parce que tu étais en train de mourir.

– Mais je suis toujours là.

– C'est assez gênant, effectivement.

– Ce qu'il nous faudrait, c'est un paradoxe personnalisé.
– Du genre ?
– Où on se souviendrait de tout, sauf des paroles.
– Trop tard. J'ai déjà contacté l'église, la salle des fêtes et le fleuriste.
– Je veux être en blanc, répondit Bobby.
– Ce serait une injure à l'Église !

Nous tournâmes le dos au bungalow en flammes et nous dirigeâmes vers le Hummer. La lumière de l'incendie projetait l'ombre mouvante des arbres en travers de la chaussée. Des cris stridents et familiers rententirent alors dans la nuit. À une centaine de mètres, une troupe de rhésus fondait vers nous. Le Mystery Train et son cortège d'horreurs avaient peut-être disparu, mais les conséquences fâcheuses des travaux de Wisteria Jane Snow perduraient.

Nous grimpâmes dans le véhicule. Doogie verrouillait les portes depuis le tableau de bord au moment où les singes sautaient sur le Hummer.

– Roule ! Démarre ! Ouah ! Miaou ! lança tout le monde, comme si Doogie avait besoin de quelque encouragement.

Il écrasa la pédale de l'accélérateur, laissant derrière lui une part de la meute hurlant de frustration. Nous n'en avions toutefois pas terminé avec les rhésus. Plusieurs singes s'accrochaient encore à la galerie de toit. Un animal particulièrement belliqueux, suspendu aux barres, la tête en bas, semblait vociférer des obscénités et martelait de ses poings la vitre de la portière. Orson, de l'autre côté, grognait tout en faisant son possible pour rester debout sous les coups de volant de Doogie, qui essayait de faire lâcher prise à nos assaillants.

Un autre rhésus vint se poster devant le pare-brise, masquant la visibilité. D'une main, il s'agrippait à un essuie-glace pour ne pas tomber et de l'autre, il tapait contre la vitre avec une petite pierre. Dès le second coup, elle s'étoila.

– Ça suffit ! lança Doogie en actionnant ses essuie-glaces.

Le bras du balai pinça la main du rhésus. Surpris, il poussa un cri, lâcha prise, roula sur le capot et disparut sur le côté du Hummer. Les jumeaux Stuart applaudirent.

À l'avant, il y eut un autre choc, à côté de Roosevelt et

Mungojerrie, à la place passager. Le chat souffla de surprise. Un autre singe se tenait derrière la vitre, tête en bas lui aussi. Il tenait une pince multiprise, qu'il utilisait pour cogner contre la vitre. Ce n'était pas l'outil idéal pour le travail, mais c'était bien plus efficace qu'une pierre. Au second essai le verre céda. Au moment où la vitre se couvrait d'un millier de fissures, le chat bondit des genoux de Roosevelt, sauta sur l'appui-tête, et, en trois bonds, atterrit sur la dernière banquette arrière. La retraite de Mungojerrie avait été si rapide qu'il s'était déjà réfugié entre les enfants lorsque les premiers éclats de verre tombèrent sur les genoux de Roosevelt. Doogie avait besoin de ses deux mains pour tenir le volant, et il lui était impossible de tirer sur le singe sans faire sauter la tête de notre docteur ès communication animale. Sitôt que le singe fut dans l'habitacle, il passa devant Roosevelt, gueule ouverte, montrant ses crocs et agitant sa pince, et fondit avec la rapidité du chat sur la seconde banquette, où je me trouvais assis entre Bobby et Sasha.

Curieusement, il fonça droit sur Bobby. Peut-être croyait-il que c'était lui le fils de Wisteria Jane Snow ? Ma mère était leur créatrice ; dans la société des singes je faisais figure de fils honni de Frankenstein. J'entendis la pince frapper le crâne de Bobby, mais l'impact manquait de puissance, l'animal n'ayant pu armer suffisamment son coup. Bobby parvint à l'attraper par le collet et referma ses doigts autour de sa petite gorge. Le singe lâcha la pince pour se protéger. Seul un exterminateur de singes irresponsable aurait osé faire usage d'une arme à feu dans un endroit aussi exigu. Tandis que Doogie continuait de slalomer sur la route, Sasha, sur ma droite, baissa la vitre. Bobby me tendit son trophée. Je glissai mes mains sous les siennes pour poursuivre la stangulation et permettre à Bobby de lâcher prise. Tout se passa très vite, trop vite. Le rhésus se débattait comme un petit diable, crachant, donnant des coups de pied, des coups de poing avec une force surprenante dans la mesure où son cerveau ne recevait plus ni sang ni oxygène – douze kilos de singe en furie vous attrapant les cheveux, cherchant à vous arracher les yeux, les oreilles, vous fouettant de sa queue tout en se tortillant comme une anguille. Sasha se baissa. Je me penchai au-dessus d'elle, le singe à bout de bras, tentant à la fois de l'étouffer et de l'éjecter du Hummer. Dès qu'il fut hors de l'habitacle, de l'autre côté de la portière, j'écartai les mains pour le laisser tomber au-dehors, et Sasha remonta aussitôt la vitre.

– Ne me refaites plus jamais ça ! lâcha Bobby.

– D'accord.

Un autre sac à puces descendit du toit, avec la ferme intention de rentrer dans l'habitacle par la vitre cassée, mais Roosevelt l'accueillit d'un coup de poing. L'animal, comme projeté par une catapulte, décrivit un arc de cercle dans la nuit.

Doogie continuait à zigzaguer. À l'arrière, le singe accroché la tête en bas à la galerie était projeté de droite à gauche contre la vitre du hayon. Orson perdait l'équilibre mais se relevait aussitôt, grognant et retroussant les babines, pour avertir l'intrus de ce qui l'attendait s'il s'avisait d'approcher. Derrière les va-et-vient de pendule du singe, j'aperçus le reste de la troupe qui continuait à nous donner la chasse. Le slalom de Doogie avait permis de nous débarrasser d'un de nos attaquants mais nous ralentissait considérablement. Nos poursuivants aux yeux jaunes gagnaient du terrain. Notre Viking cessa donc ses coups de volant, accéléra à fond et tourna au premier angle de rue. Nous étions encore plaqués contre le flanc du véhicule sous l'effet de la force centrifuge lorsque Doogie écrasa la pédale de frein.

Devant nous, une meute de coyotes.

Le singe accroché au hayon arrière poussa un cri à la vue de la meute et s'enfuit sans demander son reste. La bande de coyotes, environ une cinquantaine d'individus, se scinda en deux à l'approche du Hummer comme de l'eau devant l'étrave d'un bateau. Je tressaillis à l'idée qu'il leur prenne l'envie de nous rendre visite en passant par la vitre cassée. Avec leurs crocs acérés, ils seraient des adversaires plus redoutables encore que les rhésus. Mais aucun d'entre eux ne montra quelque intérêt pour la viande humaine en boîte et la meute se referma dans notre sillage. La troupe de singes déboucha alors du virage et se retrouva nez à nez avec les coyotes. Les rhésus sautèrent en tous sens sous la surprise, comme sur un trampoline géant, et, en bêtes avisées, prirent la fuite. La meute de coyotes leur donna aussitôt la chasse.

Les enfants encouragèrent la charge canine.

– Sauvés par la cavalerie ! lança Sasha.

Doogie nous fit enfin sortir de Fort Wyvern. Le ciel s'était dégagé. La lune brillait, haut dans le ciel, ronde comme la ronde du temps.

27.

Avant minuit, tout fut terminé. Nous ramenâmes tous les enfants chez eux. Les larmes ne sont pas toujours amères. Chaque fois, les pleurs inondant le visage des parents étaient doux et heureux. Lorsque Lilly Wing me regarda, avec Jimmy dans ses bras, je vis luire dans ses yeux la flamme que je brûlais d'y voir jadis mais qui ne m'était plus aussi précieuse aujourd'hui.

Une fois rentrés à la maison, Sasha, Bobby et moi nous préparâmes pour un pique-nique sur la plage. Roosevelt préféra retourner à son joli yacht couvrir son œil enflé d'une escalope.

– Je me fais vieux, les enfants. Allez faire la fête, moi je rentre me coucher.

N'étant pas de garde à la radio, Doogie avait prévu un rendez-vous galant pour minuit. Apparemment il n'avait jamais douté rentrer vivant du pays des merveilles, et d'humeur mutine, par-dessus le marché !

– J'ai juste le temps de prendre une douche, lança-t-il. Je sens le singe à dix pas !

Tandis que Bobby et Sasha chargeaient nos planches dans la Ford Explorer, je lavai mes mains tachées de sang puis, suivi d'Orson et de Mungojerrie, je me dirigeai vers la salle à manger afin d'écouter la cassette de Leland Delacroix pour la troisième fois. Apparemment elle avait disparu, à l'instar du bâtiment qui abritait le Mystery Train. Si Delacroix ne s'était jamais suicidé, n'avait jamais travaillé sur ce train de malheur, n'était jamais allé de l'*autre côté*, aucune cassette n'avait été enregistrée. Je me dirigeai alors vers les rayonnages où Sasha rangeait ses cassettes. La copie du testament de Delacroix était toujours là, avec l'étiquette « Tequila Cirrhose blues ».

– Elle doit être vierge, articulai-je.

Orson me regarda d'un air interrogateur. La pauvre bête avait besoin d'être lavée, désinfectée et pansée. Sasha, toujours plus vive que moi, avait déjà chargé dans la voiture une trousse de soins. Mungojerrie attendait, assis à côté du magnétophone, que je revienne avec la cassette. Je glissai celle-ci dans l'appareil et enfonçai le bouton « lecture ». Le chuintement de la bande magnétique. Un clic. Le bruit d'une respiration. Puis des sanglots étouffés. Et enfin la voix de Delacroix : *Ceci est une mise en garde, un testament.* Je pressai la touche « stop ». Pourquoi la copie était-elle toujours-là, alors que l'original avait disparu ? Comment Delacroix avait-il pu enregistrer ce testament puisqu'il n'était jamais monté dans le Mystery Train ?

– Encore un paradoxe, marmonnai-je.

Orson hocha la tête. Mungojerrie me considéra un moment et bâilla – à ses yeux, j'étais visiblement un demeuré. Je pressai le bouton d'avance rapide jusqu'au moment où Delacroix énumérait les gens impliqués dans le programme. Le premier de la liste, conformément à mes souvenirs, était le Dr Randolph Josephson. Un scientifique civil et chef du programme.

Dr Randolph Josephson.

John Joseph Randolph.

À sa sortie du centre de détention pour mineurs, Johnny Randolph était sans doute devenu Randolph Josephson. Fort de cette nouvelle identité, il avait suivi des études – et quelles études ! – et accompli une destinée entrevue le jour où un corbeau s'était arraché de sa matrice de pierre.

Il y avait deux explications. Soit le diable en personne avait rendu visite au petit Johnny, sous la forme d'un corbeau, pour lui intimer l'ordre de tuer ses parents et de développer une machine – le Mystery Train – afin d'ouvrir entre ici et les enfers une porte par laquelle des hordes d'anges noirs et de démons déferleraient chez nous. Soit un petit garçon, tueur en herbe, avait lu une histoire semblable dans quelque BD à la manque et avait repris l'intrigue à son compte, convaincu que sa mission sur terre était de construire cette machine infernale. Certes, il pouvait paraître curieux qu'un psychopathe sadique ait pu devenir un scientifique susceptible de convaincre le gouvernement d'allouer clandestinement des milliards de dollars au financement de ses recherches. Mais il fallait garder à l'esprit que Randolph était un psychopathe maître de ses pulsions, qui parvenait à limiter la fréquence de ses crimes et canalisait dans sa carrière la majorité de ses instincts meurtriers. De surcroît, ceux qui brassaient des milliards de dollars destinés à des opérations top secret n'étaient pas véritablement sains d'esprit, contrairement à vous ou à moi – disons à vous, car il se peut bien que le lecteur qui découvrira les chapitres de mon journal remette en cause mon intégrité mentale. Les gardiens de nos deniers sont sans cesse à la recherche de projets mégalomaniaques, et j'aurais été bien surpris d'apprendre que John Joseph Randolph, alias le Dr Randolph Josephson, était le seul fou dangereux à se voir offrir un pont d'or avec nos impôts.

Randolph était-il mort à Wyvern, lors du recul frénétique du temps, sous les milliers de tonnes de terre rapportées par le ballet endiablé des pelleteuses ? Où n'avait-il jamais mis les pieds à la base, jamais mis au point le Mystery Train ? Vivait-il quelque part ailleurs, après avoir passé la dernière décennie à travailler sur un autre projet – un projet similaire ? Le grand chapiteau de mon imagination se dressait de nouveau devant moi. J'eus l'impression subite que Randolph se trouvait derrière la fenêtre de la salle à manger, épiant le moindre de mes faits et gestes. Je me retournai, traversai la pièce et tirai le store en toute hâte. Personne.

J'écoutai la suite de la liste de noms sur la cassette. Le dix-huitième nom était Conrad Gensel. Il s'agissait bien de l'affreux court sur pattes avec les petites dents et les yeux jaunes. Peut-être était-il l'un des rares « temponautes » passé de l'autre côté et revenu en vie ? Peut-être avait-il entrevu pour lui une grande destinée dans ce monde au ciel rouge ? Peut-être avait-il perdu la raison après ce qu'il avait découvert là-bas ? Une chose était certaine, Randolph et Conrad ne s'étaient pas rencontrés à un bal de bienfaisance ou à un festival baba cool.

Les poils de ma nuque se hérissèrent. Si le Mystery Train avait été démantelé jusqu'au dernier boulon, je n'étais pas persuadé que nous en ayons totalement terminé avec lui... Si ce n'était pas Randolph qui m'épiait, le nez plaqué contre la vitre, ce devait être Conrad Gensel... Je me dirigeai de nouveau vers la fenêtre, hésitai un instant, puis glissai un œil derrière le rideau. Pas de Conrad. Le chien et le chat m'observaient avec curiosité, amusés par mon petit manège.

– La question, leur expliquai-je tout en les conduisant vers la cuisine, c'est de savoir si la porte de Randolph menait aux enfers ou ailleurs.

Le financement de ses travaux aurait été réduit à une misère s'il avait avoué vouloir construire un pont vers la villégiature de Belzébuth. Les financiers de l'ombre préféraient croire dans le voyage dans le temps – du fond de leur folie, cela leur semblait rationnel.

Je sortis un paquet de saucisses de Francfort du congélateur.

– Et à en croire ce qu'il nous a dit, il doit s'agir d'une sorte de voyage temporel – en avant, en arrière... et sur le *côté*.

Je restai immobile un moment à soupeser la question, les saucisses congelées dans les mains. Orson se mit à tourner autour de moi.

– Supposons qu'il existe des mondes dans des branches du temps voisines de la nôtre, des mondes parallèles. Selon la physique quantique, un nombre infini d'univers existent simultanément au nôtre, tout aussi réels et tangibles. Nous ne pouvons les voir, pas plus qu'ils ne peuvent nous voir. Les réalités des uns et des autres ne se croisent jamais. Excepté, peut-être, à Wyvern. Là-bas, le Mystery Train, comme un mixer géant, mélangeait les réalités, les battait en neige.

Mungojerrie aussi tournait autour de moi, imitant Orson.

– Ne serait-il pas possible qu'un de ces mondes soit si terrible que nous le prenions pour l'enfer ? De la même manière, il existe peut-être parmi cette infinité un monde parallèle si radieux que rien ne le distinguerait du Paradis ?

Les deux bêtes étaient tellement absorbées par la

contemplation des saucisses dans mes mains que si Orson s'était arrêté sans crier gare, le chat lui serait rentré dedans ! J'ouvris enfin le paquet, disposai les saucisses dans une assiette et me dirigeai vers le micro-ondes. Mais je m'arrêtai à mi-chemin, pris d'une idée subite.

– En fait, il est bien possible que certaines personnes – des médiums, des mystiques – aient pu voir au-delà des barrières séparant les cours du temps. Peut-être ont-ils eu des visions de ces mondes mitoyens ? Peut-être est-ce là l'origine de notre croyance en l'au-delà ?

Bobby était entré dans la cuisine. Il écouta la fin de mon monologue puis se plaça derrière Orson et Mungojerrie et se mit à tourner avec eux autour de moi.

– Si nous passons réellement dans l'un de ces mondes à notre mort, dans un monde parallèle, pouvons-nous encore parler de religion ou de science ?

– En attendant, toi, tu parles trop ! lança Bobby. Quand toi tu penses métaphysique, nous, on pense saucisses !

Obéissant à son rappel à l'ordre, je plaçai l'assiette dans le four. Lorsque les saucisses furent chaudes, j'en donnai deux à Mungojerrie et six à Orson. Quand j'avais forcé Orson à pénétrer dans la base, la nuit précédente, je lui avais promis triple ration de saucisses, et j'étais du genre à tenir mes promesses. Je n'en donnai pas une seule à Bobby, parce qu'il m'avait fait faire un sang d'encre.

– Regarde ce que j'ai trouvé, annonça-t-il tandis que je me lavais les mains pour me débarasser de la graisse des Francforts.

Mes doigts étaient encore dégoulinants d'eau quand il me tendit la casquette Mystery Train.

– C'est impossible. Ce programme ne peut pas exister, dis-je. Si tout le bâtiment et les installations avaient disparu, pourquoi cette casquette aurait-elle été fabriquée ?

– Le Mystery Train n'existe pas. Mais autre chose existe…

Interdit, je retournai la casquette dans mes mains. Les mots « Tornado Alley » avaient remplacé « Mystery Train ».

– Qu'est-ce que ça veut dire ? soufflai-je.

– J'en sais rien, mais c'est…

– Terrifiant.

– Tu l'as dit.

– Pire que ça. Cauchemardesque !

Peut-être Randolph, Gensel et consorts se trouvaient-ils ailleurs, non plus à Wyvern, mais dans une autre partie du monde, en train de travailler sur le même projet, nommé différemment. Non, rien n'était terminé…

– Tu vas la porter ? s'enquit Bobby.

– Non.

– Sage décision.

– Autre chose, ajouta-t-il. Qu'est-ce qui est réellement arrivé à mon double mort ?

– Ça ne va pas recommencer ! Il a cessé d'exister, point barre !

– Parce que je ne suis pas mort ?

– Probable. Je ne suis pas Einstein !

Il fronça les sourcils.

– Et si je me réveille un beau matin avec mon macchabée à côté de moi, en train de pourrir et de se liquéfier dans mon lit ?

– Tu changeras de draps.

Une fois fin prêts, nous roulâmes vers la pointe nord de la baie, là où le bungalow de Bobby – une petite merveille de teck et de verre – dominait la plage dans un isolement magnifique. En chemin, Sasha s'arrêta à une cabine téléphonique. Elle déguisa sa voix, imitant celle de Mickey Mouse (pourquoi Mickey, grands dieux, l'un des personnages du *Roi Lion* aurait été bien plus approprié, à mon sens !) – et appela la police pour les prévenir du carnage chez les Stanwyk.

– Il y a quelque chose qui me tracasse, marmonna Bobby.

– Oui ?

– Qui a placé la casquette Mystery Train pour que tu la retrouves ? Qui a glissé sous l'essuie-glace la carte de Delacroix hier soir ?

– Va savoir.

– Tu as bien une petite idée ?

– Grosse Tête ?

– Sans blague ?

– À mon avis, il est bien plus intelligent qu'il ne le paraît.

– C'est un mutant, un monstre, insista Bobby.

– Moi aussi, non ?

– Ça va, un point pour toi.

Une fois chez Bobby, nous enfilâmes nos combinaisons et chargeâmes dans l'Explorer une glacière pleine de bières et un assortiment de victuailles. Avant de filer à l'eau, il nous fallait lever un dernier mystère – pour que je cesse de surveiller les fenêtres, de crainte d'être épié par le machiniste fou du Mystery Train.

Les moniteurs dans le bureau de Bobby arboraient un patchwork de cartes aux couleurs chatoyantes, de graphiques, de photos satellites et de données en temps réel envoyées par les stations météo de la terre entière. C'est ici, avec l'aide de ses employés, dans ses bureaux de Moonlight Bay, que Bobby informait ses adhérents surfeurs des conditions climatiques et océaniques aux quatre coins de la planète. N'ayant jamais eu la fibre informatique, je laissai Bobby pianoter sur un clavier et consulter sur Internet la liste des plus grands scientifiques américains en activité. La logique voulait qu'un génie fou, obsédé par le voyage dans le temps, décidé à prouver l'existence de mondes parallèles au nôtre pouvant être ralliés par des mouvements transversaux sur la trame du temps, était devenu physicien – et un physicien de renom, jouissant de gros budgets de recherches.

Bobby trouva le Dr Randolph Josephson en trois minutes. Il vivait à Reno et travaillait à l'université du Nevada.

Mungojerrie sauta sur la console pour examiner avec intérêt les informations sur l'écran. Il y avait même une photo. C'était lui, notre savant fou ! Malgré les fermetures massives des bases militaires après la fin de la guerre froide, le Nevada conservait quelques centres de recherches. On pouvait raisonnablement supposer que des programmes top secret comparables à ceux de Wyvern étaient menés dans l'une de ces bases.

– Il a peut-être migré à Reno après la fermeture de Wyvern ? avança Sasha. Cela ne signifie pas pour autant qu'il soit encore en vie. Il a pu revenir ici pour kidnapper les gosses et mourir lorsque le bâtiment s'est… désintégré.

– Mais peut-être n'a-t-il jamais travaillé à Wyvern ? Puisque le Mystery Train n'a jamais existé, peut-être est-il resté tout le temps à Reno, occupé à mettre au point le *Tornado Alley* ou Dieu sait quoi ?

Bobby consulta l'annuaire de Reno et obtint le numéro du Dr Randolph Josephson. Il le nota aussitôt sur un carnet.

J'eus la sensation que ces dix chiffres rayonnaient d'une aura malfaisante, comme s'il s'agissait d'un numéro grâce auquel les politiciens véreux pouvaient joindre directement Satan, vingt-quatre heures sur vingt-quatre, tous les jours de l'année – appels en PCV acceptés.

– Tu es le seul à connaître sa voix, annonça Bobby en faisant rouler sa chaise sur le côté pour me laisser la place. J'ai un brouilleur d'appel. S'il se doute de quelque chose, il ne pourra pas nous retrouver.

Je décrochai le combiné. Orson posa sa patte sur le rebord de la table et referma ses griffes sur mon poignet comme pour m'inciter à renoncer.

– Je dois le faire, Orson.

Le chien poussa une petite plainte.

– Il faut que je sache, insistai-je.

Il retira sa patte de mon bras. Malgré un frisson d'angoisse, je composai le numéro. Pendant que ça sonnait à l'autre bout du fil, je me convainquis que Randolph était mort, enterré vivant à l'endroit où s'était trouvé la salle de l'Œuf miniature. Il décrocha à la troisième sonnerie. Je reconnus sa voix aussitôt, dès le premier *allô*.

– Dr Randolph Josephson ? demandai-je.

– Oui ?

Ma bouche était sèche, ma langue collait à mon palais comme du Velcro.

– Allô ? Qui est à l'appareil ? s'impatienta-t-il.

– Vous êtes celui qui s'appelait autrefois John Joseph Randolph, n'est-ce pas ?

Il ne répondit pas. J'entendais sa respiration à l'autre bout du fil.

– Vous croyez votre casier judiciaire définitivement effacé ? Vous pensiez vraiment pouvoir tuer vos parents et vous en sortir blanc comme neige ?

Je reposai le combiné si vite qu'il oscilla un moment sur son support.

– Et maintenant ? s'enquit Sasha.

– Peut-être que, dans cette vie-là, avança Bobby en se levant de sa chaise, notre affreux n'a pas eu les fonds pour mener à bien son projet aussi vite qu'à Wyvern. Il n'a peut-être pas encore commencé la construction d'un autre Mystery Train opérationnel.

– Mais si c'est le cas, poursuivit Sasha, comment allons-nous l'arrêter ? En faisant un saut à Reno pour lui mettre une balle dans la tête ?

– En dernier recours seulement, répondis-je. J'ai pris quelques coupures de journaux accrochées dans le tunnel, sous la salle de l'Œuf. Elles étaient encore dans ma poche lorsqu'on est rentrés à la maison. Elles ne se sont pas volatilisées comme... le cadavre de Bobby. Cela signifie que Randolph a commis ses meurtres. Son rituel annuel. Je passerai peut-être un appel anonyme à la police demain matin, pour leur annoncer que c'est lui le coupable. S'ils se penchent sur son cas, ils pourront peut-être trouver chez lui des notes compromettantes, qui sait ?

– Même s'ils le coincent, déclara Sasha, le programme se poursuivra sans lui. Une nouvelle version du Mystery Train pourra être construite et les portes entre les réalités seront de nouveau ouvertes.

Nous nous regardâmes tous tour à tour. Mungojerrie, Orson, Sasha, Bobby...

– Alors nous sommes fichus, conclut Bobby.

– Je téléphonerai aux flics demain. C'est ce qu'il y a de mieux à faire. Si les flics ne peuvent pas le coincer, alors...

– Alors, poursuivit Sasha, Doogie et moi irons faire un tour à Reno pour nous occuper de cette ordure.

– Décidément, tu as choisi une sacrée bonne femme ! lança Bobby.

Les vagues nous attendaient. Sasha traversa les dunes sous la lune, sinuant entre les massifs d'herbe couleur argent, et se gara sur la plage, juste au-dessus de la ligne de pleine mer. Venir en voiture jusqu'ici était parfaitement interdit, mais nous revenions des enfers et aucun châtiment ne nous semblait bien inquiétant.

Nous étendîmes des plaids sur le sable, à côté de l'Explorer. J'allumai notre lampe à pétrole.

Un grand bateau mouillait à l'embouchure de la baie. Les lumières de bord étaient trop rares pour me permettre de reconnaître sa silhouette, mais j'étais certain de n'avoir jamais vu un bâtiment de ce type croisant dans ces eaux. Une bouffée d'angoisse monta en moi – pas de quoi me faire plier bagage et rentrer chez moi, cependant.

Les vagues étaient mignonnettes, environ deux mètres de la base à la crête. Le courant était juste assez fort pour creuser des rouleaux. Sous le clair de lune, l'écume scintillait tels des chapelets de perles au cou des sirènes. Sasha et Bobby mirent leurs planches à l'eau et ramèrent vers la ligne des déferlantes. Je pris mon premier tour de garde, avec pour compagnons Orson, Mungojerrie et deux fusils. Même si le Mystery Train n'existait plus, le rétrovirus de ma mère était toujours à l'œuvre. Peut-être le vaccin tant espéré était-il en bonne voie, mais, en attendant, la population de la ville mutait. Les coyotes ne pouvaient avoir décimé toute la troupe de rhésus. Une dizaine de singes, au minimum, erraient quelque part, nourrissant des sentiments guère recommandables à notre endroit.

Je pansai les plaies d'Orson. Les entailles sur son museau, près de la truffe, étaient moins sérieuses qu'elles ne le paraissaient de prime abord, mais les cartilages de son oreille étaient en bouillie. Demain matin, il faudrait que je demande à un vétérinaire de passer. Peut-être était-il possible de réparer les dégâts ? La solution antiseptique dût le brûler, mais Orson n'émit aucune plainte. C'était un bon chien, et même une « belle personne ».

– Toi aussi, je t'aime, vieux frère.

Il me lécha le visage.

Je jetai involontairement des coups d'œil à droite à gauche, m'attendant à voir fondre sur moi un groupe de rhésus en furie ou John Joseph Randolph, ou encore Hodgson dans sa combinaison spatiale, le visage grouillant de créatures indéfinissables. Après ce méli-mélo frénétique des temps qui avait mis en pièces les réalités, peut-être le monde ne pourrait-il jamais être raccommodé convenablement, revenir à son état d'antan, bien stable et rassurant ? Malgré moi je songeais que tout pouvait arriver, d'un instant à l'autre. *Tout.*

J'ouvris deux bières, une pour moi, une pour Orson. Je lui versai sa boisson dans un bol en lui suggérant d'en laisser un peu pour Mungojerrie. Mais le chat, après avoir goûté au breuvage, fit une mine dégoûtée.

La nuit était douce, le ciel piqueté d'étoiles, et les bruits des rouleaux résonnaient comme un cœur infini. Une ombre passa devant la lune. Un simple faucon – et non une gargouille. Cette créature, avec ses ailes de peau et sa longue queue, était également affublée de cornes, de sabots de bouc et d'une face hideuse – hideuse parce que trop humaine pour être montée sur un corps aussi monstrueux. De telles créatures étaient représentées dans des livres depuis la nuit des temps, et sous chaque gravure, chaque dessin, on retrouvait la même légende : *le démon.* Je préférai chasser ces pensées de mon esprit.

Au bout d'un moment, Sasha sortit de l'eau, ravie et hors d'haleine. Orson se mit à haleter en retour, pensant qu'elle voulait converser. Bobby chevauchait encore ses rouleaux de nuit.

– Tu as vu le bateau, là-bas ? demanda-t-elle.

– Il est gros.

– On a ramé un peu plus loin que nécessaire. Pour jeter un coup d'œil. C'est un bateau de l'US Navy.

– Jamais un bateau de guerre n'a mouillé ici.

– Il se passe quelque chose.

– Il se passe toujours quelque chose.

Un frisson me traversa. Un vaccin et un sérum arrivaient peut-être. Ou alors les huiles avaient décidé que la seule façon d'étouffer l'affaire et d'éradiquer la propagation du rétrovirus était d'effacer la base et Moonlight Bay de la carte – d'un coup de gomme atomique, auquel le plus revêche des virus ne survivrait pas. Grâce à une propagande bien menée, ils arriveraient à faire croire que la destruction de la ville était l'œuvre de terroristes. Je préférai chasser ces nouvelles pensées.

– Bobby et moi allons nous marier, annonçai-je.

– C'est normal, après une déclaration d'amour.
– C'est ce qu'on s'est dit.
– Qui sera la demoiselle d'honneur ? demanda Sasha.
– Orson.
– Il y a un léger problème de sexe.
– Tu veux être mon témoin ?
– Bien sûr, à moins que d'ici là, je me sois tirée, parce que j'en aurais eu ma claque d'être poursuivie par des singes psychotiques et je ne sais quoi encore ! Va donc surfer quelques vagues, Snowman.

Je me levai et pris ma planche sous le bras.

– Je planterai Bobby sans vergogne devant l'autel si je pensais que tu étais prête à m'épouser, lançai-je avant de me diriger vers l'eau.

Elle me laissa faire quelques pas avant de rétorquer :

– C'est une proposition ? cria-t-elle.
– Oui ! criai-je en retour.
– Connard !
– Serait-ce un assentiment ? rétorquai-je en commençant à patauger dans l'eau.
– Tu ne t'en tireras pas à si bon compte ! J'ai droit à un peu de romantisme !
– Alors c'est oui ?
– C'est oui !

L'eau jusqu'aux genoux, je me retournai vers Sasha, qui se tenait debout dans le halo de la lampe à pétrole. Si Kaha Huna, la déesse du surf, pouvait descendre sur terre, elle était là, cette nuit, devant mes yeux, et non pas à Waimea Bay, réincarnée en Pia Klick.

Orson se tenait à côté d'elle, agitant sa queue, ravi à l'idée d'être la demoiselle d'honneur. Soudain, sa queue se figea. Il trotta vers l'eau, leva le museau et huma l'air en direction du bateau de guerre ancré dans la baie. Rien ne semblait avoir bougé sur le bâtiment, mais quelque chose avait visiblement inquiété Orson.

Les vagues étaient trop belles. Comment résister ? *Carpe diem, Carpe noctem. Carpe aestus* – retiens le surf.

La houle nocturne venait de Tortuga, de Tahiti, de Bora

Bora, des Marquises, de mille lieux baignés de lumière que je ne verrai jamais, là où le ciel des tropiques brûlait d'un bleu chatoyant qui m'était à jamais interdit... Allons ! toute la vraie lumière était avec ceux que j'aimais, aveuglante comme un soleil.

Toute correspondance avec l'auteur doit être adressée à :
Dean Koontz
P.O. Box 9529
Newport Beach, CA 92658

Table

Achevé d'imprimer sur les presses de
Quebecor World L'Éclaireur
Beauceville